ANGLICISMOS HISPÁNICOS

BIBLIOTECA ROMÁNICA HISPÁNICA
FUNDADA POR
DÁMASO ALONSO
II. ESTUDIOS Y ENSAYOS, 396

Diseño gráfico e ilustración:
Manuel Janeiro

Depósito legal: M. 17815-1996.
ISBN 84-249-1809-6.
Impreso en España. Printed in Spain.
Gráficas Cóndor, S.A.,
Sánchez Pacheco, 81, Madrid, 1996-6816.

EMILIO LORENZO

ANGLICISMOS HISPÁNICOS

BIBLIOTECA ROMÁNICA HISPÁNICA

A Verónica, hija paciente

En boses mas baxas le oy desir:
10 «¡Salue, Regina! ¡Saluadme, Señora!»
e a las de vezes me paresçie oyr:
«*Mod hed god hep,*[*] *alumbradm' agora*».

Cancionero de Baena (ed. crít. de J. M. Azácete, Madrid, C. S. I. C., 1966, pág. 413).

[*] M. Pidal interpreta estas palabras inglesas así: *Mother, good help* (Madre, socorro).

W. J. Entwistle, en cambio, las interpreta así: *Mother of God, help!*

Rafael Lapesa, apoyándose en Nelson W. Eddy, comenta: «La primera frase en inglés citada en textos españoles (y por un genovés que no era Colón). [Miçer Françisco Ynperial, natural de Jenoua] con motivo del nacimiento de Juan II el 6 de marzo de 1405 en Toro».

INTRODUCCIÓN

Aunque la prensa y los escritores en general se lamenten a diario de falta o deserción de lectores, atraídos por otras seducciones audiovisuales que exigen mínimo esfuerzo para disfrutarlas, el hecho es que la oferta de letra impresa, si hacemos caso a las estadísticas, nunca fue tan atractiva y abundante. De hacerla así se encargan refinados mecanismos de análisis de mercados y de gustos de la posible clientela, que no siempre responde a las incitaciones de dicha oferta. El asunto que tratan las páginas que siguen —la anglomanía, en concreto, el anglicismo lingüístico— no ha sido objeto de una campaña publicitaria, pues se vende solo, como el buen paño en el arca. Otra cosa es la preocupación por el exceso de mercancía ofrecida, sentida por gentes bienpensantes que temen en mayor o menor grado la degeneración del propio idioma. Una visión global y sensata del problema nos la ofrecen las siguientes líneas de un observador de excepción —lector y oyente— de la realidad lingüística hispánica: «La extensión territorial del español lo hace especialmente poroso para absorber neologismos. Son muchos los países en que a éstos se les ofrece carta de ciudadanía; digo que se les brinda, pues ellos no invaden y nunca acuden si no son llamados. Ojalá nos mostráramos menos activos en tales demandas y más diligentes para crear lenguaje; pero la creatividad idiomática no acontece aislada: surge y actúa como consecuencia de otros desarrollos inventivos que, en gran medida, nos faltan» (F. Lázaro Carreter, *ABC*, 18-7-93, pág. 3). He ahí condensado y diáfano el pensamiento que, diluido y disperso en las páginas que siguen ha informado durante más de cuarenta años mis intervenciones en un terreno en que, por lo regular, comparto las mismas ideas y preocupaciones que mi viejo amigo y compañero, preocupaciones que a su vez, comparten con nosotros muchos hispanohablantes atentos al devenir de la lengua, alarmados sobre todo ante el sinfín de novedades que remozan o corrompen, según se vea, nuestro hermoso idioma[1].

El tema que abordan los distintos escritos reunidos en el presente volumen es, como consta en el título, el anglicismo. La publicación del fascículo XIX del *Diccionario Histórico de la Lengua Española (DHLE)* en 1990 nos permite ver en cabal perspectiva la difusión formal y semántica de los derivados del latinismo *anglus* y de los compuestos que tienen como primer elemento *angli-*, *anglo-*, según los casos. Son unos cincuenta y en una primera ojeada se advierte en seguida que no todos tienen que ver con la lengua inglesa, ni siquiera con Inglaterra. Aunque llevamos más de cuarenta años haciendo uso un tanto impreciso de la voz anglicismo, echamos de menos en el inventario del *DHLE* la palabra (empleada como sinónimo) *anglismo*, que usa a veces el prof. Rodríguez Adrados. No creemos que pueda

[1] Sólo como muestra de esta actitud de vigilancia, reproduzco el jugoso comentario que a un columnista atento le suscita el envío, hecho por un lector, de «auténticas 'perlas', de aberraciones gramaticales y sintácticas que todos cometemos en los 'papeles'». En lo que llama «última remesa» de su corresponsal, C. Manzano, menciona «no menos de doscientos inadecuados infinitivos empleados en titulares —negocia crear, busca defender, etc. —... y cerca de quinientos errores en la traducción de palabras inglesas» a los que «en agradecimiento a su correspondencia y hallazgos» replica con «los últimos 'engendros' detectados por un servidor en la información económica y en la jerga político-tecnocrática». También son «auténticas perlas». Véase una selección: turbulencia coyuntural, estrangulamientos operacionales, concretización de desbordamientos controlados, desequilibrios heterodinámicos... etc., *ABC*, 13-12-92, pág. 51. No entran estas novedades en la categoría de anglicismos, pero comparten con éstos la misma motivación: deseo de distinguirse del vulgo ignaro, aun a costa de sacrificar la claridad del «mensaje» por justificada ignorancia del lector. El columnista, L. I. Parada, es un sagaz observador del lenguaje y buen conocedor del inglés al que hemos de referirnos en más ocasiones.

desplazar al término, hoy usual en todo el mundo hispánico, que encabeza estas páginas, documentado además en su valor de 'modismo de la lengua inglesa', desde 1784. No hace falta resaltar la fecha de ese testimonio ni el hecho de que el término nos llegó con toda probabilidad a través de nuestros vecinos (fr. *anglicisme*), que reconocen su procedencia inglesa (ingl. *anglicism*, cf. *Robert Angl.* s. v.). Esta otra voz, *anglismo*, de perfil semántico todavía borroso, podría valer para abarcar todas esas influencias de orden social, tales como la moda, la religión, el deporte, el comportamiento, etc., que sin ser calificadas de censurables —ése es el denominador común de lo criticado, de ahí el nombre *anglomanía*, galicismo atestiguado ya en 1805— designan objetivamente cuanto consideramos irradiación del fenómeno cultural anglosajón. Ello no excluye, naturalmente, las matizaciones —positivas o negativas— de las distintas ramificaciones del fenómeno registradas en el *DHLE*, algunas, al parecer, superfluas, como *angloparlante* (según el modelo de *galoparlante*, *italoparlante*, etc.), que yo suelo usar frente a *hispanohablante* para subrayar el carácter extranjero de la otra lengua, mas sin atribuirle el valor peyorativo que algunos vigilantes del estilo pretenden atribuir al término. *Parlar*, en su primera acepción, nada tiene de peyorativo. Además, el *DHLE* me ha honrado incluyendo una cita mía, precedida nada menos que por otras dos de don Juan Valera y don Américo Castro. Mas el lexema *angl-* ha dado origen también a los latinismos *ánglico* (1418) y *anglicano*, éste documentado en español (1433) antes de nacer la Iglesia Anglicana, y ambos con el significado neutro de 'inglés'.

Vamos, pues, a abordar cuestiones de variable complejidad que, sin más, se disfrazan, juzgan y rechazan con el vocablo comodín que nos ocupa. Si las páginas que siguen tienen algún mérito especial es el de que aspiran a poner en claro, con los datos hoy disponibles, ese fenómeno de alcance universal en cuanto afecta a la comunidad hispanohablante. Ello ocurre, huelga decirlo, con dosis de intensidad variable según el riesgo de vulnerabilidad del grupo hispánico sometido a su influencia. No es comparable la indefensión del puertorriqueño recién llegado a Nueva York, acogido por parientes o amigos en un ambiente que algunos califican de gueto, víctima de presiones y carencias económicas de todo orden, inseguro de su identidad hispánica, pero consciente de las desventajas patentes entre los hispanos frente a los anglos, no es comparable, repetimos, esta situación de riesgo asumido en el desamparo, con la seguridad que infunde la posición sólida del español en una comunidad —monolingüe o bilingüe— numérica y económicamente competitiva, y sobre todo, la convicción de que bien aprovechada esta lengua, incluso con ayuda de otras, es tan apta y eficaz para una comunicación óptima como el inglés. Porque, ¿qué es el inglés, en rigor, sino un sistema lingüístico lleno de impurezas bien asimiladas procedentes de todas las lenguas del planeta? Precisamente esa capacidad de integración es la clave de su hegemonía, no siempre deliberadamente buscada, pero tampoco rehuida, en el mercado actual de las comunicaciones humanas, sean culturales, políticas, comerciales o meramente de circunstancia.

Hace unos años —en 1987— se publicó en Hungría un volumen monográfico dedicado a examinar la penetración del inglés en las principales lenguas del mundo[2]. Aunque no se logró una representación homogénea y completa de todas ellas, hay que decir que la contribución europea fue muy satisfactoria. Un curso de doctorado sobre el anglicismo en Europa, con aportaciones propias en cuanto al francés, alemán, italiano y, sobre todo, al español, me convenció de que, incluso con trabas políticas, como en la antigua República Democrática Alemana y en Bulgaria, la penetración del inglés resultaba irresistible y el efecto sobre la propia lengua tan intenso, acaso más, como el que sufría la española, estudiada en ese volumen por un buen conocedor del asunto, Chris Pratt, autor de uno de los más documentados y ambiciosos análisis del problema[3], al que volveremos más adelante.

---

[2] *English in Contact with other Languages*, Edit. Wolfgang Viereck, Budapest, Akademiai Kiadó, 1987.

[3] Chris Pratt, *El anglicismo en el español peninsular contemporáneo*, Madrid, Gredos, 1981, 276 págs.

Si dicho problema era ya de actualidad en 1955, cuando publicamos lo que entonces era la primera aportación española al tema, hoy, cuarenta años más tarde, se ha agudizado hasta alcanzar dimensiones entonces inimaginables. Basta pasearse por las calles de cualquier ciudad española o considerar los anuncios de cualquier diario o revista escritos en español, para advertir que hemos llegado a una situación en que la lengua de Madison Avenue, la lengua de la publicidad, aprovecha todos los resquicios para imponer su «mensaje» (Compre usted nuestros productos), que no han de ser necesariamente de origen anglosajón, sino de cualquier país industrializado del mundo, llámese Japón, Alemania, Corea, Taiwan o incluso Francia[4]. El aspecto de una calle madrileña en cuanto despliegue de medios publicitarios en una lengua extranjera nada tiene que envidiar al que en 1967 destacaba Luis Flórez en el «centro de Bogotá (carrera séptima, entre la Plaza de Bolívar y la calle 24)», donde enumera más de cincuenta letreros, entre muchos más, que revelan la presencia del inglés (o seudoinglés) en la capital de Colombia[5]. Tampoco desentona del que en 1985 nos daba Moreno de Alba de la avenida Insurgentes Sur de México[6]. El trayecto final —acera de los nones— de la calle de la Princesa, en Madrid, casi no tiene tiendas de nombre español (el trayecto anterior —acera de los pares— sí tiene una: El Corte Inglés). Aunque el mundo anglosajón no se distingue por la exquisitez de su

---

[4] A manera de muestra citamos varios ejemplos publicitarios de algunos productos extranjeros anunciados en *El País* entre el 9 y el 11 de junio de 1994: We take the world's greatest pictures (Japón); los videos xxx con show view... xxx. Made for you (Alemania); Private banking... Incredibly global, incredibly private (Suiza); Do you think it's intelligent to invest in one currency only? (una Sociedad de Valores ¿multinacional?), etc., etc. Otro testimonio del mismo orden nos lo ofrecen las páginas del mercado de trabajo en la prensa española. En las dedicadas a «Ofertas de Empleo» del domingo 9 de abril de 1995, de *El País Negocios* anotamos siete grandes anuncios escritos exclusivamente en inglés.

[5] Luis Flórez, *Temas de Castellano*, 2.ª edic., Bogotá, 1967, pág. 266.

[6] «Extranjerismos en el lenguaje de la publicidad en la ciudad de México», I *Reunión [1985] de Academias de la Lengua Española sobre el lenguaje y los medios de comunicación*, Madrid, 1987, pág. 191 y sigs.

cocina, dominan en Madrid los restaurantes de nombres ingleses o seudoingleses, aunque los platos ofrecidos evoquen otros sabores: Pizza Hut, Domino's Pizza, House of Ming, Mosquito Coast, Hobbit, Pizza King, Sonora Tex. Mex. Fast Food, M. Commodore, Foster's Hollywood, Jockey, Ribs, Soft Rock (Salad Bar), The Chicago Pizza Pie Factory, Delicatessen (sic), Beef Place, etc.

Sabido es que nuestros vecinos transpirenaicos, más conscientes de las amenazas que se ciernen sobre el francés en cuanto lengua internacional, posición ventajosa que defienden con todos los medios frente a la penetración pacífica del inglés y lo anglosajón en todos los órdenes de la vida moderna, han tomado medidas legislativas para rechazar o frenar ese influjo que, sin duda, puede ser nocivo para la pureza de su lengua. Es evidente que el Gobierno francés no tiene autoridad fuera de su zona de soberanía y que semejantes medidas no podrían adoptarlas, por decreto español, los gobiernos de otros países hispanohablantes, pero el hecho de que en París se pretenda legislar sobre el asunto indica hasta qué punto algunas gentes sienten la gravedad del problema. Entretanto, basta echar una ojeada a la prensa hispánica desde la Patagonia hasta Río Bravo, o en la propia España, para advertir que el tema no preocupa excesivamente a los afectados. En programas de televisión de la semana 31-12-93 a 6-1-94, aparece el título del programa (cine o no) parcial o totalmente en inglés en más de veinte casos, sin contar aquellos en que la película se ofrece en versión original. Dos de estos programas son teóricamente españoles: el *Friqui* (< *free kick*), de carácter deportivo, y *Lingo* (< ingl. *lingo*), de aspiraciones filológicas (?).

Los datos conocidos sobre el influjo voluntario que reciben los hispanohablantes a través del inglés, es decir, aprendiéndolo o tratando de asimilar formas y contenidos de esa lengua, son contradictorios, según las fuentes consultadas, pero no hay duda ya de que hoy son cientos de miles los estudiantes de inglés en toda España, y de ellos decenas de miles los que, no satisfechos con las enseñanzas del aula, viajan cada año, especialmente en vacaciones, a países de habla inglesa (Gran Bretaña, Irlanda, Estados Unidos); muchos otros, de presupuestos más modestos, tienen ocasión de «sumergirse», sin cruzar nuestras fronteras, en ambientes lingüísticos angloparlantes que parecen garantizar una experiencia semejante. Los anuncios insertos en la prensa hispánica de América corroboran ese interés, más o menos comercializado, por la lengua de Shakespeare. En ciertos países como Puerto Rico o Panamá, a pesar del apego firme del pueblo al español, el conocimiento del inglés es algo más que un lujo cultural, como lo es también para los 23/25 millones de hispanohablantes asentados en los Estados Unidos.

Hay otros interesantes datos ilustrativos. Hacia 1950, el centenar y pico de Institutos de Enseñanza Media de España sólo tenían una veintena de profesores de inglés con competencia oficialmente reconocida; el resto había sido reclutado, con mayor o menor acierto, entre las gentes disponibles de cada localidad y con sueldos inseguros o puramente complementarios de los que cobraban regularmente en otras actividades. La enseñanza privada, que atendía entonces a más de un 75% del censo de estudiantes de Bachillerato, se conformaba, por lo regular, con ofrecer sólo cursos de francés, lengua en que la oferta docente era más abundante. Durante los cursos 1955 a 1958 me tocó participar, como miembro de tribunales volantes de reválida, en los exámenes del País Vasco, Castilla la Nueva y Cataluña. El número de alumnos de inglés, incluidos los de los Institutos— donde se enseñaban cuatro lenguas—, no pasaba nunca del 5%; los de francés rebasaban el 90%. Añadamos otro dato, éste del mundo universitario: cuando en 1953 se estableció en Madrid la primera Licenciatura en Filología Inglesa de España, los alumnos de esta especialidad ya duplicaban en número a los de Filología Francesa. Pero duplicar, en aquellas fechas, no significaba mucho: no llegaban a cuarenta. Hoy se acercan a los cuatro mil, pese a que esta licenciatura existe en todas, o casi todas, las universidades españolas en número triplicado (antes eran 12, hoy más de 40), y pese a que la nota media exigida para ser admitido un alumno en esta rama fuera en 1991 (hoy no), juntamente con Medicina, la más alta de la universidad de Madrid (hoy Complutense). Ahora bien, no debemos dejarnos engañar por las cifras, que reflejan más interés por la lengua de Shakespeare que dominio pleno de la misma. Y al decir 'pleno' no cuestionamos una excelente pronunciación y la capacidad de entenderse «como nativos» en determinadas parcelas de la moderna civilización. Lo que echamos en falta a la hora de juzgar estos logros, muchas veces espectaculares, sobre todo entre el «personal femenino», es el descuido notable del español, que a la hora de medir el influjo del inglés resulta a veces lamentable y contribuye, en consecuencia, al uso de los calcos y préstamos que son la materia de nuestro estudio. Eso entre los buenos conocedores del inglés, pero tal vez sea tan grave el caso de los buenos maestros de la prosa española que se aventuran, sin preparación, en algunos de los misterios del inglés que incitan a la traducción fácil e irresponsable y a descuidar la consulta de los diccionarios, cada vez mejores, a su servicio. Merece la pena recordar el comentario de A. Gooch (separata sin fecha ¿1970?): «More serious still is the effect that English is having on the Spanish speaker at home as a result of the vast quantities of badly translated material flooding the spheres of Journalism, radio, television and advertising...». En mis cuadernos de notas figuran, bajo el epígrafe «Sabios», algunos de los infractores que, por vanidad o pura ignorancia, incurren en el disparate o se dejan seducir por los «falsos amigos» (nunca mejor empleado el galicismo) del texto.

Siendo hoy el inglés la lengua de comunicación por antonomasia, y siendo también, como queda dicho, ejemplo vivo del papel que puede desempeñar una lengua llena de «impurezas», nuestro punto de vista, manifiesto más de una vez en las páginas que siguen, es todavía el que, con palabras de Unamuno, sosteníamos en 1955: «Meter palabras nuevas... es meter nuevos matices de ideas»[7]. Mas, aun adoptando esta actitud de indulgencia ante el fenómeno, quedan por despejar bastantes problemas. Creo que el principal es cuantitativo y consiste en la abrumadora penetración, numéricamente sin precedentes, de términos ingleses discutiblemente necesarios. Los mismos

[7] «Sobre la lengua española», en *Ensayos*, I, Madrid, Aguilar, 1945, pág. 322.

angloparlantes se cuestionan a veces si semejante profusión terminológica responde a una necesidad o es pura pirotecnia verbal. Ese es el tono de A. Gooch (*art. cit.*) cuando se pregunta qué falta nos hacen *enfatizar*, *ignorar* 'no hacer caso' e incluso algunas innovaciones académicas del *DRAE*'70 como *controversial*, *masivo*, *permisivo*, *evento*, *panel*, etc. No se libra de su crítica M. A. Asturias, premio Nobel, del cual cita: «Este surmené del time is money todo el trabajo lo hace para mantener su standing» (*Domingos de ABC*, 27-9-70). Sabido es que estamos viviendo una época histórica visiblemente acelerada y que el ser humano no está adaptado a la sucesión constante e inesperada de cambios que experimenta una generación hoy en día. Por ello, en el caso del anglicismo, aun dispuesta a aceptarlo por conveniencia o como mal menor, cualquier lengua, por sana que esté, acaba sufriendo el empacho de las muchas cosas mal digeridas, que el organismo —valga la socorrida metáfora— se niega a asimilar.

Otro aspecto también importante del problema, ya abordado hace muchos años por Dámaso Alonso, es la diversidad de soluciones léxicas y fonéticas que se proponen y adoptan para cada uno de los préstamos, en el sentido más amplio, que tomamos del inglés. No es sólo el caso anecdótico del bolígrafo, citado por el maestro, que ni siquiera fue invento inglés, sino el de soluciones sintácticas al parecer inocuas («el departamento hace lo que está supuesto a hacer = supposed to do, lo que está siendo debatido = what is being debated»)[8], sin

[8] Hay quienes, no habiéndose percatado de las nuevas tendencias lingüísticas, ignoran los matices implícitos en la distinción aceptable / gramatical y entienden que la perífrasis *la ley está siendo debatida por el parlamento* no es más que la transformación pasiva de *el parlamento está debatiendo la ley*. Nadie lo duda. Cuando en 1968 el prof. Manuel A. Ramos (N. York) planteaba el problema de si la construcción *estar + siendo* era un verdadero anglicismo, como afirmaban Alfaro y Gili Gaya, no nos atrevimos a darle la razón, por falta de datos históricos probatorios. Tampoco pueden condenarse como anglicismos los abundantes usos de la pasiva con *ser* en la prensa, en traductores y en escritores sometidos al influjo del inglés. Lo que constituye un anglicismo es la profusión de estas construcciones, que si bien están documentadas en su forma más simple (*el orador fue muy aplaudido*) no creo que lo estén tanto en *el orador está siendo muy aplaudido* y menos aún en *el avión fue visto estallar por los*

olvidar las discrepancias en el uso de nombres propios tomados de la onomástica o de la toponimia, en que los hispanohablantes, a pesar de la labor benemérita de la Comisión Permanente de Academias, no acaban de ponerse de acuerdo. Las decisiones rápidas y casi siempre acertadas que adoptan los redactores adscritos al programa llamado «Español Urgente», de la Agencia EFE, no tienen el eco y los seguidores que la idea —solución rápida en proyección multinacional de problemas surgidos en noticias de prensa— debería merecer; por otra parte, esas decisiones, aunque rápidas, que es lo importante, adolecen —ya queda apuntado— de precipitación y también de errores, defectos que no subsana cierta actitud excluyente frente a los usos trasatlánticos manifiesta en sus recomendaciones. Otras medidas, que habrían de garantizar o, al menos, facilitar una mayor homogeneidad del idioma en cuanto a los neologismos, podrían ser las adoptadas por las Academias, pero dado que por lo regular sólo actúan sobre el vocabulario, no bastan para impedir que ciertos usos se consoliden sin haber alcanzado la madurez y la autoridad que habría de conferirles el libre juego de fuerzas y tendencias que intervienen en la adopción de una norma lingüística, es decir, en el acto de su conversión en gramática o, por lo menos, en variables de la norma sancionadas por el uso. Mas los acuerdos académicos —casi siempre sensatos y bien ponderados— tardan mucho en cuajar en reglas de acatamiento general, al menos con el vigente sistema de actualización, como he tenido ocasión de comprobar en el último decenio. Parece que se ha reducido el intervalo entre ediciones; la 21.ª salió sólo 8 años después de la 20.ª, y mostraba una importante revisión (no tan «revolucionaria» como anunciaban voces ajenas a la tarea) con respecto a ésta, por lo menos en sus dos primeros tercios. También parece haber mejorado la incorporación regular de voces y acepciones nuevas propuestas por

pescadores, que sería la pasiva de *los pescadores vieron estallar el avión*. Paralelamente, la oración [*un trío de orientales*] *fueron vistos subir al tren en la estación de Chamartín* sería la transformación de *vieron subir al tren a un trío de orientales...* (*ABC*, 26-4-94, pág. 57).

las distintas academias hermanas que, dicho sea de paso, siguen mostrando gran cautela con respecto a los anglicismos.

Mostrar cautela no implica —esto debe quedar claro— que el criterio académico esté cerrado a la inclusión de préstamos ingleses. Por lo general —y no descubro ningún secreto— se aceptan éstos si su uso está suficientemente extendido y documentado, aunque sólo sea en una profesión (*enfermedad de Bright* entre médicos), en una zona geográfica (*bife* en Arg., Urug. y Chile). Las dudas aparecen cuando, como con cualquier otro barbarismo, la adaptación fonética u ortográfica admite mejoras, o va claramente contra el sistema fonológico español, como ha sucedido en el pasado. *Fútbol*, con *t* final de sílaba, no fue un acierto; *estándar*, con la *d* final eliminada, sí lo es. *Filme*, que se va imponiendo en la lengua escrita, tiene posibilidades de ser aceptada; *bloque* (*bloc* de notas) no lo acepta ni la lengua hablada ni la escrita, como *clipe* (por *clip*). Sin embargo, me atrevo a conjeturar que con el tiempo y una mayor apertura del oído hispánico a fonemas y grupos consonánticos anómalos de otros idiomas, se alteren en español las leyes fonológicas para dar cabida en ellas, como en otras lenguas, a sonidos característicos de voces extranjeras. Así, la *f* final del anglicismo *golf*, sin paralelo en nuestro sistema, se sostiene y pronuncia sin trauma aparente, tal vez por el apoyo que le presta *golfo*, tal vez por evitar la homonimia con *gol*, otro anglicismo ya naturalizado[9]. Hay además una dificultad puramente técnica para la inclusión de un anglicismo: si la voz se acepta tal cual, como *bingo*, sería falso, en rigor, decir, como quieren algunos, que viene del inglés *bingo*; no viene, es la misma voz inglesa, con idéntica grafía y acaso un timbre más español para la *o* final. Ignoraba cómo aparecerían en la 21.ª edición dos anglicismos admitidos en que se quiso sub-

[9] Se objetará que el contexto no toleraría la confusión; sin embargo, yo recuerdo haber oído de niño jugar al *gol* (por *fútbol*), como se dice jugar al *gua* (el hoyo) por *jugar a las canicas/bolas*.

rayar su filiación clásica: *parafernalia* y *procrastinar*[10]. Ambos llevan siglos de vida en inglés, pero en España, pese a un bachillerato de siete años de latín, eran términos inusitados, incluso entre los profesores. Parecido fue el caso de *extraditar*: se dudó si debía entrar como anglicismo o como latinismo. Antonio Tovar, entonces en la Comisión de Diccionarios, me escribió que habían optado por la segunda alternativa, siguiendo el modelo de *editar*, pero ese acuerdo no se cumplió. Un manual de estilo (*MEU*) recomienda la opción *extradir*, con el argumento de que se usa en América, pero toda la prensa mundial se ha hecho eco del problema de los *extraditables* (no *extradibles*) de Colombia. El caso extremo de filiación latina de un anglicismo lo constituye el fantasmal *transitor*, *-oris* (ya en el cuerpo de la 19.ª edición, 1970), que se remedió en la 21.ª explicándolo como un compuesto de dos vocablos ingleses *-transfer* + *resistor*. Acaso hubiera sido más sencillo indicar que estaba tomado del ingl. *transistor*, pues es esta lengua la que ha soldado los dos «latinismos».

La capacidad omnívora del inglés para digerir y asimilar todo el material léxico aprovechable, sea cual fuere su procedencia, hace difícil la identificación última de algunos anglicismos. Es anglicismo *devaluar*, pues así lo reconocen los mismos franceses, que antes habían exportado su *évaluer* a Inglaterra. Mas aun siendo *devaluate* una acuñación inglesa sobre el modelo de otros verbos tomados de participios latinos como *create*, *translate*, etc. (lat. *creatus*, *translatus*), si hubiera aparecido hace un siglo un *devaluar* en español, tendríamos que haberlo incluido en la categoría de *redingote* (= *riding coat*), voz tomada sin la menor duda del francés. Hoy, debido a la difusión espectacular del inglés por el mundo, no es preciso acudir al francés como lengua intermediaria salvo en casos muy concretos. *Privacidad* no debe nada al francés y sí al ingl. *privacy*; tampoco le debe nada *psicodélico* (fr. *psychédélique*), pero *permisividad* podría haber en-

---

[10] Han entrado las dos, sin indicación de origen en la primera. *Parafernalia* (f.): «Conjunto de ritos o de cosas que rodean determinados actos y ceremonias»; *procrastinar* (del lat. *procrastinare*): «Diferir, aplazar».

trado por Francia, como *voleibol*, *pressing* ('acoso', en deporte; 'tintorería'), *contradanza* (< ingl. *country dance*), ya aceptada por la Academia como galicismo desde el *Diccionario de Autoridades* hasta la 20.ª edición (1984). Tampoco debe nada el español al francés en casos como *fútbol*, *baloncesto* o *mini-basket*, soluciones todas españolas motivadas por el inglés, pero alcanzadas por medios propios. *Mini-basket* se usa en francés, pero atribuida al español[11]. Con esto queremos decir que la dependencia secular del francés para la adopción de anglicismos ha disminuido hasta extremos impensables hace unos cincuenta años. En muchos casos la presencia de un anglicismo en ambos idiomas no es más que una prueba de la difusión universal del inglés, de que los préstamos pueden brotar independientemente en varias lenguas sin más vínculo con la lengua prestataria que el de ofrecer un suelo fértil para la semilla. *Derby* podría ser un buen ejemplo para ilustrar ese tipo de rebrote múltiple. Topónimo adoptado por un noble inglés que luego instituyó un premio para la famosa carrera de caballos de Epsom, pasó luego a ser el nombre de aquella carrera, celebrada anualmente desde hace más de dos siglos, y de otras de semejantes características (el derby de Chantilly, el derby de Kentucky, El Derby en Chile). Ahora bien, a principios del siglo XX, en vez de porfía entre varios caballos, pasó a significar también partido entre dos equipos de fútbol de una misma ciudad o región (los «eternos rivales» de antes) no sólo en Inglaterra, sino en Francia, Italia, Alemania, Holanda[12], España, etc. Pero no todos los problemas de anglicismo/galicismo son tan transparentes como éste. El parónimo francés correspondiente a *delicadeza* es, como se sabe, *délicatesse*. De ahí lo tomó el alemán para designar la tienda especializada en exquisiteces gastronómicas de toda procedencia (*Delikatessengeschäft*). Llevado a los EEUU por los emigrantes alemanes hace un siglo, proliferó allí con la grafía *delicatessen* sin conciencia de su

[11] Cf. Höfler, s.v.

[12] Una postal que me manda el profesor Fernando G. de la Banda muestra el equipo holandés que en abril de 1905 disputó el primer derby internacional (Bélgica-Holanda) en Amberes. No consta si la voz *derby* se usó ya entonces.

valor de plural. Así debió de impresionar a más de un hispanohablante que la hizo suya[13]. De ello hay testimonio escrito, y también comercial, en España[14]. (El viaje redondo se completa cuando vemos que una película francesa se titula *Delicatessen* y una tienda de París también.) Ahora bien, dado que los emigrantes españoles en Alemania deben de haber pasado del medio millón, no sería extraño que alguno de ellos, empleado en una de estas tiendas durante su exilio, decidiera probar fortuna a su regreso con la fórmula comercial y con el nombre, que hemos anotado en su versión americana (con *c*) y alemana (con *k*). Pero me temo que ni *c* ni *k* serían probatorias hoy, en vista de la tendencia culta a sustituir *k* por *c*, *q* (*neoyorquino*, *clinker*, *cuáquero*) y de la contraria, ácrata o nacionalista, de escribir *k* donde solíamos escribir *c* o *q* (*okupa*, *Fakultad*, *Bakero*, etc.).

Estudios sobre el anglicismo

Aunque a lo largo del libro, en notas y al final, en apéndice, figura toda la bibliografía consultada, merecen ser tratadas aparte, por discrepancias o coincidencias, tres obras ambiciosas que, aunque mencionadas, no recibieron en su momento, por diversas causas, la atención merecida. Son las de Ricardo J. Alfaro, Antonio Fernández y Chris Pratt.

---

[13] El primer testimonio que hemos anotado de *delicatessen* en España aparece en Benavente (1927), *Ob. Comp.*, V, pág. 78, en boca de un personaje descrito «como un hombre de negocios a la norteamericana».

[14] «Hace pocos días, en una tienda de delicadezas gastronómicas que acababan de abrir en mi barrio», Maruja Torres, *El País semanal*, 15-3-92, pág. 6. No consta si la tienda tenía ese nombre ni si se usaba el castellano o el catalán para describirla. En Quim Monzó, *La isla de Maians* (1987), usa *delicatessen* como femenino (tienda). También masculino: un *delicatessen*, y con su valor originario de exquisitez en anuncios para «gourmets» : «degustar las *delikatessen*», «Tienda *delikatessen*» (*Metrópoli*, Supl. de *El Mundo*, 19/25-11-93, pág. 58).

Al redactar en 1954 y publicar en 1955 nuestra primera aproximación al problema del anglicismo (cf. pág. 83 y ss.), no se había tocado éste más que en algún breve comentario periodístico, pero ya se conocía el importante estudio, luego Introducción a su Diccionario, de Ricardo J. Alfaro, aparecido en el *Boletín del Instituto Caro y Cuervo*, de Bogotá (1948, pág. 102 y ss.), con el título de «El anglicismo en el español contemporáneo». Siendo nuestro artículo de ámbito geográfico y temporal más reducido rezaba «... en la España de hoy». En 1950 se publicó la primera edición del *Diccionario de Anglicismos* de Alfaro, que no llegué a conocer hasta más tarde. Luego apareció en España la 2.ª edición (Gredos 1964, 480 págs.), que tiene ya en cuenta las aportaciones de la 18.ª edición del *DRAE*. Quise hacer un largo comentario a tan considerable obra, pero quedé sorprendido por la afirmación de su autor de que es «intolerable la práctica de intercalar adverbios entre una inflexión del auxiliar *haber* y un participio». Tanto me sorprendió —por estar en contra de mis propias convicciones gramaticales más depuradas— que decidí dedicar unas semanas —luego fueron meses— de mi tiempo libre a comprobar, en autores contemporáneos no influidos por el inglés, si el Sr. Alfaro tenía razón en su condena. El resultado aquí está, tras figurar, como inédito, en la primera edición de *El español de hoy* (1966) y las dos sucesivas, muy resumido en las págs. 81 y 82 del presente volumen. En él contaba cómo, dispuesto a hacer una «reseña cumplida de estudio tan valioso» hube de sucumbir al reto del supuesto «anglicismo» sintáctico. Los juicios elogiosos de la obra de Alfaro que la editorial extracta en la cubierta de la obra, debidos a las plumas autorizadas de Amado Alonso, Américo Castro, Julio Casares, etc., así como el aplauso que recibió la 1.ª edición en el I Congreso de Academias (México, 1951), ponen de relieve los méritos evidentes del diccionario de Alfaro, fruto de muchos años de recogida de ejemplos, reflexión sobre ellos y juicio por lo general ecuánime de un hombre laborioso, culto y de vastos conocimientos. La utilidad de su obra es indiscutible, y el esfuerzo, digno de aplauso y sin paralelo en ese campo de la lingüística española hasta la década de 1970-80, en que aparecen los estudios de P. J. Marcos, A. Fernández, José Rubio y Chris

Pratt[15]. Es precisamente en 1980 cuando Pratt, profesor inglés nacionalizado en España, publica su tesis doctoral, defendida en la universidad de Oxford, sobre el anglicismo peninsular, obra densa que sabe aprovechar y valorar inteligentemente los fallos y logros de cuantos le precedieron, incluido mi artículo de 1955, aparte de presentar copiosos ejemplos de su propia cosecha, tomados en general de la vida cotidiana: lengua hablada, radio, televisión, deportes, publicidad, etc. El juicio que le merece la obra de Alfaro, que fue su «fuente académica básica», libro «consultado en su totalidad» (pág. 20), se resume así: «... su autor es abogado de profesión y panameño de nacionalidad, por lo que es de suponer que atestigüe de forma personal el aplastante influjo norteamericano en el istmo. La obra en sí constituye una muestra, a la vez que una continuación, de la escuela hispanoamericana fundada por Bello y Cuervo en el siglo XIX: normativista, prescriptiva y proscriptiva. Como ellos, y con ellos, es enérgico, vehemente, y a veces fanático en sus diatribas en contra de los defectos (en el caso de Alfaro causados por la influencia «maligna» del inglés) del español que diariamente lee y escucha...». Hemos destacado este fragmento porque el tono «enérgico, vehemente, y a veces fanático» atribuido a los comentarios del panameño se filtra más de una vez y empaña las páginas, también apasionadas, de nuestro colega, amigo y conciudadano. Su libro, aunque no conocemos la tesis, parece cumplir con creces el propósito expuesto en el prólogo de «amenizar tanto la redacción como el contenido, por entender que el estilo árido, casi aséptico, de una tesis doctoral, no es el apropiado de un trabajo... publicado...». Esta explicación disipa cualquier temor que abrigara el posible lector de encontrarse con un tratado farragoso e indigesto. Siendo Pratt, como queda señalado, colega hoy de departamento, él entre los jóvenes ascendentes, yo entre los jubilados es-

[15] Pedro J. Marcos, *Los anglicismos en el ámbito periodístico*, Valladolid, 1971, 71 págs.; Antonio Fernández, *Anglicismos en el español*, Oviedo, 1972, 303 págs.; José Rubio, *Presencia del inglés en la lengua española*, Valencia, 1977, 174 págs.; Chris Pratt, *El anglicismo en el español peninsular contemporáneo*, Madrid, 1980, 276 págs.

cudados en la edad, le he dicho ya de palabra cuanto por escrito y en reseña oportuna podría haber proclamado en la fecha de su publicación. Razones de salud insuperables me lo impidieron entonces, y ahora —sería falta grave omitirlo— es obligado repetir que su obra, precedida y seguida de aportaciones originales de gran interés, es el intento más logrado de enfrentarse con el problema en el terreno léxico y de plantearlo en el marco social e histórico más apropiado. Dicho esto, justo es también señalar que tanto Alfaro como Pratt, centrados ambos en el mundo de las palabras, sufren las carencias que padecemos también cuantos abordamos el estudio del fenómeno, a saber, las que resultan de no poder utilizar suficientes datos documentales. Pratt reconoce que su fuente básica fue el *Diccionario* de Alfaro, en el cual descubre, sin embargo, abundantes omisiones e inexactitudes, aparte de planteamientos de fondo inaceptables. Pero él mismo aporta muchos materiales nuevos propios y además, aprovecha los muy copiosos reunidos por A. Fernández para su inventario, procedentes sobre todo de la revista *Blanco y Negro* (1891-1936), que tienen la inestimable ventaja de fechar, cuando es posible, algunas de las primeras apariciones del préstamo en España; incurre, sin embargo, con frecuencia en errores imputables a la mencionada insuficiencia de datos fehacientes. Uno de los defectos, grave, pero subsanable en futuras ediciones, de Pratt, se debe, en mi opinión, a una cuestión personal de perspectiva histórica. Llegado a España en los años de pleno desarrollismo económico, marcados por una clara influencia anglosajona, como hemos apuntado más arriba, y admitiendo, como obvia, la deuda del español al francés como lengua intermediaria, parece olvidar que durante casi un siglo, desde los tiempos del krausismo, el modelo cultural imitado en España, cuando no era Francia, era Alemania. Sólo así se explica que incluya en la categoría de anglicismos, germanismos tan patentes como *hinterland*, *hamster*, *kindergarten*, *complejo de inferioridad*, *quantum/quanta* (¿acaso Max Planck era inglés?), *nazi*, *magnetófono*, etc. [16]. Algo se-

[16] No comentamos aquí los «anglicismos» procedentes de otras lenguas, de discu-

mejante podría decirse de fuentes de segunda mano —Alfaro, A. Fernández— que a veces acepta o rechaza sin razón aparente. Puede que en el terreno léxico lo más original sea el tratamiento fonético-ortográfico del anglicismo, del que obtiene conclusiones interesantes, pese a algún error de detalle. También es posible que su deseo de amenizar el texto sea el culpable de haber adoptado el mismo tono inclemente y belicoso que critica en sus predecesores o en sus nuevos conciudadanos[17]; así ocurre que lo que el libro ha ganado en soltura y amenidad, acaso lo haya perdido en rigor y gravedad, aun siendo siempre, sin duda, el más sólido de los emprendidos hasta la fecha de su publicación. Tiene además una singular virtud que debo consignar aquí, y es el análisis, lo suficientemente objetivo para recomendarlo, de los estudios precedentes, incluido el mío de 1955, lo cual me excusa de hacer distingos entre unos juicios y otros, aparte de que yo los mencionara ya en la 3.ª edición de *El español de hoy* (1980).

No recibió en su momento la atención merecida, por ser yo, en cierto modo, parte interesada, el muy valioso trabajo de Antonio Fernández García, *Anglicismos en el español*, citado más arriba. Digo que soy parte interesada porque en su día me tocó dirigirlo como tesis doctoral. Es un estudio muy útil, laborioso, pero víctima de la premu-

---

tible vía de penetración en la nuestra, como *quórum*, *educación*, *anorak*, *kimono*, *yiddish*, *apartheid*, etc.

[17] No es de recibo el tono del comentario, acaso fundado, de «la forma *cricquet* (¡sic!) propuesta por la Academia misma [que] contiene la grafía grotesca 'cqu', tan inaceptable como la ck de la voz original. La única explicación de esta grafía compuesta tan ridícula...».

Cabe objetar: 1.º, puede tratarse de un error de interpretación del grupo *ck* inglés, ya corregido en las ediciones del *DRAE*'70 y '84; 2.º, la transliteración de *ck* por *cqu* es tan «grotesca» como la de Becquer (< al. Bäcker) o la del ingl. *racquet*, variante de *racket*, y la del anglicismo francés *socquette* (< ingl. *sock*), por no citar perlas ortográficas del inglés como *hoosegow* (< esp. juzgado), *buckaroo* (< esp. vaquero) o *hiccup* = *hiccough*. La grafía *ck* es un recurso ortográfico antiguo para la doble *k*, y de paso para indicar que la vocal anterior es breve y no diptonga (cf. *pic*, *pike*, *pick*); es evidentemente superflua en algunos casos, pues *pic* = *pick*, pero el inglés, con su ortografía medieval, puede permitirse esos lujos.

ra con que el autor quiso presentarlo al tribunal, alegando que el título de doctor significa mucho en el contrato pendiente con una universidad norteamericana. Todavía más tarde, cuando me pidió un prólogo para su publicación, que yo redacté exaltando sus virtudes, pero donde, pensando en él (y en mí) lamentaba que en terceras pruebas un trabajo tan arduo quedase empañado por el excesivo número de erratas —el autor, en carta de 27-10-72 me decía que «en estas pruebas todavía he hallado, por término medio, de falta y media a dos por página»—; el esfuerzo hubo de sucumbir de nuevo, esta vez, a la intransigencia de los impresores, que se negaban a admitir cualquier mención de su negligente trabajo. Es una lástima que una obra llevada a cabo a costa de tantas horas de entrega, haya quedado deslucida a menudo en aspectos que no puede remediar el socorrido «buen sentido del lector», que si bien es capaz de subsanar erratas obvias, nada puede hacer cuando se le presentan más de diez variantes para *tranvía* y otras tantas para *bistec*, que en un estudio de esta naturaleza, basado en textos de prensa propensos a la grafía fluctuante, pueden resultar tan significativas como las correctas. En una página hemos anotado ocho de estas infracciones, no todas subsanables. Ocurre entonces que la anomalía ortográfica no sabe uno si achacarla al autor del libro, al impresor o al texto de donde la copió nuestro investigador. Aun así, la referencia a las fuentes —casi siempre la revista *Blanco y Negro*— puede ayudar a disipar, en casos de especial interés, las dudas. En cualquier caso, salvando estos reparos de orden material, la obra, como decimos, es sumamente aprovechable y recomendable para cuantos se interesen por la recepción de anglicismos en el periodo estudiado, que han de encontrar, además, muchos otros datos anteriores y posteriores a los años acotados (1891-1936). Yo mismo hago uso frecuente de su abundante documentación y así lo hago constar en las páginas que siguen, citando al autor por sus iniciales —A. F.— o por el apellido. No se ha podido evitar en esta obra, como en las de Alfaro y Pratt, la intromisión de «anglicismos» dudosos o claramente falsos, riesgo del que no se libra quien se aventura en terrenos de estudio un tanto inexplorados. Cf. los casos de *déficit*, *esquí*, *nonchalance*, *homard*, *office* 'antecocina' (en ingl. *pantry*), *filibustero*, *handball*, *vermut* y variantes, etc.

Algunos de estos ejemplos son claramente disculpables, pues aun sabiendo que una voz, como *vermut*, es de origen alemán, y otra, como *homard*, francesa, siempre cabe la posibilidad —basta pensar en el caso de *délicatesse* > *Delikatessen*— de que las vías de penetración del barbarismo sean múltiples. En el estudio del transvase de hechos culturales es de importancia primordial la datación de un primer uso o una primera cita. Tal vez los prometedores bancos de datos que se anuncian nos ofrezcan materiales abundantes que permitan fechar la aparición en cada lengua de estos elementos extraños. Mientras esto no exista, se corre el riesgo, como hemos apuntado, de atribuir a una comunidad lingüística protagonismos infundados o, por lo menos, más protagonismo del que en justicia le corresponde.

La interrupción del proyecto tan oportunamente iniciado y competentemente dirigido por P. J. Marcos hace más de veinte años nos ha privado de los frutos que prometía un corpus de datos copiosos, bien fechados, como los del breve periodo objeto de la investigación. No se le ocultaba a Marcos el ascendente papel desempeñado por el inglés como lengua internacional o, si se quiere, universal, sólo parangonable con el del latín en otros tiempos. Sin embargo, no debe olvidarse que es un protagonismo reciente y, en algunas comunidades lingüísticas, muy reciente. Y ello ha de tenerse en cuenta al abarcar las dimensiones internacionales de su expansión y sus consecuencias.

Siendo el inglés, como hemos apuntado, depositario de todo elemento lingüístico aprovechable del planeta, no es de extrañar que cualquier uso que aparezca como insólito o ajeno en una lengua determinada tienda a calificarse de inglés, lo cual quizá sea verdad en el caso de comunidades idiomáticas recién abiertas a la influencia de la cultura occidental, pero no en las que llevan siglos sufriendo, repeliendo o provocando los vaivenes caprichosos de las modas culturales. En *Tanzania* —el nombre (*Tangañica* + *Zanzíbar*) y el estado cumplen ahora los 30 años— suena probablemente tan inglés *twenty*, *shilling* y *Parliament*, como *ballet*, *Poltergeist*, *embargo*, *kimono* o *graffiti*. En Francia, Alemania o España, no. Sin duda, la indiscriminación verbal de Tanzania es comparable a la que practica el angloparlante medio, sea británico, americano o australiano. El hombre español corriente —los filólogos somos pocos, y además, a menudo no estamos seguros— sabe que en su lengua un *embargo* es una especie de amenaza que se cierne sobre él si no paga alguna deuda o tributo, pero le resulta todavía extraño que se use para designar una prohibición de comercio con algún país. Al francés que usa a diario el verbo *parler* tampoco le suena bien la pronunciación inglesa de su *parlement* (ni su grafía). Más o menos lo mismo se puede decir de alemanes, japoneses e italianos respecto a los usos foráneos de *Poltergeist*, *kimono* y *graffiti*. Y es que todo ese material léxico, de múltiple procedencia, del que se apropia el inglés, cobra en esta lengua funciones y matices de significado que encajan dentro de su sistema, pero que acaso resulten irracionales vistos desde el idioma de origen, al que a veces vuelven para ocupar una parcela de significado antes vacante. Piénsese en las noticias de prensa: «Murieron 30 guerrillas», «El gobierno negocia con la guerrilla», ambas procedentes de agencias extranjeras, donde, igual que en *embargo*, *silo*, *tornado*, *rodeo* y otros hispanismos difundidos por el inglés en el mundo, el hablante hispánico descubre enseguida incongruencias con el uso corriente. ¿Quiere esto decir que el inglés impondrá su significado añadido o deformado a la lengua creadora? En cierto modo sí, pues ese parece ser el sino de las palabras viajeras. Un romano llamado Cicerón se quedaría pasmado si resucitase y viera que *litigare* en la Hispania del siglo xx sirve para designar la actividad de los toreros que *lidian* (no *litigan*) al toro. Un pasmo semejante sufriría un inglés purista —si existe tal especie— que intentara desentrañar el sentido del «anglicismo» coloquial *Y vas que chutas* (ingl. *to shoot*), jugarreta inocente del español si la comparamos con el uso, también coloquial, del verbo *to vamoose* (< *vamos*): *they vamoosed = ellos se largaron* (el verbo *to mosey*, citado por Mencken, es de origen incierto).

Tratamos, paradójicamente, de generalizar acudiendo a casos aislados que sólo ilustran la complejidad y ramificaciones del fenómeno. Pero es que, sin entrar en sutilezas y reconociendo que toda generalización tiende a falsificar la realidad, lo cierto es que cualquiera de las ramificaciones de los fenómenos lingüísticos que estamos considerando desemboca en casos particulares de orden diastrático o diatópico no siempre integrables en la descripción global, eso sin contar ejemplos individuales de uso literario restringido, pero susceptibles de convertirse, por el prestigio de un autor, en norma corrientemente aceptada en un área concreta de la lengua. Se infiere de lo expuesto que hay mucho trecho por recorrer antes de generalizar sobre la difusión de un anglicismo, tanto en el cuerpo social que lo recibe, cuanto en los límites geográficos en que se acepta su uso[18]. Ocurre así que damos la misma o mayor importancia a un error casual de transcripción (caso de *hampster* por *hamster*) o una mala interpretación académica subsanada, luego desterrada (*cricquet*, primero censurado por Alfaro, luego ridiculizado por Pratt, corregido por el *DRAE*'84 en *criquet* —sin tilde— y omitido sin razón en el *DRAE*'92), que a la omnipresencia de construcciones pasivas con *ser*, calcadas del inglés, en detrimento de otras de mayor matización expresiva disponibles y desaprovechadas en español. En cuanto a la expansión geográfica de los anglicismos registrados, queda mucho por hacer. ¿Dónde y cuándo, excepto en el *Reader's Digest*, se emplea el calco *estratoexpresos* (< ingl. *stratoliners*, hoy en desuso), citado por Alfaro? ¿Dónde ha oído la Sra. Mikkelson, citada por Manuel Alvar, y a quién, la frase siguiente, claramente inventada?: «Fui a la marqueta a comprar groserías y al entrar tropecé en la pinche carpeta y me

[18] Escrito esto, recibimos una separata del estudio del incansable investigador Günther Haensch, «Dos siglos de lexicografía de español de América», *Unidad y variación léxicas del español de América*, Vervuert, Iberoamericana, 1994, con abundante bibliografía, donde se insiste en lamentar la falta de un diccionario integral del español, pero se añade que hoy «necesitamos muchos diccionarios parciales... para hacer posible, en una fase posterior, obras de síntesis más ambiciosas». Los primeros resultados del gran proyecto de *Diccionario de Americanismos*, dirigido por el propio Haensch, ya se pueden apreciar, como comprobará el lector en los datos tomados del Uruguay, Argentina, Colombia, etc.

lastimé la cintura. Ahora tengo que sainear unos papeles para agarrar beneficios de la aseguranza» (*ABC*, 26-7-94, pág. 3). Ya sabemos que esto es pura anécdota y lo que se pretende es ilustrar en un párrafo, y condensados, errores que se producen en varias personas y a lo largo de los días, pero que no tienen la misma frecuencia ni difusión entre los hispanohablantes de EEUU. *Marqueta* es un «pochismo» ya denunciado por Alfaro, como *bonche* (*bunch*) 'pandilla', *ploga* (*plug tobacco*) 'tabaco de mascar', *fina* (*fine*) 'multa', etc. Pero ¿cuál es su área de difusión? Sabemos, por el mismo autor —y tiene, siendo panameño, motivos para saberlo—, que *yitni* 'taxi' se usó en Panamá, que *bordinguera*, en Cuba, y *bordante* (Cuba y P. Rico), según Malaret, son derivados de *bordin(jaus)* 'casa de huéspedes'; deducimos, por sentido común, que *jonrón* y *jonronear* (< ingl. *home run*), como *bate* y *batear* (ingl. *bat*), tienen principalmente vigencia entre los practicantes y aficionados al béisbol, donde este deporte sea popular, pero no, como en España y otros países de América, donde sigue siendo exótico. Por razones de penetración comercial o industrial *durmientes* 'traviesas de ferrocarril' se usa en ciertos países de América (Cono Sur, México) como calco del ingl. británico *sleeper*, igual que en Chile y Perú se han difundido los préstamos *gásfiter*, *gasfitero*, respectivamente (ingl. brit. *gas-fitter*, hoy voz anticuada). Pero la mayoría de los préstamos y calcos americanos del inglés tienen origen yanqui: *elevador*, *larga distancia*, *mofle*, *jud* (< *elevator*, *long distance*, *muffler*, *hood*; cf. ingl. brit. *lift*, *trunk*, *silencer*, *bonnet*). El estudio de A. Quilis sobre la terminología del automóvil en Hispanoamérica precisa el área de vigencia de las voces *espidómetro* (ingl. *speedometer*)[19] y otros muchos términos, pero el excelente diccionario bilingüe *Collins* (3.ª ed., 1992) se limita a registrarlo, con la indicación LAm (= Latin America). *Ganga*, que no figura en el dicciona-

[19] Acepto, como general, la grafía del diccionario *Collins Bil.*, adaptación fonético-ortográfica regular, pero los datos de Quilis, creo que más reales, registran casos de etimología popular en P. Rico (*espirómetro*) y Colombia (*aspirómetro*). Cf. A. Quilis, «Léxico del automóvil en Hispanoamérica y España», *Anuario de Letras* (México), vol. XX (1982), págs. 115-144.

rio de Alfaro ni como «pochismo» se usa en Puerto Rico, como voz aceptada, sin comillas, en la acepción de 'banda, pandilla' (< ingl. *gang*). Su derivado *gangster*, de uso internacional, lo adaptaban algunos al español suprimiendo la *g* (*ganster*, pl. *gánsteres*). Así lo aprobó la Academia en la primavera de 1993. La misma institución ha admitido también *chomba*, como chilenismo, y *chompa* como forma dominante en la América meridional, además de *chumpa* (Guatem.), pero existen otras variantes en Colombia (*vide infra*). *Collins Bil.* extiende la vigencia de la primera al Cono Sur, la de la segunda a la América hispana. Alfaro no registra ninguna de las tres formas, lo que hace pensar que su información sobre Sudamérica, y sobre todo el llamado Cono Sur, no es tan completa como la que ofrece sobre México, Centroamérica y el Caribe. Así, registra *jaibol* (< ingl. *high ball*) como de uso general en América, pero dudo de que lo sea también en Argentina, Chile y Uruguay (no figura en los copiosos inventarios de Chuchuy ni de Kühl); es término típicamente yanqui y no corresponde, como afirma Alfaro, al *scotch and soda* británico, expresión ésta que se me antoja improbable en la Gran Bretaña, donde *whisky* (o *whiskey*) no posee las connotaciones negativas del *whiskey* del Oeste americano y no necesita, por tanto, ser sustituido por *scotch* para puntualizar que es producto genuino de Escocia. A esta latente confusión americana se debe el uso del calco *escocés* en español, para referirse a la acreditada bebida británica.

Para terminar este excurso geográfico, examinemos el caso ya mencionado de *gásfiter*/*gasfitero*, anglicismos usuales en Chile y Perú juntamente con el derivado *gasfitería*. Ya Alfaro condenó en su día *gasfiter* (sic) a favor de *gasista*, voz que figura en los diccionarios académicos y en los bilingües que los tienen en cuenta y cometen así el anacronismo de equiparar una reliquia léxica del inglés que significaba 'instalador de gas' hace siglo y medio con una voz *gasista*, que acaso se usara en un tiempo, pero que en España resulta hoy inusitada (nueve «páginas amarillas» de la guía telefónica madrileña dedicadas al gas y sus instalaciones no mencionan una sola vez con ese nombre a instaladores u obreros de este servicio). Resulta además falso apoyarse en un uso antiguo de los primeros instaladores andinos para descalificar el significado actual del término, es decir, 'fontanero'. Así aparece en mis notas de la prensa chilena y peruana consultada, así como *gasfitería*. Nótese de paso que la voz chilena es esdrújula y la peruana, llana. Los diccionarios bilingües, correctamente, «traducen» *gásfiter/gasfitero* al inglés por 'plumber' y *gasfitería* por 'plumbing'. Cabría preguntarse si estas palabras del español andino son hoy verdaderos anglicismos o meros testimonios de anglicismos de ayer, deudores sólo en la forma al préstamo primitivo. La cuestión, como se ve, no sólo tiene implicaciones geográficas, sino, como venimos señalando desde el principio, cronológicas. Y esos son los hechos, mejor dicho, una buena parte de los hechos. Resulta claro que la complejidad a que aludíamos más arriba no era exagerada. Y en cuanto a los peligros y amenazas que se ciernen sobre el español y la manera de alejarlos, para mayor tranquilidad de los custodios de la lengua, sólo se me ocurre un consejo: entiéndase el inglés que se intenta traducir, cultívese el español, léase buena literatura, afínese el oído y piénsese si es cierto que no hay traducción en nuestra lengua para esa palabra o giro «que no tiene correspondencia en español». Esto es a veces verdad, pero no siempre. Aunque la prosa inglesa —novelesca, teatral o de pantalla— no es ya precisamente victoriana (recuérdese que no se podían mencionar los pantalones '*unmentionables*'), he comprobado con asombro que las «libertades» inglesas alcanzan a veces en la traducción desenfadada e irresponsable extremos de falsedad incalificables. Incapaz desde hace años de juzgar con rigor la palabra hablada, he podido comprobar, sin embargo, cotejando original y traducción, los abusos que, buscando impresionar al lector, cometen algunos traductores. Sobre los cometidos en TV-2, quiero destacar algunos puntos de la carta (30-7-94, pág. 14) que un lector, al parecer de madre inglesa, envía al director de *ABC*: «Versión original: Your old man; subtítulo TV2: Tu puta madre; traducción real: Tu viejo; Trash; traducción: Mierda de máquina; trad. real: Basura; versión original: No kidding; subtítulo: No jodas; trad. real: no bromees [...]. C. M. Núñez Sheriff, Málaga». Claro que, a manera de compensación, también abundan las traducciones «saneadas», aptas para el consumo general, a las que se les han limado las aristas que pudieran herir la «sensibilidad de la audiencia». Otras revelan pura ignorancia del español. Cuando redacto estas líneas acabo de contemplar una carrera automovilista celebrada en España, una de las que se repiten una docena de veces al año en todo el mundo. En la rotulación inglesa que suele acompañar a este tipo de competiciones de nombre francés —Grand Prix— *la cuenta atrás* (< ingl. *countdown*) se expresa con la frase «40, 39, 38, 37, etc. laps to go» que nos «traducen» al español por «40, 39, 38, 37, etc. vueltas para terminar». ¿Es tan difícil descubrir que lo que se dice en un caso así en nuestra lengua es «Quedan (o faltan) 40, 39, etc. vueltas»? Menos mal que no traducen *to go* por 'para ir', algo que tengo anotado hace veinte años en una traducción del *Reader's Digest*. Ahí puede que resida la clave del problema. Y no basta con culpar de los fallos a los profesores o al sistema. ¿Es que leer inglés es incompatible con la lectura de nuestros autores?

A modo de conclusión

La obra que tiene el lector en sus manos, comenzada como simple compilación de artículos dispersos cuya posible afinidad residía en el examen de la marcada presencia de la cultura anglosajona en nuestra lengua, no mayor que la que se advierte en otras de Europa, esta obra, repetimos, concebida, como queda dicho, a manera de mera colectánea, se ha convertido, al recoger también un sinfín de notas sueltas anotadas, mas no elaboradas debidamente, a lo largo de una vida de urgencias cotidianas al parecer inaplazables, en un arsenal de datos de origen diverso, que tratan de aclarar, si no explicar de manera satisfactoria, el anglicismo, lo cual, dadas las dimensiones geográficas y demográficas del mundo hispánico, me ha forzado a adoptar el título un tanto ambicioso con que aparece el libro. Pero este título, por ambicioso, es claramente comprometido. Es, por tanto, obligado advertir que en nuestro deseo de justificarlo, nos hemos asomado, en la medida de la información disponible, a la proyección del fenómeno en las zonas o países hispánicos de América, aprovechando las fuentes a nuestro alcance, hoy cada vez más abundantes gracias a la incorporación de usos no académicos, pero sí muy difundidos, a los estudios mencionados sobre el anglicismo de Alfaro, A. Fernández, Pratt, Marcos, Rubio, etc., así como a diccionarios bilingües o lexicones nacionales como los de México, Colombia, Venezuela, Uruguay, Argentina, etc., sin olvidar los estudios de léxico en las grandes ciudades (Ciudad de México, Santiago de Chile, Madrid, etc.). Aunque mi presencia física en la América hispanohablante se reduzca a unas vacaciones de 1947-48 en Cuba, diversas circunstancias personales, sobre todo la curiosidad por las variantes del español (mis primeros artículos versan sobre dialectología peninsular), unida a mi vocación profesional anglogermánica, me incitaron a la tarea de rastrear, desde aquellas vacaciones, la huella inglesa en la comunidad lingüística hispanohablante, tarea facilitada por el frecuente acceso a la prensa hispanoamericana que he de agradecer primero a mi hijo Álvaro, piloto de la compañía Iberia desde hace años en vuelos trasatlánticos, y a cuantos amigos viajeros «cruzaban el charco» (¿Quieres algo de allá? —Sí, tráeme periódicos). Uno de estos amigos —Andrés— me trajo una vez cinco kilos de prensa de cuatro países diferentes.

En el tratamiento del problema —lo es, aunque haya matices a la hora de valorar el fenómeno— queda casi siempre en pie la cuestión de si el llamado anglicismo lo es verdaderamente. El primer apartado de este libro, proyectado tras reunir los artículos ya publicados, se iba a titular con un interrogante «¿Son todos anglicismos?», como se puede comprobar en mi comentario al libro de estilo de la Agencia EFE, titulado *Manual de español urgente* (págs. 48-60). En rigor, la pregunta se podría plantear sobre todo el libro, e incluso sobre una obra tan bien documentada como el inestimable *Dictionnaire des Anglicismes*, de Josette Rey-Debove y

Gilberte Gagnon (en la colección «Les usuels du Robert»), que citamos profusamente en nuestras páginas abreviado en *Robert Angl.* Otra obra de aspiraciones más modestas, y del mismo título, publicada por la Librairie Larousse en 1982, como aportación individual del profesor alemán Manfred Höfler, muestra hasta qué punto los datos disponibles para investigar el francés son infinitamente más abundantes que los que ofrece en este campo el español. Aunque el tratamiento que hace Arturo del Hoyo (1995) del anglicismo sólo es una parte reducida de las cuatro mil palabras y frases que con singular competencia y erudición aborda en su diccionario, tratamos de dar cumplida cuenta de él en las pequeñas discrepancias observadas al comentar su primera edición. Publicada la segunda cuando este libro estaba ya casi concluido, sólo hemos tenido tiempo de revisar nuestro comentario a la primera y de aprovechar algunas de las numerosas novedades de la segunda. También la última edición del *Duden* alemán (1989) ofrece abundante material sobre los anglicismos, muy numerosos, difundidos en Alemania. Hemos tenido en cuenta las aportaciones de la obra de Paolo Zolli, *Le parole straniere* (Bolonia, Zanichelli, 1991), y las de José Pedro Machado, *Estrangeirismos na língua portuguesa* (Edit. Noticias, Lisboa, 1994). Lo más parecido en documentación y cronología a los ejemplos franceses, sería la obra de A. Fernández arriba comentada, con las salvedades expuestas. Quiere esto decir que nuestro intento debe tomarse todavía *cum grano salis*, pues incluso en los datos de primera mano que aportamos, tomados muchos a la ligera y sin propósito de ulterior publicación desde hace casi medio siglo, admito, a estas alturas, la posibilidad del error, la omisión o inexactitud de fechas e incluso, lo que es más grave, la imprecisión en las citas. Una precaución obvia, que no hemos adoptado, hubiera sido suprimir referencias cronológicas y paginación, mas a riesgo de equivocarnos, las hemos incluido para poder comprobar su exactitud, no siempre —pedimos perdón— garantizada. Buscando compensación a inevitables descuidos hemos tratado, en lo posible, de reforzar la cita con otro u otros testimonios.

Suelen concluir las declaraciones de este obligado prólogo, a modo de introducción, con palabras de gratitud. Vaya ésta, en primer lugar, a los alumnos de doctorado de los años académicos 1992-93 y 1993-94, que con su atención y observaciones me animaron a dar remate —intentado, mas no alcanzado— a un trabajo de cuyas limitaciones tenía clara conciencia desde el principio. Vaya, en segundo lugar, a cuantos, en publicaciones breves anteriores, desde la de 1955 «El anglicismo en la España de hoy», encontraron motivo de alabanza y conocimiento aprovechable. Y por último, a mi hija Verónica, que con su juicio, juvenil y maduro a la par, ha tendido el puente entre dos generaciones y modos de apreciar la realidad lingüística, algo que debería ser requisito obligado para cuantos se atreven a enjuiciar con más de setenta y cinco años la siempre bullente y fecunda realidad de una lengua en plena pujanza.

Cabe siempre disculparse de haber querido abarcar demasiado con material insuficiente y no siempre fiable. De algo puede estar seguro el lector, a saber, que debido a mis deficiencias auditivas, los datos allegados en los últimos 15 años proceden de fuentes escritas. Hubiera sido conveniente —esto queda para futuros investigadores o equipos de investigación— señalar el área de vigencia social y geográfica de los usos registrados. Ya hemos dicho que algunos son propios de determinada profesión; otros —y por ello hemos intentado siempre su localización— pertenecen a ese fondo inagotable de noticias inexactas que ofrecen diccionarios y autores. Se ha pasado de la precisión geográfica que sitúa como de vigencia provincial —por ejemplo, Salamanca— usos que sin duda son comprobables en Zamora y Cáceres, a la vaguedad de situar en América —es decir, desde Río Bravo hasta Tierra del Fuego— voces o expresiones que quienes habitan tan extensos territorios afirman no haber oído ni usado nunca. Yo confío en que los nuevos derroteros de la lexicografía y los abundantes medios de que hoy disponen quienes la cultivan harán posible pronto un acercamiento mayor a las parcelas aún inexploradas del área lingüística hispánica. A riesgo de parecer agorero, debo confesar que si bien envidio unos resultados que han de ser, por fuerza, más brillantes que el mío, puedo ufanarme de las satisfacciones que mi empeño individual me ha deparado en los últimos cinco años dedicados a él y en las breves incursiones en que desde 1955 me he aventurado. Espero que haya merecido la pena.

Madrid, octubre de 1995*.

* Entregado el original en junio, recibí noticia de la próxima publicación por Gredos de un *Diccionario de Anglicismos*, cuyo autor responsable es el prof. Félix Rodríguez. He visto dos páginas de muestra y me parece una empresa elogiable, referida sobre todo a los préstamos crudos. Luego (enero 1996) he recibido fotocopia de las páginas que abarcan anglicismos con *b* inicial, que confirman mi buena opinión y siento no haber podido aprovechar.

EXPLICACIÓN

Al repasar los ocho densos cuadernos de notas tomadas a lo largo de más de cuarenta años de observación del fenómeno anglicismo, cuya inclusión en artículos ya publicados no consideré oportuna en su momento, me ha parecido que sería omisión imperdonable no dar cuenta de otras notas que, desde la perspectiva actual, pudieran ser aprovechables para el investigador futuro de estas cuestiones. Trátase en muchos casos de ejemplos aislados de anglicismos que, como turistas en vacaciones, aparecen una vez en ciertas circunstancias, luego desaparecen y vuelven a aparecer en las mismas circunstancias u otras, sin causar inquietud en ningún momento a los indígenas sobre su asentamiento ulterior ni sus posibles aspiraciones a ciudadanía. Y no sólo ocurre esto en la dimensión temporal, pues, proyectada sobre el plano geográfico, la discontinuidad de su aparición induce a pensar que las cosas acontecen esporádicamente en el espacio y en el tiempo. Piénsese en el latinismo *quorum* divulgado por el parlamentarismo inglés, cuyo significado no podemos, en buena ley, atribuir más que a los usos británicos de la palabra. El término emerge, con mayor o menor pujanza, en regímenes en que la votación y las leyes dependen de la presencia o ausencia de los legisladores en las cámaras. Pero estas circunstancias cambian según los tiempos y los países. Muchas naciones hispanohablantes, incluida España, saben hasta qué punto esto es cierto.

Puede que otros ejemplos más ingleses ilustren mejor lo efímero de las modas exóticas. La última edición del *DRAE* recoge, por fin, la voz *legui*, usada en España por los militares en la primera mitad del siglo para designar unas polainas de cuero que formaban parte del uniforme. Nada hay que objetar a su inclusión, salvo que coincide con la decadencia de esta prenda y la palabra y con la resurrección de ésta, ahora vestida a la inglesa, para nombrar, con la grafía *leggings*, otra prenda femenina de moda, de significado, para mí, un tanto impreciso. Hace más de medio siglo, el anglicismo *pick-up* se asociaba inmediatamente con el sustituto del *gramófono*, antes *fonógrafo*, mas la voz ha caído en desuso en este significado, desplazada por los sofisticados inventos de la moderna electrónica. Tan en desuso, por cierto, que nadie ve polisemia cuando aparece hoy en la prensa hispanoamericana, y alguna vez en España, con el significado de 'camioneta descubierta, con caja de fábrica' (*vide* pág. 335), que parece ser el último capricho de la juventud estadounidense y la solución modesta para el transporte de mercancías en el comercio hispanohablante.

De distinta naturaleza es el uso, frecuentemente criticado, de la expresión *Oriente Medio*. Cierto es que esta zona del Asia cercana se conocía antes como *Próximo Oriente*, probable calco del francés o del inglés británico, pues en español, Levante, sin más, designaba la zona este del Mediterráneo (mar y países)[1]. *Oriente Medio*, más que un anglicismo, se debería llamar un angloamericanismo, perfectamente explicable. No podemos imaginar cómo un californiano, condicionado por la escuela a entender como *Midwest* la zona que tiene como centro Chicago, sería capaz de aceptar que se llamase *Near East* (Oriente próximo) a un conjunto de países situados a miles de millas de su propio extremo Este (la costa atlántica). Recuérdese que desde Nueva York se concibe el resto del país como *Midwest* (Oeste Medio) o *Far West* (Lejano Oeste). Incluso fuera de sus fronteras le

[1] Extraño resulta que los asiduos clientes de Alfaro, fuente de todos los anglicismos patentes o dudosos, no hayan tenido en cuenta la opinión del laborioso panameño al enfrentarse a las variantes Oriente Próximo / Oriente Medio. Precisamente él condena *Cercano Oriente* como anglicismo —yo admito la posibilidad de galicismo— y recuerda los usos españoles de Levante. Es uno de los artículos mejor razonados del libro.

costaría un esfuerzo mental concebir Portugal y España como *Near East*. Los británicos, conscientes de la confusión creada por el uso americano, protestan también del nuevo desajuste semántico. La historia, ya lo hemos apuntado (*ABC*, 31-10-87), desplaza la geografía. *Hesperia* era primero, para los griegos, Italia, mas luego designó la Península Ibérica y sus aledaños. Nebrija (cf. Corominas) identificaba *Levante* con Oriente. El Mediterráneo oriental y los países a él asomados de Asia eran Levante. Hoy se llama Levante en España a las comunidades valenciana y murciana, pero no todos aceptan esta denominación.

Relativamente reciente es la denuncia de estos calcos ingleses, aparentemente inocuos, que hoy, más que los préstamos crudos, invaden sobre todo el español escrito. Son los anglicismos solapados de que nos ocupábamos hace cuarenta años (cf. aquí cap. I), debidos casi siempre al loable propósito de decir en español lo que una palabra o expresión parece significar en inglés. Se hablaba, mejor dicho, se escribía de documentos *clasificados* (reservados) o de anuncios *clasificados* (por palabras o líneas), de *concreto* por 'hormigón, cemento', de *directorio telefónico* por 'guía de teléfonos'. Hoy también la Universidad Complutense publica su *Directorio de personal*. Se iba extendiendo entonces el uso de *Fuerzas* por 'Ejército, tropas'. *Armed forces* se tradujo por *Fuerzas Armadas*, y *Fuerza Aérea* (< ingl. *Air Force*) sustituyó a *Arma Aérea* (todavía en el *DRAE*), calco del al. *Luftwaffe*, como ésta había sustituido antes a *Aviación* (fr. *Aviation*). Los *Tres (*o *Cuatro) Grandes* y las *conferencias cumbre* son traducciones literales de *The Big Three* (o *Big Four*) y de las *summit* (no *top*, como suponía un articulista apresurado)... *conferences*. Todos estos usos son ejemplo de lo que hemos venido llamando anglicismos solapados, a los que los puristas dedican escasa atención o confunden con presuntos usos anglicados de difícil comprobación, como el de la locución prepositiva *a base de*, que aparece en frases de registro popular poco sometido a la influencia de la sintaxis inglesa, como *a base de bien*, *a base de pan*, etc. El modelo inglés propuesto *on the basis of* no es tan usual en esta lengua como para explicar el calco; sí, acaso, para ser modelo de la locución *en base a*, condenada por algunos manuales de estilo. Alfaro hace muy bien al deshacer este equívoco. Otros calcos, al parecer necesarios hace 40 años, han resultado ser inútiles, porque el modelo inglés que traducían ha caído en desuso. *Estratoexpresos* (ya citado en pág. 32) parece un uso ocasional del *Reader's Digest*, sin mayor trascendencia, y su alternativa, propuesta a la Academia por Alfaro, de *aviones estratosféricos*, resulta hoy, en la era de las sondas galácticas, un tanto superada por los avances de la técnica espacial. Tampoco parecen haber triunfado otras propuestas, como el término náutico *estambai* (*stand-by*), 'aparato mecánico con que el piloto de un barco transmite sus órdenes a los ingenieros (sic) que manejan las máquinas' [en España hubiéramos dicho 'órdenes a los maquinistas']. Sin embargo, *estar en stand-by* 'a la espera', expresión tomada de los viajes en avión, parece haber prendido en gentes ajenas a la aviación: preguntados los pescadores gallegos del fletán sobre sus proyectos, «cualquiera, a la espera de embarcar, soltaba aquello de 'Estou en stand-by', expresión que ya pertenece al habla de las rías», *El País Domingo*, 19-3-95, pág. 2.

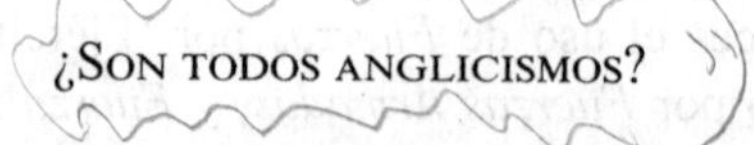

¿Son todos anglicismos?

En los inventarios más copiosos de los aquí mencionados —Alfaro, A. Fernández, Pratt— se encuentran a veces palabras y expresiones que le hacen a uno cuestionar la etiqueta de anglicismos con que se las describe. Siendo hoy el inglés el vehículo de comunicación más empleado entre todas las comunidades lingüísticas, no es de extrañar que, mezclados con esta lengua, penetren en otra elementos de varia procedencia que no todo el mundo es capaz de identificar como ajenos al inglés. Tiene así explicación el hecho de que Pratt, aunque familiarizado con el alemán, clasifique como anglicismo la voz *kindergarten*, conocida como germanismo por los pedagogos españoles desde principios de siglo y traducida adecuadamente como *jardín de (la) infancia* (también *jardín de infantes*), fórmula que alterna hoy todavía en América con *kindergarten*[2] o simplemente *kinder* (en anuncios de colegios aparece también el grado *pre-kinder*). Tampoco hay que extrañarse de que, si alguno conoce el inglés a medias, no haga reparos a esa forma truncada *kinder*, que hoy aparece también en España, interpretándola como comparativo de *kind*. Este uso de un germanismo crudo, sin traducción, cabe considerarlo como anglicismo procedente del inglés americano. De distinto origen, pero con la misma vía de penetración, es el galicismo *morgue* 'depósito de cadáveres', cuya aparición en el título del famoso relato de Edgar A. Poe ha contribuido sin duda a su difusión en el inglés de América y ha pasado de éste a las repúblicas hispánicas. Hoy lo encontramos a veces en la prensa española cuando publica despachos procedentes de estos países. Y cambiando de fuente, algo parecido podría decirse del italianismo *graffiti*, cuya frecuencia en español se debe en buena parte a la popularidad de la película *American graffiti*.

Muchos ejemplos más podrían aportarse, ya que, como queda dicho, es el inglés la lengua en la que convergen los hechos culturales (con su correlato lingüístico) de casi todas las sociedades humanas. Y de él proceden, más o menos disfrazadas, voces de tan variada filiación como *tornado* (esp.), *poltergeist* (al.), *mandolina* (it.), *perestroika* (rus.), *bitter* (neerl.), *déjà vu* (fr.), *yiddish* (al. > ingl.), *apartheid* (afrikaans), *quorum* (lat.), *curry* (tamil), *samurai* (jap.), *pagoda* (port.), *gurkha* (hindi), etc., etc. Como se comprobará a lo largo de estas páginas, el papel del inglés como lengua intermediaria nunca será suficientemente subrayado. La filiación definitiva de estos préstamos es una tarea todavía pendiente para los etimólogos, fácil aparentemente en unos casos, pero sumamente problemática en otros. *Pomelo*, por ejemplo, pasa por ser un anglicismo en ciertos diccionarios y hay personas que, al consultarlos, aceptan ese origen sin repa-

[2] Así en la Argentina, p. ej., en dos medias páginas del diario *La Nación*, de Buenos Aires, donde anotamos cuatro anuncios de *kindergarten* y otros tantos de *jardín de infantes*. También en Madrid un colegio que se describe como especializado en enseñar inglés a los niños, ofrece *jardín de infancia / kindergarten*.

ros, guiados por la autoridad, a veces dudosa, del diccionario consultado. Mas la voz no suena muy inglesa y algún investigador, insatisfecho con una explicación que se le antoja falta de fundamento, hace notar, primero, que el término usual en inglés es *grape-fruit*, rara vez *pomelo*, *shaddock*, *pompelmoose*, *pampelmouse* (otras opciones posibles), y aventura la hipótesis, muy plausible, de que se trata de la voz neerlandesa *pompelmoes*, que en la forma *pamplemusa* está atestiguada en España ya en el siglo XVIII como título de una composición atribuida a Mozart y en el diccionario de Terreros. Para la voz neerlandesa se encuentra una base del mismo idioma, *pompoen* 'calabaza', combinada con el port. *limoes* 'limones' que entró en neerlandés desde las Indias holandesas: *pompel* > ingl. /*pomel*/ (cf. ingl. *bomber*/bomer/y *wimble* < neerl. *wimmel*). La forma definitiva se explica como una aproximación al español o seudoespañol, lo cual tiene precedentes en voces inglesas de clara resonancia hispánica como *bravado*, *incommunicado*, *desperado*. Este ejemplo creo que ilustra bien el caso de una etimología problemática. Como anglicismo aparentemente obvio cabría mencionar el término *autostop*, ya admitido en el *DRAE*, si bien con la aclaración de que está tomado del francés, como ocurrió con *footing*, *smoking* y *pressing* 'dep. acoso'.

Es el *Diccionario* de Alfaro el que incurre más a menudo en el error de incluir en él palabras, expresiones y construcciones que nada deben a la lengua de Shakespeare. Aunque en muchos casos se declara explícitamente que el inglés es sólo lengua intermediaria, no es así siempre. Ya dedicamos un largo comentario aquí resumido (cf. págs. 81-2) a demostrar un hecho sintáctico que sugería posibles influencias anglosajonas, pero que estaba bien asentado en el uso español. También, en su día, don Salvador de Madariaga achacó al inglés la anteposición del adjetivo superlativo al sustantivo. Hube de recordarle que la frase cervantina «la más alta ocasión que conocieron los siglos» no se debía a alguien sometido a la influencia de usos británicos[3]. En el *Dicciona-*

---

[3] Debo hacer constar que en carta personal Madariaga admitió su error, gesto harto infrecuente entre los polemistas actuales.

rio de Alfaro hemos visto y anotado las siguientes atribuciones que, o son claramente falsas o requerirían comprobación rigurosa: *Talweg* (al.), *brandy* (neerl.), *vals* (al.), *trimotor* (falta en el *OED*), *finanzas* (lat. med. fr. o it.), *bolchevismo* (por la grafía, francés), *banal* (fr.), *aproches* (fr.), *firma*[4], *zigzag* (fr.), *nazi* (al.), (en al. *wolfram* se condena la *w*, pero se afirma que es nombre inglés), *masacre* y *masaje* (ambas fr.). Los galicismos, como es sabido, se cuentan por millares en inglés y si bien en casos claros, como los dos últimos, se reconoce su filiación última (inglés < francés), que en el español de América acaso sea cierta, en gran número de entradas de este diccionario son muy discutibles. *Dieta*, por ejemplo, no hace falta explicarla por el inglés en su acepción de 'régimen alimenticio' (de sanos y enfermos), pues este valor general ya venía del griego y latín ('régimen de vida'. Cf. Corominas, s. v.). Tampoco se puede admitir hoy *gringo* como anglicismo, ya que es palabra documentada en el *Diccionario* de Terreros, redactado mucho antes de la Independencia de Estados Unidos, y cuya explicación como variante de *griego*, mencionada por Corominas, no resulta convincente (véase PRÉSTAMOS, s. v.). Menos aún es aceptable como anglicismo el uso de *complejo* en Psicología y Psiquiatría, «que ha venido a nuestra lengua principalmente en textos ingleses... especialmente en traducciones de las obras de... Freud», olvidando así que el famoso médico vienés estaba en gran parte traducido al español en la tercera década de este siglo y satisfecho del trabajo de López Ballesteros, su traductor. Pero en muchos casos, la inserción de un vocablo o expresión en el *Diccionario* de Alfaro no implica que lo considere anglicismo, como ya hemos visto y se puede comprobar en otros ejemplos como *concurrencia*, *comparativo*, *autogiro*, *avalancha*, *porche*, *limusina* (Alfaro lo registra como *limosina*), *impredecible*, etc., en los cuales resalta los usos castizos de la palabra, su origen francés o las acepciones

[4] «Traducción literal del inglés *firm*» (Alfaro). Sin embargo, los diccionarios *Random House* y *Collins* lo registran, en sentido comercial, como hispanismo antiguo (s. XVI). Al. *Firma*, según H. Paul (*Deut. Wb.*), sería un italianismo, pero el *Vocabolario* de Migliorini no incluye esta acepción mercantil.

condenables. No siempre ocurre esto y voces como *autobús* o *paracaidista* se atribuyen a influencia inglesa. En *convoy* (fr.) se condena el pl. *convoys*, pero no se rechaza el de *boys*. Tampoco se ve claro por qué se rechaza *carro* como anglicismo a favor de *coche*. Ambos son viejos extranjerismos en español y lo mismo da una voz de origen eslavo (*coche*) que otra de origen céltico para sustituir al ya anticuado *auto(móvil)*.

Acertadamente señala Alfaro, como hemos dicho, el papel intermediario del inglés en ciertos germanismos, galicismos, latinismos e incluso hispanismos.

En el inventario de anglicismos de A. Fernández también se encuentran términos de cuestionable filiación inglesa. Así los galicismos *homard* y *nonchalance* y el germanismo *vermut*; figura también como anglicismo *chalupa*, galicismo de origen neerlandés.

No se libra el diccionario académico de falsas o cuestionables atribuciones. No es inglés, sino francés, *piolet* y así lo reconoce el *OED*. Tampoco lo es *linier*, como se afirma en la 21.ª edición (falta en la 20.ª) repitiendo lo que dice el *DMILE*. En inglés se dice *linesman*; *linier* existe en francés, pero como adjetivo de *lin* (*'linero'*).

En la colecta de anglicismos del profesor Pratt, que aprovecha bien los inventarios de Alfaro y Fernández, se repiten algunas de las adjudicaciones dudosas de éstos y se añaden algunas de su cosecha según señalamos en su lugar (cf. INTRODUCCIÓN, págs. 27-28). Aparte de los estudios monográficos citados, referidos al anglicismo, la más importante fuente de información sobre anglicismos, evidentes y presuntos, es el manual de estilo de la Agencia EFE.

«MANUAL DE ESPAÑOL URGENTE (MEU)»

Este manual, editado por la Agencia EFE, destinado a personas que desempeñan un papel decisivo en la difusión de usos lingüísticos, sirve de guía y orientación práctica ante algunos préstamos y calcos no totalmente instalados en el español de estos finales de siglo. Debe decirse que la aceptación o condena de usos se justifican, por lo regular, con razones sensatas, bien rechazándolos rotundamente, bien proponiendo el entrecomillado o su admisión sin restricciones, sea porque la Academia los incluye ya en su diccionario, sea porque, aun sin estar incluidos, resulte aconsejable, a falta de solución mejor, incorporarlos al uso informativo. En ciertos casos, dada la confusión reinante entre algunos partidarios del anglicismo indiscriminado, se dan los consejos pertinentes para su empleo más correcto atendiendo a la norma española o la inglesa. Son dignos de elogio los comentarios y propuestas que acompañan a la gran mayoría de las entradas. Destacan, entre las que figuran en las primeras páginas, los dedicados a las voces y expresiones *agencia*, *agresivo*, *álbum*, *«allocation»*, *América*, *anticipar* 'prever', *aparente* 'evidente', *asumir*, *audiencia*, *autodefensa* 'defensa propia', *billón* 'mil millones' (podría añadirse *trillón* 'billón'), *«blue-jeans»*, *«briefing»* 'sesión informativa', *captores* 'secuestradores', *«cash flow»*, *«catering»*, *circunstancial*, *«clap»*, *«clearing»*, *colateral* 'aval', *conducir* 'dirigir', *contemplar*, *contraparte* (por ingl. *counterpart* 'equivalente, homólogo, colega'), *convencional* 'corriente, usual', *«crack-crash»*, *criticismo*, *cualquiera*, etc.

Mas no todo lo condenado por este diligente equipo de orientadores del uso periodístico figura en el *Manual de español urgente*, pues la Agencia EFE reparte quincenalmente un utilísimo boletín que trata de resolver, y lo consigue con creces, atendiendo a la urgencia preceptuada en el servicio, las dudas que surgen en la transmisión diaria de noticias y requieren decisión inmediata. Este *Boletín*, hasta que se incorporan sus pautas de redacción al *Manual*, ofrece singular interés a quienes se preocupan de la adopción correcta de usos lingüísticos de origen extranjero, y no sólo los de fuente inglesa, que son mayoría, sino de otras lenguas antes consideradas exóticas, como las eslavas y otras más orientales, ya que sus redactores se liberan, por fin, de la servidumbre del español a otras lenguas europeas que antes actuaban de intermediarias, francés, inglés y alemán sobre todo. El *Manual* no es perfecto en lo que atañe a los anglicismos y ya hace años que se ha denunciado esta deficiencia juntamente con la «mala corrección de pruebas» (*«poorly proof-read and at times inaccurate in what it says about English»*). Esta censura se refiere a la 4.ª edición (Cátedra, 1985), pero la 5.ª «corregida y aumentada» no hace honor ni a sus redactores y correctores ni a la Agencia EFE y los errores y erratas se perpetúan en la 9.ª y 10.ª. Si los fallos, en cuanto al citado boletín quincenal, son disculpables dada la premura con que han de trabajar los traductores para que las noticias lleguen frescas al lector, no lo son tanto cuando se trata de actualizar un *Manual* ya en su décima edición cuyo prestigio exigiría mayor atención al producto final. El grupo selecto de guardianes del lenguaje, en el que figuran, como asesores, eminentes académicos, constituye un baluarte del bien hablar y escribir donde el exceso de celo que condenaba Talleyrand en los funcionarios da lugar a singulares descalificaciones de anglicismos que acaso no lo sean. Así, en la 5ª edición del *Manual*[5] creemos que deberían ser objeto de revisión las siguientes entradas:

Artista. Puede que se use *artista* por *artífice*, como en el ejemplo censurado, pero lo corriente es que aparezca, sin más, por *pintor*, empleo que se ha hecho general. Para evitar dudas, una esquela de *ABC* (16-4-93) describe a un fallecido como Artista Pintor.

Bajo cubierta de. Si significa lo que dice el *Manual* no parece anglicismo. En inglés *«under cover of darkness»* = protegido por la oscuridad.

[5] En una publicación reciente, *Vademécum...*, se afirma (pág. 184): «Podemos asegurar, sin ningún tipo de rubor, que el *Manual de español urgente* de la Agencia EFE es, actualmente, el mejor y más completo libro de estilo que existe en castellano; pero no es el único...». Hay que aplaudir la salvedad final, pero eso no obsta para lamentar el descuido con que se han revisado (?) las ediciones que siguieron a la quinta. La novena y la décima llevan fecha de 1992 y 1994, respectivamente, y contienen, sin corregir, casi todas las erratas y errores presentes en la de 1989 (quinta), que es la que originariamente comentamos.

Bitter sería voz inglesa si significase un tipo de cerveza, pero como nombre de licor procede del neerlandés, probablemente a través del francés. La grafía actual inglesa es *bitters*.

Break es, en Bolsa, no sólo baja notable (bajón) sino también 'repentina' [«*a sudden and substantial decline*»]. Para otras acepciones véase PRÉSTAMOS, S. V.

Casting. Creemos que se confunde *casting* con *cast of characters*. En una película, al concluir, puede aparecer el *cast* con la lista de los personajes e intérpretes, es decir, el reparto, y *casting* 'selección de intérpretes' con el nombre (generalmente uno) de quien hizo la selección.

Contencioso. «Otro calco innecesario del inglés». Pero en esta lengua no es sustantivo, como en el neologismo español denunciado. Tiene el significado aproximado de los adjetivos jurídicos españoles en *Tribunal de lo contencioso, vía contenciosa*. El *Libro de Redacción* de *La Vanguardia*, que también condena este uso y propone otras opciones, creo que acierta al considerarlo galicismo (< fr. *contentieux*).

Contra el reloj. «Mala traducción del inglés *against the clock»*. Parece improbable que un término del ciclismo de competición venga de Inglaterra, donde este deporte no es muy popular. Falta la expresión en mis diccionarios ingleses, pero aparece en uno bilingüe reciente de *Collins* (1992, no en el de 1989). El uso del artículo es explicable, si consideramos que está tomado del francés, como la construcción española condenada, pues en fr. se dice *course contre la montre*. Lo más aproximado en inglés, si éste fuera la fuente, serían los ejemplos del *OED*, s. v. *against*: *«against time* = against the clock [sin autoridad], with a time limit». *Robert Angl.*, s. v. *montre*, apoyado en Mackenzie y en John Orr, da un ejemplo francés de 1885 —*contre* *la montre*— pero no hay testimonio inglés de la frase *against the clock*, de la que el *MEU* dice estar calcado.

Dealer. «Tradúzcase por apoderado». Escrito *diler* aparece en el *Dicc. de Argot* de V. León, con el significado de 'repartidor de droga', pero no conocemos el uso bancario de *dealer*, que aquí se equipara a apoderado.

Descontrolarse. Este anglicismo no es sinónimo de *perder los estribos*: «... Sí... en lenguaje deportivo: ...el conductor se descontroló en la vuelta». El verbo inglés *decontrol* significa 'liberalizar' (precios).

ECU. Corresponde, es cierto, a la sigla de *European Currency Unit*, pero la traducción (Unidad de Cambio Europea) es inexacta. En el *DRAE*, 21.ª edición, se explica como «Unidad monetaria de la Comunidad Económica Europea (hoy Unión Europea)».

En base a. «Probable adaptación del inglés» (cauta observación).

Sí es anglicismo, calco del inglés *in depth*, el sintagma **en profundidad**, repetido hasta la saciedad por muchos, incluso por los que lo condenan.

En reclamo de < *in claim of*. Normalmente en inglés se usaría *on* o *to* en vez de *of*.

Envolver. «Las circunstancias que envuelven (rodean) el debate». Es teóricamente posible construir en inglés «the circumstances involving the debate», pero los usos anglicados periodísticos de *envolver* son los que aparecen en las frases siguientes: «los envueltos en la estafa» (implicados); «el envolvimiento libio en el atentado berlinés» (participación); «cuatro mujeres son envueltas... por la protagonista en la desaparición» (se ven mezcladas).

Sobre *«escutismo*, no *escultismo»*, condenado por el *MEU*, véase s.v. *boy-scout*. Tras admitir la Academia **escultismo** en 1992, en la 10.ª edición ha desaparecido la condena.

Estar detrás de se presenta como traducción literal de *to be behind* 'ser el instigador oculto', pero se añade que «es también construcción correcta en castellano *¿Quién está detrás de este asunto?»*.

Estar supuesto a proteger. No nos extraña que alguien haya escrito algo así y lo denuncie este *Manual*. En nuestras notas hemos encontrado cosas semejantes (cf. págs. 626-28). La cuestión no acaba ahí, pues la solución generalmente aceptada —*se supone que* protege (o que debe proteger)— sigue siendo un calco sintáctico de la construcción inglesa. En castellano, algunas veces corresponde a 'estar obligado', como indica el manual, otras, en cambio, a 'debe proteger', 'debería proteger', 'en teoría (principio) protege'.

Estimación. Sí son, en efecto, anglicismos cuando se emplean *estimación*, *estimado* y *estimar* por 'cálculo' y 'calcular', pero en Hispanoamérica se usan sobre todo en la acepción de 'presupuesto, presupuestar'.

Exclusivo. Cierto es que se abusa de este adjetivo, adjudicándole el significado inglés de 'selecto, elegante', etc., pero sospecho que en el ejemplo citado, referido a Durban (África del Sur), en tierra donde estaba vivo el *apartheid*, posee la acepción correcta de 'lo que excluye otras cosas (aquí personas)'.

«Features». Puestos a dar los significados de esta voz inglesa, creemos que faltan dos de los más modernos y usuales: sustantivo: 'película base de un programa'; verbo: 'presentar o aparecer como protagonistas'.

«Flipper». No he encontrado en ningún diccionario monolingüe, incluido el de *Random House* (1987), el significado denunciado de 'máquina tragaperras semejante al billar romano', pero no hay duda de que el término se usa en español (con una *p* o dos), en el sentido descrito por el *MEU*. Y como voz española figura en la primera parte (español-inglés) de la edición reciente (1992) del *Collins* juntamente con otras de la misma familia y con el significado inglés de 'pinball machine'. Si *flipar* y sus derivados constituyen seis entradas de esa primera parte (*flipado*, *flipe*, *flipante*, *fliparse*, etc.), con una buena docena de acepciones para el verbo, entre ellas las de 'pasarlo bien, disfrutar, dejarse seducir', no es de extrañar que el pasatiempo en cuestión haya favorecido la creación de un derivado más, inspirado tal vez en el nombre de un delfín, protagonista de la película homónima *Flipper*, sin acudir al inglés, para designar el nuevo tragaperras. De las asociaciones que hayan favorecido el uso del nombre de un delfín para esta metonimia no me atrevo a aventurar ninguna hipótesis. Acaso la clave esté en el nombre comercial de una de estas máquinas, fabricadas en Alemania con esa ortografía y usado en francés desde 1965, nombre que designa tanto el resorte que lanza la bola como el aparato denominado 'billard électrique'. También se usa en italiano. M. Sousa recoge *flipper* en su acepción normal de 'aleta'.

«Gurkas». La transliteración de voces inglesas y francesas con *kh* (recuérdese *Khrushchev*, *Khart(o)um*, *Khmer Rouge*, *Aga Khan*, etc.) equiparando ese dígrafo a nuestra jota se va imponiendo ya. Por ello resulta desconcertante recomendar la transcripción *gincana* (s. v.) para hispanizar *gymkhana*, mientras que aquí *k* < *kh* se convierte en *j* (*gurja*) y *khemer* (s. v.) se rechaza a favor de *jemer*.

Intratable. Si no en el manual, sí en otras publicaciones, personas vinculadas al servicio de *MEU* condenan este adjetivo como anglicismo cuando se usa en el significado de 'invencible, imbatible'. No he podido documentar esta acepción en diccionarios ingleses. En la 9.ª y 10.ª edición del *MEU*, sin llamarlo anglicismo, se condena su uso deportivo.

Levantar dudas. Puede que, como se afirma, sea un anglicismo o un galicismo. En el primer caso, el ejemplo sería incorrecto. O bien *doubts arise* 'surgen dudas' o *to rise doubts* 'despertar dudas'.

Limusín. «Úsese entrecomillado; plural, *limusines*... (Evítese *limusinas*)». Parece acertado recomendar el entrecomillado. No obstante, la condena de *limusinas* no lo es, pues ésta es la grafía dominante. Si de *lemosín* hacemos *lemosina* (*DRAE*), no veo por qué ha de rechazarse el femenino *limusina*, registrada por Alfaro, sólo que con *o* (*limosina*). Aparte de numerosos ejemplos basta citar aquí la entrada del *VOX*, acep. 2: 'automóvil lujoso de gran tamaño'. También la recoge el *Peq. Espasa* (1994). Este consejo contradice los cuatro gentilicios de Limoges enumerados en la pág. 94 del manual.

Lobby. «Evítese». Si no aceptamos el anglicismo crudo, hoy bastante arrinconado por *grupo de presión*, cabe recomendar, en vez de *camarilla*, la solución hispanoamericana *cabildo* (y *cabildeo*), ya recogida en el diccionario *Collins* bilingüe (s. v. *lobby*) y propuesta por Alfaro en su diccionario también s. v. *lobby*.

Moonlight. Resulta por lo menos extraña la identificación de la voz *moonlighting* 'pluriempleo' con *overnight*, términos que, aunque ricos en significados, incluidos los de las erratas (*lightning* significa 'relámpago'), no poseen ninguno común, salvo que la luz de la luna (*moonlight*) se observa durante la noche (*overnight*).

Parafernalia no debe condenarse, sin más, como «crudo anglicismo», dada su sustancia fonética y su historia. Si se hubiera acuñado en España a partir de la frase nominal «bienes parafernales» difícilmente se atreverían a rechazarla en Italia como «crudo hispanismo». Á. Rosenblat (69, IV, pág. 148) comenta esta voz y señala: «Me dicen que se usa en Cuba... como sinónimo de aparato excesivo... es nombre de una tienda de Londres que hoy tiene su sucursal o imitación en Caracas».

En cambio, aunque **permisividad** es también un anglicismo que «debe evitarse» resulta ya tarde intentar restringir su uso, tan extendido que la Academia ha admitido el vocablo e incluso lo emplea el propio manual que lo condena (s. v. *destape*). En la 10.ª edición: «Aunque figura ya en el *DRAE*, no debe olvidarse que también puede decirse *tolerancia*».

No debería considerarse anglicismo el término **plusvalía**, aunque se den sus equivalentes (más bien traducciones) en inglés. En su acepción socioeconómica corresponde al concepto marxista del *Mehrwert*, traducido al francés como *plus-value*.

Premier, referido «sólo al primer ministro británico», no sería recomendable, pues a este jefe de gobierno se le conoce como *prime minister*. Este es el uso general. Según los buenos diccionarios *premier* se reserva para los jefes de gobierno de las provincias canadienses y de los estados australianos; también se aplica al jefe de gobierno francés y al italiano. Entre varios ejemplos de Italia, damos uno de los últimos: «Los italianos tienen confianza en Berlusconi como *premier*», *ABC*, 5-1-95.

Pressing, como ha señalado acertadamente Lázaro Carreter, es, en la acepción de 'acoso' (en ciertos deportes), un galicismo. No lo es, en cambio, cuando significa 'planchado', acepción desconocida en español que corresponde más o menos a lo que aquí se llama 'limpieza en seco' o, usando otro anglicismo, *dry cleaning*. Pero algunos lo siguen llamando, a la antigua, *tinte* o *tintorería*.

Provocativo. Muy oportuno nos parece el comentario a la traducción del adjetivo inglés *provocative* 'incitante, estimulante, revulsivo'. Pensando en esta última acepción el escritor Vargas Llosa, en un congreso internacional del Pen Club se sumó a la declaración de Günter Grass («tenemos que aprender otra vez a ser anarquistas») añadiendo que eso era «the revolting function of literature». Pero *revolting*, en inglés, no es 'revulsivo', sino 'asqueroso, repugnante'. El cronista que refiere el lapsus lo disculpa con un «understandable imperfect English» (*Newsweek*, 27-1-1986).

Inspirándose en M. Seco (*Dicc. Dudas*) se recomienda para **rally**: «No debe usarse la grafía *rallye*, que es adaptación francesa. Su plural inglés es *rallies*... pero es preferible darle la forma *rallys*, para evitar la falsa pronunciación */ralies/*». Parece acertada esta recomendación en cuanto al plural, pero queda en pie la falsa pronunciación de la *ll*, que, por la misma tendencia, si no se reduce a *l*, la pronunciará el español como *elle* o como *ye*. Cf. también pág. 361.

También es acertado aconsejar para **reluctancia** 'renuencia, mala gana, etc.' alguno de los sinónimos españoles. No obstante, si ya el *DRAE*'84 admite *reluctante* 'opuesto, reacio', estaría justificado el uso del abstracto correspondiente. [Se admitió en 1993.]

Restaurante exclusivo se describe como «galicismo que... puede sustituirse por *restaurante selecto*...». Aparte de que este significado no parece propio del francés, la etiqueta de «galicismo» está en contradicción con el propio manual (cf. s. v. *exclusivo*). En la 10.ª edición la calificación de «galicismo» ha quedado enmendada por «extranjerismo».

Rol es un posible anglicismo en su acepción teatral, escrito *role* o *rôle*. En inglés se dice también *to play a part*. Sí lo es, sin duda, en la entrada siguiente (*roll-on*, *roll-off*): «los ferrys (sic) *roll-on roll-off* que permiten la entrada de vehículos por rampas... a proa y a popa», *El Mundo*, 30-9-94, pág. 2. La grafía *rollon-rollof* es insólita en inglés; y en español, según el ejemplo, también. Se sigue manteniendo en la 10.ª edición.

Romance 'idilio, amorío' es efectivamente un anglicismo como denunciamos hace 40 años. Ya no se puede decir que «no es sinónimo de *idilio*, *noviazgo*, *amorío*...», pues sigue en el *DMILE* desde hace unos 10 años y entra en el *DRAE* en 1992.

Round-up aparece —no sé con qué fundamento— como si fuera equivalente de 'mesa redonda'. No se ha enmendado en la 10.ª edición. Sí significa 'resumen'.

No puedo imaginar contextos en que la voz inglesa **score** signifique 'marcador o clasificación', como el *MEU* aconseja que se traduzca. Véase s. v. en el capítulo PRÉSTAMOS, págs. 384-85.

Exagerado resulta considerar anglicismos **sensible** y **ultrasensible**, aunque sea sólo referido al uso americano. *Sensible* en inglés significa hoy 'sensato, práctico, acertado', y referido a los sentidos, 'perceptible'. 'Delicado', como propone el *MEU*, también se puede aceptar en algunos casos. Calco semántico del inglés sería *sensitivo (< *sensitive*, 'connected with matters affecting national security'), pero ocurre que en esta acepción de 'confidencial, secreto' se está usando, como indica el *MEU*, *sensible* y *sensibilidad*, que no podrían llamarse estrictamente calcos [cf. *similaridad*, calco de *similarity*]. Los ejemplos siguientes ilustran el uso: «huyó con información sensible sobre la seguridad del estado», *ABC*, 15-5-94, pág. 27; «[el CESID] consideraba estos dosieres 'material de alta sensibilidad'», *El Mundo*, 19-11-93, pág. 16.

También hay un calco de la construcción inglesa *'to be consistent'* en la española **ser consistente con** por 'ser congruente, consecuente, coherente'. Se filtra asimismo en español el régimen prepositivo del verbo *to consist of* 'consistir en', mal traducido con la preposición *de*, acaso contaminación del a veces sinónimo *constar de*.

En cuanto a **solamente**, hace años que lo censuramos por ser lo que llamamos un «anglicismo de frecuencia», ya que arrincona sinónimos como *sólo*, *únicamente*, *nada más que*, etc. Nos parece bien que se condene el uso de *solamente* como traducción de *only* en el giro *I saw him only yesterday*, pero no se le da al infractor la solución pertinente: *'hasta ayer no lo vi (no lo había visto)'*.

Sportswear no significa 'traje de deporte' sino 'ropa (prenda) de deporte'.

To take actions. Si el censor de la frase *tomar acciones*, para mí desconocida, se empeña en traducir 'tomar medidas' es posible que el plural español [*tomar medida* sería cosa de sastres] repercuta en ese plural inglés (*actions*) que los diccionarios no registran. Sí, en cambio, *to take action*, pero esto no significa 'tomar medidas', es decir, 'preparar una acción', sino 'ejecutarla, intervenir'. Un alumno, J. Carlos García, me ofrece el siguiente ejemplo, tomado de una emisión de ABCNews, subtitulada: «... have announced taking new action... in Bosnia», traducido por 'han anunciado nuevas acciones...'. Él propone 'han anunciado que van a actuar'.

Trust, admitido como *truste* en la 20.ª edición del *DRAE* (1984), ha desaparecido en la última, probablemente por desuso. Hoy, hasta en inglés se prefiere *cartel*, pero sigue usándose *trust* en acepciones que no corresponden a 'fideicomiso': «leyes anti-trust».

Tschaikowski, **Tchaikovsky** son las grafías alemana y francesa con que el compositor ruso se conocía en Europa. Yo he criticado estas dos trasliteraciones en favor de *Chaikovski*, pero en inglés, donde se transcribe *Chekhov* (y no *Tschekhow* ni *Tchekhov*) sigue dominando la transcripción con *T*-inicial. Hoy se ha generalizado la grafía *Chaikovski*.

Ufología, ufólogo. Parece sensato recomendar, para ser consecuentes, los derivados de la sigla española OVNI, nada afortunada «traducción» de la inglesa, pues crea un grupo consonántico anómalo en español (*v*+*n*). No creo que la recomendación tenga seguidores entre los «ufólogos».

EL «DICCIONARIO» DE ARTURO DEL HOYO

Mi viejo amigo (de 1934) Arturo, ya retirado de menesteres contractuales con su editorial, nos ha ofrecido, como una nueva aventura de su vocación de escritor (despertó a los 18 años en *El Sol*), un excelente *Diccionario de palabras y frases extranjeras* (*DPFE*) en el español moderno (edit. Aguilar) que tuvo el buen gusto de regalarme en 1989. No es éste ya el momento de hacer la reseña obligada a una obra de apariencia modesta (420 páginas en 8.º) pero de contenido denso y casi enciclopédico que interesa y puede ser de provecho a cuantos se ocupan de la lengua actual. Aunque entre las más de 4.000 voces o frases inventariadas aparecidas en el español escrito desde el siglo XVIII hasta hoy no sean los anglicismos la masa dominante, ni mucho menos, hay que destacar que son muy abundantes, están casi todos documentados (se cita la primera aparición según sus propios datos) y merecen un comentario sensato salpicado de noticias curiosas para el lector. No es, ni pretende ser, un diccionario etimológico, pero se nota que el autor, a sus pertrechos bibliográficos ha sabido incorporar un juicio prudente y ecuánime que le salva del disparate y de las conclusiones precipitadas. Dado que uno de los problemas que atañen al estudio de los anglicismos es el papel del inglés como lengua intermediaria de casi todas las demás, si no en exclusividad, sí con harta frecuencia, resulta tranquilizador ver cómo Arturo del Hoyo (A. H.) se abstiene de opinar en los casos dudosos y sabe presentar con la debida cautela sus discrepancias frente a lo admitido como cierto. No voy a mencionar las erratas que, me consta, no quiso subsanar la premura de los editores cuando apareció la 1.ª impresión de la obra, pronto agotada, erratas justificables si se tiene en cuenta la variedad de lenguas representadas en diversas claves de transcripción (el diccionario respeta las grafías extranjeras), desde las más familiares como son las clásicas —hebreo, griego, latín— y sus herederas culturales europeas, hasta algunas desconocidas o consideradas exóticas hasta el siglo xx como el coreano, suahili, magiar, afrikaans, caló, vascuence, japonés, bable, gallego, turco, chino, noruego, croata, serbio, hawaiano, finés, islandés, malayo, esquimal, tibetano, etc. De la que nos interesa, el inglés, hay muchas coincidencias con lo tratado por los redactores del *MEU*. He aquí, como muestra, las entradas y comentarios de usos escritos registrados que, a nuestro juicio, exigirán nuevo planteamiento o revisión total. También, como es lógico, destacamos los aciertos.

Las iniciales **a.m**. (también **p.m.**), **i.e**. (= *id est*) son, sin duda, siglas de sintagmas latinos, pero nos vienen al español a través del inglés. Los latinismos difundidos por el inglés son innumerables y, aunque A. H. se limita, por lo regular, a hacer constar su origen latino, no cabe duda de que muchos se han difundido con ayuda del inglés: *ad honorem*, *ad lib*, *campus*, *affidavit*, *veredicto*, *agenda*, *álbum* (= disco elepé), *alibi*, *alma mater*, *bona fide*, *Magna Charta*, *(anti) climax*, *corpus* (bibl.), *curriculum*, *fax* (= facsímil), *delirium tremens*, *detective*, *dixit*, *duplex*, *ego* (psicoanal.), *hábitat*, *vídeo*, etc.

No todos estos términos, por supuesto, tienen demostrada su presencia en inglés antes que en español, pero la buena datación léxica que supone el *OED* permite aceptar su antelación en esa lengua con respecto a la nuestra.

En **baby-sitter** no creo que se trate en rigor de un compuesto (*baby* + *sitter*) sino más bien de un derivado del verbo *to babysit* 'cuidar, atender a un niño'. *Sitter*, por otra parte, vale también para quien atiende a una persona desvalida, por edad o enferma.

Festival. A. H. se anticipó 3 años a la Academia confirmando el valor inglés de este vocablo, ya señalado como anglicismo por Alfaro y por M. Seco. Respeta la etimología académica (*DRAE*'84: lat. *festivalis*) para la primera acepción, pero subraya otras dos claramente anglicadas. Como recuerda Alfaro, *festival* figuraba en el *DRAE* hasta 1899 como forma arcaica del adj. *festivo*.

Filmlet. Creemos que la adaptación española dominante no es *filmín* como afirma Seco, sino *filmina*, por lo menos cuando se usa como complemento pedagógico de medios audiovisuales.

Fixing (econ.) posee más acepciones que la propuesta '(tipo de) cambio oficial (diario) al cierre (de la Bolsa)'.

Flying Dutchman, como nombre de embarcación olímpica, falta en los diccionarios ingleses normales, excepto para designar el buque fantasma que inspiró la ópera wagneriana (conocida también como «El holandés volante»).

Fólder está ya admitida por la Academia (1992) como americanismo.

Footing es un «anglicismo» que hará pensar en su origen. Creemos que es un galicismo en la acepción «exercice de marche ou course à pied» (M. Höfler). Es posible que proceda en España de la jerga de boxeo (¿Quién no ha visto a un boxeador corriendo con su entrenador por la carretera?). Pero los diccionarios ingleses no registran, entre muchas, esta acepción. A. H. remite oportunamente a *jogging*. *Lexis* registra en primer lugar su significado inglés «sol pour poser le pied».

Geiser / geyser. Siendo este diccionario, como queda dicho, registro de usos de la lengua escrita, no es extraño que en el caso de *géiser* (*DRAE*) aparezcan dos grafías, una la alemana y otra la inglesa. La Academia, en este caso, ha optado por la grafía del étimo último (isl. *geysir*), un tanto improbable como origen de la española.

Goal-average, término frecuente en español, no parece anglicismo, sino galicismo, pues la traducción que se hace, 'promedio de tantos', citando a Seco, no corresponde al uso actual 'cociente de dividir el número de goles marcados por el de los recibidos'. Los diccionarios ingleses no suelen registrar dicha acepción.

Para **gymkhana**, en cambio, no se acude a la fuente hindi (*gendkhana*) de la voz inglesa.

Haikai. Veo complicada la etimología de las entradas *haikai* (jap.) y *haiku* (también *jaiku*) (jap.). La primera, según A. H. es la transcripción francesa, pronunciada *he-ké*, la segunda se pronuncia en inglés *hekö*. El diccionario *Lexis* de la editorial Larousse (abril de 1985), sin embargo, recoge las dos como «*mot jap.* 1922» y señala como pronunciación /aikai/ y /aiku/, respectivamente. La pronunciación inglesa de *haiku* es casi ortográfica, pero se añade la grafía *hokku* que responde a la forma japonesa *hokkö*, consignada por A. H.

En **hand-ball**, creo que el predominio del inglés en el vocabulario deportivo y la coincidencia ortográfica con el alemán explican que el término se considere un anglicismo. Sin embargo, creo que si no es un préstamo directo del alemán *Handball*, sí lo será del francés, que lo usa desde 1900, según *Lexis*. Vide infra, págs. 234-35.

Iron courtain 'telón de acero' es sin duda un anglicismo en sentido político, pero no se usaba en inglés —en francés sí (*rideau de fer*)— en el de telón que aísla el escenario de la sala en caso de incendio. Sin embargo, según Carver (1991, pág. 252), en un texto de 1829 se menciona un *iron curtain* «against fire. [... to ...] separate the audience from the stage». Tras el incendio del teatro Novedades de Madrid parece que era preceptivo mostrarlo para tranquilidad del público. No recuerdo que se llamara *telón de acero*, sino metálico. El primer uso de *telón de acero* —entrecomillado— que registra el fichero académico es de febrero de 1951. En la América hispánica *iron courtain* se traduce a veces literalmente por *cortina de hierro*.

No parece acertada la descripción de **jersey** como 'industria característica de la isla de Jersey', pues el uso español se refiere a la prenda de punto (fr. *point de jersey*, *point de tricot*) hoy identificada en inglés también con *sweater* 'suéter', *jumper* (chompa, chomba, etc.), *pullover* (pulover). En todo caso, sin excluir la actividad textil más o menos mecanizada, es probable que acaso la *industria típica* de la isla de Jersey sea la láctea o la cárnica por la calidad de su ganado vacuno. En la América hispana se designa también, como en inglés, el tejido de punto con el nombre de *jersey*. Como se ve, la filiación exacta del término, cuyas vías de difusión penetran también en el francés, resulta problemática.

En cuanto al neologismo **jet-set** (fem.), nada hay que objetar a su origen inglés, sobre todo teniendo en cuenta el uso francés, donde alterna con *jet-society* (fem.) pero es palabra masculina (*le jet-set*) como lo es en todas las acepciones de *set* de esta lengua. Creemos que en español el uso femenino de *society* o el de *beautiful people*, términos con los que alterna, contribuyeron a fijar el género femenino en España, pero en Chile, p. ej., es masculino [el Jet Set, *Mercurio*, 5-2-95, pág. A7]. Aunque A. H. no registra el género, no hay duda de que *set* es masculino en tenis y en cine o televisión.

El término surafricano **kraal**, usado por R. Baroja, llega, como otras voces del afrikaans (*apartheid*, *trekking*, *boer*, etc.), a través del inglés, pero no creo que su origen sea el español *corral*, sino el portugués *curral*, como señalan los diccionarios ingleses. Basta recordar la posición geográfica del portugués (Angola, Mozambique) en el Sur de África. Neruda (*Confieso...*) recoge *kraal* en Ceilán, donde fue cónsul.

La voz **leasing**, como sustantivo, creo que pertenece a la clase de los seudoanglicismos, pues el inglés no la registra como sustantivo en los diccionarios consultados. Parece un galicismo, ya que los franceses la usan y condenan como superflua, puesto que su papel lo desempeña *lease*. Cf. la tesis de Rafael Alejo, excelente en muchos aspectos (inéd., 1993, pág. 160).

Letraset, más que 'palabra extranjera', es calco del inglés *letterset*, condensado, a su vez, de *letter* + *(off)set*, técnica de impresión de letras en relieve. Hay una 'marca de fábrica' *letraset*. ¿Es española? Si lo es, habría que excluir el anglicismo de nombre registrado crudo y postular un calco.

El uso actual de **limusina** (s.v. *limousine*) no constituye un galicismo sino un anglicismo: 'any large luxurious automobile esp. one driven by a chauffeur' (*RHD*) frente al uso francés 'automobile où seuls les voyageurs de l'arrière sont complètement protégés...' (*Lexis*). A. H. con buen acierto no usa el peregrino *limusín*, recomendado por el *MEU* (vide supra, pág. 55). Pero incluso referido a la ciudad de Limoges hemos anotado recientemente «premio de las justas Limusinas», *ABC*, 25-1-94.

A **linier** le atribuye A. H. origen francés, mas los diccionarios de esta lengua parecen ignorar esta palabra en el sentido español. (cf. *Lexis*, s.v. *lin: «linier, ère.* Relatif au lin»). La Academia, en cambio, ha optado por un étimo inglés (*DRAE*, *DMILE*). Pero la palabra existe y el diccionario bilingüe *Collins* la recoge, traduciéndola al inglés como 'linesman'.

Maizena y su uso darían lugar a una larga polémica. Los inventores del producto —es marca de fábrica, como dice A. H.— se resisten a tolerar el nombre fuera de su ámbito comercial, lo que probablemente justifica la grafía *maicena*. Los diccionarios ingleses no la incluyen y en los bilingües se traduce la voz española como si el producto no existiera. En cualquier caso no es necesario acudir al español para explicar el nombre comercial, pues *maize* existe en inglés como hispanismo desde el siglo xvi. Como anglicismo lo registra *Lexis* («*maïzena*, nom déposé, de l' anglais *maize*...»).

Match. Si bien los primeros testimonios del uso se refieren a combates de boxeo, hoy se emplea ocasionalmente para designar otros encuentros deportivos. M.ª Moliner cita como ejemplo el ajedrez; mas en general, se aplica hoy, como en inglés, a otras competiciones de mayor ejercicio físico: tenis, críquet, fútbol...

Matrilocal. Pese a sus raíces latinas, el término no se debe al latín. Es posible que sea anglicismo, que aparece en inglés en la primera década del siglo (1906), época en que nuestros antropólogos (¿cuándo aparece en español?) no solían beber en fuentes inglesas. Lo mismo vale para ingl. *patrilocal*. Pero en francés, según *Robert Angl.*, no está atestiguado hasta 1939, y por ello se inclina a favor del inglés: «D'après l'anglais *matrilocal* apparu en 1906». Son ambas voces insólitas en español.

La grafía **Minnesinger** no es la usual en alemán para *Minnesänger* (< *minnesang*), pero es la que adoptan los ingleses. Pudiera ser francesa, pues en esta lengua se registran las dos opciones. La presencia de *Meistersinger* (sólo con *i*) favorece la forma analógica.

Interesante es el neologismo híbrido **Mibor**, formado sobre el modelo *Libor* (=*London inter bank operating rate*) sustituyendo la L de London por la M de Madrid. Otras autoridades dan como origen de la sigla *London interbank offered rate* (*Collins Bil.*, Lozano Irueste).

Otros híbridos de componente inglés, acertadamente listados en la M de este diccionario, son **monorail** (= monorraíl), recientemente admitido por la Academia sin calificativo de anglicismo; **motocross**, fr. e ingl. (= motocrós) y **moviola**, del ingl. *movie* + *-ola*, sufijo de origen románico (¿italiano?), como en *gramola*, *pianola*, *victrola*, etc.

No es híbrido, pero merece la pena destacar su inclusión y explicación, el préstamo español en inglés **mustang** (< *mestengo* < *mesta*) como nombre de caballo y de un célebre modelo de automóvil Ford.

Más que híbrido, hay que considerar acrónimo el tristemente famoso **napalm**, voz ilustrada con oportunas explicaciones sobre su composición léxica y química (cf. pág. 308).

A los que estábamos en Estados Unidos en la presentación y posterior expansión de la **New Look**, la moda femenina creada por Christian Dior, nos cuesta un esfuerzo considerar el término un anglicismo, pues si aplicamos el mismo razonamiento a la voz *mustang* habría que considerarlo un hispanismo, algo que los aficionados españoles al automovilismo, aun muy defensores de lo hispánico, no están dispuestos a admitir. Hay que decir que el vituperado chovinismo francés no ha mostrado ningún interés en apropiarse este neologismo, que figura en los diccionarios franceses como «mot anglais».

New wave. La expresión no figura en los diccionarios ingleses salvo como traducción del fr. *nouvelle vague*.

Nymphet. Tiene razón A. H. al indicar que este anglicismo, creado, como es evidente, con el sufijo francés de diminutivo, aparece a menudo con su ortografía francesa de *nymphette*, como si de un galicismo se tratara.

No sé hasta qué punto está justificado considerar un compuesto de origen norteamericano la combinación **palace hotel**. Lo que sí es claro es que se trata de un anglicismo morfosintáctico, por el orden de palabras. *Palace* es también anglicismo en francés, devolución del originario *palais* deformado. En Arniches, 1914, *Melq.*, pág. 67: *Palace Hotel* (en una canción).

Por el contrario, es lícito considerar **paletot** (*DRAE*, *paletó*) como mero galicismo, pues la voz de donde procede (ingl. med. *paltok*) se ha perdido en inglés, sustituida por su heredera francesa.

El caso de **pandemonium** (*DRAE*) plantea una vez más la cuestión del préstamo directo o étimo último. Corominas (s.v. *demonio*): «*pan-demónium* (*Ac.* 1899 ó 1914)». Pero *Pandemonio* lo tenemos en Larra, *Pob. Hab.*, 8, 25 [1832]. La forma latinizada del helenismo fue acuñada por Milton. Así lo hacen constar los buenos diccionarios (*OED*, *RHD*, Migliorini, *Larousse* —esp. y fr.—). La etimología del *DRAE*, aunque no se remonta esta vez al griego, hace pensar que en la época helénica ya se tenía idea del palacio de Satanás imaginado por el autor del *Paraíso perdido*.

El mismo problema se repite en **parafernalia** (*DRAE*' 1992, sin etimología), voz usada en sentido jurídico como plural en Inglaterra pero luego aplicada como singular a toda clase de pertenencias con el valor levemente despectivo de 'trastos'. A. H. añade oportunamente el valor de 'revoltijo', que acentúa el matiz de desorden y de lo heterogéneo.

Incluir la variante española del hindi **patchama** 'pijama' acaso aclare la confusión ortográfico-fonética que, iniciada en inglés, repercute en español. En la entrada *pyjama*, identificada como voz francesa (< ingl. *pyjamas*), se dice que la voz hindi es *paejama*, lo que parece indicar que la transcripción *patchama* con la grafía *tch* fuera un galicismo. De todos modos, se ve que en inglés americano se ha optado por la grafía *pajamas* con verbo en plural, mientras que el británico prefiere *pyjamas* con verbo en singular. La pronunciación es la misma para ambas soluciones ortográficas. En español, en cambio, frente al peninsular *pijama* —hoy dominante, pero en otros tiempos (Benavente, 1927) también *piyama*— tenemos en América *piyama* o *pijama*, los cuales, para complicar más las cosas, a veces son femeninos.

Sobre **penny** cabría actualizar el comentario. Desde hace unos 20 años ya no es la doceava parte del chelín en Gran Bretaña, sino la centésima parte de una libra, como era ya la moneda de un centavo (*cent*) de dólar. De paso su parónimo alemán *pfennig* —la adaptación *fénigue* sería excelente— podría incorporarse como *penique*, dada su imposible pronunciación para el hispanohablante. El *chelín* británico, *shilling*, lo ha equiparado el *DRAE* a la voz alemana *schilling*, hoy unidad monetaria austriaca, llamando *chelines* a ambas. Cf. además pág. 394.

De **pick-up** ya hemos comentado su ambivalencia (cf. supra pág. 42).

Ping-pong es, efectivamente, un anglicismo y marca registrada, no un galicismo como afirma el *DRAE*, que escribe *Ping-Pong* y remite a *pimpón*. Como A. H. prescinde de las grafías no castellanas, no menciona el término oficial de este deporte, suscitado, tras pleito, por los propietarios de la marca: ingl. *table tennis*, fr. *tennis de table*, esp. *tenis de mesa* (*DRAE*).

Es una más de las voces que parecen haber entrado en español a través del francés. En el caso de ésta, atestiguada en 1931 equiparándola con *lawn-tennis* de mesa, está justificado hablar de anglicismo.

Piolet, en cambio, registrada en *DRAE* como anglicismo, lo refiere A.H., correctamente, al francés alpino cercano al Piamonte. Ya el *Tartarin*, de A. Daudet, lo usaba en los Alpes y figuraba, creo recordar, en las traducciones del autor francés al español en los años veinte.

Placebo. Difícil será expulsar del *DRAE* la erudita etimología de bachillerato antiguo (del «latín *placebo*, 1.ª pers. del sing. del fut. imperf. de indic. de *placere*») y reconocer su origen inglés, como hacen los franceses. De su significado verbal al valor de sustantivo que designa una presunta medicina hay tal distancia que a duras penas puede atribuírsele la etimología latina.

Sobre la voz **pomelo** (véase pág. 46).

Portland es, sin duda, referido al cemento, un anglicismo. Hay incluso en España una empresa cementera que lo luce en el nombre. Pero el topónimo en cuestión, aunque existe en la geografía de Estados Unidos, es británico y procede de una Isle of Portland (más bien península) en el condado de Dorset (Inglaterra), cuyas canteras suministran piedra de construcción muy apreciada de color parecido al del cemento, producido en otros lugares. En Argentina, Sábato y Cortázar usan *porlan*. (Ponz, *Viage*, *II*, menciona la piedra de Portlan.) A. H. corrige la etimología en la 2.ª edición (1995).

Post mortem, si no consta más que el significado latino, no debe de ser término muy frecuente. La mención de un uso de 1971 no permite saber si se empleaba en sentido literal o como anglicismo, ocasional en la América hispana con el sentido de autopsia.

Pot-pourri, 'popurrí' (*DRAE*), es sin discusión palabra francesa (en inglés desde el siglo XVIII), pero en ambas lenguas se considera un calco del español *olla podrida*, información que agradecería el lector.

Tampoco es discutible **praxis** como helenismo, pero los usos actuales creo que deben poco al griego (= acto, acción) y sí a la filosofía alemana en su sentido político (cf. dicc. *VOX*, 1.ª acep.: 'conjunto de actividades cuya finalidad es cambiar el mundo') o médico (cf. al. *Praxis* 'clientela', cf. también ingl. *general practitioner* > *practice*, *malpractice*; del término *malpraxis*, probablemente confusión de médicos españoles, nos ocupamos en págs. 284-85.

Sobre la voz **propano** el *DRAE* no ofrece etimología. El *DPFE* la califica de anglicismo, pero si las dataciones son ciertas, en francés (*Lexis*) está atestiguada (1785) ochenta años antes que en inglés (1866). Es, evidentemente, un término científico moderno.

Pullman está condenado por Alfaro, s.v. *púlman*, en el uso de 'coche-cama' que registra el *DPFE*. Es voz de uso americano que incluye Lope Blanch en México como 'anglicismo de uso medio' y que alterna con *carro dormitorio* y *coche-cama*, con preferencia por la primera de éstas. En España se tradujo del francés *wagon-lit*, forma híbrida de inglés y francés, y como *coche-cama* figura en el *DRAE*.

Remitir **quantum-quanta** a las clases de Zubiri (1934), que compartí con A. H., es correcto y para mí nostálgico. Pero referirlo al latín, aunque se respete el plural latino, es tan inexacto como incluirlo entre los anglicismos en el libro de Pratt (cf. pág. 27). Esta vez el *DRAE* concede a Max Planck sus merecidos laureles.

En **quorum** tenemos otro latinismo referido al sistema judicial británico y difundido por las prácticas jurídicas y parlamentarias anglosajonas, como A. H. acertadamente explica, tras indicar lo que significa en latín. El *DRAE* prescinde del cambio semántico para explicar su origen.

Racor, tiene razón el *DPFE*, no proviene del ingl. *rackwork*, como pretendía la 19.ª edición del *DRAE* (1970), sino del fr. *raccord*, como ya se rectifica en la 20.ª (1984).

También tiene razón A. H. al señalar que **raglan**, en inglés y en español, es palabra llana. La tilde del *DRAE* en esta voz, como en la deformación *ranglán* (con opción *ranglan*), no sé a qué se debe, teniendo en cuenta la preferencia del español por la paroxitonía. ¿A través del francés? Cf. también pág. 359.

Aunque el neologismo **ratio**, usado hoy en economía, tiene sus precedentes en el término matemático *razón* 'relación, cociente' (*DRAE*, acepc. 9.ª, 14.ª y sigs.), ambos —el matemático y el económico— son considerados anglicismos en francés. El uso dominante hoy en España le adjudica el género masculino, lo que hace pensar que haya venido del francés, donde predomina este género, aunque a veces aparezca el femenino. Podría pensarse que el nominativo *ratio* frente al acusativo *rationem* (en esp. *razón*, *ración*) impone, con su *-o,* el masculino, pero hoy son ya docenas las voces femeninas en *-o* del español, tendencia que apuntábamos en 1952.

Sobre la expresión **relaciones públicas** no caben dudas de su estirpe anglosajona. Así lo reconoce la Academia (1992) , s.v. *relación*. Pero ni el *DRAE* ni A. H. mencionan el ya consolidado uso del singular para quienes se dedican a esta actividad: «Fulano es un *relaciones públicas*».

Reluctancia, no mencionada por A. H., en electricidad es anglicismo a través del fr. *reluctance* (1904) = 'resistencia' (ingl. 1888, Heaviside, *OED*). Con el valor de 'renuencia' fue aprobada por la Academia en junio de 1993.

Reportage es efectivamente, como indica el *DPFE*, un anglicismo francés. En español los derivados de *to report* admitidos en el *DRAE* son *reportero* y *reportaje*. El primero podría estar tomado del fr. *reporter* / *reporteur* o del ingl. *reporter*, pero el segundo, que A. H. incluye como galicismo, existe en inglés desde principios del s. XVII. Por su antigüedad en español, más de un siglo, creemos que los dos proceden del francés. El verbo *reportar* 'informar' ha sido admitido en el *DRAE* como americanismo.

A **retro** no creo que haya que buscarle filiación en francés o en inglés, donde posee el sentido general del prefijo. En francés es voz relativamente reciente (hacia 1970) «imitation des modes d'un passé plus ou moins lointain» (*Lexis*). En inglés su uso no corresponde al del español. El Diccionario bilingüe *Collins* recoge *retro* con el significado de 'reactionary' (sust. y adj.). En este caso, como en el de *progre*, yo no buscaría etimologías foráneas.

De que **rifle** es un angloamericanismo no hay duda; de que proceda del alemán *Riffel*, sí. Basta considerar las etimologías propuestas en el *RHD* y en el *OED*. Creo que la propuesta por A. H. procede del *Dictionary of Americanisms*, de M. M. Mathews, 1951. Si la grafía *ff* es correcta, no es fácil de explicar la actual pronunciación del inglés: /raifl/.

En cuanto a **rimmel**, su ausencia en los diccionarios ingleses es explicable, ya que éstos son reacios a incluir marcas comerciales. Que sea un anglicismo, como indica el *DPFE*, no debe descartarse, aunque *Lexis* se limite a calificarlo de 'mot déposé'. *Robert Angl.* dice que desplazó parcialmente al anglicismo *mascara, -ro*. También figura en el *Collins Bil.*, que da como equivalentes ingleses 'mascara, eye-shadow'. A. H. parece remitir a Seco en la grafía *rímel* (*DRAE*) o en la condición de anglicismo, pero en el *D. Dudas* (1986, 9.ª edic.) no figura. Sobre el angl. *mascara*, pron. /maskára/, cf. CALCOS, pág. 527 s.v.

Hay que aplaudir el acierto de explicar, en la entrada de **roastbeef**, que el segundo elemento del compuesto inglés no debe traducirse por 'buey'. Si a alguno le resulta violento cambiar el macho por la hembra y traducir 'vaca', la solución neutra es 'vacuno', como indica A. H. De todos modos cabe recordar que *beef* (< fr. *boeuf* < lat. *bos*, *bovis*) pierde como carne de mesa el género natural que tiene como carne viva (*ox* 'buey' frente a *cow* 'vaca'). En la entrada *beefsteak* se alude a otras soluciones ortográficas y semánticas.

La inclusión de **scooter** 'escúter' con la grafía inglesa merece aplauso, pues nos da la correcta transcripción castellana. Resulta sorprendente que, por evitar toda concesión a los anglicismos ya difundidos, tenga uno que encontrar el modesto invento léxico y mecánico del *biscúter*, fuente de chistes y sarcasmos, en un diccionario publicado por la editorial Harper Collins, tantas veces mencionado.

También hay que aplaudir la inclusión de **scotch** 'escocés' por *scotch whisky*, pues es hoy la palabra que, por influjo norteamericano, sustituye a *whisky*, voz de tantas polémicas, en el uso americano (inglés y español).

Comentar aquí la voz **sesquipedalia** *verba* puede parecer intromisión en el terreno que hemos acotado y excluido de este comentario, pero tiene que ver con los anglicismos porque, como señalamos en su día (*ABC*, 15-6-84), un redactor de manual de estilo relacionaba el término con el inglés, con los pedales de la bicicleta y con el *seis*, escrito, para mayor confusión, *sex*. Una fuente semejante es causa del error de A. H.

Sheriff es vieja palabra inglesa anterior a la conquista normanda. Decir antiguo escocés no añade nada, pues sería también inglés antiguo. Otra cosa sería gaélico escocés, del que procede *slogan*, pero éste no es el caso. La transcripción *sérif* no creo que sea la más extendida. Lo más normal parece ser *sherif(f)*, incluso para «explicar» en español el significado de *marshal* en películas del oeste.

Shoot es inglés pero no significa 'tiro' ni 'disparo'. Significa, si se quiere, *chutar*, de donde *chut*. Para 'tiro, disparo' la palabra es *shot*. El *DMILE* incluye en 1989 *chut* 'disparo', *chuta* 'jeringuilla', *chute* 'inyección' y una nueva acepción de *chutar*, tomadas del lenguaje de la droga, todas del mismo origen (*to shoot*).

Snob con la grafía *esnob* está ya recogida en el *DRAE* (1992). La etimología *s(ine) nob(ilitate)* que citan los diccionarios alemanes y franceses, es, por los datos disponibles, totalmente infundada, como creo haber demostrado en PRÉSTAMOS, S.V. *snob*.

Soda en su acepción 2.ª del *DRAE* 'agua gaseosa que contiene ácido carbónico' no es un italianismo como implica el diccionario académico (acep. 'sosa' sí) sino anglicismo, como señala A. H., cuya cita de 1924, de *Blanco y Negro*, si procede de A. Fernández (1972) debería ser *whisky* con *soda*. Pero los dos diccionarios etimológicos alemanes (F. Kluge, H. Paul) sostienen que entra en lat. medieval a través del español, procedente del árabe. Aunque no lo menciona A. H. cabe añadir aquí que *sodio* es, efectivamente, derivado de *soda*, pero acuñada, como *potasio*, por H. Davy en 1807 con el seudolatinismo *sodium*.

Soja es probablemente un galicismo tomado del japonés; también podría ser germanismo (la grafía es la misma). Pero la pronunciación, en cualquier caso, estaría mejor representada con el anglicismo *soya*, que es la ortografía hispanoamericana también admitida por la Academia, sin indicar dónde. En inglés existen dos grafías: *soy* (América) y *soya* (G. Bretaña). No es extraña, por tanto, la forma *soya*, que cita A. H. en Rubén Darío.

Aunque **soul**, sin duda alguna, es un anglicismo de origen norteamericano, debo añadir aquí a la escueta y puntual explicación de A. H. que cuando se popularizó el término en los años sesenta la revista *Time* trataba de explicar esta música con la voz española *duende*. Curiosamente en 1993 se anunciaba en Madrid un espectáculo titulado *Soul y duende* (*ABC*, 10-5-93, pág. 143).

También la ortografía, como indica A. H., puede identificar en **sportman**/*sportsman* la fuente directa del anglicismo, en el primer caso de Francia, como *sportwoman*, más frecuente, según A. H., que la grafía inglesa *sportswoman*. El *DMILE* y *Peq. Espasa* registran *sportman*. Sobre la historia de esta voz en español cf. págs. 416-18.

Creo que **sprint**, adaptado acertadamente por Seco como *esprinte* (¿se impondrá?), no tiene hoy en español el significado de 'carrera veloz' sino el de 'esfuerzo intenso y breve de aceleración del corredor en un momento de la carrera, sobre todo cerca de la meta' que es el que tiene en francés (*Robert*). Lo mismo vale para *sprinter*, donde la adaptación al español *esprinter* tiene menos dificultades. Con *sp-* iniciales el *Peq. Larousse* recoge ambas y además el verbo *sprintar*. En el *DMILE*, *sprint* 'esfuerzo momentáneo o arrancada en una carrera deportiva'. En el *Peq. Espasa* (1988) 'en una competición de carrera, aceleración final'. A. Fernández (1972) registra *sprintadas* (s.v. *sprint*).

Hace bien A. H. apoyándose en A. Fernández en traducir **star** por 'estrella, astro'. Modernamente tiende a excluirse a los hombres sobre todo porque el diminutivo *starlet* (ingl.), *starlette* (fr.), *starlettina* (cf. s.v. *star*, pág. 423), se aplica sólo a mujeres.

Es oportuna la inclusión de **striptease** con sus dos adaptaciones *estriptís* y *estriptis* (*Peq. Espasa 'strip-tease'*, *Collins 'estriptise'*). El verbo *to tease* tiene aquí el significado de 'embromar, excitar'.

En **subliminal**, A. H. señala correctamente que la voz está tomada, sin más, del inglés y da como opción el adjetivo latinizante *subliminar*, del bajo latín *subliminaris*. El sufijo *-al*, como en tantas voces (*distal*, *educacional*, etc.), denota influencia inglesa. El dicc. *Lexis* así lo reconoce (s.v. *liminal*).

En cuanto a **suite**, A. H. hace bien en diferenciar el galicismo (conjunto de piezas musicales) del anglicismo (conjunto de habitaciones en un hotel) tomado antes del francés con el significado de 'séquito'.

También es acertado aclarar que **superego** es la traducción inglesa del *Über-Ich* de Freud y mencionar las dos hispanizaciones del término: *superyo* (sic) o **superyó** *DRAE* (1984) (también «ideal del yo») y *supra-yo.*

De paso, por ser traducción del alemán *Übermensch*, popularizado por Nietzsche, pero anterior a su *Zaratustra*, se podría haber indicado esta deuda en el ingl. *superman*. Así lo reconoce el *RHD*.

La grafía **tabou** es hoy la dominante en francés y por ello A. H. incluye el nombre como galicismo. Pero en inglés, según *Robert Angl.*, están documentados *tabu*, *tapu*, *tambu* y *tabou*, aparte de la usual *taboo*, que es la primera documentada en francés. La etimología de tabú (*DRAE*) —«del polinesio tabú, lo prohibido»— aun perdonando la tilde, no coincide con la propuesta de los diccionarios: *tapu*. Figura ya en el *Diccionario Nacional*, de Domínguez (1848).

Hace bien A. H. en consignar que **talweg** (al. *Thalweg*, *Talweg*) es voz alemana, incluida por Alfaro en su diccionario sin razón aparente, pues invita a la confusión. Lo que vendría bien en el *DPFE* sería indicar que su buena traducción es 'vaguada' usada como alternativa en el laudo del Rey de España citado por el lexicógrafo panameño.

Tándem, según el *DRAE*, es latinismo. Dado que designa una bicicleta u otras cosas desconocidas por los romanos, hay que considerarlo anglicismo, por lo menos como medio de transporte. Las otras acepciones del diccionario académico, acaso sean creaciones del español o tomadas del francés.

Teenager merece inclusión aunque no sea muy frecuente, pero hay un error en el significado inglés, que debe leerse «entre los trece y los diecinueve años». Cf. también PRÉSTAMOS S.V.

En **test** cabe añadir que se ha admitido sin variación en el *DRAE*, pero ante el anómalo plural inglés se indica en el *DMILE* que es invariable.

Es tradicional asociar la actividad turística con los ingleses. Por eso aunque la voz *tour* es inequívocamente francesa, **touriste** está tomada del inglés *tourist*, como reconocen los franceses. Para el término *tour operador*, adaptado a veces como *touroperador*, ha sido propuesta en la Academia la traducción *operador turístico*, que parece un poco forzada. Sería más aceptable la traducción de A. H. 'agente de viajes'. Los hispanohablantes decidirán.

La vigésima edición del *DRAE* (1984) contenía una disparatada etimología de **transistor**, corregida en la última (1992). La historia del invento es bien conocida y también el nombre de quien acuñó el neologismo que, pese a su apariencia, no debe mucho al latín, como bien resume el *DPFE*.

La voz **trial**, 'prueba motociclista', incluida y explicada en detalle por A. H., creo que se presta a confusión, para quienes la pronuncian a la inglesa /traial/, con la escrita *trail*, que designa otro tipo de motocicleta —*trail bike*— usada también en competiciones. Curiosamente el diptongo /ai/ de *bike* sí se pronuncia, p. ej. en la popular *mountain bike* (aquí *bike* es bicicleta; en Madrid hay por lo menos una tienda especializada). Tal vez al citado riesgo de confusión se deba la pronunciación ortográfica de *trial*, voz incluida en el *DRAE*'92.

Versus es palabra que suscita polémicas. Condenada por anglicismo, alegando que esta preposición en latín sólo significa 'hacia', se olvida: 1.º, que como tal preposición no existía en latín clásico, sólo como participio adjetivado de *vertere*; 2.º, que latinismos como p. ej. *adversario*, *adversidad*, *adverso* tienen implícito el sentido de 'contra', que en español ha alternado en el uso con *hacia* (p. ej. «caminando contra la cueva» (pág. 25), «caminando contra la ciudad» (114), *Palmerín de Inglaterra*, *I,* Miraguano, Madrid, 1979). Como anglicismo o como latinismo tendría que incorporarse alguna vez al diccionario académico.

No es, en rigor, **volt** palabra inglesa. Existe un acuerdo internacional para que ciertas voces se adopten en la misma nomenclatura por las naciones adheridas. *Volt*, por tanto, es tan inglés como español, como italiano o alemán. Pero en Italia, patria del físico Alessandro Volta, se critica con razón el término internacional «barbaramente scorciato a volt» (Migliorini, *Vocab.*). En el *DRAE* se incluyen voltio, vatio, ohmio, amperio, al lado de las unidades internacionales, *volt*, *watt*, *ampère* y *ohm*.

CAPÍTULO I

ANTECEDENTES

«EL ANGLICISMO EN 1955»*

Reunimos bajo este epígrafe dos artículos, uno resumido y otro íntegro, publicados a lo largo de 40 años, como testimonio de una preocupación surgida en mis primeros contactos directos con el fenómeno, mas no manifiesta hasta 1954, año en que redacté el primer artículo publicado en España (en 1955) sobre el asunto. Reproducimos esta primera aportación, publicada con adiciones en la primera edición de *El español de hoy* (Gredos, 1966) y subsiguientes (1971, 1980) con el título de «*El anglicismo en la España de hoy*».

En esa primera edición (1966) apareció, como inédito, un comentario a una afirmación del *Diccionario* de R. J. Alfaro publicado por Gredos, en el sentido de que «Intolerable es la práctica de intercalar adverbios entre una inflexión del auxiliar *haber* y un participio... Este modo anglicanizante rompe *normas fundamentales de la sintaxis castellana* y no comunica a la frase ni fuerza ni belleza» [la cursiva es nuestra]. Este comentario ha motivado recientemente otro de J. Manuel González Calvo, Catedrático de la Universidad de Extremadura, corroborando mi tesis. Lo resumimos recordando el título primitivo, «Desgajamiento del participio en los tiempos compuestos»,

* Este artículo, ampliado y recogido en la 1.ª edición de *El español de hoy, lengua en ebullición* (Gredos, 1966), tuvo añadidos en las subsiguientes (1971, 1980) como consta en el texto. En las notas, las adiciones son fácilmente identificables. Se publicó por primera vez en la revista *Arbor* (1955).

donde tratamos, creemos que convincentemente, de rebatir las afirmaciones del lexicógrafo panameño. He aquí el resumen:

La expresión subrayada «normas fundamentales de la sintaxis castellana» me produjo sorpresa. Consulté la *Gramática* de la Academia (el *Esbozo* no se había publicado aún), la *Sintaxis* de Gili Gaya y el *Manual* de Rafael Seco sin encontrar condenación explícita de tal uso. Pero autoridad, reconocida por la Academia —su primer diccionario se llama *de Autoridades*—, son los buenos escritores y durante año y medio nos aplicamos a buscar testimonios que confirmaran o disiparan nuestro convencimiento de que tales intercalaciones podrían estar favorecidas acaso por la sintaxis inglesa, pues tenían suficiente tradición en nuestra lengua para considerarlas legítimas y aceptables. Pero incluso prescindiendo de la época clásica, en la que los datos de Keniston sobre la prosa castellana confirman lo dicho, nuestra colecta de datos modernos —autores del último siglo— parecía probar que la práctica no era tan «intolerable» si nos fijamos en los nombres de quienes la perpetraban: P. Galdós, Unamuno, Baroja, Benavente, Marañón, Dámaso Alonso, G. Miró, Azorín, P. de Ayala, Ortega y Gasset, C. J. Cela, etc. Creímos demostrar, además, que en ciertas condiciones, la interpolación es obligatoria o sumamente conveniente para el buen orden sintáctico o para evitar ambigüedades, v. gr. *las importaciones se han más que duplicado,* donde los elementos interpolados no admiten desplazamiento, *no lo hubiera soñado ni siquiera él* frente a *no lo hubiera ni siquiera soñado él.*

Pese a mis argumentos, temo no haber convencido a los que se sienten ungidos para hacer de sus opiniones personales reglas de buen hablar y escribir. Así, R. Carnicer, admitiendo que «el hecho se produce, y no necesariamente por influjo del inglés» estima que la intercalación «es tan exiguamente practicada que bien podemos considerarla —aunque no incorrecta— poco recomendable». Hay que agradecer a este crítico su concesión al uso —«no es incorrecta»— con la salvedad de que su infrecuencia la convierta en poco recomendable.

Tales escrúpulos no los manifiesta el *Manual de estilo* de la Agencia EFE, donde se declara tajantemente: «Nunca debe introducirse un adverbio en las formas verbales compuestas entre *haber* y el participio pasivo». No lo condena por anglicismo, pero sí parece reflejar, como en otros muchos casos, la opinión de Alfaro. Está al alcance de cualquiera demostrar que la condena del citado manual es, por lo menos, una arbitrariedad para la que nadie lo ha autorizado, sólo disculpable como recomendación de uso interno para los servicios de dicha agencia.

* * *

Varios sueltos y artículos publicados en la prensa madrileña este año (1955) dan nuevamente actualidad a una cuestión que está pidiendo un serio planteamiento por su trascendencia lingüística, social y nacional. Nos referimos a la actual irrupción de anglicismos en la lengua española, acompañada de una lenta pero persistente propagación de modas, costumbres, técnicas y actitudes sociales de evidente signo inglés o angloamericano. Queremos ceñirnos aquí al aspecto puramente lingüístico, en el cual —vaya esto por delante— no hemos podido ver los terribles peligros que algunos señalan. El fenómeno no se produce únicamente en el ámbito nacional, sino que afecta, en mayor o menor grado, a todos los países de habla castellana. R. J. Alfaro, desde Bogotá, enumera tal cantidad de voces inglesas —mil doscientas— en todas las fases del proceso asimilativo, vigentes en la América española, que uno se siente inclinado a temer seriamente por la integridad del idioma[1]. Gracias a los esfuerzos de

[1] R. J. Alfaro, *El anglicismo en el español contemporáneo,* Bogotá, Boletín del Instituto «Caro y Cuervo», 1948, págs. 102 y sigs. Es prólogo del *Diccionario de anglicismos,* del mismo autor. En 1867, Rufino José Cuervo, en sus *Apuntaciones críticas...,* cita sólo siete anglicismos. También han tratado el problema, desde la ladera hispanoamericana especialmente, Carlos F. McHale, en *Spanish Don'ts,* Nueva York, 1939, de carácter escolar, y Elizabeth Peyton y Rojas Carrasco, en *Anglicismos,* Valparaíso, 1944, que incluye una gran parte de los ya aceptados por la Real Academia.

[La prensa de los últimos años, con altibajos, y la Real Academia, a través de algunos de los miembros más destacados, han tomado conciencia de la gravedad del problema. Si la profilaxis o la terapéutica son eficaces no puede predecirse. Pero es confortador ver cómo de la indiferencia se ha pasado a la alerta. Entre diversos estudios que hemos estimulado sobre el tema, debemos mencionar la muy documentada tesis de Antonio Fernández. Tambien recientemente, y con hincapié en las condiciones de la Colombia actual, Luis Flórez propone soluciones concretas para contener la inundación de extranjerismos, especialmente de origen inglés, en *op. cit.,* págs. 269 y sigs., así como págs. 335 y sigs. Todavía más recientemente, véase el artículo de Chris Pratt, «El arraigo del anglicismo en el español de hoy», *Filología Moderna,* XI (1970-71), págs. 67-92; también del mismo autor «El lenguaje de los medios de comunicación de masas», *Fil. Mod.,* XIII (1972-73), págs. 63-68. Cf. *EEH,* 1980.]

nuestros puristas, la situación en España no ha adquirido todavía los caracteres de gravedad que ofrece en Hispanoamérica[2] o, por citar el caso más triste, en Filipinas. Aun así, los artículos mencionados, más que rozar una mera cuestión de actualidad, creemos que abordan un problema insoslayable de nuestra época que exige perentoriamente un examen ponderado de sus diversas manifestaciones[3]. En estas páginas trataremos de exponer nuestra opinión sobre el caso español.

Siendo la lengua por naturaleza un medio de comunicación entre los hombres, es, por tanto, natural que en este intercambio de signos lingüísticos los dos protagonistas del diálogo —sean dos personas de la misma lengua, de lengua distinta, o dos naciones— procuren acomodar o sintonizar su respectivo sistema de expresión con el del interlocutor. Este esfuerzo —a veces inconsciente— de acomodación se puede producir incluso entre miembros de una misma familia. El padre cincuentón, que opera con determinado número de expresiones entre sus coetáneos de la tertulia de las cuatro, sabe muy bien que ante su primogénito, de veinticinco años, tiene que mantener en línea otro sistema de transmisión —distinto en tono, léxico y connotaciones—, sin el cual la comunicación se perturba. Este mismo proceso de acomodación se produce cuando se enfrentan dos comunidades lingüísticas. La sintonización es tanto más frecuente cuanto mayor es la necesidad de recepción de cada una, o, dicho de otro modo, la comunidad lingüística que escucha —o que lee— tiene que reajustar más veces sus elementos de recepción que la comunidad emisora. Si estos elementos de recepción, utilizados igualmente en la transmi-

[2] Como ilustración, citamos fragmentos de una crónica deportiva del *Diario de la Marina*, de La Habana: «... en el sexto inning le dieron un roller entre tercera y short, que fue el primer single del juego... Los del Marianao batearon mucho más, pero anoche tanto los outfielders como los infielders realizaron magníficas cogidas... Formental bateó un roller por el box... Era un hit con todas las de la ley...; la cuarta entrada que abrió Pearson con hit de roller por el center. León bateó duro y dio un flay al short. Estando Cabrea al bate, Pearson se robó segunda...» [¿1948?].

[3] Entre los que se han hecho eco de la cuestión, recordamos a don Julio Casares, a través de unas declaraciones publicadas en *ABC* (25-2-55), Pedro Laín Entralgo (conferencia del 22-3-55) y Manuel F. Galiano (*Ínsula*, abril 1955).

sión, funcionan eficazmente a la hora de actuar el órgano expresivo de la comunidad —el idioma— como instrumento transmisor, no se debe observar anomalía ninguna.

Tenemos confianza en el mecanismo lingüístico español, sometido ahora tan violentamente a prueba. Tiempos ha habido —la época normanda en Inglaterra, el siglo XVIII en Alemania— en que una lengua nacional ha estado a punto de claudicar ante el poder arrollador de otra extranjera. Ni el momento actual español reviste la gravedad de los períodos históricos citados ni los efectos posteriores de dichas invasiones idiomáticas dan motivo para alarmarse. De la dominación normanda en Inglaterra a partir de la batalla de Hastings resultó un enriquecimiento tal de la vieja lengua anglosajona, que ha convertido a ésta, a pesar de su anacronismo ortográfico, en uno de los más flexibles sistemas de expresión con que cuenta el mundo. Del mismo modo, el enorme influjo de la cultura francesa en la Alemania del XVIII —recuérdese que el gran Federico de Prusia escribía sus obras en francés— no impidió, sino que de hecho contribuyó a ello, el extraordinario florecimiento de las letras alemanas a fines del XVIII y principios del XIX. Y si nos remontamos a la antigüedad, basta recordar el poder fecundador de la lengua y la cultura griegas sobre Roma. O, volviendo a España, meditar sobre la fertilización de extensas parcelas de nuestro vocabulario llevada a cabo por la cultura árabe. Es oportuno desenterrar ahora la frase de Unamuno «Meter palabras nuevas, haya o no otras que las reemplacen, es meter nuevos matices de ideas»[4]. Y no vale tachar a Unamuno de extranjerizante. No es lo mismo *eficiente* que *eficaz,* como se puede comprobar comparando las expresiones *un hombre eficiente* y *un remedio eficaz.* El primer adjetivo apunta a la actuación o al rendimiento: el segundo, al resultado. Una *consigna* comercial puede ser: «Vender mucho y barato», pero «Mejores no hay» es una frase afortunada que difícilmente podría calificarse de consigna y cae plenamente en la categoría de *slogan* —voz que, por otra parte, podría aclimatarse como *eslogan*—. Hace veinticinco años hemos visto volar sobre Madrid el *au-*

[4] «Sobre la lengua española», en *Ensayos,* Madrid, Aguilar, 1945, I, pág. 322.

togiro inventado por La Cierva. Según los técnicos, el *helicóptero* que vemos ahora no es tan esencialmente distinto como para justificar la importación de otro nombre, tanto menos cuanto que la palabra *autogiro* —por sí menos precisa, pero bien española— queda así totalmente inservible. Que *menta* equivale a *hierbabuena* puede verlo cualquiera en el diccionario académico, pero dudamos de que llegue alguien a hablar de *caramelos de hierbabuena. Menta,* por otra parte, ni siquiera como nombre de planta debe nada al inglés *mint;* pero en esta última acepción no creemos que sea muy común.

Vemos por estos ejemplos —que podrían multiplicarse— que es posible dejar paso libre a cualquier expresión extranjera que venga a añadir un matiz nuevo a otra nuestra, que por las especiales características de sus contornos semánticos no rija plenamente en el terreno específico en que aquélla pretende instalarse. Vemos también —caso de autogiro-helicóptero, vestíbulo-*hall,* etc.— que hay otros anglicismos que vienen a suplantar, sin título alguno que los avale, voces españolas perfectamente sanas, sin añadir un ápice a su valor significativo[5]. Pero el grupo más importante lo forman términos, generalmente tomados del campo de las ciencias naturales o de la técnica, que vienen a ocupar terrenos no hollados del mundo semántico de un idioma. Igual que el mundo civilizado ha tenido que tomar del español *platino* (o *platina),* nosotros hemos tenido que echar mano de las palabras *blenda, cobalto, níquel, zinc, wolframio* (del alemán), *tungsteno* (del sueco), etcétera, todas ellas palabras que, naturalmente, no traen un matiz nuevo ni sustituyen a ninguna española, sino que implican conceptos totalmente originales[6]. Pero si estas importaciones

[5] Pueden, desde luego, entrar palabras que coinciden totalmente con otras de nuestra lengua, pero sólo cuando éstas, por desgaste, homonimia o envilecimiento, requieren un sinónimo o sustituto. *Crucial,* que tratamos más adelante, viene a reemplazar otros sinónimos gastados; *aceite* fue tomado del árabe en un buen momento para hacer frente a la homonimia castellana de los descendientes de *oculum* y *oleum; water-(closet)* es ejemplo del envilecimiento de *retrete,* y ya tiene preparado el relevo *(baño, tocador, servicios,* etc.).

[6] Se hubiera podido, naturalmente, nombrar a lo nuevo por comparación con lo conocido, que es la base de la metáfora, es decir, igual que un español llamó *platina* a

forzosas —u otras análogas, como *fútbol, túnel, trole, ténder, tren, radar, nylon,* etc.— las recibe la lengua en pleno vigor de sus facultades asimilativas, el beneficio es evidente.

Siempre se han levantado protestas contra lo que pudiéramos llamar agravios a la lengua patria. No todas ellas han surtido los buenos efectos que sus promotores esperaban, pero la política reaccionaria es en estos casos indudablemente sana. Los puristas pueden y deben hacer oír su voz en toda contienda lingüística. La comunidad, que es en definitiva quien decide, necesita, para decidir, que se desplieguen ante ella todas las posibilidades, porque los creadores o difusores de estas posibilidades no siempre son capaces de comprender el complejo mecanismo del lenguaje para proponer la receta oportuna en cada ocasión. Unas veces se les ofrece a los hablantes una palabra tradicional de contenido semántico bien perfilado en el diccionario, pero de límites y valores notablemente distintos en el habla; la palabra, por consiguiente, es rechazada. Otras veces la solución recomendada por los grupos cultos es un término de gran precisión, tomado del griego o del latín, pero indigerible por la mayoría hablante[7]. Otras, el reme-

un elemento químicamente distinto de la plata, pero que mostraba semejanza con ésta, o igual que al mercurio lo compararon en la Edad Media con la plata y dijeron *argentum vivum,* expresión que, traducida, ha tenido o tiene vigencia en alemán, antiguo inglés, francés e italiano. Pero este criterio, observado con rigor, nos llevaría a los abusos de las llamadas «lenguas básicas», donde para decir «suegro», por ejemplo, hay que acudir al rodeo «padre de mi mujer».

[7] *Cinematógrafo* o *cinematografía* no han tenido aceptación hasta que el pueblo no ha reducido las dos palabras a una común: *cine.* Es de notar que, en la infancia de este espectáculo, una de las pocas salas de Madrid construidas para este fin en madera, como un barraca de feria, y sostenida por columnas de hierro fundido, se anunciaba, a falta de palabra aceptada mejor, simplemente como «Proyecciones», más denotativa que *cinematógrafo, cinema* o el entonces vulgar *cine.* Hoy es *cine Proyecciones.* Reliquias de aquella época son el *Real Cinema* (junto al Teatro Real) y el *Monumental Cinema;* otros, como el *Cinema X,* han desaparecido o cedido el paso a *cine,* que hoy es general. La inversión del orden sustantivo-adjetivo parece delatar influencia inglesa. Así, modernamente, *Universal Cinema. Aeroplano* está en completa decadencia, y el neologismo francés *avión* (1875), apoyado en el nombre español del pájaro, se ha instalado cómodamente en el idioma, asegurado excelentemente por su

dio viene en forma de una palabra de elegante resonancia histórica, pero que no triunfa, bien por parecer rebuscada o por parecer cursi[8]. Todos conocemos los injertos y emplastos que se le han aplicado al léxico del que se ha convertido en nuestro primer deporte. Recuérdese la suerte que han corrido soluciones más o menos justificadas como *balompié, penal, guarda-meta, tanto,* etc. La primera se ha extinguido completamente, y la Real Academia ha hecho bien en incorporar a su Diccionario la transcripción fonética *fútbol. Penal,* igual que *castigo,* llevan una vida mortecina al lado de *penalty,* palabra que, aun conservando su ortografía original, ha sufrido el oportuno desplazamiento de acento para adaptarse a la paroxitonía —acentuación en la penúltima sílaba— dominante del español. *Tanto* es posible en los contextos «marcar un *tanto»,* «ganó por dos *tantos»,* es decir, sustituye fácilmente en todas las oraciones al anglicismo *gol,* que, sin embargo, se mantiene inexpugnable como grito de la multitud y tiene todos los títulos para representar y heredar en el fútbol al famoso y expresivo *olé* de la fiesta nacional. De que tiene ya carta de naturaleza en nuestra lengua es prueba —válida para cualquier idioma— su facultad de crear derivados —no vigentes en inglés—, como *goleada, golear, goleador,* con sentido lo suficientemente especializado y original para atestiguar su absoluta asimilación. En otros casos, en cambio, la acción de las minorías cultas, ejercida a través de la palabra escrita —libros, prensa—, consigue excelentes resultados con sus recomendaciones y justifica el intervencionismo que propugnábamos anteriormente. Ciñéndonos al mismo ámbito deportivo del que tomamos los ejemplos precedentes, advertimos indudables éxitos:

---

familia de derivados. Igual suerte han corrido *gramófono* y *fonógrafo; tocadiscos* (también *giradiscos),* que es su sucesor, parece tener asegurada mayor longevidad.

[8] Están por definir los exactos contornos de lo cursi. Lo que es seguro es que cualquier palabra o moda tildada con el cómodo adjetivo está casi siempre condenada a desaparecer. Si alguien tratara de llamar refrigerio al *lunch* español, tan distinto del inglés, ¿acaso no correría ese peligro? En cambio, *azafata,* para *stewardess, air-hostess,* ha sido una feliz idea, pues su carácter de reliquia venerable, sólo conocida por un público muy culto, le quitaba el matiz ridículo que su anacronismo hubiera podido producir.

portero (al lado de *guardameta,* traducción literal aceptable de *goal-keeper,* que goza sólo de favor en la lengua escrita), *zaguero* o *defensa* (la primera, expresión afortunada, poco usada por el público), *medio volante, ariete* (en fase de aclimatación)[9].

Vemos, pues, que una prudente fiscalización de los movimientos de la lengua es oportuna. Ahora bien: es nuestra impresión, reforzada por ejemplos al alcance de todos, que las medidas terapéuticas provocadas por el estado crítico que ahora atraviesa nuestro idioma están determinadas por los síntomas más secundarios y externos de la dolencia; concretamente, por aquellos sarpullidos a los que la lengua, acudiendo sólo a sus defensas normales, puede combatir en condiciones ventajosas, por ejemplo, voces tan claramente exóticas e inocuas que su presencia no causa trastornos graves.

Mayor gravedad, sin duda, reviste la intrusión de expresiones y modos de decir que solapadamente perturban el buen funcionamiento del organismo idiomático. Son bien conocidos los casos del inglés, entre las lenguas germánicas, y del rumano, entre las románicas, lenguas las dos en que la proporción de elementos léxicos extraños —románicos y eslavos, respectivamente— ha alterado profundamente la fisonomía de sus vocabularios, pero no afecta esencialmente lo que pudiéramos llamar filiación de la lengua. En otro lugar[10] nos hemos ocupado de dos rasgos actualmente vivos en español que a la larga pudieran modificar la morfología de nuestro idioma: plurales de nombres extranjeros en consonante + *s* y femeninos en *-o;* digamos de paso que sólo el primero se debe totalmente a influencia extranjera, apoyada en formas peninsulares no castellanas. Igual que en la morfología, se advierten hoy en la sintaxis del español libresco modas que, por hallarse esta parte de la gramática poco estudiada y, de rechazo, poco reglamentada, no provocan los mismos juicios conde-

[9] Pfändler, Otto, *Wortschatz der Sportsprache Spaniens,* Berna, A. Francke, 1954. Aunque el trabajo está realizado con método, adolece de graves defectos de interpretación, imputables a la condición de extranjero del autor y a haber basado éste su información en fuentes escritas.

[10] *EEH*, cap. III.

natorios que las infracciones del léxico y de la morfología. Uno de los usos que más perturba el ritmo oracional del período español es la tendencia a colocar el sujeto —lo mismo en las oraciones principales que en las subordinadas— *siempre* en primer lugar, lo que, unido a grandes vacilaciones en el uso del artículo, da lugar a frases como estas: «Grupos folklóricos de África, Escocia, España, Francia, Hungría y Yugoslavia también participarán en el festival de Montpellier»; «... si un conductor eléctrico se mueve a través de un campo magnético, una corriente eléctrica pasa al conductor». Afortunadamente, las infracciones de este tipo no son numerosas, y cierto esmero en la traducción acabaría fácilmente con ellas[11]. Aunque el francés puede muy bien haber influido en este tipo de construcción, los ejemplos modernos en que aparece se deben claramente a influjo del inglés, donde el orden sujeto-verbo-objeto se está haciendo regla general[12].

En esta misma categoría —la de los anglicismos no léxicos— deben incluirse algunas formaciones y construcciones que, aunque no se sienten todavía como netamente castellanas, pueden preparar el camino, por su extremada frecuencia, para usos permanentes ajenos a la tradición de la lengua española: «El rapto de Europa. *Una* interpretación histórica de nuestro tiempo»; «Sendas perdidas», *un* reparto excepcional, *una* intriga deliciosa, *una* interpretación genial[13], o bien compuestos como *auto-stop, metalbloc, plexiglás, electro-shock, vitrofib, cine-club, Pen Colección, Conferencia Club, vista-visión, ciencia ficción, Fútbol Club, Pepe's bar,* traducciones forzadas como *los años treinta,* o *los treinta años,* etc.

---

[11] Conocida es la gran libertad del español para la colocación de los elementos oracionales. De veinticuatro combinaciones posibles con cuatro elementos, sólo tienen uso dos en que precede el sujeto, frente a seis en que el verbo va delante (Gili Gaya, *Curso Superior de Sintaxis,* 1948, pág. 79). El peligro está en que lo que es una posibilidad se convierta en norma, como ha pasado en inglés, y se nos anquilose el idioma.

[12] Sobre este extremo pueden verse los recuentos citados por Otto Jespersen, en *A Modern English Grammar on Historical Principles,* vol. VII, Copenhague, 1949[5], págs. 53 y sigs.

[13] Vicio ya denunciado por Gili Gaya, en *op. cit.,* pág. 216.

En el orden léxico debemos incluir entre los anglicismos solapados los semánticos, es decir, aquellos que, atacando una zona de significación perfectamente atendida por una palabra española, tratan de desalojar o arrinconar a ésta validos de su filiación española, latina o griega, y sin añadir el más ligero matiz significativo. Algunas de estas intrusiones, demasiado violentas para pasar inadvertidas, han sido ya objeto de justa condenación: *planta,* por *fábrica; hemisferio,* por *continente* (referido a toda América); *romance,* por *amoríos; rentar,* por *arrendar* o *alquilar; Oriente medio,* por *próximo* o *cercano Oriente; concreto*, por *cemento* u *hormigón; simpatía,* por *compasión, condolencia; Administración,* por *Gobierno*[14]*; actualmente*, por *en realidad; proponer,* por *declararse,* etc. [15]. Otras palabras, favorecidas por un estado de opinión propicio a la innovación o al exotismo, han adquirido derechos de ciudadanía. *Crucial,* «decisivo», está tomado del francés o del inglés —en francés es un anglicismo, atestiguado ya en 1911— y no cumple función especial que no pueda ser desempeñada por «decisivo» o «trascendental». Lo mismo ocurre con *drástico,* procedente, como el anterior, de la jerga médica y que también aparece en inglés antes que en francés. Vengan de donde vengan, estos dos anglogalicismos, protegidos por su filiación latina o griega, no corren peligro.

En otros casos, el barbarismo se manifiesta en la excesiva frecuencia[16] con que una palabra o fórmula o sufijo, apoyados en el inglés, pero existentes en español, suplantan funciones hasta entonces

[14] De origen norteamericano. En Inglaterra se dice *Government.*

[15] Aunque el inglés posee los sustantivos *proposal* y *proposition,* con significados aproximados a 'propuesta' y 'proposición', para *proponer,* en el plano coloquial, el verbo usual es *to suggest.* De rechazo, en traducciones del inglés, *sugerir* y *sugerencia* (en los años 30 también *sugestión)* invaden los terrenos antes ocupados por *proponer, propuesta. Se me ocurre una idea, tengo una idea* se ven hoy suplantados por *tengo una sugerencia que hacer, yo sugiero; le quisiera proponer...* por *¿puedo sugerirle...?*

[16] Aunque queda claro que lo que aquí denunciamos es, no el uso, sino la excesiva frecuencia, algún crítico nos ha hecho notar que empleamos *una vez* uno de estos términos. De hecho, más de una.

ostentadas por otras palabras, fórmulas o sufijos equivalentes. A esta categoría pertenecen expresiones como *usualmente, realmente, ¡Oh, no!,* «¡qué va!», *obviamente, ¡por favor!, educacional, emocional, década* (decenio), *graduado* (licenciado, titulado), *versátil* (polifacético), *privado* (particular), etcétera. El caso de *por favor* es característico, pues esta fórmula, que llevaba una existencia oscura, no sólo invade posiciones antes ocupadas por otras típicamente españolas (tenga la bondad, hágame el favor, etc.), sino que se ha instalado en frases donde el español, utilizando otros resortes del idioma, expresaba cortésmente un deseo o un mandato sin acudir a las llamadas expresiones de cortesía (*¿Quiere usted darme ese libro?* es, indudablemente, más suave que *Deme usted ese libro, ¡por favor!*) [17]. Nadie puede predecir si se trata de una moda pasajera, pero el hecho es que ha tenido y tiene una considerable difusión[18].

Otro influjo inglés en lo lingüístico, de mano con el francés y el alemán, lo observamos en lo que pudiéramos llamar barbarismos ortográficos, es decir, palabras de otras lenguas que, por no tener equivalentes fonéticos o morfológicos en dichos idiomas, nos llegan a España envueltas en un ropaje que, si bien es apropiado para circular sin escándalo dentro de ellos, es inadecuado para el español. Al inglés le falta signo ortográfico para representar el sonido de la *j,* de la *ñ* y de la *ll;* el francés y el alemán tienen que representar nuestra *ch* por *tch* o *tsch.* Ahora bien: lo mismo la *j,* que la *ñ,* que la *ll* y la *ch* existen en ruso, la *j* y la *ch* con signo propio, la *ñ* y la *ll,* por efecto de palatización de *n* y *l* cuando van seguidas de la serie «blanda» (o pa-

[17] Como ilustración de lo dicho, cito algunos recuentos: en cuatro comedias de Benavente (ambiente moderno), de 1934 y 1935, no he hallado un solo ejemplo de *por favor.* En una de López Rubio (1948), encuentro tres; en otra, traducida del inglés, que se representaba en marzo (1945), en Madrid, diecinueve.

[18] A la difusión de esta fórmula debe de haber contribuido notablemente la industria del doblaje de películas. Como se sabe, los hitos del diálogo cinematográfico, para efectos de doblaje, los marcan consonantes bilabiales que, sobre todo en los primeros planos, se tratan de reproducir correctamente en la lengua superpuesta. Así, para el frecuente *please* del diálogo inglés, nada mejor que una fórmula breve que empiece por bilabial: *por favor.* Lo mismo vale para al. *bitte,* it. *prego,* fr. *s'il vous plaît.*

latalizante) de vocales. El resultado de esta dependencia son grafías enrevesadas e inexactas en que proclamamos nuestra ignorancia o, si se quiere, nuestra poca vocación lingüística: Astrakán o Astracán (por Astraján), Turguenev o Turgenev (por Turgueñef), Tchaikovsky o Tschaikowski (por Chaikofski), Chekhov (por Chejof), Pouchkine (por Puchkin o Pushkin), Lenin o Lenín (por Llenin), Bulganin (por Bulgañin), etc.[19]. Los siguientes plurales no tienen *s* en la lengua de origen: *soviets, fiords, boers, panzers, referendums, accesits,* etc.

Como puede verse por lo expuesto, el problema es más complejo de lo que parece a primera vista, y es difícil establecer un criterio válido uniforme para todos los tipos de importación. Lo que podríamos llamar norma general ha sido hasta hace aproximadamente dos siglos la siguiente: en el léxico, transcripción fonética; en morfología y sintaxis, fidelidad a los usos españoles. Si quisiéramos dar una explicación a este criterio, la encontraríamos en un hecho simple: insuficiente conocimiento de la lengua acreedora y escasa práctica de la lengua escrita, lo mismo la nacional que la extranjera. Dejando a un lado el indudable influjo latino de la época renacentista y posrenacentista, manifestado especialmente en el vocabulario, el primer contacto serio del español con una lengua moderna de estructura semejante, es decir, romance, y de ortografía inadecuada a su sistema fonético, es el del francés. En el siglo XVIII entran galicismos de todas las especies: léxicos, morfológicos y sintácticos (Iriarte denuncia: *detalle,* en vez de pormenor; *pequeño libro,* por librito; alcanzar victoria *del* enemigo, por alcanzar victoria sobre el enemigo). La incorporación puede ser limpia *(maître d'hôtel),*

---

[19] Nuestras trasliteraciones son, naturalmente, aproximadas, dentro de las limitaciones impuestas por el uso de nuestro alfabeto, pero más fieles a la pronunciación rusa que las criticadas. Hay valiosos intentos recientes de trasliteración: A. Tovar, en *BRAE* (1968), y M. Fernández Galiano, en *Filología Moderna,* VIII (1968), págs. 277-92; Julio Calonge, *Transcripción del ruso al español* (Madrid, Gredos, 1969). Las soluciones de Calonge están, en general, bien argumentadas, pero no nos convence la transcripción de *e* y *ë.* Sería de desear una propuesta conjunta de los tres autores. Más recientemente véase Rafael Lapesa, «Sobre transliteración de nombres propios extranjeros», *BRAE,* LIII (mayo-agosto 1973), págs. 279-287.

retocada *(boga, detalle)* o encubierta (viajeros *llegando* a Madrid, tiempo *bello)*. Es decir, que con un mayor conocimiento de la lengua extranjera, el peligro de los préstamos lingüísticos parece que aumenta. Y es que, estribando fundamentalmente la importación de una expresión extranjera en un estado de pasividad o pereza mental que se resuelve con el menor esfuerzo, es decir, con la palabra que nos dan ya hecha[20], sin necesidad de bucear en el escaso vocabulario activo nuestro para hallar la exacta correspondencia o de poner en marcha nuestro sistema lingüístico para crearla, nos encontramos en la situación defensiva que causa la ruina de los ejércitos, es decir, tenemos que acomodar nuestra actividad a los movimientos del contrario.

Las condiciones de 1955, comparadas con las del siglo XVIII, han variado considerablemente. El enemigo, valga la expresión, es ahora otro. Sus armas son diferentes, y las zonas de la comunidad lingüística española sensibles al ataque son prácticamente todas las que guardan contacto con la moderna civilización, incluso los analfabetos. Más aún, el problema, aunque tratado aquí únicamente en su aspecto lingüístico, rebasa ampliamente el ámbito de la lengua y está intrincadamente asociado con fenómenos de orden sociológico que escapan a todo análisis parcial, y deben ser estudiados como manifestaciones de un rápido proceso histórico sin paralelo en la evolución de la Humanidad. Están fuera, por ejemplo, del terreno del lenguaje modas y costumbres como el silbido de admiración a la mujer hermosa, difundido por las películas norteamericanas, y menos original que el piropo; la felicitación de las Pascuas navideñas por medio de *Christ-*

[20] El prof. Hodcroft (Oxford), comentando este pasaje, dice: «... surely a speaker has to be something of an academic to attempt any other solution?». El texto deja claro que nos referimos a la importación, no a la aceptación o difusión. El importador conoce la lengua extranjera o presume de saberla. Quien pone en circulación la pronunciación */élite/* lo hace por esnobismo o por pereza o ignorancia (confunde el acento francés de timbre con el español de intensidad). La palabra se la da hecha el francés, pero cualquiera de las causas apuntadas le hace desechar o dejar en el olvido soluciones como *lo más escogido, minoría (selecta)* o *crema.* Pero el esnobismo implica vanidad y capricho y sería inútil argumentar, como en las modas, con principios de tipo racional.

mas cards o la celebración del día de San Valentín con cruce de regalos; cierta tendencia —otra vez la comodidad— a prescindir del práctico sistema métrico decimal y volver al bárbaro anacronismo de los pies, pulgadas, galones, etc.; la invención de un *tercer programa* radiofónico cuando faltaban los dos anteriores; la *h* del *the,* para que éste parezca más inglés[21]; la publicidad gráfica con tipos anglosajones que fuman en pipa de pie ante la chimenea o con personajes famosos que nos declaran las ventajas de tal o cual marca de cigarrillos o pasta dentífrica; los *seriales* de la radio; los *columnistas* de los periódicos, con retrato y todo; la literatura infantil; los banderines de las universidades y colegios mayores, etc. Naturalmente, el mismo proceso asimilativo que se advierte en el lenguaje se está produciendo también en estas manifestaciones extranjerizantes. La *cafetería* española poco se parece a su homónima norteamericana, que a su vez es completamente distinta de su ascendiente hispánica[22]; los *christmas* españoles (sin el segundo elemento, *cards)* han alcanzado ya la suficiente originalidad como para distinguirse claramente de los extranje-

[21] Más de uno me ha llamado la atención sobre esta frase. Ya sabemos que *thé* es la grafía francesa, pero muchos no lo saben. En 1910, R. Franquelo escribe: «entienden algunos que como el té es bebida predilecta de los ingleses debe escribirse *the* creyendo hacerlo a la inglesa». La cita procede de A. Fernández, *Anglicismos en el español*, s. v. *the*, que aporta varios testimonios. De éste y otros muchos vicios del lenguaje se ha ocupado, con su habitual gracejo, don Julio Casares. Cf. *Cosas del lenguaje,* Madrid, 1943, pág. 201. Uno de los calcos más perturbadores, por la distorsión numérica que implica, es el vicio de convertir los *billones* norteamericanos en *billones* españoles; igual que pasa con los *trillones.* En el primer caso la cifra del original se multiplica por mil; en el segundo, por un millón. El hecho es tan frecuente que no necesita testimonio.

[22] El origen se discute todavía, pero de su filiación hispánica no hay duda. Debe de tratarse de una formación analógica sobre el modelo *chocolatería,* de existencia y difusión indiscutibles. Pero más trascendental que la mera entrada del vocablo en Estados Unidos es la extraordinaria fecundidad alcanzada por el sufijo *-teria* en aquel país, aplicado a establecimientos donde el cliente se sirve solo: *caketeria, drugteria,* etcétera. Véase Mencken, H. L., *The American Language,* 4.ª edic., Nueva York, 1947, pág. 176, y *Supplement one,* Nueva York, 1948, pág. 352, con multitud de ejemplos. Hoy parece que el fenómeno ha remitido y sólo sigue con plena vigencia *cafetería.*

ros; las «columnas» de nuestros periódicos tienen ya, lo mismo por su estilo que por su contenido, un inevitable carácter español, etc.

Volviendo a lo lingüístico, y prescindiendo de los casos graves de desplazamiento morfológico y sintáctico ya señalados, repetimos que no debe inquietarnos excesivamente la supuesta crisis que muchos advierten en el campo léxico, pues, justo es decirlo, esta parcela de la gramática ha sido siempre objeto de especiales cuidados por la Real Academia Española y muchos de sus miembros[23]. Frente a los extranjerismos idiomáticos de todo orden, el peligro no estriba en dejarlos entrar, sino en el riesgo, que hoy creemos infundado, de que la lengua deudora no sepa rechazar lo superfluo ni depurar y encasillar lo necesario o fértil en su sistema. Precisamente el inglés es exponente, como hemos indicado más arriba, de una facultad de asimilación, especialmente léxica, sin igual. La actitud que se debe adoptar en la actualidad frente a la irrupción de anglicismos no debe estar inspirada en el temor ciego e inconsciente de las víctimas pasivas de una inundación, sino en la confianza inquebrantable de que los cimientos de nuestro edificio idiomático son firmes y de que los esfuerzos y el poder creador de nuestros escritores constituyen sólidos muros de contención que luego canalizarán la corriente invasora para fecundar el idioma.

Para terminar, y como ilustración del cambio de actitud ante los barbarismos que se ha operado en los últimos siglos, damos a continuación algunos datos sobre el tratamiento de nombres propios de origen inglés. Tal vez el primer anglicismo de este tipo sea el nombre del país: *Inglaterra,* un híbrido de latín y transcripción fonética, es decir, dos criterios absolutamente contradictorios. La *i-* inicial prueba que el cambio de *e* > *i* ya se había consumado en aquella lengua[24],

[23] En los últimos años, dos académicos trataron este problema en sus discursos de entrada: el señor Terradas: *Neologismos, arcaísmos y sinónimos en plática de ingenieros* (Madrid, 1946), y el señor Fernández Galiano (don Emilio): *Algunas reflexiones sobre el lenguaje biológico* (Madrid, 1948).

[24] De hecho sirven la forma española *Inglaterra* y la italiana *Inghilterra* para confirmar el cambio de *e* + nasal velar en el inglés medio, atestiguado en alguna grafía,

aunque la ortografía inglesa todavía hoy no lo haya registrado (England). La *e* de *terra,* sin diptongar, prueba por otra parte que *Inglaterra* es el sucesor semiculto de *Anglaterra* o *Angliaterra,* traducción latina medieval de *Engla-land,* 'país de los anglos'. Y este criterio mixto ha sido el tradicional en España: reproducción fonética apoyada o suplantada a veces por formas latinizadas o afrancesadas; de ahí formas como Londres, Alencastre (< Lancaster < -castra-castre), Cantorbery o Cantorberi[25], Escocia (Scotia), Nortumbria (ingl. Northumberland 'país al norte del río Humber'), etc. Este criterio se observaba principalmente en la transcripción de nombres de personas, donde el nombre de pila, tomado del latín o fácilmente latinizable, por lo regular «se traducía», mientras que el apellido, generalmente de origen vernáculo, se transcribía adaptándolo a la fonética castellana. Así tenemos en libros y documentos contemporáneos, Tomás Cromuel (Thomas Cromwell), Guatarral (Walter Ralegh), Plemua (Plymouth), Juan de Gante (John of Gaunt), Tomas Volseo (Wolsey), Ana Bolena (Ann Boleyn), Juana Semar (Jane Seymour), Valduyno (Baldwin), Guarbi (Warwick), Carlos Stuard o Estuardo (Charles Stuart), etc. Esta tendencia se mantiene viva hasta el siglo XVIII, en que un mayor conocimiento de lenguas extrañas de ortografía no fonética, como el francés, inclina a la gente culta a respetar las grafías originales, primero en el apellido, y después, en el nombre. Éste ha tardado bastante en difundirse en español en su forma inalterada, pues del siglo XVIII y XIX datan en español nombres como Juan Jacobo Rousseau, Teófilo Gautier, Arturo Schopenhauer, Federico Schiller, Oliverio Goldsmith, Jonatán Swift, Carlos Dickens, etc. La moda

---

como *Ingland.* En España aparece *Inglatierra,* es decir, con el segundo elemento diptongado, en el *Poema de Fernán González* (hacia 1250).

[25] Cantorberi es galicismo. Canturia o Cantuaria, basadas en el latín, se han considerado formas más españolas. En un documento de Alfonso IX se llama dos veces Cantuariensis al Santo Tomás asesinado veinticinco años antes por orden de Enrique II. A fines del XVIII, Antonio Ponz admite que Cantuaria es el nombre español, pero usa exclusivamente Cantorbery o Cantorberi. Santo Tomás Cantuariense todavía es el nombre de una iglesia salmantina.

o costumbre de mantener intacto el nombre de pila (Walter Scott) se desarrolla sobre todo en los siglos XIX y XX, se observa principalmente en los de procedencia anglosajona y se debe en gran parte a lo inusitado de éstos[26]. En efecto, ¿qué correspondencia podían tener en español nombres como Washington (Irving), Percy (B. Shelley), Wilkie (Collins), Rudyard (Kipling), etc.? Posteriormente se extendió la moda a los de otras lenguas, incluso cuando existía clara correspondencia en español, y así, nadie dice hoy Marcelo Proust, Ernesto Hemingway, Aldo Huxley, Hilario Belloc o Jaime Mason[27]. Vemos, pues, otra vez que, independientemente de criterios intransigentes, el idioma busca soluciones intermedias apropiadas a cada momento histórico, en las que, sin duda, interviene, y es justo que así sea, el prestigio de las minorías cultas y sus opiniones, pero que en última instancia es el uso lingüístico, debidamente encauzado y moderado, el que decide en todo momento.

***

Nota de 1966. —Poco ha variado la cuestión en los últimos once años. Los estragos del inglés y de lo inglés son hoy, si cabe, todavía mayores. Un nuevo elemento ha venido a sumarse a las tradicionales

[26] La rehabilitación de nombres anticuados es típica de la Inglaterra del siglo XIX, así como el gran desarrollo de la costumbre, iniciada ya en el XVI, de bautizar a los niños con nombres que eran considerados apellidos. Cf. la introducción de E. G. Withycombe a su libro *The Oxford Dictionary of English Christian Names,* Oxford, 1945. Sobre las consecuencias de esta moda en Estados Unidos y evolución posterior, véase Mencken, H. L., *The American Language, Supplement Two,* Nueva York, 1948, págs. 462 y sigs.

[27] Es característico el caso de Unamuno entre nuestros escritores modernos, pues traduce, generalmente, todo nombre de pila o *agnomen,* como diría él: Carlos Marx, Guillermo James, Tomás Carlyle, Enrique David Thoreau, Jorge Eliot (!). Pero esto quizá pudiera estudiarse como rasgo estilístico, con el que expresa afecto o familiaridad, pues otras veces escribe, más objetivo, William James, Max Müller, etc. El caso de Hemingway, por su trato asiduo con tantos españoles, pudiera ser una excepción. Éstos hablan de él como Don Ernesto o Ernesto. La misma familiaridad de trato revela el caso de Don Jorgito el Inglés (George Borrow).

vías de invasión: la televisión. Razones de economía, por un lado, y de comodidad, por otro, parecen determinar la inclusión en los programas españoles de «telefilms» doblados con evidente premura en laboratorios ultramarinos (Méjico, Puerto Rico). Ante las quejas de los consumidores hispanohablantes se habla de haber adoptado una lengua «neutra» o equidistante de las variantes hispanoamericana y peninsular. No cabe duda de que, si esta política se mantiene, los efectos serían beneficiosos para asegurar la unidad del español, si a la vez se procurara garantizar una depuración previa de vicios anglizantes; de otro modo, esas versiones «neutras» sólo contribuirán a extender por igual dichos vicios en toda el área hispánica.

Pero la presión de lo inglés continúa y se acentúa en todos los sectores de la cultura hispánica susceptibles de influencia, y en relación inversa con el grado de educación alcanzado por quienes se ven sometidos a ella. Yo he presenciado el examen de español de un funcionario norteamericano, prueba que, superada, había de reportarle una gratificación regular en el sueldo; el «nativo» español, joven centroamericano de ligero barniz cultural superpuesto por el mundo anglosajón, empleaba en la conversación-examen voces como *Morocco, millas, tener en mente,* etc., que indudablemente allanaban las posibles dificultades de expresión del examinando. No es extraño, pues, encontrar entre los hispanohablantes emigrados en los Estados Unidos —sean peninsulares o americanos— el mayor número de infracciones a la pureza de la lengua española. Revelan la misma incultura y falta de tradición que el campesino extremeño que descubre el *Strassenbahn* en Alemania sin haber conocido el *tranvía.*

Como era de esperar, en la época «anglicada» de la televisión española fueron los elementos léxicos los que más provocaron la condena de los puristas. Se combatieron así, con evidente falta de criterio, lo mismo voces de vieja alcurnia hispánica como *liviano, durazno,* o de sello netamente español o hispano-latino como *golpiza, receso,* etc. y, en cambio, quedaron sin comentario verdaderas monstruosidades que revelaban la ignorancia de los traductores. Entre las pocas docenas —entre cientos— que hemos tenido la paciencia de anotar, escogemos los siguientes calcos del inglés: *no seas rudo* 'no seas grosero' (ingl. *don't be rude), aguardando por mí* 'aguardándome' (ingl. *waiting for me), documentos clasificados*[28] 'd. secretos, reservados' (ingl. *classified d.), ¡déjame solo!* 'déjame en paz' (ingl. *leave me alone!), entrega especial* 'correspondencia urgente' (ingl. *special delivery), tú ves cosas* 'ves visiones' (ingl. *you are seeing things), ¡seguro!* 'claro' (ingl. *sure!), la cosa que necesitamos* 'lo que necesitamos' (ingl. *the thing we need), anuncios clasificados* 'anuncios por palabras' (ingl. *classified ads), ¿Sí, John?* '¿Qué pasa? (Dime), John' (ingl. *Yes, John?)*[29].

Pero si los doblajes de la televisión, como las noticias periodísticas, pueden tener como disculpa la premura con que se hacen, otros calcos inaceptables revelan sólo ignorancia del español. En 1955 tratábamos de ver justificación al uso de *helicóptero* frente a *autogiro,* excusando la innovación en virtud del progreso que un aparato parecía mostrar sobre el prototipo. Pero no vemos razón de ningún orden que justifique la sustitución de *Aviación* por *Fuerza(s) Aérea(s)* ni de *tropas* o *Ejército* por *Fuerzas Armadas.* El límite de este uso anómalo lo encontramos en el empleo de *fuerza* por *destacamento, pelotón:* «Una fuerza de Infantería...» *(YA,* 2-3-66, pág. 10).

Nótese que no abordamos siquiera el problema de los préstamos puros —entre los recién llegados figuran *hi-fi, marketing, boom, standing* (edificio de gran *standing), toffee, living, camping, jet, spot,* etc.—. Pero el número de calcos y las malas traducciones es inagotable. Hace unos años se proyectó por toda España la película titulada *Las fresas salvajes,* con una distorsión parecida a aquella otra famosa *Orquídeas salvajes.* Evidentemente los traductores no sabían distinguir en ingl. *wild* los dos sentidos de 'salvaje' y 'silvestre'. De igual manera y recientemente se traduce en otra cinta el ingl. *The Warlord* como 'El señor de la guerra' *(warlord* significa en inglés 'adalid,

[28] Este término, *clasificado,* en la acepción que comentamos, ha tenido entrada en nuestra legislación a través de la Ley de Secretos Oficiales.

[29] Uno de mis discípulos, el Dr. Estrany Gendre, continúa la lista en *Filología Moderna,* núm. 38 (1970), con ejemplos semejantes.

caudillo'). Algunas malas traducciones resultan aciertos. Así, en el transporte aéreo (en el de tierra puede ser otro el origen) *excess baggage* se convierte en *exceso de equipaje* (la traducción gramatical hubiera sido 'equipaje en exceso'); también resulta aceptable hablar de un edificio con *aire acondicionado* (se dice también *climatizado),* aunque *air conditioned* significa exactamente '(a)condicionado por aire'. Pero no es esto lo normal. Véanse algunos ejemplos más de nuestro muestrario: «Ningún civil resultó muerto en Nevada hasta ahora...» *(Madrid,* 16-4-55). Quiere decir 'paisano'. «El señor y la señora Cornelius Whitney» *(ABC,* 17-4-55). Quiere decir 'el señor C. Whitney y señora'. En español no decimos el señor y la señora Juan Pérez (en EE. UU. es normal Mr. and Mrs. John Smith). *Viaje redondo* 'v. de ida y vuelta' (ingl. *round trip)* en *Pueblo,* 18-2-66, pág. 33. Nótese el remate: *«Es un* reportaje especial para Agencia Fiel...».

La adaptación fonética de los anglicismos requeriría un estudio aparte[30]. Basta señalar como muy difundida la tendencia a la pronunciación ortográfica de la cual surgen secuencias que ofenden a los conocedores del inglés: *sanitized* se anuncia como palabra española. Otras veces las casas comerciales optan por modificar la ortografía de sus productos para lograr una pronunciación próxima a la inglesa. Así *Nesquik* (quick), *Kanfort, Praid* (Pride), *Airon-fix* (Iron-fix), *Biscuter* (*Bi+scooter*), *Greip*, una marca de zumo de uva o mosto (ingl. *grape), Bituin,* marca de ropa interior (ingl. *between).* En otros casos se mantiene la grafía inglesa y se indica la pronunciación figurada.

Seguimos, sin embargo, pensando, como en 1955, que los más dañinos y peligrosos efectos del anglicismo operan en la sintaxis y alteran constante pero imperceptiblemente la estructura de la oración. Igual que en el caso de *por favor* y de *solamente*, se trata en estos casos de anglicismos de frecuencia. Los traductores, al elegir entre dis-

[30] Se hizo parcialmente en 1994. Cf. E. Lorenzo, «Tratamiento del vocalismo inglés. Los diptongos», en el volumen *SIN FRONTERAS. Homenaje a M.ª Josefa Canellada*, Madrid, Editorial Complutense, 1994, págs. 359-371.

tintas correspondencias sintácticas del español, optan por la más parecida al inglés, desplazando así otras aparentemente sinónimas y empobreciendo la expresión. Véanse estos ejemplos:

«Según ciertos informes, varias reclamaciones de este tipo han sido recibidas en el departamento procedentes de las firmas cuyas licencias para exportar a Rhodesia han sido canceladas» *(ABC,* 12-12-65, pág. 69).

«Los funcionarios de la universidad X, de Chile, han sido ordenados que...» (Radio Madrid, 28-1-70).

Y más grave, en la *Gaceta de Madrid (BOE):* «las plazas que se adjudiquen a los concursantes podrán ser renunciadas por éstos únicamente...» (27-3-70).

Nuestro español diría aproximadamente así: «Según ciertos informes, se han recibido en el departamento varias reclamaciones de este tipo procedentes de casas cuyo permiso de exportación a Rhodesia se anuló», y en el segundo ejemplo: «se ha ordenado a los funcionarios de la Universidad... que...». Pero la lengua inglesa favorece el orden sujeto-verbo en un 90 por 100 de las oraciones y la construcción pasiva con el verbo *to be* para destacar el objeto de los verbos transitivos. He ahí el resultado. Lo grave es que, enfrentados con este tipo de construcción, alumnos de 5.° año de la Facultad de Letras no vieron nada anómalo. El mal, por lo que se ve, está consumado[31].

***

Otras lenguas extranjeras ejercen también su infujo en el español, sobre todo a través del vocabulario o de calcos más o menos afortunados. Naturalmente, la influencia del francés, que nunca ha cesado, es la más notable, después de la del inglés. Se podría decir que en España, y sospechamos que también en el resto del mundo, el alcance de dicha influencia está un poco en relación inversa con el del inglés,

[31] Un estudio reciente que contrasta las construcciones pasivas del inglés y el español es el de Sebastián Cárdenas, «Voz pasiva en inglés y en español», en *Filología Moderna,* VIII, págs. 159-166.

y no depende tanto de factores culturales como de hechos políticos y socio-económicos debidos a la hegemonía comercial y militar de los Estados Unidos después de la segunda guerra mundial. El capítulo que la influencia actual del francés todavía merece puede suplirlo la tesis de Ulrich Krohmer, *Galizismen in der spanischen Zeitungssprache (1962-1965),* Tubinga, 1967.

El italiano, aparte de los préstamos y calcos políticos de los años treinta y cuarenta, ha originado algunos usos de área restringida, entre los que hemos anotado *aggiornamento, escudería, libero* (jugador sin misión específica de marcaje, en el fútbol), *muestra* (it. *mostra)* 'exposición', *escuadra (squadra)* 'equipo', *elenco* (nuevamente en uso), *ente* 'organismo', como en *entes autonómicos.* A juicio del *Manual de estilo* de la Agencia EFE es italianismo el uso de venir + participio como sustituto de la pasiva. Que es coincidente con el italiano ya lo habíamos notado; sería interesante estudiar el proceso de penetración. También el citado *Manual* condena *peatonal* (calle—) como «italianismo abominable». Aunque originariamente italiano, *graffiti,* popularizado por una película *(American graffiti),* se ha extendido mucho hoy, interpretado como singular: «Sociología del graffiti» es el título de una reseña de un libro, *YA* (Cultura), 8-3-79, pág. 10. Híbrido de inglés e italiano es «la *starlettina* V. Abril» *(Cambio 16,* 25-3-79, pág. 7).

***

Nota de 1979. —Como se indicaba en el prólogo de la 3.ª edición de *EEH,* es el problema del anglicismo el que ha suscitado, desde 1971, interés más asiduo, tanto que, debido a las aportaciones mencionadas de P. J. Marcos, José Rubio y Chris Pratt, hubiera sido menester una reelaboración del texto. No la hemos acometido porque nos parece un buen testimonio de época; en 1955, la cuestión se planteaba así y los veinticuatro años pasados no han hecho más que acentuar el fenómeno. Claro quedaba entonces que el problema rebasaba el campo de lo estrictamente lingüístico, y aunque intentáramos ceñirnos a éste, de hecho, sin respetar nuestra autolimitación, advertíamos también que la influencia del mundo anglosajón era claramente perceptible en usos y modas no siempre justificadas que, en rigor, deberían ser materia de estudio para el sociólogo. Curiosamente, los del segmento social más propenso a aceptar ídolos y costumbres más o menos impuestos por los expertos en publicidad de Madison Avenue, o por los excesos innovadores de San Francisco, se declaran abiertamente opuestos a la cultura norteamericana en su conjunto y, reacios al estudio disciplinado de la lengua inglesa, aprenden de memoria e imitan con singular aplicación las canciones en boga y, más aún, son capaces de creaciones musicales en inglés que incluso alcanzan fuera del mundo hispánico difusión internacional.

De la impregnación de lo anglosajón no se libran las altas esferas. Se han resucitado los *Secretarios de Estado,* que actúan a la par que los Ministros y Subsecretarios; el nombre de *Fuerza Aérea* aparece en los aviones del Estado; se extiende el uso de *plataforma electoral,* para designar el programa de un partido. Un efecto notable producido por la moda anglicista ha sido reavivar voces españolas insólitas o sepultadas en la historia. Así, como el movimiento antimachista ha alcanzado su máxima virulencia en EE. UU., los términos *macho* y *machismo,* de uso limitado en el área lingüística hispánica (el segundo, desusado), han pasado a primer plano en los movimientos feministas hispánicos. *Credibilidad* y *sofisticado* son palabras documentadas en el español ya en el siglo XVIII, pero el favor de que gozan hoy no puede desligarse de la frecuencia con que aparecen en el inglés del siglo XX (la primera, sobre todo, desde la presidencia de Nixon).

Entre los anglicismos tratados o mencionados en los trabajos de Marcos, Pratt y Rubio, cabe destacar *misiles, choc* o *shock, chequeo, suspense, hobby, unisex, pop* (hay un programa de TV que se llama *popgrama), soul, gag, camp, script, ranking, camping, happening, dumping, playboy, cash-flow, feed-back* (traducido por 'retroalimentación'), *play-back, pick-up* (pronunciado a menudo *picú), Women's Lib, Knock-out* (generalmente K. O. con verbo *no-*

quear), campus [motivo de un inteligente comentario de Pratt y Marcos sobre lo que aquél llama *étimo primario* (el uso inglés) y *étimo último* (el origen latino)] y los *boom* (sic), voz especialmente comentada y documentada por Rubio, *en vivo* (< ingl. *live).* Este mismo autor reproduce una crónica de un partido de tenis, donde se ve que en este deporte la aclimatación de términos anda más rezagada que en el fútbol. También es de destacar su comentario «Un indigesto comprimido léxico: las siglas» *(op. cit.,* pág. 83), donde reproduce el jocoso poema de Dámaso Alonso «La invasión de las siglas», tomado de la obra *Del Siglo de Oro a este siglo de siglas*[32]. Aunque hay siglas desde tiempos de los romanos (S. P. Q. R.), ya hemos notado cómo se han hecho moneda corriente las que abrevian un título o denominación inglesa (UNESCO, UNICEF, USA, etc.). A veces se traduce el sintagma inglés y UNO, NATO, USA se convierten, respectivamete, en ONU, OTAN y EE.UU. Es lo que ha ocurrido con UFO (unidentified flying object), traducido por OVNI[33], donde curiosamente la *v,* identificada en la pronunciación como *f (ofni),* se realiza fonéticamente como sonora, es decir, como *v.* Tampoco debe olvidarse el uso de L (Learner) en los coches de escuelas automovilísticas.

El volumen citado en el prólogo de la 3.ª edición (EPRICIA) contiene tres estudios sobre el anglicismo en América: Humberto López Morales, «Tres calas léxicas en el español de La Habana...», págs. 49 y sigs.; Isabel Huyke Freiría, «Anglicismos en el vocabulario culto de San Juan...», págs. 63 y sigs., y J. M. Lope Blanch, «Anglicismos en la norma lingüística culta de México », págs. 271 y sigs.

---

[32] También incluido en el vol. *Poemas escogidos,* Gredos, 1969, pág. 180. Para una actualización del problema, con abundante documentación, cf. Casado Velarde, M., «Creación léxica mediante siglas», *Revista Española de Lingüística,* Madrid, Gredos, IX, 1 (1979), págs. 67 y sigs.

[33] Aunque los objetos sean llamados «ovnis», los expertos en la materia se llaman *ufólogos.*

Una línea satírica contra los desmanes de los anglicistas, y de paso contra las modas galicanas o arcaizantes y la prosa vana, la ha cultivado desde hace años el dibujante y humorista *Forges.* He aquí unas muestras: «Cuánta sangre et feridas... ovieranse evitado... fescudo whit [sic] special proteçao... dellas... alancealle... aceite firviendo... desenvainalla... De Despeñadogs para arriba ¿somos one country preparado...? para no pasar chaleur. ¿Ejemplos? Helos... una corriente de aire que le acompañará do vaya... cuando haga 40° a the shadow [sic]... fresh [sic] piscina... ambas two órbitas... todo your ser... resultado de plus de two años de investigación... precio asequeibol... Parece imposeibol que siendo este país una de las potencias worldiales... formigas... rignones... de toutes es sabido... las news [sic] formas de vivir... reloxes... inconteibols... este world of nuestros pecados... cronógrafo sumergeibol... poseibolmente una of las causas... pero la aureola que rodea al recorman [sic] o a la recorwomen [sic] podemos lograrla cada quisque a peu que nous nos lo propongamos...». También hay ejemplos de seudoportugués o seudoitaliano apoyados en grafías obvias: soluçao, celebraçao, proteçao, tradiçao... arciglioso, fogliones, patruglia... (De «Los forgendros de Forges», página humorística del diario *Informaciones,* publicados los miércoles durante 1972 y 1973, principalmente).

En un escritor recientemente galardonado hemos podido registrar, aunque con fines diferentes, la misma tendencia (Raúl Guerra, *Pluma de pavo real, tambor de piel de perro,* Grijalbo, Barcelona, 1977), como se puede advertir en los siguientes ejemplos: *okey* (pág. 19), *formideibol* (24), *jugo o'clock orange* (28, alusión a la novela de A. Burgess *A clockwork orange), los Rolling and cómpani* (31), *un baibai* (= bye-bye) *imperceptible, acojoneibol* (37), *del otro coté* (66), *adoreibol* (88), el *disc-emperador-jockey,* y en el siguiente y significativo pasaje: «tu adhesión al Cuerpo Auxiliar Masculino del SCUM... la vanguardia más agresiva del women's liberation, en realidad el scum es un movimiento independiente, una sociedad society, para eliminar, cutting up, a los hombres, men, el inglés se está convirtiendo en una obsesiva necesidad...» (82).

También tenemos anotado un ejemplo de F. Umbral «D. Landelino, o sea, que congratuleisions...» *(El País,* 28-3-79) y sería probable que se encontraran más.

En la *Hoja del Lunes* de Madrid (7-5-79) el periodista Pedro Rodríguez, aparte de alguna alusión literaria (la Democracia era la gata sobre el tejado de cinc ardiendo = the cat on the hot tin roof), nos ofrece: el gran globo... ascenderá up, up, up, hacia el único cielo...; la peseta... ale, hoop, más fuerte que nunca; El Dolar... nos aplaude... «Wonderfull» (sic); en los mayflowers de la política, los Cabot... los Lodge...; Tito Colodrón, en el Staff, oh, cielos, del Alcalde...

CAPÍTULO II

PRÉSTAMOS

En la revisión de la XX edición del *DRAE* me tocó en suerte ocuparme, desde noviembre de 1988, ayudado por los jóvenes colaboradores asignados, del primer tercio de la obra. Al haberme encomendado la Academia años antes —19-6-1986— la revisión de las etimologías de origen germánico primero y otras de mi antigua dedicación románica después, tuve especial interés en examinar algunas que me parecían dudosas y en proponer al pleno o a la comisión de diccionarios la inclusión de otras que consideraba de aceptación general y dignas de figurar en el inventario del llamado diccionario usual. A mediados de 1989 y siguiendo una propuesta de las recomendaciones generales redactadas por don Gregorio Salvador y don Manuel Seco, se impuso en el trabajo de revisión el criterio de eliminar etimologías de etimologías, postura tajante que tuvo una inmediata excepción a favor de las lenguas clásicas. Sólo cuando hice ver a don Rafael Lapesa, que actuó de coordinador del trabajo, que si *dársena* y *arsenal* las derivábamos directamente del italiano, sin mención del árabe, su relación con *atarazana,* que es del mismo origen, quedaba oculta, sólo entonces, repito, dispuse de libertad de explicar —sólo desde la A hasta la D— que *batel,* por ejemplo, voz tomada del francés, tenía remotamente el mismo origen que *bote,* aunque en ésta faltaba por documentar sin dudas la lengua intermediaria. Pese a esta limitación tuve la suerte de ver enmendadas o suprimidas algunas etimologías inexactas, fuera de mi incumbencia directa, como las de *vivac, guarnigón, transistor, tregua, esnob,* etc. y alguna más que comentaremos más adelante. No corrieron igual suerte otras a las que había dedicado tiempo y atención, como *hugonote, kermés* o *gerifalte*, que quedaron reducidas a meros galicismos. En lo que respecta a la parcela asignada a nuestro equipo, no se aceptaron, ni siquiera se propusieron, muchas modificaciones de etimologías que hubieran requerido argumentos más rotundos y convincentes que los presentados en esta enumeración de anglicismos cuestionables que comentamos a continuación. Algunos de ellos, como se hace constar, tuvieron acogida en la XXI edición; otros, que parecían evidentes, fueron descartados por falta de autoridades que los respaldaran; otros, en fin, aunque indiscutibles y de uso general quedaron pendientes de la nueva edición y relegados a otros diccionarios —*DMILE*, *Peq. Espasa*, *VOX*, *M.ª Moliner*— , más abiertos a las novedades idiomáticas no sedimentadas. Más de uno se ha incluido, no por dudoso, sino porque invitaba a una apostilla personal que acaso parezca superflua, por lo cual ruego indulgencia. Advertirá el lector que en estos comentarios hay más de un caso de *overlapping* o *traslapo* —dudo si está más claro el anglicismo crudo o su traducción—, pues en su origen respondían al resultado del estudio de propuestas o descalificaciones encontradas en manuales de estilo como el *MEU* o de palabras y frases extranjeras como el de A. Hoyo. En lo posible hemos tratado de mantener la coherencia con frecuentes remisiones entrecruzadas que, a la larga, quedan fundidas en el índice de palabras, el cual funcionará, esperamos que eficazmente, como un diccionario más.

Auque la palabra **ace** 'as, triunfo' usada en juegos de mesa tiene fácil traducción, en el deporte del tenis significa 'tanto de saque' y algún diccionario bilingüe la «traduce» por 'ace', pronunciada, según A. H. /eis/.

Corominas fecha en 1888 la primera documentación del neologismo **acetileno**, voz formada, según *DRAE,* por medio de *acetilo* + *-eno*. El fiable *Robert Angl.* nos ofrece otro origen: fr. *acétylène* procede del «ingl. *acetylene,* nombre dado al gas descubierto por Davy en 1836 a partir de los elementos *acet(ic), (h)yl + ene*». El primer testimonio francés es de 1862, según la misma fuente.

Encontramos en el *DVUA* tres ejemplos del uso de **acid house**, nombre de un estilo de música (también *fiesta acid*) asociado con el consumo de ácido lisérgico y otras drogas: «el *acid house* y el bakalao se disputan el protagonismo en la cabina del pinchadiscos» (*ByN*).

La medida de superficie llamada en inglés **acre**, así admitida en el *DRAE*, en 1884, se suele usar sólo en contextos anglosajones. Su conversión al sistema métrico (= 40 áreas + 47 centiáreas), exige cierta atención y disuade al traductor apresurado.

Aunque la lengua que acuñó el término, aprovechando elementos griegos, fue el inglés (*acronym*, *RHD*: 1940-5), el calco español **acrónimo** respeta mejor el modelo (*acro-* 'extremo' + *-ónimo* 'nombre', como en *seudónimo, anónimo*, etc.), es decir, principio de una palabra y final de otra, mejor, repetimos, que otras (fr., ital., ingl.) donde se explica en función de las iniciales. Entran así en español, bajo este concepto, lo mismo las siglas puras (sólo iniciales), que la combinación de siglas y letras de otras palabras o los casos de aglutinación (ingl. *blends, portmanteau-words;* fr. *mots-valise)* como *bit (< binary digit), motel (motorcar hotel).* El inglés usa *acronym* principalmente en el sentido de 'sigla'.

Dice Corominas que **actuario** viene del latín *actuarius* 'fácil de mover'. La 1.ª acepción del *DRAE* «auxiliar judicial que da fe...», aunque la palabra apenas ha cambiado su vestimenta latina, dista mucho en el significado del modelo latino. Menos aún la 2.ª acepción —**de seguros**: «persona versada en los cálculos matemáticos [etc.]», probablemente tomada del francés *actuaire,* que la tomó (1872), a su vez, del inglés *actuary* < lat. *actuarius* < *actarius* (con infl. de *actus*) «persona que, mediante estadísticas, calcula riesgos, probabilidades, etc. en compañías de seguros».

Admitancia. Nuestro diccionario consigna una etimología discutible, pues declarando su origen el fr. *admittance,* voz que en esa lengua se considera anglicismo, remite, para el significado, a *admitencia*, hispanización que parece contradecir fonéticamente a su correlato y antónimo *impedancia*.

Adrenalina, derivado de *renal,* como *suprarrenal,* es sin duda un cultismo, como señala Corominas (s. v. *riñón*), pero habría que consultar fechas de la primera documentación española para decidir si está tomada directamente del inglés americano *adrenalin(e),* de *adrenal* 'contiguo al riñón' o de la adaptación francesa *adrénaline,* considerada un anglicismo *(Robert Angl.).*

Aeróbic o aerobic (< ingl. *aerobics*) figura en la última edición (1992) del *DRAE* como 'técnica gimnástica acompañada de música...'. En el Río de la Plata se ha adaptado al español con el nombre de *aeróbica*, descrita como 'gimnasia rítmica con música'.

Formalmente relacionado con el anterior, pero con distinto significado, registran los vocabularios del Río de la Plata el neologismo **aerobismo**, que dichos inventarios léxicos hacen equivalente a los anglicismos españoles *jogging* y *footing*. El *Dicc. Arg.* de Chuchuy-Bouzo recoge además *aerobista*, para designar a la persona que practica el aerobismo. *Jogging*, por cierto, significa allí 'chándal'.

Aunque **affidavit** 'documento legal...' (*DRAE*) es una palabra del latín medieval, su uso actual como término jurídico internacional es, como señala A. H., «de procedencia inglesa».

La preposición/adverbio inglesa **after** parece ser causa de un calco, injustamente criticado, en vez de 'siguiente' en frases como 'el día después' (ingl. *the day after*), pero también es componente de préstamos hoy bastante extendidos en situaciones concretas: **after-shave** para una loción así llamada hasta en productos de origen español, francés o italiano. También es usual en ciertos ambientes utilizar el término **after-hours** en función de adjetivo o adverbio, incluso sustantivo, referido a establecimientos o actividades que rebasan —el límite está poco definido— las horas normales nocturnas: «una discoteca 'after-hours'» (J. Berlanga, *ABC,* 11-12-93, pág. 109); «uno de los *after hours* más conocidos de Benidorm, la discoteca XX» (*El Mundo,* 19-8-94). En la revista-suplemento *Metrópoli,* 19-8-94, se anuncian dos discotecas: M. B. «de media noche hasta 'afterhour' (sic)» y N. «viernes y sábados 'afterhours'», ambas en pág. 67; en M. «a partir de las 4.30, 'after hours'», pág. 65; «cuando no existían las actuales 'afterhours' ni la música del bakalao los señoritos calavera...», J. Berlanga, *ABC,* 12-5-95, pág. 19. Un afamado escritor también usa la expresión: «esos santos progenitores que viven desesperados por la *ruta del bakalao* y el frenesí de los *after hours,* reclamando que el Gobierno... imponga horarios draconianos a tanto antro de perdición, F. Savater, *El País semanal,* 7-5-95.

Agujero negro. Aparece en la edición XXI del *DRAE* como calco de *black hole* en su uso astronómico, al parecer del inglés americano. Antes había aparecido en 1984 en el *Boletín* de la Academia y en el *DMILE*, 4.ª ed., 1989. Este mismo año se publica, traducida, la conferencia del físico inglés Stephen W. Hawking en Madrid a fines de octubre con el título «Los agujeros negros y sus hijos...», *El independiente,* 29-10-89, págs. 10-11. No sé si será general o sólo personal la variante *huecos negros... Vías Lácteas...* usada por F. Paso en México (*Palinuro*, 81). Por extensión y lamentable contagio se emplea, sin influjo del inglés, para designar ciertas irregularidades presupuestarias: «Hay un agujero —negro— de 80 millones de pesetas sin justificación», *ABC*, 22-5-94, pág. 27.

El término **airbag** 'bolsa de plástico que se infla automáticamente', tan frecuente hoy en la publicidad del automóvil, existía hace más de siglo y medio en inglés, pero con un significado diferente. El actual lo describe suficientemente el *RHD,* pero en español no se ha encontrado aún un equivalente satisfactorio: colchón, cojín, dispositivo de seguridad, son algunas de las traducciones propuestas, una de ellas propicia el chiste. El *DVUA* aporta cinco citas y seis referencias, pero podría haber duplicado o multiplicado el número. Ningún anuncio de automóvil prescinde de proclamar el invento.

Sólo en el diccionario *Peq. Larousse* se incluye la entrada **alderman** 'magistrado municipal inglés'. También hay usos norteamericanos del término, pero ignoro el área de difusión del anglicismo registrado en ese diccionario. Lo que sí puedo aportar es que esta voz está ya documentada a principios del siglo XVII en la correspondencia de Gondomar (vol. II, pág. 103): «El Corregidor y regidores, que aquí llaman mayre y aldremanes». La forma *aldermanes* aparece en cinco cartas. A. H. registra un uso más moderno de F. Villalba en 1868.

Casi todos los diccionarios manuales españoles, incluido el *DMILE*, recogen el anglicismo **ale**, que explican como 'especie de cerveza inglesa ligera'. Creo, sin embargo, que excepto en crucigramas, es voz poco usada.

Aunque *alienígena, alienación, alienista* son sin duda cultismos que gozan del favor popular del esdrújulo o de la novedad frente a *extranjero* o *extraterrestre, enajenación* o *psiquiatra,* la voz inglesa **alien** 'ajeno, extranjero, foráneo, etc.' se ha extendido en español debido a algunas películas de éxito que llevaban ese título, *Alien, Aliens,* sin traducir. He aquí un ejemplo: «Un programa [...]en el que los aliens se pelean con los corruptos galácticos...», *ABC,* 17-3-95, pág. 21.

El caso de **aligátor** plantea una vez más la cuestión de etimología inmediata o etimología última. Figura por primera vez en el *DRAE*'92, acaso motivado por su presencia en el *DMILE*, que lo considera galicismo por 'caimán'. Es posible que, como tantos anglicismos aquí comentados, haya entrado en español a través del francés, pero la verdad indiscutible es que la deformación de esp. *el lagarto* se produce en inglés, donde la primera forma documentada es *alagarto*, a fines del s. XVI. Es un buen ejemplo de lítotes o atenuación, si se piensa que este 'lagarto' americano o chino mide más de cinco metros de largo. Pérez de Ayala tenía en 1920 conciencia de su origen español, cuando le da el nombre de Aligator a un personaje (*Belarmino y Ap.,* págs. 128-9), de ojos «empañados por una telilla opaca al modo del segundo párpado de los lagartos. Y de aquí que le apodasen Aligator».

Son centenares los neologismos españoles formados con el elemento compositivo **anti-** que coinciden con otros ingleses de la misma base. El *DHLE* puede facilitar, por su datación, la tarea de establecer la filiación, a veces clara. Citamos algunos ejemplos:

Anticongelante, **antifricción**, **antimacasar**, **antitanque**, etc. Son todas voces incluidas en el *DRAE*'92, sin indicación de origen. De *anticongelante* hay una primera cita, de Alfaro (1950), como equivalente al ingl. *anti-freeze. Antifricción* figura en el *DHLE* como anglicismo o galicismo igual que *anticiclón*. Según *RHD* y *Lexis*, en inglés sería unos 20 años más antigua, pero con respecto al español tal dato no es decisivo. *Macasar* y *antimacasar* están incluidos en el *DRAE*'70; también, con la grafía *macassar* y como topónimo, en diccionarios franceses e ingleses que describen asimismo el aceite de esa procedencia. El nombre de *antimacasar* 'paño protector del respaldo de asientos', parece tomado del inglés *antimacassar*. *Anti-tank* aparece en el *Robert Angl.* y remite a *tank*. *Antidoping* (1966), *antiestrés* y *antidumping* (1965) no ocultan su filiación inglesa.

Antibiótico. El *DHLE* registra como galicismo un ejemplo, tomado del *Diccionario* de Cardenal, con el sentido de 'destructor de la vida', no documentado en textos. Pero en francés, incluso en esa acepción o en la de 'sustancia o medicamento' se considera un anglicismo acuñado por Waksman para designar la penicilina y otras sustancias.

Figura en el *DRAE* como galicismo el término militar *aproches*, usado cuando se intenta batir una fortaleza con obras de aproximación de los sitiadores. Pero en el golf se usa **approach** como sustantivo y como verbo para indicar el golpe, a corta distancia, de aproximación al hoyo señalado por la bandera. A. H. registra este uso como nombre. En una crónica de *El Mundo* dedicada al golf, junto a términos típicos de este deporte —green, eagle, birdie, boggey (sic)— aparece el gerundio *aprochando*, sin más explicación. En el sentido de 'manera de abordar un problema o estudio', usual en francés, no lo conozco en español, que prefiere traducir aproximación, enfoque, tratamiento, etc.

Dos compuestos del lat. *aqua* registra A. H.: **aqualung** y **aquaplaning**. El primero figura en los diccionarios con el signo ® para indicar que es marca registrada. El segundo, cuando se refiere al esquí acuático, es un anglicismo, pero A. H. opina que no lo es cuando designa, en automovilismo, la falta de contacto entre rueda y suelo que impide su adherencia. Sin embargo, *Robert Angl.* registra sólo este último uso y afirma que es un anglicismo, a la vez que recomienda afrancesarlo en *aquaplanage*. Los diccionarios bilingües inglés-español traducen el primero 'escafandra autónoma' y el segundo 'esquí acuático' (con un solo esquí). Para la juventud madrileña, *Aqualung* es el nombre de una popular discoteca.

Argón (en Corominas s.v. *argo*, explicada como helenismo). Según *Robert Angl.* es «mot anglais formé sur le grec *argon*».

Arruruz. Figura en el *DRAE* como procedente del ingl. *arrow root*, mas siendo voz de origen antillano (*aru-aru,* según *Robert Angl.)* cabe preguntarse si está tomada, como el francés, que pronuncia /*arorut*/, directamente del inglés, donde se considera etimología popular, o ha habido alguna contaminación o (ultra)corrección debida a la lengua indígena. Debe recordarse que entró en el *DRAE* ya en 1884, lo cual supone un uso anterior, cuando la presencia española en el mar Caribe estaba viva. No excluimos, sin embargo, una posible asimilación vocálica. A. Montague, en carta del 26-1-96, me indica que *arruruz* pudo haberse usado por los españoles antes de 1670 en Jamaica sin deber nada a *arrow root* y que el *NShOED* (1993) corrige la etimología.

Artefacto. Voz de origen discutible. Existe en inglés con la grafía *artifact*, pero también en la forma *artefact*. El francés *artefact* lo explican *Robert* y *Lexis* como anglicismo y dan como forma latina *artis factum* (*Robert*) o *artis facta* (*Lexis*). El *OED* propone *arti* + *factus*. Nuestro *DRAE* da como étimo *arte factus* 'hecho con arte'. Para mayor variedad, el *RHD* propone < *artefact* < lat. *arte factum* 'hecho con destreza'.

Atolón. Los diccionarios franceses e ingleses suelen incluir esta forma s.v. *atoll*, pero indicando que ya en el siglo xvii tienen documentado en la lengua respectiva el vocablo *atollon,* que hacen remontar al indo-ario *atolu,* voz de las Maldivas, como señala nuestro diccionario académico.

Atracción universal. Como es casi norma en el *DRAE*, las ramificaciones de significado que siguen a la entrada principal no incluyen etimología; si se hubiera pensado en Newton, acaso habría una remisión a *gravitar, gravedad* o *gravitación*, difícilmente explicables en Física como conceptos tomados del latín.

Tanto *attraction* como *gravitation* (< lat. cient. *gravitatio)* figuran como sinónimos en *Lexis* con su correspondiente mención del físico inglés. Voltaire censuraba a éste que utilizara el término *attraction* en vez de *impulsion*, empleado también, como *gravitation*, por el propio Newton y sus discípulos. Hoy el inglés parece haber optado por este último (*law of universal gravitation*).

El *DRAE* no da etimología de *gravitación* y para *gravitar* se busca el origen en *gravitas, -atis*; en francés se explica *graviter* como procedente del latín cient. *gravitare* (*Lexis*). Según el *Robert Angl.* «on a tiré de *gravitation* le déverbal *graviter*», en 1734.

Audiencia. La acepción 8.ª del *DRAE* 'auditorio, concurso de oyentes' aparece por vez primera en la XX edición (1984). Nadie discutirá que es un anglicismo semántico, aunque este dato etimológico suele omitirse en las acepciones. El *MEU* condena su uso en el significado de 'auge'. Véase CALCOS, s. v.

Auditar. El siempre acusado duende de las imprentas, lector de los normalmente provechosos consejos de la Agencia EFE, se 'inventó', *Vademécum*, pág. 30, un verbo inglés *to audite* [pron. to odit (sic)] donde la ficha lexicográfica de la Academia decía *to audit.* Posteriormente se ha aprobado la correspondiente enmienda. Falta en español el préstamo crudo *audit,* aceptado por el francés en la acepción de 'control de cuentas'.

Autocar. Aunque la voz es claramente inglesa, el *DRAE*'92 la da como de origen francés, pues el sentido de 'vehículo de gran capacidad' procede de esta lengua, que tomó la palabra del inglés.

La marca registrada **Autocue** 'teleapuntador' parece extendida en español, pues es la primera traducción «española» que dan los diccionarios bilingües *Collins* y *Oxford.* Ambas son de uso británico y en el primero tiene también como equivalencia española popular 'chuleta'.

Autostop, autostopista (*DRAE*) (cf. pág. 46). Es galicismo de base inglesa (*stop).* El término inglés es *hitchhiking.* No se ve justificación para las grafías *autoestop, autoestopista* (cf. *DVUA*) con precedentes en *Yugoeslavia* por *Yugoslavia* o en *aeroestático* por *aerostático.*

A. F. documenta **baby** ya en 1879, en el plural *babys* (sic) y también otros compuestos; un *auto-baby* desmontable en piezas (1929), s.v. *automóvil*, además de *baby-star* (1933) 'estrella bebé'. Modernamente se ha extendido el uso del compuesto *baby boom* 'boom de la natalidad' y sus frutos, los *baby boomers:* «El nuevo 'baby boom' en Europa», *ABC*, 21-12-93, pág. 84; «la generación del 'baby-boom' y la generación X», L. Castro, *ABC*, 13-4-94, pág. 20; «Época de los baby-boomers, generación producida por la optimista explosión demográfica de la posguerra», *Cambio-16*, (Apud *DVUA*). No tengo anotado ningún calco de esta expresión. El diccionario de V. León recoge la forma *beibi* 'chavala, novia'.

Los dos diccionarios del Río de la Plata recogen también el compuesto *baby-doll* 'muñequita', tomado tal cual del inglés (¿o del francés?) para designar una camisa de dormir o camisoncito usado por la protagonista, así llamada, de una película norteamericana (1957).

Baby-sitter /beibisiter/ lo anoté en 1947 entre españoles relacionados con la cultura norteamericana. Se escribe a veces en cursiva o entre comillas (tengo anotado del diario *YA baby-sister*, hace años, como etimología semipopular, pero recientemente también lo usa un escritor enterado: «una 'baby-sister' de las de ahora», J. de Armiñán, *ABC*, 25-3-95, pág. 3). Hoy se sustituye cada vez más por *canguro*, aceptado como acepción 3.ª (s.v.) en el *DRAE.* Yo leí esta ingeniosa adaptación en una traducción catalana del inglés. Hoy ha entrado en el *DRAE* y se usa también la forma femenina *cangura* (A. Zamora,

Hablan..., pág. 131; «*Canguras* de barrio (titular), la *cangura* Concepción R., su *cangura*; pero una *canguro*, la *canguro*», *El País Madrid*, 29-4-95, pág. 24). En el español de California, según estudio de un alumno mío, F. J. Ballesteros, «el verbo beibisitear es común entre las estudiantes chicanas que trabajan de niñeras por horas». Cf. supra, pág. 61.

Aunque en España ha dejado de utilizarse en deportes, **back** 'defensa, zaguero' sigue usándose en el Río de la Plata, capital verdadera del fútbol hispánico, con lo cual tiene asegurada vida perdurable. Como elemento de compuestos aparece ocasionalmente en España en las formas *flashback, feedback* (s.v.).

Bádminton, badminton. Se ha incluido en la última edición del *DRAE*. Un sagaz académico descubrió que este juego era prácticamente el mismo que se mencionaba s. v. *volante* (acep. 15.ª y 16.ª). Es probable que se trate del mismo deporte pero, como es frecuente (tenis, squash, fútbol, etc.), lo inglés del asunto es la reglamentación de un juego que con distintos nombres practican otras naciones sin normativa escrita. El diccionario *Lexis* s.v. *badminton* lo define en función de la voz francesa *volant*, origen muy probable del *volante* español. *Robert Angl.* lo explica como «jeu de volant sur un court» y aporta una cita interesante: «Badminton ou jeu de volant scientifique...».

En la última edición del *DRAE* entró la voz **bafle** (< ingl. *baffle*), con el significado de 'dispositivo que facilita la mejor difusión y calidad del sonido de un altavoz'. El *DMILE* registra la voz con la grafía inglesa y ofrece una explicación técnica que abarca seis líneas.

Bagaje es voz de origen discutido. El *DRAE*, a falta de más convincentes explicaciones, se limita en la XXI edición a repetir lo que ya figuraba en la XIX. En francés se apuntan el inglés *bag* (cf.

airbag) o el escand. *baggi* como posibles étimos. Fr. *bagage* (ingl. *baggage*) en el valor de 'equipaje' (3.ª acep. del *DRAE*) parece calco semántico del inglés. El sentido de 'pertrechos militares de un ejército o tropa en marcha' (1.ª acep. del *DRAE*) parece ser francés.

Aunque el término **baloncesto** se ha impuesto definitivamente en España, en varios países americanos alterna con *basket, basquet* y *basquetbol*. En P. Rico se usa en una crónica *baloncelista* (sic, 4 veces frente a *basquetbolista*, 1 vez). También hay *maxibaloncesto* (?) en Guatemala.

Banjo, banyo. La etimología española sugerida en *DRAE*'92 se debe a varias razones: a) *Lexis*: («mot angloamer. de l'espagnol *bandurria*»); b) *Collins*: *banjo* [siglo XVIII]: variant (U.S. Southern pronunciation) of *bandore*; *bandore* [s. XVI] from Spanish *bandurria*; c) *OED* (resumo y traduzco): *banjo*. También *banjore, banjer* (corrupción de *bandore*...); *bandore,* adaptación española o portuguesa del gr. *pandoura*; Wartburg-Bloch: *banjo*... de l'anglo-américain *banjo*... altération, dans le parler des esclaves nègres, de *bandora*, empr. luimème de l'esp *bandurria*, soit du port *bandurra*.

La cuestión decisiva aquí es que, estando atestiguados en inglés *bandore* e incluso *banshaw* ya en el siglo XVI y XVII, la aparición de una africada sonora tras la *n* es perfectamente explicable en esta lengua sin acudir a los esclavos negros que citan casi todas estas fuentes (*Injun* por *indian* figura en diccionaros serios), cuando una *d* va seguida de *yod*. Cf. la pronunciación de *education* o *gradual* en Jones-Gimson, pues u = /ju/.

Bario. Lo mismo que *aluminio, sodio* y *potasio*, es resultado de las acuñaciones hechas por el químico inglés H. Davy (hacia 1808) difundidas por la traducción francesa de sus *Elements of Chemical Philosophy* siguiendo la práctica de inventar un seudolatín para los neologismos científicos.

La Academia no ha admitido **barman**. Sí, en cambio, **bar**, en el supl. del *DRAE*'47, usado ya en 1889 (A. F.). Es uno de los anglicismos más difundidos en España. El *barman* Chicote lo era, desde 1930 (cf. A. Fernández, s.v. *cock-tail* y s.v. *barman*), por antonomasia y tiene un museo en Madrid. La variante americana *bartender* apenas se registra en España; sí, en cambio, formaciones analógicas —*barwoman, barwomen, barwomans*— desconocidas en inglés (sí *barmaid*).

Barman figura en los diccionarios *M.ª Moliner*, *Peq. Larousse*, *Peq. Espasa*, *DMILE*, y otros, así como en los diccionarios bilingües *Collins*, *Oxford* y *Langenscheidt*. El anglicismo ha alcanzado estado oficial como lo revela la siguiente noticia: «Concurso de Coctelería... organizado por la Asociación de Barmen españoles», *ABC*, 29-3-94, pág. 67.

A. H. cita un *bar-room* 'salón bar' en 1881.

Barter significa en inglés 'trueque, permuta' y A. H. registra un uso de 1991 en La Caja. Hay además un derivado, *bartering*, que he visto referir, con censura, a ciertas prácticas de publicidad. Lozano (*NDBEE*) lo explica como 'inclusión de un mensaje comercial en el contenido de un programa de televisión'.

La voz **base-ball**, hispanizada en *béisbol*, está documentada primero en Amado Nervo y traducida 'pelota base', según A. Hoyo. También la usó Rubén Darío, según A. F., pero la referencia cronológica no está clara (la revista que se cita es de 1926, pero él murió 10 años antes). No es extraño que los autores mencionados sean hispanoamericanos, pues este deporte, tras muchas tentativas, no ha arraigado en España ni en varios países de Sudamérica.

Las siglas **BASIC** tienen doble origen: *British American Scientific, International, Commercial* y *Beginner's All-purpose Symbolic Instruction Code.* El francés usa la grafía *basique* como calco de *Ba-*

sic English 'inglés básico'; y prefiere *Basic* para el lenguaje informático de ese nombre.

Aunque hoy adoptado cultural y léxicamente como *baloncesto* (véase s.v.), **basketball**, también reducido a *basket, basquet* o hispanizado como *basquetbol*, tiene amplia difusión en diversas naciones de América. De acuerdo con A. F. no hay noticia del término, escrito primero *basquetball*, antes de 1929; *baloncesto* lo documenta por primera vez en 1931.

El nombre inglés *bat* y el verbo *to bat* han producido en español una serie de préstamos y derivados: **batazo**, **bate**, **bateador**, **batear**, **bateo** (todos en el *DRAE*). En países donde el béisbol es deporte popular la lista aumenta.

El estudio de H. López Morales sobre los anglicismos en P. Rico incluye **batería** entre los «muy usuales». Tratándose de automóviles, probablemente lo es, pues *battery* es el término americano correspondiente al británico *accumulator*, que en España se usó antes, (1886, según A. F.), pues *batería eléctrica* se define como «acumulador de electricidad o conjunto de ellos» (*DRAE*). Una fábrica de baterías y pilas española se llamaba Acumuladores Tudor. El étimo último debe de ser fr. *batterie.*

Bazuca (*DRAE*'70), (ingl. *bazooka*). La definición académica «fem. lanzagranadas...» es recomendada por algún manual de estilo (*LRVang*. «escriba... una bazuca, femenino»). Es preferible utilizar 'lanzagranadas'. Pero tengo anotado algún uso masculino: «bazokas incluidos», *ABC*, 10-5-81, pág. 8; «los 'bazookas'...», L. López Sancho, *ABC*, 21-9-82, pág. 15.

Cierta relación con *beatnik* (cf. s.v.), en el sentido de batir, golpear, en música, tiene el grupo musical británico llamado los **Beatles**, exponente de toda una generación cuyos efectos perduran. También es voz que se ha hecho universal, gracias a la popularidad de sus componentes. Nada de extraño tienen, en vista de ello, los derivados *beatlemanía, beatleiano, beatlemaníaco* registrados en el *DVUA* y procedentes de cinco fuentes periodísticas distintas.

El término literario **beatnik**, (*beat* 'golpeado' + *-nik*, sufijo yídico-eslavo, popularizado por el *sputnik*), en cuanto miembro de la *Beat Generation* (hacia 1950-55), está relacionado con el escritor Jack Kerouac. Se ha extendido al español, como a otras lenguas europeas (alemán, francés, italiano, portugués, etc.), alternando a veces con *hippie*, para designar al joven rebelde que se enfrenta con los valores tradicionales. Registran el término en español los diccionarios *Peq. Larousse, Peq. Espasa* y *Larousse Bil.*

La expresión **beautiful people**, reducida jocosamente a *la biuti*, ha tenido momentos de gran favor entre periodistas y, en especial, en la llamada prensa del corazón. Cf. *gente guapa* (s.v.).

A. Fernández, en la entrada **beef-steak**, de su libro, recoge numerosos ejemplos del empleo de *beefsteak* y sus variantes españolas. He contado trece, sin contar las debidas al número gramatical, pero sí las posibles erratas que tal profusión provoca. Prudentemente documenta el término por primera vez en 1866, pero, apoyado en Lapesa, cita una forma «biftec» en Larra. Y, en efecto, en Larra encontramos, en el núm. 8 de *El Pobrecito Hablador* (diciembre de 1832), la forma *beefsteck* (sic). Corominas afirma que «la variante *biftec* (Acad. 1884, etc.) se halla desde 1850 y *bisteque* en Pardo Bazán», que es la que, apocopada, ha admitido después la Academia en las formas *bistec* y *bisté*. La forma *biftec,* no obstante, la registra todavía algún diccionario, como el *Peq. Larousse*, quizá por influjo de la *f* de *bife.*

En varios países sudamericanos —Argentina, Uruguay, Chile, Bolivia— se usa el anglicismo *bife* (< ingl. *beef*) como equivalente de *bistec.* Así lo recoge la Academia, añadiendo otras dos acepciones figuradas, 'bofetada' e 'inflamación'.

No hay explicación convincente de la frase **begin the beguin**, nombre de una famosa canción de Cole Porter. El problema radica en la voz *beguin*, también escrita *beguine*. A. H. se hace eco de la propuesta de Zingarelli que la interpreta como variante del ingl. *begin* 'comienzo, comenzar', pero los diccionarios ingleses se limitan a apuntar que se trata de un término francés de la Martinica que significa 'idilio, ligue, amor pasajero'.

Behaviorismo (*DRAE*'92). Su adaptación española, *conductismo*, figura ya en el *DRAE*'84. En ambos casos se parte de la grafía americana del término (*behavior*, no brit. *behaviour)* supongo que por ser un psicólogo norteamericano quien acuñó el término.

También ha entrado en la misma edición el anglicismo **beicon** (< ingl. *bacon*), que muchos se empeñan en identificar con *panceta*. Para evitar confusión se define el nuevo término como 'panceta ahumada'. No está claro —faltan datos— si la tocineta consumida en ciertos países americanos es simplemente salada o ahumada. Sospecho que si es de importación yanqui se trate de *beicon*. En Colombia, según *Oxford Bil.*, es 'bacon'. *Larousse Bil.* traduce 'tocino entreverado, *bacon*'. El 14-10-95 tratamos el tema en la pág. 3 de *ABC*.

Bermudas. El conjunto de islas e islotes descubierto por Juan Bermúdez en 1502 y conocido como islas Bermudas ha dado lugar al nombre de una prenda de playa conocida como *bermudas* (< ingl. *Bermuda shorts*), usada generalmente en plural y admitida en el *DRAE*'92.

Berquelio ha sido la transcripción adoptada para el ingl. *berkelium*. Tanto el topónimo *Berkeley*, ciudad y universidad, como el símbolo de este elemento, Bk, descubierto en 1949, quedan escondidos en esta forzada ortografía.

El compuesto *best-seller* se ha intentado adaptar como *superventa* o también (*LEPaís, LEABC*) *éxito de ventas, más vendido,* etc. La Academia lo ha admitido en 1992. No es perfecta la adaptación académica, pues la grafía **best-séller** respeta el acento prosódico del español, descrito en el *MEU* como «acento en la primera *e* (séller)» [en inglés tiene doble acento principal: /béstséler/], pero a falta de normas de adaptación de voces extranjeras se mantiene la doble *l* que invita a una pronunciación lleísta o yeísta, según el consumidor. En otros casos la reducción de consonantes dobles se ha cumplido sin dificultad (bitter > biter, foot-ball > fútbol, baffle > bafle, jazz > yaz, etc.) pero no siempre con éxito.

El **(BIG) BANG** se considera, en cuanto origen del universo, una acuñación del inglés americano (1950, *Robert Angl.*). Pedro Laín es más preciso y menciona el *big bang*: «nombre burlesco inventado por F. Hoyle, astrónomo muy reticente, por cierto, a la tesis de la expansión del cosmos» (cf. *Cuerpo y alma*. Estructura dinámica del cuerpo humano, Madrid, Espasa-Calpe, 1991, pág. 57).

En inglés **bike** es forma abreviada de *bicycle* 'bicicleta' pero también de *motorcycle* 'motocicleta'. Aparece en el compuesto *mountain bike* (véase s.v.), donde es una bicicleta, pero también en el derivado *biker* 'motociclista', como en el ejemplo siguiente: «Un reportaje sobre los bikers españoles, los conductores de Harley Davidson [una marca de motos famosa]...», *ABC*, 22-5-94, pág. 152.

Aunque incluido en el *Robert Angl.*, **bikini-biquini** (*DRAE*'84) es, según dicho diccionario, no un anglicismo, sino una marca registrada en Francia. No se entiende cómo, si la explosión de una bomba atómica en julio de 1946 fue el motivo del nombre, éste y sus derivados, *monokini, sexykini* estaban ya registrados el 20 de junio del mismo año. Quien registró la marca poseía, sin duda, dotes anticipatorias.

De que la voz **billón** es un galicismo no hay duda, pues los franceses la inventaron. El significado, tras la implantación del sistema métrico decimal, cambió en francés para designar 'mil millones', que es el valor actual en el inglés americano y contra el que hace decenios ponemos en guardia a los traductores, oponiéndolo al *billón* británico, que se identificaba con el uso general europeo. Yo había anotado hace más de quince años el uso americano en cierta prensa británica sin poderlo confirmar en diccionarios (no en *Collins* 1979). Pero en el último *Collins Bil.* (1992) ya se registra su uso en G. Bretaña. Contra lo que afirma algún manual de estilo, en alemán significa lo mismo que en francés y en español (1 millón de millones). Dada la inflación universal, lo que conviene ahora es prevenir a la gente contra el uso norteamericano de *trillón*, que nos tememos acabará contagiando al británico, con la consiguiente confusión, pues *trillion,* en inglés americano, es un *billón* europeo.

La palabra **bingo** 'juego de azar variedad de lotería' figura también en el *DRAE* desde 1984. No es clara su etimología en inglés. Se tiende a considerarla voz onomatopéyica. Un adjetivo, *binguero*, aparece en *El País*, 31-7-95: «ingresos bingueros», pág. 4.

Ingl. *beeper* (también brit. *bleeper)* se ha adaptado al español en México como **bip** y en Chile como **bíper**; también se ha traducido con el compuesto *buscapersonas* (reducido a *busca)* o *mensáfono* (ambos en el *DRAE*).

Consta en algunos diccionarios que **biro** (< Birò, inventor húngaro) es marca registrada en Gran Bretaña, donde al terminar la II Guerra Mundial se explotó el invento del bolígrafo. Entre las varias denominaciones que tiene este instrumento en América está el femenino **birome**, usado en el Río de la Plata, cuyo parentesco con la forma británica parece evidente.

El acrónimo **bit** (< ingl. *bit* < *binary digit*) entró, acaso por errata, como anagrama, en el *DRAE*'84. Quedó enmendado en 1992.

No tengo anotado **blackout** en ninguna de las dos acepciones que los libros españoles de estilo censuran, ni como *news blackout* 'bloqueo informativo' ni en su sentido más literal de 'oscurecimiento, apagón'.

En la propaganda comercial suele aparecer la palabra **blázer** para designar una chaqueta azul —uniforme, a veces, en ciertos colegios— que exhibe un escudo o insignia sobre un bolsillo y pasa entre ciertas clases por signo de elegancia. Está registrada en el *Collins Bil.* (1992) como equivalente de inglés *blazer* con la grafía *blázer,* explicando que es chaqueta de deporte o de colegio. Kühl, en Uruguay, anota la pronunciación /bleiser/.

También es reducción de un compuesto inglés (*blister-pack)* la voz **blíster**, incluida en el *DRAE*'92, que significa 'ampolla, burbuja'. Un *blister-pack* es un envase transparente para pequeños objetos. Este anglicismo se usa igualmente en francés, alemán e italiano y lo registra también el diccionario *Oxford Bil.* s.v *blister-pack.* A. H. (1995) da una explicación pormenorizada del invento.

Lo que en alemán designaba *Blitzkrieg*, una actividad bélica repentina y rápida, conocida en español por 'guerra relámpago', se convirtió en inglés en el monosílabo **blitz**, para el cual recoge el *RHD* ocho acepciones diferentes como nombre o verbo. Aunque la voz alemana figura en algún manual de estilo rechazando su uso, la forma truncada inglesa *blitz* aparece también referida a los bombardeos de Inglaterra en la II Guerra Mundial, como en francés e italiano, pero también a acciones bélicas semejantes. Pese a que *Robert Angl.*, que registra *blitz* como anglicismo, considere que «ce mot est maintenant un terme d'histoire» vive como recuerdo en más de un texto. En este sentido hay que interpretar los dos ejemplos que nos ofrece el *DVUA*.

En el *DRAE*'92 se recoge **bloc**, como alternativa de *bloque* en la acepción 4.ª de esta voz, 'conjunto de hojas de papel'. La grafía *bloc* es la usual en francés, que, sin embargo, considera el término un anglicismo parcial (*bloc notes, bloc* < ingl. *block*). El *Oxford Bil.* traduce 'bloc' del inglés *notebook* 'cuaderno'. En la edición del *DRAE*'84 no aparecía *bloc*; creo que se ha impuesto porque nadie llama *bloque* al taco o conjunto de hojas mencionado. Responde a la misma actitud el comentario de Ycaza (Nicaragua, *art. cit.*) sobre ingl. *block*: «Bloque (de papel). Pronunciamos y escribimos *bloc*». Cf. infra s.v. *bloque*.

No es nada clara la etimología de **blocao**. El *DRAE* y Corominas aceptan sin más el origen alemán *Blockhaus*, pero Kluge (*Etym. Wb.*, s.v. *blockieren*) señala que en neerl. medio existe un *blochuis* 'casa construida con troncos' (en Corominas *blochuus*, más correcto) y en valón y picardo (s. XIV) *blocquehuis*, que desarrolla en francés (s. XV) el significado de 'fortín o fortaleza'. El *OED* afirma que *blockhouse* aparece en inglés antes que en francés, neerlandés o alemán, con el sentido de 'fort blocking a strategical point', pero advierte que el término es 'of uncertain history'. El verbo derivado de esta acepción es *bloquear* y su deverbal *bloqueo*.

El verbo **blocar** constituye un problema etimológico diferente. Se usa en deportes (fútbol, boxeo, etc.) en el sentido general de 'obstruir, sujetar'. Falta en el *DRAE*, pero no en el *Peq. Larousse* ni *Peq. Espasa*. En el significado 'detener el balón el portero sujetándolo contra el cuerpo' (*Peq. Espasa*) parece calco del francés *bloquer*: «le goal a bloqué le ballon» (*Lexis*). En V. León (*Dicc. Argot*) encontramos también la acepción «parar el púgil con los guantes o los brazos el golpe del adversario».

Relacionada con esta etimología está la de **bloque**, objeto de discusión de los historiadores de la lengua (vide supra, s.v. *bloc*). Corominas les da iguales posibilidades al francés y al inglés por la fecha de llegada al español. Eso en cuanto a la forma; en cuanto al significado, varía el origen. *Bloque* 'manzana de casas' (acep. 6.ª del *DRAE*) es concepto norteamericano llegado acaso a través del francés. Los demás significados apuntan al valor primitivo de 'tarugo de madera, trozo grande de piedra sin labrar, masa compacta de una materia, conjunto, etc.'. La acepción 4.ª 'conjunto de hojas de papel', que coincide con la novena y la décima de *taco,* ha sido desglosada en la edición XXI con la forma *bloc*, en vista del uso general de esta grafía. El *Libro de Estilo* de *El País,* ya en 1980 (2.ª ed.), recomendaba *bloc* (pl. *blocs*) pero lo hacía apoyado en M.ª Moliner. El de *ABC* (1993) no se pronuncia, mas el diario suele ofrecer una columna de noticias breves con el epígrafe *bloc.* Esta grafía es francesa, pero en francés se usa en combinación con *notes: bloc-notes, block-notes*, compuesto que nada debe al inglés, pues en esta lengua significaría 'notas de bloc'. Para el bloc, taco o conjunto de hojas el inglés prefiere hoy *writing pad* o *note pad.*

Sólo figura **bluegrass** en un diccionario bilingüe (Oxford); a) '*hierba que se usa como forraje'*; b) (*Mús.*) *blue grass*. Para su equivalencia botánica hubiera valido el término científico *Poa pratensis*, planta característica de Virginia y Kentucky. En su sentido musical *bluegrass* se asocia con un tipo de música popular de dichos estados. En el *ABC* de 18-11-94, pág. 86, se menciona dos veces: p. ej. [el grupo] «Foiegrass (creadores del blue-grass (sic) español que mejor se come)»; en otra cita: «un concierto de blue grass, variedad del country», *El Mundo*, 17-6-94, pág. 90.

En el inventario de Ycaza (*art. cit.*) **blue jeans** es el primero de los anglicismos enumerados. No se indica su pronunciación, pero el segundo elemento del compuesto lo recoge *VOX* (1992) s.v., añadiendo que «se pronuncia yin». Esa es la pronunciación que cabe suponer como más acertada imitación de la inglesa. Cf. el derivado rioplatense *jeanería*, /ŷinería/ s.v. A. H. recoge la adaptación peruana *bluyín, bluyines* en 1995.

Se ha admitido en el *DRAE*'92 la voz inglesa **blues**, con indicación fonética y morfológica («Se pronuncia aprox. /*blus*/ pl. invar.»).

El anglicismo **bluff** fue aceptado recientemente por la Academia suprimiendo una *f* y sin decidir cuál es la vocal. El uso americano favorece la trascripción con *o*: *blof, blofear* (así en Alfaro, que añade los derivados *blofeador, blofero* y *blofista*). Sin embargo, el *Peq. Larousse* registra *u*: *blufar*, apoyado en la supuesta pronunciación de *bluff* como *bluf*, recogida por el *Collins Bil.* s.v. *bluff* y *blufar*, que remite a *blofear*. En el *Peq. Espasa*, *bluff* remite a *blof*, registrado como americanismo, así como *blofear*. El *DMILE* y María Moliner lo incluyen sin recomendar pronunciación. *VOX* no lo registra, pero sí cuatro derivados, como americanismos y con vocal *o*. En inglés, la vocal es la misma de *bunker, bumper, muffer y pub,* es decir, /ʌ/.

El nombre de la prenda conocida como **blumers** (< ingl. *bloomers*), comentado por Alfaro, nunca fue popular en España. Los diccionarios bilingües de *Collins* y *Langenscheidt*, tan abiertos a los americanismos, no lo registran, pero sí figura en el inventario de Ycaza, s.v. *blúmer* 'calzón de mujer'.

Boarding, registrado por Alfaro s.v. *bording* para designar una casa de huéspedes *(boarding house)* no es término usual en España, y en América parece de uso restringido. La patrona de la casa se llama en Cuba, según Malaret (*apud* Alfaro), *bordinguera.* A. F. registra *boarding* por primera vez en 1928, pero en 1920 ya lo usa Pérez de Ayala dos veces en *Belarmino*..., págs. 10-11, con el comentario satírico siguiente: «el *boarding house* inglés es un pequeño museo de cera... ya que los británicos... condúcense con fría y cómica simplicidad».

En el anuncio de una compañía aérea de Guatemala hemos anotado el calco *ticket de abordaje* para *boarding card (ticket).*

Según A. F. el término británico **bobsleigh** está documentado ya en 1911 «y es frecuente desde esa fecha». La variante ortográfica americana es *bobsled.* También registra A. F. las formas abreviadas *bob* y *bobs* desde 1929. Con la grafía británica figura en el *Peq. Espasa* y en el *Peq. Larousse*, que ofrece como pronunciación /bobsleg/. No he podido comprobarlo. En inglés se pronuncia /bobslei/, la variante americana /bobsled/. Es deporte olímpico, pero ni la *GP-IED* ni el volumen *IEDep.* (Rioja-Efe) lo incluyen en sus vocabularios, tal vez por poco practicado en los países hispanohablantes.

La voz **bofetada** (ant. *bofete*) aparece por primera vez en el *DRAE*'92 relacionada con el inglés, donde *buffet* (=/bʌfit/) significa 'puñetazo, manotazo'. Es voz de origen francés, lengua en que hoy ha desaparecido en el significado de 'golpe ligero', atestiguado en la Edad Media. La hipótesis no es descabellada, si se tiene en cuenta: 1.º, que en español (s. xv) está documentado *bofete*, y en cat. ant. *bufet.* Relacionarlo con *bufar* o con fr. *soufflet* 'bofetada con el dorso de la mano' parece menos aceptable. El testimonio catalán, citado por Corominas, ayudaría a explicar la vocal.

Incluyen los diccionarios españoles varias voces que comparten cierta semejanza formal y semántica causante de confusión conceptual y ortográfica. Son las palabras **bogie**, **bogey**, **bogue**, **boje** *(VOX),* **buggy**, **bugui** y **buja/buje**. *Boje,* según el *DRAE*, procede del ingl. *boogie* (creemos que es *bogie*); *bogie* (voz inglesa, *VOX*) es un carretón sobre carril; en *Peq. Larousse* alterna con *boogie* y se identifica con *boje; bogey* (golf, *VOX*); *bogue* en Chile, según *VOX*, procede del ingl. *buggy* 'calesa, cochecito', que figura también en los diccionarios como préstamo en español; *bugui* es otra adaptación española del ingl. *buggy* (*Oxford Bil.*); *buja* (Méx.) /

buje acaso no tengan nada que ver con el inglés, donde esta pieza se llama *axle housing (casing)*, pero tampoco, como apunta A. H., con el lat. *buxis* 'caja', como indica el *DRAE*, debido acaso a la coincidencia con su homónimo *boj, boje* 'arbusto, boj' o también a la acepción 3.ª de *boj* en el *DRAE*. Corominas se inclina por *buxis*, pero con reservas. Estos son los datos. Nos abstenemos de intentar una explicación satisfactoria. En el sentido de 'vehículo' el francés ofrece también un surtido de formas y significados más o menos próximos (boghei, boghey, bogie, boggie y seis variantes más); *buje*, por otra parte, es, en francés, *frette*. Excluimos el *bugui-bugui*, baile que se comenta a continuación.

La voz **bogey** (golf), antes citada, significó primero, en *bogey (boogey) man* 'diablo, terror, coco'. Con la grafía *boogie* se crea un verbo que significa, en un registro vulgar, lo que en español coloquial sería 'divertirse, menear el esqueleto' (*Oxford Bil.*). De este uso surgió en los años cuarenta el baile llamado *boogie-woogie*, adaptado al español en *DMILE* como *bugui-bugui*.

Hace ya más de un siglo que **bol** 'cuenco, tazón, ponchera' (ingl. *bowl*) entró en el *DRAE*'1884. Pero A. F. lo encuentra en el *Diccionario Nacional* de Domínguez (1848) en la forma actual, explicado como 'especie de vasija o ponchera'. En el Río de la Plata aparece *bols* 'tazón', aunque *bowls* se refiere a un juego parecido a la petanca y relacionado con las boleras.

Bolardo (< ingl. *bollard*). Aunque el sufijo *-ard* es frecuente en francés y *bollard* existe, como anglicismo, en esta lengua, no se documenta en ella hasta 1949; en español figura por lo menos en el *DRAE*'47. La acepción 2.ª del *DRAE*'92 es española.

Bombástico, contra lo que decía el diccionario académico (lat. *bombus* 'ruido, zumbido'), tiene un antecedente en inglés *bombastic* (s. XVI) 'lenguaje hinchado, fustián' derivado de *bombast* 'guata, algodón en rama' (< fr. *bombace*, lat. *bombax* < *bombyx* 'gusano de seda'). También procede del inglés el al. *Bombast*.

La desaparición de **boogie-woogie** 'baile... de los años 40' justifica la función del *DMILE* como sala de espera hasta el ingreso definitivo. Hoy es voz desusada.

El neologismo **booking** en la variante *overbooking*, usual en la industria turística (transporte, hoteles), es objeto de condena en libros de estilo. En Francia preocupa también la adaptación y se ha creado un híbrido *surbooking*; en alemán el calco está más diluido: *überlegen* 'reservar con exceso' (se podría haber utilizado otro calco posible, ya que existe *buchen* < *to book* 'reservar', que habría dado **überbuchen*). Las propuestas periodísticas españolas: *exceso de reservas, sobrerreserva, sobrecontratación* (*MEU*) a las que el *LEABC* añade *saturación,* son muchas para dar la cuestión por zanjada. Así, este mismo diario *ABC*, el 5-8-93, pág. 56, usa *overbooking* 5 veces y *sobrecontratación* 5.

Boom figura en el *DMILE* y en el *Peq. Espasa*, con valor económico. La Academia no ha sancionado todavía el uso, como en su día el de *bumerán*, porque alternan la grafía con *oo* y la pronunciación con *u. Collins Bil.* registra esta contradicción; boom = /bum/. Las propuestas de traducción son numerosas. El *Libro de estilo de ABC* nos ofrece un buen surtido: auge repentino, eclosión, explosión de popularidad, prosperidad repentina, apogeo, furor, moda. El siguiente ejemplo ilustra un uso infrecuente, atribuido por el periodista a un alemán: «Nosotros vivimos el boom del tenis... hace unos años con los éxitos de Graf y Becker...», *El Mundo,* 15-7-94, pág. 80. El *DVUA* reproduce cinco ejemplos de prensa y remite a otros diez, con indicación de fechas y páginas. A. H. cita un testimonio de Blasco Ibáñez, de 1925.

El inglés **booster** ha entrado en el *DRAE*'92 con el valor limitado de 'servofreno', transcrito *búster,* y la localización geográfica de

C. Rica y Guatemala. Según el *Dicc.* de Höfler (Larousse, París, 1982), el francés, con la grafía inglesa, usa el término desde 1934 con el sentido general de 'refuerzo de una acción', primero en locomotoras, luego como ayuda a la retropropulsión de misiles espaciales, significado en el que se ha usado también el anglicismo.

El término coloquial americano **boss** (< neerl. *baas* 'amo, patrono, capataz') es voz que se ha filtrado en francés, alemán, italiano, portugués, etc. y que Alfaro condena por vulgar, así como su adaptación *bos*, por «pochismo». Creo exagerada la descripción que hace del término: «El *boss*... es lisa y llanamente *cacique,* con la connotación de mediocridad, inescrupulosidad y desenfreno que implica el término». Emplea además como sinónimos 'muñidor de intrigas, electorero', etc. El *LEPaís* traduce también 'mandamás'. Con los años el término se ha ennoblecido y la 1.ª acepción del *RHD* equivale a 'employer, superintendent, manager', que no son términos peyorativos; la 2.ª ('a politician who controls the party... in a particular district') sería perfectamente idéntica al hispanismo *cacique*, voz instalada en inglés desde mediados del siglo XVI y definida así: «(in Spain and Latin America) 'a political boss on a local level'». La acep. 3.ª tampoco es peyorativa y el ejemplo de uso: *My father was the boss in his family*, lo deja claro. A. H. aporta un ejemplo decisivo: *Eisenhower was my boss*, libro escrito por la secretaria del presidente norteamericano.

Nuestros ejemplos españoles, sin embargo, dan la razón a Alfaro: «Cinco 'boss' de la mafia asesinados en Palermo», *YA*, 11-10-81; «uno de los últimos 'boss' de la mafia norteamericana... uno de los 'boss' más poderosos», *ABC*, 28-4-82, pág. 64. Referido a la mafia, alterna con el italianismo *capo*. El plural inglés es *bosses*; en francés: pl. *boss.*

El baile, especie de vals, conocido como **boston**, lo documenta A. F. en Rubén Darío, sin fecha, pero añade: «Más tarde [se documenta] en 1904 en un texto sobre el 'boston-ball' al que se describe como [mescolanza del *boston* con el *foot-ball*]. A. H. lo registra en 1910 (Alcalá Galiano). También, igual que A. F., anota *boston* como nombre, más antiguo, de un juego de naipes. Ambos usos, hoy, parecen haber desaparecido, incluso en inglés.

La etimología propuesta para **bote** en el *DRAE*'84 (del ant. ingl. *bot)* ha quedado rectificada. La forma *bot* no existe en ant. inglés: *bote* no aparece en español hasta el s. XVIII, según Corominas; siendo así, no es preciso remontarse tanto ni acudir al neerlandés, alemán o francés. Ant. ingl. *bāt* da normalmente *bot* /bəut/.

El término **box** demuestra hasta qué punto resulta difícil actualizar ciertos anglicismos. Aceptado hace años el *boxeo* con todos sus derivados (*boxear*, *boxeador*, etc.) pero excluido el uso hípico de *box,* éste se refuerza ahora cuando en carreras de automóviles renace el término para designar las zonas de mantenimiento de los competidores. Tampoco ha alcanzado reconocimiento oficial el compuesto *box-calf*, incluido por M.ª Moliner s.v. *boxcalf*: «palabra inglesa muy usada». En cambio se ha incluido en el *DRAE*'92 el anglicismo *box* como mexicanismo para designar el boxeo. También en Nicaragua, según el académico Julio Ycaza (*art. cit.*), y en el Uruguay y Argentina (cf. los diccionarios rioplatenses). *Boxeador,* según A. F., aparece en plural ya en 1891, pero *boxear* no lo documenta hasta 1925. Sin embargo, el primero lo tengo anotado en Acuña (1869): «hombres que luchan medio desnudos a puñetazos» (pág. 39). *La boxe*, galicismo por 'boxeo', aparece todavía en Benavente en 1934 (*Ob. Compl.*, VI, pág. 57).

La voz **boxer** (no *boxeador*) suele figurar en enciclopedias españolas con dos sentidos:

a) raza canina resultante del cruce de *buldog* con *bulterrier;*

b) miembro de una secta china que provocó el alzamiento antieuropeo conocido como guerra de los *boxers* (1900), popularizada por una famosa película.

Boy. La palabra, según A. H., está documentada como voz independiente, en la acepción de 'mozo, criado', en 1887, y después «en los años treinta, en España 'bailarín o chico de conjunto', paralelo a 'corista o chica de conjunto'...». Neruda, cónsul en Ceilán en 1929 a los 25 años, tenía un *boy* como 'servidor oriental' (*Confieso...*, pág. 107).

Boy-scout (cf. págs. 224 y 385). En la XXI edición ha tenido entrada la voz *escultismo* con la siguiente etimología: «del inglés *scout*, explorar, con influjo del catalán *escoltar*». Tanto esta palabra como *escultista* gozan de general difusión entre los que practican esta actividad juvenil. Mi nieto Pablo, que es uno de ellos, enumera los grados hoy existentes: castores, lobatos, escauts, escultas, rovers y escauters.

A diferencia del francés, lengua que acoge como préstamos crudos compuestos de **brain**, el español ha optado por el calco más o menos literal, acaso favorecido por soluciones francesas no generalizadas, y así para *brain drain* usa *fuga de cerebros* (*fuite des cerveaux*) y para *brainwashing*, *lavado de cerebros* (fr. *lavage de cerveaux*, recomendado oficialmente). Para *brainstorming* se recomienda (*LEPaís*) 'reunión creativa'.

No se ha difundido en España el término *brain-trust*, tal vez porque el segundo elemento haya caído en desuso e incluso desaparecido del *DRAE*'92 en su adaptación *truste*. Ignoro quién decretó la baja en el inventario.

La voz inglesa **brake** 'freno' la hemos anotado en América con la pronunciación *breque*, así registrada por *VOX* y otros diccionarios. *Brequear* 'frenar' y *brequero* 'guardafrenos' son de la misma familia y tienden a confundirse con *break* 'coche, vagón' (vide infra), que se pronuncia igual en inglés y es de distinto origen. Así le ocurre a *VOX*, que en la entrada *breque* (ingl. *brake* 'freno') incluye como acepciones 2.ª y 3.ª 'coche grande de cuatro ruedas' y 'vagón de equipaje en los ferrocarriles'. El reciente *LETM*, I, pág. 141, incluye *breque* para recomendar que no se confunda con *brete* 'cepo' («estar en un brete»).

Brandy ha recibido nueva definición en el *DRAE*'92. Aun así se han alzado voces que censuran la vinculación con *cognac*. A principios de julio de 1993 los fabricantes españoles se quejaban ante la UE de que en Holanda se hiciera *brandy* de frutas, pero *brandy,* en otras lenguas, significa eso precisamente, una especie de aguardiente de frutas. Estos comerciantes no sabían que ya en 1914 *cherry-brandy* está atestiguado y que en un anuncio de 1928 se habla de *apricot-brandy* y *cherry-brandy* como «licores ideales para señoras» (apud. A. F., s.v *brandy*). Según A. H. ya en 1870 (R. Pombo).

No hay duda de que **brassiere**, **brassière**, en francés 'corpiño', era un galicismo, pero después ha cobrado en inglés un significado desconocido en la lengua de origen, que lo registra como voz canadiense traducida al francés común con el significado de 'soutien gorge' (*Lexis*), probable origen del español *sostén* (cf. *sutián,* en Colombia), hoy desplazado por *sujetador.* Hay diversas grafías para este anglicismo frecuente en México y P. Rico, pero también registrado por Haensch en Colombia; la más corriente consiste en suprimir el acento grave, pero también hay intentos de hispanización en *brasier* y de acomodación al uso abreviado y coloquial inglés *bra*, que a su vez se estira en formaciones del estilo de *wonderbra,* título y tema central (usado 9 veces) de un ingenioso artículo de J. Campmany en *ABC* (24-5-94) que traduce 'sujetador maravilloso'. La familia léxica del término en México es numerosa e incluye variantes: 'largo, corto, con tirantes, sin tirantes (*strapless* por mayoría)' etc.

La voz **break** aparece con distintas acepciones en español. La más extendida y anticuada es para nombrar un 'coche de 4 ruedas', uso también anticuado en inglés, así, p. ej., en el cuento *Bestiario*, del volumen del mismo nombre de Cortázar; la más moderna, del mundo de las finanzas, para designar una 'baja notable' (*MEU*), relacionada con el verbo inglés *to break* 'romper, interrumpir', etc. Entre ambas registra el *M.ª Moliner* el insólito 'coche de tren reservado a ciertas personalidades'. Yo he subido a uno para despedir a un amigo que viajaba con el ministro del ramo. A. F. documenta *break* en este sentido en 1899, como pie de ilustración: «Grupo de invitados en el break del director del ferrocarril». M.ª Moliner M.ª también recoge el uso ferroviario: «Coche de tren reservado para ciertas personas: 'El break de Obras Públicas'».

Pero *break,* en el sentido de 'pausa, ruptura, interrupción' (recuérdese el galicismo *brecha*, del mismo origen germánico), aparece también en textos españoles referido a la costumbre de interrumpir una actividad para tomar un café o unos minutos de descanso. Llámase esta pausa en inglés *coffee break* y así se anuncia en cursillos o seminarios donde el pago de matrícula incluye el 'coffee break' entre sesiones. Entre los anglicismos de Puerto Rico registra H. L. M. *coffee break, break* y el diminutivo *breiquecito*, que permite suponer que en la pronunciación de los dos primeros se ha optado por el diptongo británico /breik/, reducido normalmente en ingl. amer. a /brek/, que parece dominar en las adaptaciones hispánicas de la palabra. Como se ve, a la polisemia y homonimia de *break* y *brake* se une la confusión ortográfica. Basta decir que el verbo *to break,* citado más arriba, presenta en el *RHD* 88 acepciones diferentes, aparte de más de 30 en que funciona *break* como sustantivo. No incluye este diccionario la acepción, ya citada, de *break* 'coche de 4 ruedas', también escrito *brake*, tomada en español probablemente del francés, donde significa «ancienne voiture à cheval à quatre roues» (*Robert Angl.*).

En la *Gramática* de Connelly la voz inglesa **breeches** (también escrita *britches*) se traduce siempre por 'calzones'. En textos del siglo xx, cuando designa los pantalones de montar con bota alta, lo tenemos anotado en Pérez de Ayala (1911) como *breeches*. A. F. comenta: «Su empleo está limitado en los textos españoles al deporte hípico; lo usan lo mismo hombres que mujeres. Se halla en 1922 y 1933. Hay un texto de 1926 que emplea la ortografía fonética *briches*». Figura también en el *Oxford Bil.* como usado en Argentina y Colombia en masculino plural, pero «traducido» al inglés por *jodhpurs*, que, a la inversa, se traduce por 'pantalones de montar, jodhpurs'. En la Guerra Civil española recuerdo haber oído el término entre tropas de Caballería.

El juego del **bridge** nunca ha sido popular en España ni ha habido intentos serios de aclimatar el nombre. Algún diccionario explica que se pronuncia *brich* (*M.ª Moliner*) o *bridye* (*Peq. Larousse*). Como prótesis dental se usa *puente*, lo que no valdría para el juego, pues tiene distinto origen. Cf. también s.v. *bypass.*

La frecuencia de **briefing** en noticias de prensa invita a los manuales de estilo a proponer una traducción. *Sesión* (o *reunión*) *informativa* parece gozar de más favor que *rueda de prensa* o *informaciones*.

La palabra **broker**, hoy tan frecuente en el mundo de los negocios, merecería un largo comentario. (Se publicó, como artículo, en la 3.ª página de *ABC*, el 18 de octubre de 1993.) Existe, aunque como préstamo, en el inglés de la Edad Media. Algún profesor de inglés, dejándose arrastrar por la semejanza fonética y ortográfica, atando cabos, lo relacionó con el part. irregular *broke,* del verbo *to break* 'romper', o con el italianismo inglés latinizado *bankrupt* 'bancarrota', ambos difíciles de conciliar semánticamente con *broker.* Una alumna escéptica ante tal explicación consultó el *RHD* y se encontró sorprendida con la siguiente etimología: «1350-1400; ME [inglés medio] *broco(u)r* < AF [anglofrancés] *broco(u)r, abrocour* middleman, wine merchant; cf. OPr [provenzal ant.] *abrocador,* perh. based on Sp. *alboroque* gift or drink concluding a transaction (< Ar [árabe] *al- buruk* the gift, gratuity + *-ador* < *L. -ator*)». Al comunicarme su sorpresa vi que la hipótesis del diccionario americano era tan sugestiva que estaba pidiendo comprobación, si resultaba plausible, o rechazo inmediato, si era un desatino. Para cerciorarme acudí a mis dos colegas de Facultad, los profesores Ana Pinto, especialista en inglés medieval, y Jesús Cantera, autoridad en francés y provenzal antiguo y moderno. Resumo a continuación los datos amablemente facilitados por ambos amigos: la voz inglesa *broker* procede, efectivamente, del francés y está documentada en dos autores importantes (Langland y Gower) a fines del siglo XIV en las variantes *brocor, brocour* con el significado de 'intermediario, chamarilero' *(middleman, second hand dealer)*. Hasta 1500 no aparece escrita con las grafías *brooker, brokar, broaker*. La forma actual *broker* aparece aislada por primera vez en 1495.

En francés actual existen las formas *brocanter* 'comprar, vender o trocar mercancías' y *brocanteur* 'chamarilero', ambas de origen incierto, que en prov. mod. corresponden a *broucanta* y *broucantur*, respectivamente.

W. von Wartburg, máxima autoridad en etimología francesa, registra en su *FEW*, s.v. *brocco*, la forma del prov. ant. *abrocador*, mencionada en el *RHD*, con el significado de 'corredor', así como *abrocatge* 'corretaje', y cita *abroquer* (argot) 'recibir' para aclarar la etimología de los descendientes de *brocco*, que considera incierta (*unsicher*).

Gracias al inestimable servicio del *DHLE*, la voz *alboroque* se nos presenta, con amplia documentación, en más de 20 formas distintas y un significado común, el de 'intermediario o pago al intermediario en un acto mercantil entre dos partes', es decir, que la persona cumplía un cometido casi igual al del *broker* actual. Muchos de los ejemplos aducidos por el *DHLE*, que se remontan al año 965, mencionan el vino, o pan y vino, como agasajo estipulado en la celebración de la venta, es decir, en el alboroque.

Como se ve, la evolución semántica del posible étimo no presenta escollos insalvables. El papel del vino en la transacción se ha perdido —no es extraño— en inglés, pero está vivo en los ejemplos franceses, si *abrocour*, como afirma el *RHD*, significa 'middleman, wine merchant' (= intermediario, vinatero).

Queda el problema fonético. Una evolución *alboroque* > **alb'-roque* > *abrocour, broco(u)r* cumple los mismos requisitos que lat. *carricare* > esp. y prov. *cargar,* fr. *charger.* Nos falta documentar el eslabón intermedio, el del asterisco, con síncopa de la vocal protónica. Pese a la profusión de formas del *DHLE* no lo hemos encontrado. Formas paralelas, con síncopa también, a partir del árabe *al-birquq* > esp. *albaricoque,* entre veinte variantes del *DHLE*, son: cat. *abercoch* y port. *albricoque* > fr. *abricot* > ingl. *apricot.*

Falta también por explicar la vía de penetración en Francia. Hemos buscado, sin éxito, en la presencia de «francos» provenzales en Asturias, estudiada por R. Lapesa (*Asturiano y provenzal en el Fuero de Avilés*, Salamanca, 1948), alguna pista que probara el vínculo hispano-provenzal: la única sería la frecuencia, relativa, de la palabra en documentos leoneses de la época.

No se muestra Corominas satisfecho con las etimologías de **búfalo**, voz atestiguada ya en la Edad Media desde 1300. La *f* del latín dialectal, en vez del lat. clás. *būbalus*, existe en casi todas las lenguas románicas, que muestran significados diferentes. En griego significaba 'gacela', en italiano *bufalo* es un tipo de ganado vacuno, de donde procede fr. *buffle*. El *buffalo* francés (= *bison d'Amerique*) se registra como anglicismo, pero en ingl. americano *buffalo* está tomado, según los etimólogos, del port. *bufalo*, hoy *bufaro*. El *DRAE*'1780 registra *bufano, -na*, que remite a *búfalo* «especie de buey... irritado es velocísimo», que no parece coincidir con el descrito en el *DRAE*'92 «bisonte que vive en América del Norte».

En el *Diccionario* de Guadalupe Aguado (Madrid, 1994) se registran s.v **buffer** varios compuestos y expresiones en que entra este término, pronunciado /búfer/ en el mundo de la Informática. Alumnos míos relacionados con esta actividad afirman que es voz corriente para designar lo que otros denominan 'memoria intermedia'. *Collins Bil.* lo registra como traducción española así: «*bufer... Comp.* 'memoria intermedia, buffer'».

Bulldog y **bulldozer** figuran en diversos diccionarios (*Peq. Espasa, Peq. Larousse, M.ª Moliner*) pero no en el *DRAE* (sí en el *DMILE*, con asterisco). Algunos reducen la doble *l* de *bull*, como haría la Academia si los admitiera. *Bulldog* en el *DMILE* remite a *buldog*, anglicismo por 'perro alano'. Hay también una adaptación académica de *bulldozer* en el *DMILE*, en la entrada *buldózer*: «anglicismo por excavadora». Creemos que es acertada la adaptación, que no han imitado todos los demás diccionarios; sin embargo, tal como se describe esta máquina y sus funciones —«trabajos de desmonte y nivelación de terrenos» (*Peq. Espasa, VOX*); en el *Peq. Larousse*, s.v. *buldózer*, «para sacar, remover y distribuir tierras»—, la traducción 'explanadora' propuesta por A. H. (1995) es preferible.

El término **bumper** (en Alfaro s.v. *bomper*) designa en ciertos países de América lo que en España se llama *parachoques*, probable galicismo.

También registra Alfaro *bóngalo* (< ingl. *bungalow* 'bengalí') y recomienda su adopción, ya que se ha aceptado *chalet*. Así lo ha hecho el *DRAE*'92, pero con la forma **bungaló**, que es la dominante en España. No dice Alfaro cuál es la zona de difusión del vocablo en América. El diccionario bilingüe *Collins* (1992), aparecido antes que el *DRAE*, registra para la voz española las dos opciones aquí señaladas: aguda y esdrújula.

Este mismo diccionario *Collins* registra **búnker**, con la alternativa *búnquer*, en el doble significado de obstáculo de arena en el golf y de grupo político resistente al cambio. El primero es un anglicismo que no registra el *DRAE*, pero se usa y los golfistas lo pronuncian /banker/. Un ejemplo [campo de golf de Franco]: «...impracticables los greens (césped en torno al hoyo)... en los bunkers (bancos de arena) han nacido plantas...», *El País*, Madrid, 10-4-94, pág. 5. La segunda acepción, derivada del al. *Bunker* 'fortín, refugio', es una creación española de los días de la transición que ya había recogido el *Peq. Espasa* (1987) con el valor de «sector más inmovilista de una sociedad». El *DRAE*'92, acep. 3.ª, define «grupos resistentes a cualquier cambio político», ya registrada en el *Collins Bil.*' 88 (s.v. *búnker*): «reactionary clique, reactionary core, entrenched interests».

Aunque **business** y **businessman** están documentados, según A. F., desde 1909 con cierta frecuencia, nadie ha intentado su adaptación al español. El *Peq. Larousse* registra ambos con la indicación de que *business* se pronuncia /bisnes/. Esta es, aproximadamente, la adaptación popular del anglicismo en usos degradados del español de América Central relacionados con actividades ilícitas, ya registrados en diccionarios bilingües: *bisnis* 'clientela de la prostitución', *bisne* 'prostitución, mercado negro', *bisnero* 'proxeneta'.

En la explosión de nuevas titulaciones en los últimos años, una de las carreras más anunciadas es la de *Business Administration* (Master B. A. o Bachelor B. A.). En un número de *ABC* (27-6-93) aparece la palabra en noticias de economía y anuncios varias veces: Business School, Bachelor en B. A. (2 veces), Business Language School, Languages and Business, B. A. and Economics, B. B. A. in Marketing, BBA in Comunication (sic), International Business. Alterna B. A. con adaptaciones españolas —(Alta) Dirección de empresa(s), Gestión de Empresa(s), Gestión Empresarial, Escuela Superior de Negocios (otorga el BBA)— y francesas: École Supérieure... d'Administration des Enterprises. En televisión se anuncia una *Madrid Business School...*

Por otra parte, las compañías de aviación, incluidas las españolas, anuncian la creación de una nueva clase, la *business class*, con más ventajas que la llamada clase turista.

Recuerdo haber leído primero, sin entenderla, la palabra **bustaid** a un famoso columnista: «mucho bustaid para mantenerse esbelto y joven», F. Umbral, *ABC Cult.*, 1-10-93, pág. 52. Suena a compuesto inglés (*bust* 'busto, quiebra, ruptura' + *aid* 'ayuda') pero no figura en los diccionarios ingleses; sí, en cambio, en los españoles de argot de V. León y J. M. Oliver s.v. *bustaca*: «Bustaid (producto farmacéutico que contiene anfetaminas)» (V. León); «nombre dado por los drogadictos a un tipo de fármaco llamado Bustaid».

Los médicos consultados opinan que **bypass** (pron. /baipas/) es el término usual para lo que otros llaman *puente*. Acaso de esta metáfora haya surgido la traducción *puentear* (una persona, un cargo), en ingl. *to bypass*. En nuestras notas aparece *bypass* como nombre invariable en plural: «Me realizaron tres *bypass*», escribe un paciente agradecido, *ABC*, 23-6-94, pág. 58; «sometido a tres *bypass*», *El País semanal,* 27-2-94, pág. 19; «tres *bypass* o puentes», *ibid.*, pág. 24.

El neologismo inglés **byte**, de origen desconocido, se usa en español en el campo de la informática y figura en el *DMILE* y otros diccionarios usuales traducido como 'octeto' o sin traducir. Algunos añaden que la pronunciación es /bait/, tal vez para evitar la confusión con *bit* (véase más arriba), usado en contextos semejantes, pues *byte* suele definirse como un conjunto de *bits,* generalmente 8, pero también 6 y 4.

Cabaret. Comenta A. Fernández la inclusión en el *Dicc.* de Alfaro de esta voz francesa como anglicismo. Es un caso más de difusión cultural europea a través de la influencia norteamericana en Hispanoamérica (cf. *Kindergarten*, *morgue*, etc.). En España es claro que vino de Francia.

No figura la voz **cabina** en el *DRAE*'47; por tanto no ha merecido la atención directa de Corominas, que, sin embargo, la trata s.v. *gabinete*. El diccionario académico la incluye como galicismo y probablemente tiene razón, pero no todas las acepciones registradas son francesas. El *Robert Angl.* la considera anglicismo referida a un barco, un avión o naves espaciales. Aparte de que fr. *gabinet*, que el *DRAE* llama medieval por error (Corominas dice fr. medio, s. XVI), es grafía aislada, la primera mención española es *gabinetto*. Según Corominas it. *gabinetto* existe a principios del XVI; para fr. *gabinet* el periodo de uso es 1549-1637.

A la voz **cable** le dedica Corominas un examen minucioso y completo pero no se inclina por ninguna de las posibles claves excepto la de *cablegrama*, reducido a *cable*, tomado del inglés, donde se inspira *cablegrafiar* (*DRAE*), que parece formación española, igual que *cablegráficas*, usado por Castelar, según *A. E.* El *DRAE*'92 admite *cablear* y *cableado* como novedades léxicas, pero que no abarcan todavía usos comentados por F. Lázaro tales como «conectar por cable a centros informáticos» (*ABC*, 20-6-87, pág. 3).

No hay duda de que la voz **cachemir**, adoptada por el *DRAE*'92, es el mismo vocablo que Cachemira, estado de la península indostánica. Pero la moda del tejido designado *cashmere* en inglés y luego en francés, con protesta airada de R. Étiemble porque «un pull de cashmere, c'est donc un chandail de cachemire» (*Robert Angl.*), nos viene probablemente de Francia: en francés existe el doblete *casimir* (= casimiro) para designar un tejido antiguo de lana del mismo origen. Puestos a ser exactos y a tener en cuenta el origen y la pronunciación, los redactores del *DRAE*'92 han optado por *cachemir*, respetando las grafías *casimir*, *casimira* que remiten a aquella.

La última edición del *DRAE* incluye la voz **cadi**, que ya figuraba en otros diccionarios anteriores con las grafías *caddy* (*Peq. Larousse*, pl. *caddies*) y *caddie* (*Peq. Espasa*'88), ambas correctas en inglés.

No había entrado *cadi*, sin embargo, en el *DMILE*'89. Este diccionario académico, en cambio, recoge **cake** y **cake-walk** entre corchetes, indicando en la última que dicho baile estuvo de moda a principios del s. XX. Efectivamente, Pérez de Ayala cita los *cake-walks* en 1911 como cintas de órgano en que su protagonista (*Pata de la raposa*) invierte el dinero.

El *Peq. Larousse* registra *cake* e indica que se pronuncia /kek/. Pero en el compuesto *plum-cake* (que también registra el *DMILE*) dice que se pronuncia /plamkeik/, lo cual no es tan incongruente como parece, pero sí choca que para *plum-pudding*, registrada a continuación, afirme que se pronuncia /plumpudin/.

Tanto *cake* como *cake-walk* y otros compuestos están abundantemente documentados por A. F. en el periodo por él estudiado (hasta 1936). *Cake* antes, en 1888.

Algo han cambiado las cosas desde que en 1952 comentamos, en un artículo sobre plurales extranjeros, el caso de **cameraman**, flexionado en *cameramans* y *cameramen*. Hoy se tiende a descartar ambos plurales e incluso el singular, para el que la Academia, según M.ª Moliner (1966), había aprobado *operador*. Pese a que figura en los diccionarios, esta solución no se ha impuesto del todo, pues sigue presente en manuales de estilo y diccionarios con la recomendación de que se use *camerógrafo*, *-fa*, o bien el *cámara* para masc. y la *operadora* o *camerógrafa* (!) para el femenino. El *Peq. Larousse* de 1964 no recomendaba nada y daba como pl. *cameramen*. A. Fernández, que anota también en 1936 el pl. *cameramens* (sic), opina que *operador* (1930) viene del ingl. *operator*, pero creo que también podría ser galicismo (*opérateur*). Primer uso de *cameraman*, según A. H., en F. Ayala (1929).

Cámara, en este sentido —fotografía, cine, televisión—, sería, según los franceses (*Larousse Angl., Robert Angl.*), otro anglicismo.

Aunque aparece en documentos oficiales y no hay propuesta para sustituirla, la voz **camping** la registran el *LRVang.*, el *LEABC*, el *DMILE*, el *LEPaís* y el *Peq. Larousse*, señalando que es palabra no admitida y debe escribirse en cursiva y que el pl. es *campings*. A. Fernández la documenta en 1928. Hay cierta tendencia a sustituir el anglicismo crudo por *acampada*, pero quienes practican este deporte (?) entienden que un *camping* está reglamentado por ley; mientras que para *acampada* no hay más requisito que el sentido común.

El *Diccionario VOX* parece darnos la clave, s.v. *camping*: «Terreno destinado a la acampada, dotado de un mínimo de servicios». *Campista* figura en el *DRAE*, pero con otros significados americanos.

En cuanto a **campus**, pese a su conspicua apariencia latina, ha entrado como anglicismo de pl. invariable en el *DRAE*'92. Primer uso, según A. F., en 1925. Nuestra primera anotación del uso en plural es «campus universitarios», M. Blanco Tobío, *ABC*, 8-1-66.

En Madrid ha habido durante decenios un famoso club de natación llamado **Canoe**, (pron. /kanoe/), término inglés para nuestra *canoa* (1492, Colón, *Diario*), primer americanismo europeo, también registrado por Nebrija. Tanto el *Lexis* como el *Robert Angl.* soslayan el origen español de la palabra francesa *canoë* (ingl. amer. en uno; haitiano en otro). No así Höfler.

Como acepción 6.ª del artículo **caravana** en el *DRAE*'92 figura el significado, ya admitido en el *DMILE*, de «vehículo remolcado acondicionado para cocinar y dormir», tomado directamente del inglés o por intermedio del francés, que lo considera anglicismo sustituto de la '*roulotte*' de '*camping*'. También en español figura como sustituto del fr. *roulotte*, que suena, naturalmente, más exótico, y que en el *DMILE* se incluye entre corchetes y remite a *caravana*. El *Peq. Espasa* (1994) recoge ambos extranjerismos sin indicación de origen: «semirremolque habitable. Se llama también *roulotte* (pr. *rulot*)»; *roulotte* remite a *caravana*. *Lexis* tiene entrada aparte para este anglicismo que describe como 'roulotte de tourisme'.

En el caso de **cárdigan**, voz admitida en la última edición, no había duda de quién era su epónimo (7.º Conde de Cardigan, † 1868, líder en la carga de la Brigada Ligera en la guerra de Crimea, inmortalizado por el famoso poema de Tennyson).

No suelen registrar los estudiosos del anglicismo el calco semántico de **carpeta** por 'alfombra, moqueta' en la publicidad de algunos países de América, sobre todo en la expresión *wall-to-wall carpeting* (calcado en un anuncio: «carpeta (nueva) de pared a pared»). También figura como equivalente a alfombra y moqueta en Gutiérrez, *Barrio*, pág. 187.

Sin disponer de argumentos decisivos, los revisores del *DRAE*'84 se limitaron a mantener en 1992 la hipótesis, revisada en cuanto al «ingl. ant.», de que la voz **carric** venía —se apuntaba— probablemente del ingl. ant. *carrick* a través del fr. *carrick*, lo cual ya significaba un avance sobre etimologías anteriores (cf. *DRAE*'47 «del nombre de Garrick, actor inglés») hoy descartadas. El *Robert Angl.* actualiza la cuestión y propone para la acepción 'coche de caballos de dos ruedas' la voz inglesa *curricle* (< lat. *curriculum*), hoy desusada, y explica la prenda de vestir 'especie de gabán con esclavinas superpuestas' como creación francesa. El añadido académico «estuvo en uso en la primera mitad del siglo XIX» sería aceptable para la prenda, mas no para la palabra, ya que en obra reciente (*Mañana...*, págs. 131, 133), galardonada por la Academia, de Javier Marías, se emplea *carrick* dos veces aplicada a una especie de guardapolvo usado por un pintor actual, prenda que no posee los atributos del *carrick* francés ni del inexistente *carrick* 'coche' inglés.

Pese al sufijo, **carronade** es una formación inglesa que el francés convierte en *caronade*. El sufijo *-ade* es frecuente en préstamos ingleses del francés, pero también en algunos españoles como *renegade* y en creaciones autóctonas como ésta. En esp. *carronada* (*DRAE*).

Cárter, aun no siendo marca registrada, falta en los diccionarios de habla inglesa, y el nombre de Harrison Carter, el ingeniero inglés que lo inventó, falta también entre los varios (9) nombres de celebridades citados en el *RHD*. La voz inglesa más frecuente para designar este invento, según los usos, es *gearbox*, *casing* o *crankcase*. En rigor, debería considerarse un galicismo de origen inglés. En español fue admitida por la Academia en la edición de 1970.

La censura de Alfaro contra el uso de **cartoon** no tiene objeto en España. Sea del inglés o del francés, la expresión *dibujos animados* o simplemente *dibujos* (probablemente se debe a nuestros vecinos ultrapirenaicos) es la usada en España desde que se inventaron. Ni *cartón* ni *cartones* han merecido siquiera ser criticados.

Cash-flow es un neologismo reciente incluso en inglés. El *LE-ABC* aconseja: «tradúzcase por *liquidez, efectivo* o *fondos generados...*; si no, déjese en cursiva»; pero el 1-7-93, el propio periódico, tratando de su empresa editora dice que «el flujo de caja... se elevó a NNN millones» (pág. 57). A. del Hoyo (1995), aparte del literal 'flujo de caja', ofrece, citando *El País:* «excedente de caja, movimiento de tesorería, ingresos menos costes». En prensa de Chile y Uruguay hemos anotado *flujo(s) de caja*. Se ve que el término resulta difícil de asimilar y las traducciones técnicas demasiadas y muy circunstanciadas. El *Peq. Espasa* (1994) lo define: «Diferencia entre los ingresos y los costes».

Ya mencionamos más arriba (pág. 51), comentando el *MEU*, de la Agencia EFE, la confusión de **casting** 'distribución de papeles, selección de intérpretes' con *cast of characters* 'reparto'. Pero a partir de aquélla se usa hoy, por extensión, el término *casting* aplicado a la selección y presentación de modelos en el mundo de la moda, sobre todo femenina: «[la top model Q.] acaso desfile en París en julio... los *castings* de alta costura no están cerrados...», *ABC*, fines mayo/ princ. junio 94. En el mismo diario, el 23-11-94, pág. 136, «el *casting* [pie de foto] es de aspirantes a modelos de alta costura». El *DVUA* define el término como «conjunto de pruebas, entrevistas, etc. que se realizan para la selección de actores de una película». El siguiente ejemplo creo que aclara más esta acepción: «[TVE solicitó concursantes para un *strip-tease*]. Los motivos por los que la gente acude a estos castings son diversos...», *El País*, 9-3-95, pág. 50. Mas este mismo diario, al resumir el programa de la cadena TV-5 el 16-4-95, convierte en *prueba* lo que otra publicación describe así: «Una actriz en paro se presenta a un *casting* para una película tras leer un anuncio en el periódico».

La voz botánica **catalpa** no es nueva en el *DRAE*'92 . Sí lo es la etimología inglesa, tomada de una lengua aborigen de EEUU.

No registra nuestro diccionario hasta 1992 el término **catamarán** que suele aparecer cuando se trata de deportes náuticos, pero también para designar una balsa de troncos en tamil. Del inglés lo ha tomado el alemán, con *k*-, y el francés con la misma grafía inglesa, *catamaran*.

Catch-as-catch-can, aun reducido a **catch**, es término pasado de moda después de la guerra civil en España y también en América, sustituido por *wrestling*. A. F. lo registra ya en 1925, pero su apogeo fue durante los años anteriores a la guerra civil española. Hubo una adaptación fonética popular poco extendida («apasionado por el *cascán*», en 1934; Benavente, *Ob. Compl.*, VI, 9, 57). En Uruguay y Argentina *cachascán*. Más vivo parece en Francia. De vez en cuando aparece *catch*, así en el novelista Javier Marías: «espectadora de catch o boxeo» (*Mañana...*, pág. 315). Neruda (*Confieso...*) escribe (2 veces, págs. 51 y 139) *catch-as-can*.

Para el **catgut** 'hilo de sutura' existen hoy en cirugía otros sustitutos y hay médicos que rara vez han oído la palabra, incluida en *M.ª Moliner*, *Peq. Espasa, Peq. Larousse* («*tripa de gato*... usada en suturas quirúrgicas»). Los diccionarios académicos no la incluyen. Como término ambiental lo usa en México F. del Paso: «Los cirujanos cosen... con catgut» *(Palinuro*, pág, 58).

El género de plantas llamado **catleya** debe su nombre al de un botánico inglés, uno más de los numerosos que con su afán investigador se convierten en epónimos de sus descubrimientos (cf. *gardenia, vatio, cárter*, etc.).

A otro sabio británico, Faraday, epónimo del *faradio*, se debe, según algunos diccionarios, la acuñación de las voces **cátodo** y **catión**, según otros sólo la de esta última. Sea como fuere, en ingl. aparecen ambos el mismo año (1834) como términos relacionados con la electricidad. Vide infra, s.v. *electrodo*.

Lo que en el futuro promete ser el gran almacén de datos legibles, reducido a la sigla **CD-ROM** (= 'compact disc-read only memory 'memoria ROM o de acceso aleatorio'), se ha convertido en un neologismo de uso imprescindible. En la Real Academia Española, según explicó su director al Rey y miembros del Patronato de la Fundación Pro R.A.E., «un importante objetivo ha sido la digitalización en CD-ROM de las veintiuna ediciones del diccionario académico, del de Autoridades y de lo que ha ido apareciendo del Histórico [...]. El CD-ROM de la XXI edición del [*DRAE*...] en estos días se presenta en la Feria del Libro» (*ABC*, 6-6-95, pág. 63). La editorial lo presentó ante la prensa el 4-10-95. Según Aguado (pág. 124) se usa como masculino y femenino.

La voz *zebra* figura en los diccionarios ingleses como posible préstamo del portugués, del español o del italiano (probablemente del primero). Un ministro de Transportes británico, Hore-Belisha, hizo instalar en los dos extremos de los pasos de peatones un poste blanco y negro rematado por un globo ámbar llamado todavía *Belisha beacon*, complementado después por franjas blancas y negras sobre la calzada. Esta señalización se llamó *zebra crossing* y figura en el *DRAE* con la traducción literal *paso de* **cebra**.

El **celofán** (fr. *cellophane*), nombre de una marca registrada de origen discutido, creada por un suizo en 1911, podría proceder, en francés, lo mismo del inglés que del alemán. La primera cita francesa es de 1920; la primera inglesa de 1912.

Celuloide, como indica el *DRAE*, es una soldadura de *cellula* 'hueco' + *oide*, difícil de explicar semánticamente. Lo más acertado sería atenerse a la historia del producto y su nombre inglés *celluloid* —marca registrada—, patentado en los EEUU hace más de un siglo y derivado de *celulosa*, otro neologismo como *celofán*.

Ciberespacio. En 1995, el invento y su nombre han tenido un desarrollo extraordinario. Un neologismo motivado por el nombre *cybernetics*, el llamado *ciberespacio*, ha tenido entrada en español. La revista semanal *Time* publicó, como suplemento especial del número correspondiente al 8 de mayo, con el título general de «Welcome to Cyberspace», un reportaje de diversos autores (80 páginas) que revela la extensión del fenómeno. Un sondeo realizado en enero de 1993 de varias publicaciones registraba *cyber* 167 veces; un año después, también en enero, 464; el último, del mismo mes de 1995, 1.205. Como elemento compositivo, *cyber* muestra hoy una fecundidad poco frecuente. La edición última del *RHD* (1987) incluye cinco entradas para *cybernetics* y conceptos afines, pero el citado suplemento de *Time*, en su primera mitad, tras enumerar *cyberphilia, cyberphobia* (ya en *RHD*), *cyberwonk (wonk* = inestable), *cybersex, cyberslut (slut* = puerca), aparte del ubicuo *cyberspace,* que da título al número monográfico, ofrece en varios artículos de diferentes autores: *cybernuns, cybertechnology, cyberartists, cyberelectronically, cyberinstruments, cyber-aesthetes, cybersettlement, Cyberland, cybercommunity, cyberintelligentsia, cyberrevolution, cyber-fleshpots, cyberculture,* etc., cuyo significado se puede conjeturar por el contexto, pero está ausente en los diccionarios usuales. No se menciona otro neologismo, *Cyborg* [< *cyb* (*ernetics*) + *org* (*anism*)], ente de ficción científica cuyo nombre llega al español a través de películas o televisión y vinculado a la estirpe de los «héroes robóticos», del *Robocop* (< *robo(t)* + *cop* 'policía'), otra criatura del cine fantástico: «Un grupo de... soldados que murieron en Vietnam son convertidos en Cyborgs por el Ejército norteamericano» (resumen del programa de Tele-5, en *El Mundo,* 9-6-95, pág. 95). En el núm. 5 (junio 1995) del boletín *Glosas*, pág. 8, se enumeran 17 derivados norteamericanos con *cyber-* con su versión (provisional) al español de carácter explicativo bajo el título de *ciberjerga.*

La misma semana en que apareció el número especial mencionado, el diario *El Mundo,* de 12-5-95, en su suplemento semanal *Comunicación* publicó una crónica titulada «Ciberespacio: el mapa español», que es una introducción divulgativa a este mundo de la intercomunicación global cuyo máximo exponente es la *Internet* «la red telemática de mayor desarrollo del mundo». Hay que añadir aquí que para *ciberespacio,* después de acuñar el término W. Gibson en la década de 1980, se han usado otras opciones: *la Red, la Telaraña* (así en *El Mundo, loc. cit), la Nube, la Matriz, el Metaverso (meta + universo)...* y *la (super)autopista de la información.*

Aunque la Academia no suele ser demasiado generosa ni exacta con los inventores (cf. *nonio, torpedo, platino, volframio*, etc.), el que no se convirtió en epónimo (Faraday, Watt, Volta, Fermi, etc.) y acudió al griego y al latín para acuñar sus descubrimientos e invenciones, se hubiera asombrado al ver que griegos y romanos disponían de palabras para las nociones, conceptos y hechos por ellos descubiertos e inventados. Tal es el caso de **cibernética**, esdrújulo más impresionante que *gobierno*, ambos términos náuticos. Sería cosa de pasmo averiguar que en la privilegiada mente de los antiguos pilotos griegos existía una vislumbre de lo que hoy en Medicina y Electrónica se entiende por ello. En el *RHD* se nos dice que fue un término «introduced by Norbert Wiener» en 1948. En el *Robert Angl.* se añade que ingl. *cybernetics*, origen de fr. *cybernétique*, tuvo como modelo un femenino francés, igual al actual anglicismo, acuñado por Ampère en 1836 para designar la ciencia del gobierno, y esta voz sí estaba tomada del griego *kybernetiké tekhné* 'arte del piloto'.

Hay que considerar anglicismo la voz **ciclostil** o **ciclostilo** (así en el *DRAE*'92), adaptada del ingl. *cyclostyle,* originariamente (1880) marca registrada. En la edición de 1984 y anteriores sólo figuraba *ciclostilo,* hoy poco usada, con la etimología clásica (< gr. *kýklos* 'círculo' y *stŷlos* 'columna').

El compuesto **cine-club** figuraba ya en el *DMILE* de 1989. Aunque tiene toda la apariencia de anglicismo y pudiera documentarse en inglés, creemos que se trata de un galicismo. Fue admitido en el *DRAE* en 1992.

Otros derivados de *cine(ma)*, como **cinerama**, **cinemascope**, son nombres comerciales registrados y así figuran en la última edición del *DRAE*. M.ª Moliner dice que el último es un galicismo. El *DMILE* no lo registra, pero sí *cinerama*. Figuran ambos en los diccionarios ingleses con la indicación *Trade Mark* y en los franceses con la de *Nom déposé*.

La acepción primera de **clan** (*DRAE*) apunta correctamente al origen gaélico (escocés o irlandés) del término, llegado al español a través del inglés o francés. Las connotaciones despectivas de la acep. 2.ª se dan también en inglés.

La voz **clarens** 'coche cubierto...' no es nueva en el *DRAE*. En la última edición se menciona el duque de Clarence como epónimo.

En el caso de **clarete** no hay duda de su remoto origen —fr. ant. *claret,* hoy *clairet*—, pero esta voz, que aparece en Góngora en 1591, no se usaba ya entonces en Francia, que la considera propia de los países de habla inglesa, incluido el Canadá francés. La definición francesa del *Lexis* va precedida del esquemático «voz ingl. tomada del fr. ant. *claret.* Nombre dado por los ingleses al vino tinto de Burdeos». Refleja influjo de *claro.*

La voz **clearing** (*-house*), frecuente en el mundo financiero, se usa en España desde 1923, según A. Fernández, pero su traducción 'Cámara de Compensación (bancaria)' no se ha impuesto del todo y se recomienda en el *MEU* todavía en 1994.

Figura también *clearing* en el Río de la Plata (pron. /klérin, klírin/) con significados distintos. En Uruguay 'intercambio de información sobre solvencia de personas y empresas', pero la frase «el clearing de la jornada fue del orden de los 75 millones de pesos» (*La Mañana*, Montevideo) parece implicar otra cosa (¿volumen de negocio?); en la Argentina 'sistema de intercambio de valores entre bancos, empresas y casas de cambio'.

Pero *clearing,* sin el añadido de *house*, se ha usado en español para designar el sistema de comercio entre países sin intercambio de divisas; las importaciones se pagan con las exportaciones. Este uso es el que recogen A. H. y el *Peq. Espasa.* El *DMILE* registra otro: «liquidación entre varios copartícipes en un negocio».

Dada la evolución de la vestimenta sacerdotal no cabe predecir cuál será la suerte del anglicismo **clergyman**, tan desusado hoy en España como la sotana. El *LRVang.* lo incluye entre comillas en su glosario y recomienda 'sin sotana'. Referido al clérigo, no a la ropa, está registrado en 1884.

El adjetivo *clean* 'limpio' no se emplea en español, mas el nombre deformado de una marca comercial, *Kleenex,* ha dado lugar a que se llame **clineros** a los vendedores ambulantes que ofrecen pañuelos de papel a los automovilistas detenidos ante un semáforo. Alguna prensa es reacia al neologismo y habla de 'vendedores de Kleenex', lo cual es inexacto porque la mayor parte son de otras marcas. Tampoco es nombre de marca sino genérico lo que designa, p. ej., Javier Marías cuando escribe «sacó un kleenex del bolso y se secó...» (*Ma-*

ñana..., pág. 357). F. Umbral usa más de una vez el derivado *clinero*, igual que algún diario, como en el ejemplo: «ese tío clinero de los semáforos», *El Mundo*, 18-6-92. Cf. *dry-cleaning*.

Los señores académicos, conscientes de que la adaptación *clipe* (< ingl. *clip*) no ha tenido muchos seguidores entre hispanohablantes, han aceptado **clip** como voz preferible y, respetando *clipe*, remiten ésta a la usual.

Clon figura en el *DRAE*'92 con dos entradas: una (del ingl. *clown*), ya en 1970, remite a *payaso*; la segunda, de origen griego, no se incluye hasta 1984; ahora se añade *clonación*, neologismo al parecer español que traduce el ingl. *cloning* o fr. *clonage*, adaptación de la anterior según *Robert Angl.*

En su sentido circense, el *DRAE* incluye ahora la grafía *clown*, describiendo al *payaso* en relación con el *augusto*. Jaime de Armiñán, entusiasta del circo, censuró a la Academia por proscribirla del diccionario, lo que dio lugar a una nota de prensa aclarando las cosas. Aunque hay cierta confusión sobre el papel del *clown* y del *augusto*, parece claro que este último vocablo tuvo un epónimo inglés.

No está claro por qué *clown* /klaun/ se ha trasliterado como *clon*. La pronunciación francesa es /klun/. Acaso por esa extraña transcripción el *LEPaís* rechaza el uso académico. Es tajante: «no debe usarse». Lo mismo el *METVE*.

Tampoco está claro cuál de los payasos es el *clown* y cuál es el *augusto*. El profesor Sainz Moreno, apasionado y buen conocedor de las cosas circenses, tiene un párrafo que parece aclarar el asunto: «los payasos o clowns... son también dos. El 'listo'... de cara blanca enharinada... y el 'tonto' el Augusto...» (*Cuaderno de circo*, Madrid, 1990, pág. 49).

Club no ofrece dudas sobre su origen inglés. Según Corominas, la primera aparición es en Terreros. Destaca Corominas, con razón, que las primeras ediciones del *DRAE* que incluyen esta voz —1884,

1899— «lo admiten sólo como denominación de una sociedad política, comúnmente clandestina». Este es el uso que parece perdurar en Chile cuando A. Rabanales opone la frecuencia de *club* (13) a *centro* (1), en el comentario al *LHCSCh*. La popularidad de la palabra, pronunciada generalmente /klu/, ha sido —y es— tan grande que el laborioso A. F. optó por dispersar los ejemplos en los distintos deportes y combinaciones: *Base-ball, basket-ball, croquet, hockey, night club, outrigger, tenis*. La última edición del *DRAE* incluye el sintagma *club nocturno* como solución conformista al ubicuo *night club*. Otros anglicismos sintácticos con *club* se mantienen vivos: *Fútbol Club, Pen-club, Racing Club, Aeroclub (= flying club), Cine-club*, etc. Algunos son formaciones no inglesas. En la lengua escrita el plural *clubes* parece que se va imponiendo.

Es cierto que **coalición** se ha formado a partir del latín *coalitus* 'unido', pero no fueron los romanos quienes dieron al neologismo el valor actual de liga o alianza temporal entre estados o partidos. El francés la documenta ya en el s. XVI con el significado de 'unión, coalición', pero el de 'reunión temporal de potencias, partidos, personas para un fin común inmediato' es del s. XVIII y se debe, según *Robert Angl.*, al inglés, que registra el uso ya en 1645 (*OED*). M.ª Moliner reconoce que la palabra vino al español a través del inglés y francés.

Por influjo de *coalición* se ha deformado el verbo *coligar* en *coaligar*, registrado hace treinta años en diccionarios y artículos, censurado, pero muy extendido. M.ª Moliner lo incluye con su variante pronominal —*coaligar* y *coaligarse*—, «formas usadas frecuentemente... sin duda por influencia de 'coalición' pero no autorizadas por la Academia». Una condena frustrada de *coaligar* se fundaba en que tal verbo presuponía un verbo *aligar*, que no existe. Sí existe, ya en el *DRAE*'47, acaso antes...

Esta claudicación al uso dominante no ha de sentar bien a ciertos puristas, reacios a la evidencia, que llaman inexistente al verbo *coalicionarse*. Será insólito, innecesario o incorrecto, pero ¿inexistente? ¿Cómo se puede condenar lo que no existe? El dicc. *Collins Bil.* de 1992 lo ha recogido ya en sus páginas. También el *Oxford Bil.*, que añade un *coaligar* que remite a *coligar*. También la Academia, en 1992, admitió *coaligarse* y su participio («con infl. de *coalición*»).

No ha tenido suerte el lenguaje **Cobol**, uno de los más extendidos en informática. La Academia registra, en cambio, algún otro de menor difusión, por ejemplo, *algol*, que convivió con el nombre de una estrella en la edición de 1984 y desplazó a ésta en 1992. La informática expulsa a la astronomía.

Tampoco figura en nuestros diccionarios, ni en los ingleses, la voz **Coca-Cola**, por ser nombre registrado (del esp. *coca* + *cola* 'extracto de una semilla que contiene cafeína'), si bien ésta es norma que no se cumple muy rígidamente. *Collins Bil.* registra *coca* en español y lo 'traduce' como *coke* 'adaptación popular de la bebida o *Coca-Cola*®'. En este mismo diccionario figura además el neologismo burlesco *cocacolonización* para calificar la influencia comercial o cultural norteamericana en un país (ingl. *cocacolonization*).

También registra V. León *coca* 'cocaína'. La palabra es, como queda dicho, española.

La voz **cóctel** o **coctel** (*DRAE*) aparece, según A. Fernández, ya en 1889, en su grafía inglesa. Este autor anota catorce variantes del nombre en singular y plural y doce derivados y compuestos del mismo. *Coctel* (sic) figura en el *DRAE*'70 como forma única.

Aunque **coke** alterna con el nombre completo en las botellas de este refresco, otro *coke*, de gran solera (según A. F. lo usó Jovellanos con la grafía afrancesada entonces, *coaks*, cf. Höfler), figura en el *DRAE* con dos grafías: *coque* y *cok*, que remite a la primera. A mediados del s. XIX aparece también la forma *coke*, hoy desusada. Nunca fue una voz de significado claro. En Madrid, hacia 1935 se decía «carbón de có». Acaso por ello fue motivo de chacota que un ministro preguntara en viaje oficial por las minas de coque.

La Academia incluye, además, dos derivados: *coquera,* que parece autóctono, y *coquería*, que podría ser adaptación del inglés *cokery* o del fr. *cokerie.*

El neologismo **columnista** lo señalábamos ya en 1954 como anglicismo. Hoy se ha popularizado y quienes así se llaman figuran entre los comentaristas mejor cotizados de la prensa y merecen un curso universitario en El Escorial. La Academia lo admite en 1984 sin indicación de origen.

Como prenda de lencería, **combinación** es < ingl. *combination garment* o *combinations*, pero como 'bebida compuesta de varios licores' (*DRAE*) parece una formación española, acaso motivada por la condena del *cóctel* en épocas de pureza idiomática.

Ha entrado en la edición última del *DRAE* el anglicismo **comics** tras muchos años de forcejeo y de expansión imparable en sus intentos de adaptación como *historietas, tebeo, bandas de dibujos, serie de viñetas, monitos* (Méx.), *comiquitos, tirillas, muñequitos* (P. Rico), *tiras cómicas*, etc., por pretender los que lo emplean que no es lo mismo que sus presuntos sustitutos. El grupo consonántico del plural *-cs* = *x* se refleja en las grafías *cómix, comixero* (V. León), con la misma equiparación gráfica que ha originado *fax* (= facs-imile).

No es extraño que **comité** haya sido considerado un galicismo, pues desde un principio (mediados del s. XIX, según A. F.) aparece con la grafía francesa que subraya el acento oxítono del vocablo. La voz inglesa sería *committee*, aprox. /komíti/.

Aunque la importante consulta electoral sobre el porvenir político de Puerto Rico se ha debatido en torno a una cuestión terminológica, en la que triunfó la alternativa *Estado Libre Asociado* (ELA), no se mencionó el hecho de que este término, como oportunamente recordó HLM (1991, pág. 145 y ss.), representa la traducción 'libre' tras largas deliberaciones de la voz inglesa **Commonwealth**, usada generalmente en español referida a la *Commonwealth* o *Mancomunidad Británica,* pero aplicada en los Estados Unidos a ciertos estados de la Unión como alternativa de State, así, en el *Commonwealth of Pennsylvania.* De hecho, esta equiparación no se produjo en la consulta electoral mencionada, pues aunque la versión inglesa de Estado Libre Asociado es precisamente Commonwealth, el triunfo de la opción ELA excluía la posibilidad de convertir a la isla en el estado 51.º.

A la voz **comodoro** se la ha sometido en el *DRAE* a una retorcida vía de penetración. Es posible que venga del fr. *commandeur*, a través del ingl. *commodore* (antes *commandore*). Según el *RHD* acaso venga del neerl. med. *comandore* < fr. *commandeur*. Pero si queremos mantener el galicismo indirecto a través del ingl., tal vez fuera más exacto fundir estas lenguas en una forma común ingl. y fr. *commodore*, usada por Voltaire en 1760 según Höfler. En la Argentina, *Comodoro Rivadavia* es nombre de ciudad importante.

El cultismo **computar** (por *contar*) y sus derivados están documentados desde el s. XVI en español. Las acepciones modernas surgidas del desarrollo de las calculadoras electrónicas se deben sobre todo al inglés. Aunque el español peninsular ha optado por el galicismo *informática*, en la América de habla española se prefiere el anglicismo *computación*. *Computador(a)* alterna en España con *ordenador*, pero se usa como sigla P.C. (*personal computer*), sin alternativa. El neologismo moderno figura en el *DRAE* con dos verbos: *computadorizar* y *computarizar*; también se usa, sobre el modelo del inglés, *computer*, *computerizar*.

Condominio. El *DRAE*'92 ha extendido el área de vigencia a América en vez de P. Rico (*DRAE*'84).

Condón (< ingl. *condom*, de origen desconocido) entró en el *DRAE* en su edición de 1992.

Hay que buscar en Corominas, s.v. *fuerte*, para averiguar la suerte del anglicismo **confort** (ingl. *comfort*), colado de rondón en el derivado *confortable* (2.ª acep.) en 1947 (antes acaso). Aunque el *DRAE* registra *conforto*, *conforte* como deverbativos de *confortar*, ninguna de estas soluciones ha sido aceptada por el uso. Se ha discutido en el pleno de la Academia el problema, pero *confort* sigue ausente de su diccionario. M.ª Moliner lo acoge como galicismo y advierte la omisión académica. *Collins Bil.* lo incluye como voz española con la grafía inglesa *com-*. El *DMILE* registra *confort* pero remite a *confor*, solución fonéticamente aceptable si no existieran los derivados con *-t*: *confortable*, *confortablemente*, etc. *Peq. Espasa* admite sin reservas *confort* 'comodidad'. El *Peq. Larousse* tiene razón al decir que es «pal. fr. pron. *konfor*», pero el *Larousse* francés, es decir, *Lexis*, reconoce que viene del inglés *comfort*.

Consultoría es el término aprobado por la Academia para el anglicismo *consulting* (*firm*). El *LEABC* propone 'empresa consultora', como el *LRVang.* (1986), que es buena solución. El *METVE* registra *consultoría* sin subrayar, como sería de esperar en voz no refrendada hasta la XXI edición del *DRAE*. Se rechaza de paso, por innecesario, «el extranjerismo *consulting*». También figura *consultoría* (= *consultancy firm*) en la 2.ª ed. (1988) del *Collins Bil.*

Nueva en la edición última es la voz **consumismo**, acertada derivación de *consumo*, que, pese a las apariencias y a alguna errónea interpretación (*Collins Bil.* s.v. *consumerism*), debe poco al francés o al inglés. La defensa del *consumidor*, institucionalizada en EEUU en el año 1960, da lugar al neologismo inglés citado (< *consumer* 'consumidor'), en francés *consumérisme*, que calcado en español hubiera producido un **consumidorismo*, tan indigesto como el verbo *computadorizar*, admitido en el *DRAE* (y felizmente reducido por haplología a *computarizar* en la XXI edición). Pero es que el significado español tampoco debe nada al francés ni al inglés, pues viene a ser una versión rebajada (descafeinada se podría decir ya) de la famosa *conspicuous consumption*, expresión acuñada por el economista norteamericano Th. Veblen a fines del siglo pasado y que en español correspondería a 'consumo ostentoso', pero que difícilmente se encuentra en los diccionarios ingleses corrientes —*Webster Collegiate, NShOED, Collins*'79, etc.—.

Contactar no resulta un verbo muy afortunado, pero figura en el *DRAE* desde 1984. En ingl. americano *to contact* aparece hacia 1930 y en francés *contacter* unos diez años después. El término *lentes de contacto* se incluye en la última edición del *DRAE* (1992) sin indicación de origen (ingl. *contact lenses*), pero s.v. *lentilla*, que remite a *lente de contacto*, se indica que procede del fr. *lentille*, que alterna en plural con *verres de contact*, considerado un calco del inglés.

Huelgan los comentarios sobre el uso actual de **contemplar**, como calco semántico de *to contemplate*. No tiene una traducción única, pero 'prever' y 'tener en cuenta', según el contexto, parecen lo más socorrido.

La voz **contenedor** figura ya en la edición de 1984 con dos entradas: la 1.ª, sustantivo, indica que es una traducción del ingl. *container*; la 2.ª es el adj. de *contener*.

Como sucede a menudo, el francés, por una u otra causa, prefiere el anglicismo más o menos crudo (cf. *foot(ball), businessmen, building, corner*, etc.). En este caso, *container* parece haber triunfado sobre otras propuestas como *contenant, contenaire, conteneur*, ésta recomendada y sancionada oficialmente.

Contracepción es un neologismo haplológico del inglés (contra + (con)cepción). En francés su equivalente alterna, como en inglés, con *birth-control*, traducido también como *contrôle des naissances*. En España se recomienda —así el *LEABC* y el *MEU*— *planificación familiar*.

Contradanza merece comentario. En las notas que redactó Dámaso Alonso para nuestra traducción del libro de Wartburg *Problemas y métodos de la lingüística* no se le escapó al maestro en 1946 que la etimología propuesta por el *Dicc. Autoridades* y repetida hasta el *DRAE*'84 no era *contra + danza,* sino ingl. *country dance*, como ya lo indica Corominas (s.v. *danza*). El olvido del étimo inglés es disculpable si se tiene en cuenta que los propios ingleses, que lo ignoraban, también aceptaron el galicismo *contre-dance*, *contre-danse* (*OED*) para designar un baile campestre, en especial el que era de origen francés. En la edición de 1992, la Academia ha enmendado el error y confirmado la etimología de su insigne y ya desaparecido director.

Sobre el supuesto anglicismo **contrarreloj** cf. págs. 51-2.

Tiene razón Corominas cuando acepta «el galicismo-anglicismo puro» **control** como mejor que otras propuestas, aparte de que haya precedentes de la familia léxica que se remontan a Carlos V.

Según aprendimos en el Bachillerato, la **convención** más famosa es la incluida en la acepción 4.ª del *DRAE*: «Asamblea de los representantes de un país, que asume todos los poderes», para designar uno de los períodos clave de la Revolución francesa. Eso sería un galicismo, pero hoy leemos cada cuatro años que se llama también *convención* al congreso de los partidos políticos que eligen candidato a la presidencia de los EEUU y, además, a las asambleas periódicas que celebran los miembros de una profesión para tratar asuntos de interés común. Estos dos usos serían anglicismos.

Un derivado de *convención,* **convencional**, se ha abierto paso en español como calco semántico del inglés en la acepción de 'tradicional, clásico, corriente', etc. Así, se dice *armas, métodos, instrumentos convencionales.*

Lo que en España se llama un coche *descapotable* (< fr. *décapotable*), se suele llamar en América **convertible**, y así lo registra el *DRAE* sin añadir que esta 2.ª acepción de la voz no procede del lat. *convertibilis*, sino del ingl. *convertible.*

Es un anglicismo de la América hispana, así registrado en el *Collins Bil.*, el uso del calco semántico **convicto** 'presidiario, recluso'. Sólo así tiene sentido incluir la expresión coloquial *ex-con* como *exconvicto. Convicto* en su sentido latino 'declarado culpable' no admitiría *ex-*. Sí, en cambio, como 'presidiario'. Höfler registra usos antiguos de esta acepción en francés.

No merece comentario **copyright**, que registra M.ª Moliner. Con esta grafía no creo que lo acepte la Academia. Algún ilustre escritor habla de «derechos de *copyright*».

Córner ha entrado en 1992 en el *DRAE.* La traducción *saque de esquina* (1.ª acep.) es perfecta en cuanto castigo de la falta (2.ª acep.) que da lugar a la penalización.

Los usos actuales de **corporación**, **corporativismo**, **corporativo**, etc., salvo en la forma, deben poco al lat. *corporatio.* Si se indaga en la historia de sus significados, se verá que casi todos son posteriores a la Edad Media. La última innovación semántica, claramente un anglicismo, la condena tajantemente Alfaro: «*Corporación* por *compañía anónima* es uno de los más desabridos anglicismos en boga». Esta afirmación, cuando se publicó la 2.ª edición de su *D. A.* parecía desplazada vista desde España, pero en 1993 se ha hecho tan corriente con el significado de «conjunto de sociedades mercantiles agrupadas bajo un solo nombre» que la Bolsa de Madrid registra cuatro empresas que cotizan con el nombre de *corporación* y la guía de teléfonos dedica más de dos columnas de 130 líneas a enumerar entidades que contratan el servicio telefónico con ese nombre.

He consultado el justamente elogiado *Diccionario bilingüe de Economía y Empresa*, de J. M.ª Lozano Irueste (Madrid, 1991), y el recién aparecido (enero, 1993) *Diccionario de términos jurídicos* de Enrique Alcaraz y Brian Hughes. Ambas obras dan cabida en el lugar correspondiente a la voz *corporación*, que, aparte acepciones antiguas que nada deben al inglés, traducen en primer lugar '*corporation*' (Lozano), '*company, corporation*' (Alcaraz-Hughes), lo que prueba que la voz española se identifica con el parónimo inglés. Pero Lozano exhibe además un ejemplar sudamericano del calco: *Corporación Andina de Fomento*, que corrobora la difusión ultramarina del anglicismo.

Sobre **country**, aparte de la deformación francesa comentada más arriba, s.v. *contradanza*, cabe añadir el uso moderno para designar un estilo de música de base tradicional procedente de los EEUU. Se podrían citar docenas de ejemplos: «[Nashville] capital del 'country music», *Gac. Ilustr.*, 12-4-81, pág. 13. En una crónica titulada «El nuevo country» (*El Mundo*, La Esfera, 16-10-93, pág. 2), se dice que ha pasado del 5.º puesto «a la segunda plaza en los gustos musicales [de EEUU] detrás del rock». En dicha crónica se usa varias veces como sustantivo y adjetivo invariables. En *ABC* del 18-11-94, pág. 86, bajo el titular «El 'country' cabalga de nuevo» puede leerse: «...el country (sic) esa música con fama (mala) de sensiblera, borrachuza y tristona [es en buena parte el origen de] el rock and roll». Más abajo puede leerse el participio *countryficado* y como calco *música campera* (ibíd.). En una página del suplemento *Babelia* de *El País* (22-4-95, pág. 22) se combina *country* con *western* y se habla del *country-western* (= C&W) como un género que se quiere difundir en el mundo con el nombre de *countrypolitan* (por analogía con *cosmopolitan*) o también, para su venta en Europa, *new American music*. La voz *country*, explícita o escondida tras las siglas C&W, aparece 17 veces en el texto.

El compuesto *country club*, como sociedad deportiva, es más frecuente en América que en España. Cf. «una de las áreas de country club más lujosas de Argentina», *El Mundo*, 3-9-93, pág. 20. Calco del término es probablemente el Club de Campo, de Madrid. El *Oxford Bil.* lo da como equivalente.

Como término deportivo aplicado a la pista o cancha de tenis **court** está hoy en plena decadencia. A. Fernández traza la historia periodística del vocablo desde 1909. O. Pfändler en *Wortschatz der Sportsprache Spaniens* (Berna, 1954) lo califica de innecesario por la existencia de las dos alternativas españolas mencionadas. No sé si hoy sería válido su comentario de que sirve de recurso estilístico para describir el ambiente aristocrático de este deporte.

Otra cosa es la extensión de la palabra *corte* por 'tribunal' en casi toda América. Podría ser un galicismo en países tradicionalmente vinculados a la cultura francesa (fr. *cour*, como en *Cour Suprème*) pero no entre los hispanohablantes de EEUU, Panamá, P. Rico, más próximos en cuanto a información de prensa y ciertos términos jurídicos a los usos norteamericanos.

Cow-boy es voz que acaso sea calco del español *vaquero*, representado también en ingl. americano por la grafía *buckeroo*, pron. /bakéru, bakerú/. *Cow-boy,* según Mencken (*Amer. Lang.*, I, pág. 152 n.), adquirió pronto en el Oeste el sentido de 'cowboy mexicano'.

La voz **crash** tiende a confundirse en el uso español con *crack*. Se usa aquel vocablo a veces en lugar de éste y viceversa, con algunos pintorescos distingos en cuanto al significado, transitivo o intransitivo (los dos tienen ambas funciones). En México han resuelto el primero, cuando se estrella un avión, con el neologismo *avionazo* (= plane crash, *Collins Bil.*); el segundo se mantiene para recordar el desplome de la Bolsa en 1929, llamado en inglés *crash* (el *LRVang*. permite *crack* para esta quiebra histórica), y para designar un caballo o un deportista excepcional, especialmente en el fútbol. Hoy se llama *crack* también un nuevo tipo de cocaína. El *Collins Bil.* se hace eco de esta confusión y registra en la primera parte (español-inglés): «*crac*, *crack* 'crash, bankruptcy'; *crac*, *crack* 'star player, star performer'; 'best horse, champion horse'; *crack* (droga) 'crack'». A. Fernández la documenta como *crak* en 1895, 'bancarrota'.

Tal vez para evitar confusiones, la obra titulada en inglés *The Crack-Up* se traduce al español *The Crack-Up (La grieta)*, Barcelona, Bruguera, 1983.

En la edición de 1984 el *DRAE* había admitido **crol** (< *crawl*) y **criquet** (*cricket*). Esta última, como queda dicho más arriba (cf. pág. 28, n. 17), ha desaparecido en la de 1992. *VOX* (1992) todavía mantiene la transliteración en otro tiempo académica y ridiculizada por Pratt de *cricquet.*

Cross-country es voz de cierta solera en el deporte español, reducida frecuentemente a *cross*. Es probable que perdure en vista del éxito dudoso de sus calcos: *a campo traviesa, a campo través, de campo través, de campo a través...* (se recomienda el primero). A. F. documenta también *campotraviesa* y *cross ciclopedestre* (1931); el mismo autor menciona el III *Cross Country Nacional* de 1918 (el primero en 1916).

Cross ha entrado en el *DRAE* en 1992, explicada así: «(Del ingl. *cross,* cruz, cruzar, en *cross-country.*) m. Carrera de larga distancia a campo traviesa».

El término médico **crup** (< *croup*) por 'garrotillo, difteria' figura ya en la edición de 1884 y según A. Fernández aparece con la grafía *croup* en el *DN* de Domínguez.

Cuáquero y **cuákero**, con derivados, figuran en el *DRAE*'47. Corominas no incluye ninguno, pero según A. F., apoyado en Ruiz Morcuende, L. F. Moratín utiliza *cuaker(o)* y *cuákeros*.

Una marca registrada, *Quaker oats*, para designar un tipo de copos de avena aparece en Uruguay y Argentina como nombre común escrito *cuáquer* o *quáker*. La misma marca, extendida mundialmente, da en el 'yanito' de Gibraltar *cuécaro* (v. M. Cavilla, s.v.).

Ha sido un acierto de la Academia incluir en el *DRAE*'92 dos términos de aspecto exterior semejante, pero susceptibles de ser confundidos, y de significado y origen distinto. Como explica el diccionario, *culturismo* podría ser germanismo o galicismo, y su adjetivo es *culturista*, pero **culturalista** (el nombre abstracto ha sido aprobado después) es voz cuyo origen puede ser el inglés americano *cultural anthropologist*, adaptado al francés como *culturaliste* con sentido distinto del originario. La voz española, salvo en la forma y el punto de partida, parece haber extendido los significados de sus antecesores y resulta muy oportuna su inclusión.

Cumbre (calco semántico del ingl. *summit* 'cumbre'). Un sagaz observador del español en ebullición que venimos estudiando desde hace más de 40 años propone como origen de este neologismo la voz inglesa *top*, error disculpable en quienes no frecuentan la prensa de habla inglesa y se arriesgan a aceptar las equivalencias engañosas de los diccionarios. *Top-conference* es una construcción posible en inglés y sería una 'conferencia de las mejores', pero *summit conference* (o *summit meeting*), mala o buena, es una conferencia de jefes de estado o de gobierno. Antes —en Teherán, en Yalta, en Potsdam, etc.— se hablaba de los *Big Three* o *Big Five*, según los casos. Lo de «cumbre», si nos fiamos de *RHD*, aparece en estas combinaciones entre 1950-55, unos diez años después de Teherán. El término es tan frecuente que ha dado lugar a los derivados *summiteer* y *summitry*.

Cup (cap). Un excelente y galardonado traductor no supo encontrar equivalencia alguna en español al término *old fashioned* 'anticuado', cóctel creado a principios de siglo equivalente a lo que en los años cuarenta se difundió en España con el nombre de *cap* (<

ingl. *cup*), voz que registra M.ª Moliner: «bebida preparada con una mezcla de bebidas alcohólicas y espumosas y jugos y algunos trozos pequeños de frutas» (sic). Según *Robert Angl.* «el cup es una especie de cocktail ligero... que se sirve con hielo en G. Bretaña y EEUU... poco apreciado en Francia». El término inglés (y la bebida) parecen haber pasado de moda y la mayoría de los diccionarios bilingües no lo registran; sólo lo hemos encontrado en el *Velázquez* con un significado 'bebida embriagante' que no corresponde al *old fashioned* de la novela, término que nuestro traductor dejó repetidas veces en inglés, aunque el contexto explica que se sirve en jarras y que los cubos de hielo flotan en ellas. Caben, posiblemente, varias traducciones, porque la fórmula de la mezcla no parece estar patentada y se describe así: «A beverage consisting of wine sweetened and flavoured and usually iced; as *claret-cup*» (*ShOED*, 1950, reimpr. de la corregida en 1947, s.v. *cup*). Aunque la expresión *old fashioned* parece americana y se describe como «a cocktail made with whiskey, bitters, water and sugar, and garnished with citrus-fruit slices and a cherry» (*RHD*), mi edición del *Webster Collegiate*, de 1947, no la registra pero sí *cup* (que, sin embargo, falta en el *RHD* de 1989) con explicación casi literal de la mencionada arriba en el *OED*, del mismo año; es más próxima (*liquor* en vez de *wine* pero, como ejemplo 'claret cup') a la receta del *old fashioned* americano, término que ha resultado ser muy apropiado para la citada mezcla, descrita en el *Peq. Espasa* (s.v. *cup*) como «bebida consistente en la mezcla de distintos zumos, bebidas alcohólicas y espumosas, junto a trocitos de frutas» que es aproximadamente lo que dice M.ª Moliner (s.v. *cap,* a la que remite *cup*), acaso intérprete idóneo de la receta española. Puede ser ello sintomático del hecho de que mientras *cup* escasea en los diccionarios anglosajones o falta del todo, no suele faltar en el mundo de las recetas culinarias hechas o utilizadas por mujeres. El curioso librito de la editorial Aguilar *Five O'Clock Tea* (Madrid, 1988), escrito en inglés por la Sra. G. O., con versión castellana de la Sra. M. L., encabeza el recetario, tras el té helado y la naranjada, con *claret-cup* y *cup de vino blanco* (hay que notar de paso, que el *claret* inglés se interpreta correctamente con el litro de vino tinto de la fórmula). Otro recetario inglés editado por la revista femenina *Good Housekeeping*, en el capítulo *Cups and Punches* (= *caps* y *ponches*, dos anglicismos) enumera, empezando por la *claret-cup*, que es la clásica, nueve variantes de *cups* con sus correspondientes recetas.

Esta larga explicación puede parecer superflua para designar una moda en trance de desaparecer, pero el hecho es que uno de nuestros mejores traductores, Miguel Saenz, premio nacional, pero demasiado joven para conocer lo que ya se califica de 'anticuado', no tuvo un diccionario bilingüe a mano que lo explicara. Un diccionario tan abierto a los neologismos, nacionales o extranjeros, como el *VOX*, no registra ninguna de sus formas. Probablemente se ha convertido ya en *anticuada* y no cabe en un diccionario *actual*.

Cúter (ingl. *cutter*). No presenta problemas. Ya en *DRAE* 1843.

En los tiempos de Uzcudun, cuando se populariza el boxeo como noticia, en España era frecuente la voz **challenger** para designar al aspirante a un título importante. Las citas de A. Fernández abarcan el periodo 1926-32, para el boxeo, mientras que las de *challenge-round*, usado para el tenis, son sólo dos y no le permiten explicar el compuesto, que no figura en los diccionarios. *Challenge Round* es la fase final de la copa Davis, alcanzada por eliminación de todos los aspirantes frente al poseedor de la «copa».

Champú figura ya como anglicismo (del ingl. *shampoo*) en el *DRAE*'47 pero con el significado 'jugo... del quillay, árbol chileno... que se usa para lavar la cabeza'.

Sólo hay dos manuales de estilo —*MEU* y *LRVang.*— que registren el uso de **chance** y propongan sustitutos: oportunidad, suerte, posibilidad (también lo registra el *Peq. Espasa*). Los ejemplos de *LRVang.* provienen del ámbito deportivo, pero en la América hispana es voz de uso general. Falta, curiosamente, en el estudio de L. Blanch (1979), que tampoco registra el valor mexicano de 'conjunción' incluido en el *Collins Bil.* y traducido por 'maybe, perhaps' (¿no será un adverbio?). Alfaro, por supuesto, señala y condena esta voz como «uno de los barbarismos más difundidos y frecuentes».

Gracias a la evocación —cine y televisión— de los llamados «felices veinte», el **charleston**, baile que pasaba por anticuado, igual que su nombre, ha tenido cierto resurgir y aparece ahora en el *DRAE*, pero con indicación de que su moda fue hacia 1920 y sigs. A. F. registra 6 derivados, casi todos de 1927.

No acierta, a mi juicio, el Sr. Corominas en las etimologías de **chaúl** y **chal**. Sea persa o urdú el último étimo, y sea cual fuere la vía de penetración en español, es difícil derivar del inglés *shawl* un español *chaúl* (Corominas elimina la tilde). Si aceptamos para las dos el intermedio del francés *chale* (en 1992 el *DRAE* remite de *chaúl* a *chal*) entonces podríamos hallar la clave de la curiosa ortografía en una de las variantes francesas escritas a la inglesa: *shawl, schal, schall.* Pero la pronunciación recogida en el *DRAE* y aceptada por Corominas es un misterio, pues tal diptongo (en Corominas *chaul*) o bisílabo (en *DRAE*) no reflejan una pronunciación explicable. Que la voz originaria *šal* velarice la *a* es normal en inglés (cf. *all, ball*), y que esta *a* velarizada se convierta en *o* (escrito *aw*), también, cf. *crawl 'crol'*. Pero la ortografía *aw* difícilmente representa el diptongo /au/ que se escribiría, pese a la caprichosa ortografía del inglés, *ou, ow*. No cuestionamos, pese al *Robert Angl.*, la procedencia francesa de *chal.*

Se ha enmendado la etimología de la voz **cheque** en el *DRAE*'92. La grafía *check* para el documento bancario es del ingl. americano y así lo anotan Corominas y A. Fernández. Éste añade que *cheque* es la única forma que encuentra en los textos y adelanta la primera documentación citada por aquél a 1865. También registra el *DRAE*'92 el verbo *chequear*, éste de *to check* 'comprobar', con sus acepciones americanas de 'examinar, verificar, controlar', poco difundidas en España. *Chequeo*, admitido en el *DRAE*'84, sufre todavía en 1992 el rechazo del *MEU* (9.ª edición), reflejo, tal vez, de la condena de Alfaro, que lo llama 'voquible' y propone *examen*, que suena a anglicismo si se usa en vez de *reconocimiento médico* (cf. ingl. *medical examination*).

La última edición del *DRAE* rectifica una imprecisión. **Chéster** ya no es propiamente el nombre de un condado de Inglaterra que da nombre a un queso, aunque sí lo fue en otro tiempo. El condado es *Cheshire* y se ha hecho más famoso por el gato de *Alicia en el País de las Maravillas* que por el queso que menciona nuestro diccionario y que designa la capital del condado (< lat. *castra*).

También se ha eliminado en el *DRAE*'92 el error que atribuía el origen de la voz **chevió**, 'lana y paño', al nombre de una ciudad de Inglaterra. Los montes Cheviot están entre Escocia e Inglaterra, pero la explotación de la lana deben de haberla emprendido los escoceses; por eso se describe como lana de Escocia.

Acierta Corominas cuando explica el origen de **chicle**. Por un lado está la voz nahua consignada en el *DRAE*, de uso limitado a México hasta fines del s. XIX. De otro está la difusión de la marca comercial norteamericana *chiclets* en todo el mundo.

Pero el nombre inglés, no comercial, de la goma de mascar es *chewing-gum*, que también tiene repercusiones en el español de América, tan legítimas como la popularizada por la industria. Alfaro condena como barbarismos típicos del lenguaje vulgar *chuingón, chingón* y *chingongo* que no significan, por supuesto, la «gomorresina... masticatoria de México y Uruguay que se vende en panes» (1.ª acepción de *chicle*). Tal vez la acepción 2.ª («masticatorio que se expende...») hubiera requerido una entrada aparte.

En cualquier caso, las adaptaciones de *chewing-gum* son hoy ajenas al uso peninsular, si exceptuamos influjos orales de Gibraltar: *chinga* (Loma-Osorio).

En el *Dicc.* de Alfaro se enumeran, tras *chequeo*, las voces *cherear* (*cheer up*, 'animar'), *cherife* (*sheriff*) y *chicana* (ingl. *chicane, chicanery* < fr. *chicane*), *chif* (ingl. *chief*), *chiffonier* «bautizado en inglés con un nombre francés... hispanicemos su ortografía», *chinchibí*, *chinchibirra* (ingl. *ginger beer*), ambas incluidas en *Collins Bil.*, y *chingongo* (*chewing gum*, ya citado), *chipe, chip*, fichas en los juegos de naipes, *chófer, chopa, chopear* (ingl. *shop, to shop*) *choquear* (*to choke*, 'ahogarse' —personas o motores—), *chorcha* (ingl. *church*). Casi todas ellas son desconocidas o de uso restringido en España y América; además de los claros galicismos: la única justificación de *chófer* en el *DA* es probablemente el acento, lo que indica que no se ha tomado por vía oral del francés, pero tampoco necesariamente del inglés, como argumenta Pratt (*op. cit.*, pág. 152), pues esta lengua admite el grave y el agudo (cf. Jones-Gimson), y además el español tiende normalmente a la paroxitonía con los anglicismos (penalti, royalty, etc.) y con palabras de acento dudoso: *chófer*, en España, no creo que haya venido del inglés. Para *chinchibí*, la variante gibraltareña (Loma-Osorio) es *yinyibía*.

Chip, es hoy, decenios después de la 1.ª edición de Alfaro, anglicismo de uso universal gracias a la electrónica y a las calculadoras. Las propuestas de traducción son numerosas —*ficha*, *astilla*, *oblea*, *tableta*, etc.—, y por ser tantas, con pocas posibilidades de imponerse a las demás. La Academia lo incluye en la edición de 1992. La traducción más frecuente —*circuito integrado*— no puede competir, por el número de sílabas, con el monosílabo inglés.

Los franceses se han resistido a la importación de este término, acaso porque el plural *chips* ya había entrado para designar el tipo de patatas fritas que llamamos «a la inglesa»). Es un angloamericanismo, pues para el significado británico de *potato chips* les basta su bien difundido *frites*, que en inglés americano se llaman *French Fried* (*potatoes*) o *French Fries*. Las *chips* americanas son *crisps* en Gran Bretaña.

Chomba, **chompa** y **chumpa** son tres adaptaciones distintas del ingl. *jumper* desconocidas en España. El *DRAE*'92, según datos de las academias americanas, ha corregido el área de vigencia de las dos primeras y ha añadido la tercera, según testimonio de Guatemala. Pero esta forma *chumpa*, con vocal ortográfica, que *Collins Bil.* sitúa en Centroamérica, parece tener también una variante chilena de *chomba, chumba*, registrada en el dicc. *VOX* como 'especie de chaleco confeccionado en lana', cf. pág. 260, s.v. *jumping*. Tenemos, pues, cuatro variantes ortográficas del mismo anglicismo. En Colombia, según Haensch (93), además de *chompa*, existe *jumper* [yúmper, yómper], de significado distinto.

El diccionario académico sólo registra el uso médico de **choque** como anglicismo (ingl. *shock*), pero su derivado *chocante* tiene en Hispanoamérica usos calcados de *shocking* y no derivados de *chocar*. El término *terapia de choque* que registra *Collins Bil.* (< ingl. *shock therapy*) es doble anglicismo, pues por lo regular el español ha preferido siempre *terapéutica*[1]. *Shocking*!, como exclamación, está documentado desde 1865.

---

[1] Lázaro Carreter (*ABC*, 1-6-91) condena ambas formas: «Nada puede excusar que en el lenguaje clínico se denomine... *terapia* o *terapéutica* al tratamiento. Esto obedece mucho más a necedad que a necesidad...». Pero Corominas documenta *terapéutica* ya en 1555; el *DRAE* de 1947, probablemente antes, también la incluye, mas no *terapia*. María Moliner (1966) registra ambas, señalando que *terapia* se usa especialmente como sufijo y enumera siete derivados como ejemplos. Sin embargo, en la edición de 1992 el *DRAE* consigna *terapia*, que remite a *terapéutica*, pero el sufijo o elemento compositivo *-terapia* no consta. Creo que en esta condena se trata de un caso disculpable de exceso de celo purista en el que solemos incurrir todos los que, con mayor o menor vehemencia, nos ocupamos del idioma, pues el mismo censor, dos años antes, refiriéndose a un cronista deportivo añade «gremio éste el más resistente a cualquier terapia idiomática» (*ABC*, 7-7-89).

Aunque está bastante difundido y admitido en diccionarios el nombre *jet*, para designar un avión de propulsión a chorro y en las combinaciones *jet lag* y *jet set* (*VOX*), sin embargo es **chorro**, como calco semántico, la voz que recoge la Academia s.v. *propulsión*.

Chukker y **chukka** son nombres con que se designa cada uno de los tiempos de un partido de polo. En España apenas se practica ya, pero sí tiene aficionados en el Cono Sur. En *El Mercurio* de 7-2-95 (Chile) bajo la rúbrica 'Entre chukkers' se da cuenta del próximo campeonato del mundo, que se iba a celebrar en Suiza, en el que además de Argentina, campeón del mundo, aspiran a participar Chile y Uruguay. En Ecuador, Córdova defiende *chúquer*.

El verbo inglés *to shoot* ha dejado en español sus huellas en dos oleadas de influencia. En la primera, de sano carácter deportivo, parecen dominar las formas verbales que justifican el triunfo de la *u* en español: **chutar**, *chutan* (1923), *chutador, chutazo, shootar*. Hay casos de *shot* 'disparo' alternando con *shoot* (que es la forma que va a triunfar, influida por la vocal del verbo, en todos los préstamos y derivados del español). Pfändler observa que *chutar* se usa para el fútbol, balonmano, hockey, etc.

La segunda oleada llega con el lenguaje de la droga. El *DMILE* recoge ya algunos de los neologismos: *chuta* 'jeringuilla', *chutar* 'inyectar', *chute* 'inyección'. Las tres están recogidas por *VOX*. *Collins Bil.* recoge además *chut* y *chutarse*. Y V. León (*Argot*) *chutazo* 'chute', *chutona, chutosa* 'jeringuilla'. Los modismos *está que chuta* y *va que chuta*, etc., por supuesto, deben muy poco al inglés.

Podría refutarse sin esfuerzo que la bebida llamada **daiquiri** sea un anglicismo. Cierto es que se trata de un topónimo cubano y que este cóctel tiene ron entre sus ingredientes, licor que se suele asociar con Cuba, pero el término ha sido difundido desde los Estados Unidos, donde aparece, según *RHD*, entre 1915 y 1920.

La voz **daltonismo**, aunque originada por el nombre del físico inglés J. Dalton, es en rigor un galicismo, así como *daltoniano*, según *Robert Angl.*, pues fue un suizo quien la acuñó en francés para designar esta anomalía de visión, a partir del nombre aplicado a quienes la padecían (*daltoniens*). Así lo reconoce el *OED* s.v. *daltonian*.

A la lista de falsos anglicismos —*footing, smoking, leasing, pressing*, etc. — habría que añadir **dancing**, recogido explicablemente en el *Peq. Larousse* (1964), pero menos explicablemente en el *Peq. Espasa* de 1989, pues ya M.ª Moliner, que lo incluye también en su *DUE*, lo califica de desusado («la palabra ha dejado de ser usual») en 1966. Los tres diccionarios dicen que es palabra inglesa; lo que no dicen es que, sola, no se usa en inglés como 'sala de baile'. Ningún diccionario académico la acepta. Dardano (en *Viereck*), al comentar su uso en Italia, la llama correctamente seudoanglicismo por *dance-hall* y menciona las «adaptaciones» italianas *balleria* y *danzatorio*.

Merecen citarse las vicisitudes de **dandi** en español porque ilustran bien la evolución del uso y del significado. A. Fernández ofrece una abundante documentación del término, cuya primera aparición retrotrae 5 años la de Corominas al año 1850. Desde un principio y hasta bien avanzado el s. XX es voz peyorativa: lechuguino, pisaverde, petimetre, pollo pera, etc. Todavía M.ª Moliner mantiene este significado —'petimetre'— sin otra opción. El *Peq. Larousse* lo suaviza diciendo 'hombre a la moda, petimetre'.

Pero el *Peq. Espasa*, presentando el término como positivo ('hombre elegante'), recorta el elogio al añadir «pero que presta una excesiva atención a su apariencia personal». El espaldarazo se lo da la Academia en 1984, con la ortografía *dandi*: «hombre que se distingue por su extremada elegancia y buen tono», definición que se repite en el *DMILE* (1989) y en la XXI.ª edición. La recoge *VOX* en 1992.

Como anglicismo del s. XIX es natural que entrara a través del francés. Los datos de A. Fernández confirman esta suposición y el acento agudo más aún. No es de extrañar, pues, que el *Peq. Larousse*, fiel a su origen francés, diga que el plural es *dandíes* (sic), y que se defienda la acentuación oxítona en un texto anónimo de 1892, traducido del francés. Añade el anónimo traductor: «Escribimos *dandí* porque [así] el uso ha incorporado... la palabra inglesa *dandy* (llana). Dado el singular *dandí*, a nadie extrañará el plural *dandíes*... y por si no bastara, así lo escriben los ingleses». Gran sofisma que todavía hoy usan los defensores de *ladies, penalties, brandies*, e incluso *yanquies*, etc., olvidando que no hay tilde en inglés, que ninguna de ellas es aguda en esa lengua, y que *ie* =/*i*/. Sin embargo, el plural escrito más documentado en español, incluso tras adoptar *dandi* la Academia, creo que sigue siendo *dandys*.

El periodista J. M.ª Carrascal, en su columna de *ABC*, 10-7-90, titulada precisamente «Penalties», pide al corrector eventual que respete su grafía —«no penaltis o penaltys» para no herir la pupila de todo el que ha dado seis lecciones de inglés—. A estos plurales ya les hemos dedicado algunas líneas (cf. «Plurales bárbaros», *ABC*, 10-5-87). Si se adopta *penalti* como singular (forma única usada por el autor) con acento grave en español el plural es *penaltis*. Sólo si se dijera *penaltí* sería posible *penaltíes*.

Aunque mencionada como anglicismo, la voz **darling** apenas ha prendido en el uso español. Si aparece es intencionadamente como rasgo característico de un personaje. Sí es frecuente, en cambio, el ridículo calco *Sí(no), querido-da* en doblajes y malas traducciones cuando el uso español preferiría cualquiera de una gran gama de posibilidades: Sí, hijo, encanto, cariño, cielo, preciosa, etc.

Darwinismo / darvinismo figura con estas dos grafías en el *DRAE* (antes sólo con *v*) y su gran teórico se ha convertido así en epónimo. Estando tan vinculado al descubridor, que no usó la palabra, el nombre de su doctrina y el de sus partidarios (*evolución, evolucionistas*) no se han documentado en español, pero han de estar documentados. En Francia sí, 1870.

Se ha incluido en el *DRAE*'92 como 2.ª entrada de la misma voz el anglicismo **debutante**, en vista de que lo que era un uso hispanoamericano de páginas de vida social se ha extendido también a España, donde anualmente se celebran bailes más o menos benéficos para presentar en sociedad a señoritas calificadas de *debutantes*. Acaso la moda, como tantas veces, venga de Francia, pero los franceses, aun señalando que la palabra es originariamente francesa, reconocen que el concepto, e incluso la forma truncada *deb*, se deben al inglés americano.

El *Peq. Espasa* (1988) no registra el nombre, pero sí la acepción correspondiente del verbo *debutar* 'ser presentada en sociedad una joven', acepción que repite como 3.ª *VOX*. También figura en el *DMILE*. Siendo costumbre y palabra de mayor difusión en América, es extraño que falte en la 2.ª edición de *Collins Bil.* (1988), pero se incluye en la última (1992) con el añadido de una forma analógica femenina *debutanta*.

Para hacer frente e hispanizar la familia del verbo inglés *to* **decode**, adaptado al francés como *décoder*, la Academia admitió en 1984 el verbo *descodificar*, y además *decodificar*, que remite a aquél. En 1992 entran otros miembros de las dos familias con remisión a las formas con *des-*.

En el neologismo **deflación** el *DRAE*'92 ha hecho una revisión completa del significado y la etimología (< fr. *déflation* < ingl. *deflation*) según la propuesta del prof. Sampedro, académico y economista.

No siempre ofrece el *DRAE* una alternativa al anglicismo o galicismo derivado con *de-*. En el caso del cultismo **defoliación**, éste penetra en el *DRAE* antes de 1947; Corominas se limita a mencionarlo como voz culta. La Academia propone: < *de-* + *foliación*. *VOX* lo explica como la Academia, pero incluye un verbo *defoliar* que hace innecesario el rodeo implícito en el prefijo *de-*. Además añade el participio activo *defoliante*, claro anglicismo en su valor bélico. *Defoliar* en *VOX* se explica como *desfoliar*, pero este verbo falta. Por supuesto, la adaptación literal al español exigiría *deshojar*, verbo de gran solera y claro significado que no concebimos en la guerra del Vietnam. A ella se debe la popularidad de *defoliate* hacia 1965 comentada en otro lugar (cf. *EEH* (1994), cap. II, n. 9). Por razones semejantes se ha desechado en Francia la propuesta de adoptar el verbo *to defoliate* 'mera adaptación del latín' con su equivalente *defeuiller*, que sería el *deshojar* francés.

Tampoco tenemos alternativa con *des-* para el anglicismo **deforestación** ni para el galicismo *deforestar*, pese a la predilección del español por los derivados con *des-*, caso de *desfoliar* (vide supra), pero no siempre es posible imponer esa alternativa[2], como en el caso de *desodorante* (ingl. *deodorant*, fr. *déodorante*).

Delco no se encuentra en diccionarios ingleses, acaso por ser marca registrada. Sí en francés y en *DRAE*'70. En *DRAE*'92 se explica el acrónimo norteamericano.

Parece imprecisa la filiación académica de **delírium trémens** (< lat. *delirium* + *tremens*), pues se sabe el año (1813) en que se crea esta expresión del latín científico y el nombre del doctor Sutton, que la acuñó.

Entre las seis acepciones del artículo **departamento** hay una, la 4.ª, que no entra en el léxico oficial hasta 1984. Es, sin duda, un angloamericanismo familiar a cuantos hemos enseñado en universidades de EEUU y que forma parte de la estructura docente y administrativa de la universidad española desde hace unos 25 ó 30 años.

[2] Tampoco hay alternativa, aunque lo parezca, entre *depreciar* y *despreciar*, aunque ambos verbos tienen el mismo origen (lat. *depretiare*).

En marzo de 1993 Fernando Lázaro lanzó uno de sus penetrantes dardos en *ABC* a una palabra, **derby** (incluida en el *DRAE* como *derbi*), que yo ya había comentado a instancias del sabio periodista y también amigo Lorenzo López Sancho.

El jugoso comentario de Lázaro —una de las tres columnas de la página— destaca el último desarrollo del término futbolístico en español, que si antes valía para designar el enfrentamiento entre «eternos rivales» vecinos (nada hay eterno en este mundo) de una ciudad o región —R. Madrid / Atlético, Sevilla / Betis, A. Bilbao / R. Sociedad, Celta / Coruña— ahora sirve también para calificar los encuentros de fútbol entre Madrid y Barcelona, siempre rivales, pero no vecinos.

Y atribuye Lázaro, como podría esperarse, a Francia el desplazamiento semántico del término, «pues de allí venía». Y con cierta razón, pues como vamos comprobando en estas páginas, en materia de influjos culturales europeos, son los franceses los portadores de esas novedades. Pero lo cierto es que sin acudir a los grandes diccionarios ingleses, en el *Robert Angl.* hubiera comprobado que este uso futbolístico del término data de 1914 y el uso francés es una repercusión del inglés. *Robert* lo fecha hacia 1960, pero Höfler (*Larousse Angl.*) tiene una cita de 1931. La acepción en ambos es exactamente la misma: «rencontre sportive entre équipes voisines».

El caso extremo lo ofrece la tarjeta holandesa en que se rememora con una fotografía de bigotudos jugadores de principios de siglo el primer *derby* internacional, citada en nuestra Introducción, n. 12.

Más de uno rechaza por barbarismo la palabra **desodorante** alegando que en español se dice *olor* y no *odor*, pero *odorante* está admitido en la Academia en 1947, acaso antes, y según Corominas ambas voces están atestiguadas en latín, con preferencia culta por *odor*. Pero dado que *olēre* en latín «se empleaba sólo con sujeto de la cosa que echa olor» frente a *olfacĕre* 'percibir un olor', una adaptación **olorante* hubiera podido estar perfectamente en regla. No ha sido así y la Academia optó (ya en 1947) por el préstamo inglés deshaciendo el hiato con el prefijo *des-*, pero incurriendo en una contradicción interna, ya que *odorante* tiene asignado un significado positivo 'oloroso, fragante' y *desodorante* es lo que 'destruye los olores molestos o nocivos'. Esta decisión morfológica se ve apoyada por la creación de dos verbos, *desodorizar* (*DRAE*) y *desodorar* (*VOX*). La contradicción se salva en parte al incluir en 1992 como 2.ª acepción de *desodorante* 'producto que se utiliza para suprimir el olor corporal o de algún recinto', sin implicar la fragancia del mismo.

En vista de la atribución casi general del inglés **desperado** al español desusado *desperado* y en vista de la existencia de un verbo ant. *desperar*, el *DRAE*'92 incluye aquel adjetivo con la acepción inglesa de 'delincuente dispuesto a todo', pero remitiendo a la forma usual *desesperado*. Algo semejante se ha hecho con la acepción 4.ª de *silo* 'depósito subterráneo de misiles', *embargo* (acepción 5.ª) 'prohibición', *jade* (etim.), *cafetería*, etc., voces en que el uso extranjero del hispanismo había dado lugar a valores semánticos desconocidos al exportar la palabra. En el caso de *desperado* la etimología inglesa preferida hoy es la de que se trata de una variante seudoespañola del ingl. *desperate*, hoy anticuado. Así lo acepta el diccionario *Duden* alemán (1989). *Lexis*, en cambio, registra el término como español, mientras que *Robert Angl.* menciona un esp. ant. *desperado* y justifica su empleo porque *déséspéré* en francés significa «esencialmente alguien que se ha suicidado». En otoño de 1995 se exhibe en Europa una película titulada *Desperado* (sic).

Como nombre de buque de guerra **destructor** parece calco semántico del inglés *destroyer* (también llamado *destructor*, incluso como nombre de uno británico). La 1.ª acepción del *DRAE* es antigua en español, según Corominas, la 2.ª ha experimentado la misma evolución que el buque: en 1947 se describe como 'buque de guerra de pequeño tamaño y muy veloz cuyo principal armamento es el torpedo'; en 1984 'torpedero de alta mar... [que] puede llegar a las dos mil toneladas con artillería de mediano calibre... [empleado] contra submarinos... y en la protección de convoyes'; 1992: 'buque de guerra rápido, de tonelaje medio... para misiones de escolta... [y] ofensivas... con armamento de toda clase'. *Destroyer*, en inglés, es un elemento del compuesto *torpedo-boat destroyer*, 'destructor de torpederos', cuyas dimensiones han evolucionado, como la definición española. El *DMILE* incluye *destroyer* y *destructor* sin relacionarlos, el primero entre corchetes, el segundo con una fotografía de buque de gran tamaño y bien pertrechado.

Hace medio siglo la palabra **detective** no figuraba en el diccionario usual, pero cualquier lector de novelas policiacas sabía de quien se trataba, y además que tenía que ser inglés. En 1970 ya figura como anglicismo rodeado de otras voces de parecido origen. Hoy hay detectives de cualquier país, y con la moda de los misterios en tiempos pretéritos —Roma, Edad Media, Egipto, etc.— en todas las épocas. La familia léxica de *to detect* ha sido «detectada» como anglizante antes de 1970. Alfaro considera *detector* anglicismo, lo mismo que A. Fernández *detección*. La verdad es que exige cierto esfuerzo entender cómo *detector*, que en el *DRAE*'84 tiene como único significado, en Física, 'aparato que sirve para detectar', puede venir del lat. *detector*, *oris* si el verbo *detectar* (lat. *detergere*), en la misma edición, viene del inglés *to detect*. Si queremos poner orden en la familia habría que actualizar la etimología de *radar* en el *DRAE*, basada en una de las varias explicaciones de la sigla propuestas desde su invención (1942). Hoy existe unanimidad en que es el acrónimo de '*radio detecting...* (no *detection*) *and ranging*', error, si lo fuese, disculpable, ya que se trata de un neologismo reciente y americano que el *Shorter Oxford Dict.* (1950) registraba, sólo en el apéndice (página 1490), como formado por «*ra*dio and the initial letters of *a*nd *r*anging. Radio direction-finding, radiolocation». Mi edición del *Webster's Collegiate Dict.* (1947) no lo registra todavía y la edición de 1951 (reimpr. 1954) del *Dictionary of Science* de la colección Penguin explica el invento, pero no la etimología. El *Peq. Larousse* de 1964 usa *detection* y *VOX* (1992) «Detection and Range». Si el invento es de 1942, hay que admirar la imaginación de los que «explican» lo aparentemente explicado.

La edición XX del *DRAE* s.v. **devaluar** dice que su origen es *de-* + *valuar*. Aunque en *valuar* (Quevedo) y *valuación* (*Dicc. Aut.*) es, según Corominas, dudoso el origen, sí es seguro, según este autor, que *evaluar* viene del fr. *évaluer* y así se ha rectificado en el *DRAE*'92. En cuanto a *devaluar*, es probable que haya entrado en español, con *devaluación*, a través del francés, donde ambas voces se consideran anglicismos, si es que se difundieron antes de mediados de siglo; si no, puede haberlas motivado el inglés *devaluate*, pero sobre el modelo de *evaluar*, ya sedimentado en español. Así consta en la última edición del *DRAE*.

Estamos seguros de que **dígito** (> esp. *dedo*) es un latinismo. Mas la idea de llamar así a los números inferiores al diez está atestiguada en el inglés medio (porque se podían contar con los dedos de las manos). El adjetivo *digital* se ha hecho casi imprescindible en el mundo de la informática, sea su origen latino, francés o inglés. Pero es angloamericana la costumbre de llamar hoy dígitos a los que solíamos llamar cifras o guarismos. Así, mientras la Compañía Telefónica nos advertía, al ampliar la red de abonados, que marcáramos seis (o siete) *cifras*, ahora se habla de una inflación de uno, dos, o tres *dígitos*. Sería éste, según nuestra terminología, un anglicismo de frecuencia.

Pero hay, sin duda, gente más joven que no oyó las advertencias de Telefónica y sí asistió a la primera oleada de los *dígitos*. Un periodista de ilustre apellido y excelente pluma (*El Mundo*, 5-3-93) condena el uso de *figura* en esta acepción, lo cual es peor, por la polisemia de *figura*, comparada con el unívoco *dígito*. («¿Qué importa si 'double figures' significa 'dobles dígitos' y no esa peculiar y chirriante 'doble figura', en singular, para acabar de arreglarlo?».) Cabe objetar al indignado periodista que en inglés hay opción entre *double-figure* británico, y *double-digit* americano, usadas por lo general como adjetivos y, por tanto, invariables. Ni *dobles dígitos* ni *doble figu-*

ra parecen aceptables, cuando lo que quiere decir es 'más de nueve', es decir, no 9% (1 cifra) sino 10, 11, 12% (2 cifras).

En el momento de redactar estas líneas parece avecinarse una nueva irrupción de los **dinosaurios**. En mi niñez el único *dinosaurio* conocido (excepto para los especialistas) era el *diplodocus* (no diplodoco) que, bien vertebrado con huesos artificiales, exhibía el Museo de Ciencias Naturales de Madrid. Las dos palabras proceden del latín científico, como el *dinoterio* que figura contiguo en el *DRAE*. Del *dinosaurio* se conoce el nombre, Sir Richard Owen, de quien acuñó el seudolatinismo plural *dinosauria*. Aparte de la moda intermitente de estos reconstruidos reptiles, se ha extendido el uso metafórico del término para designar algo grande, anticuado, que no se adapta a los cambios y, por extensión, a personas. Esta acepción figura en diccionarios ingleses, pero no ha sido registrada en los hispánicos, que yo sepa. He aquí un ejemplo de columnista muy propenso al anglicismo: «Vamos a presenciar la desaparición de los dinosaurios. Tras los ideológicos —comunismo, socialismo— seguirán los industriales», J. M.ª Carrascal, *ABC*, 29-7-93, pág. 16b. También lo usa la llamada «movida madrileña»: «los viejos dinosaurios y los Camilosestos del momento pedían el visado para la glaciación suramericana» (*ABC Cultural*, 27-8-93, pág. 15, número dedicado a los «Quince años de la 'movida madrileña'»). F. Rodríguez (1991), pág. 127, afirma que Felipe González usó esta expresión para calificar a los comunistas por no haberse adaptado a los nuevos tiempos en entrevista a *Time* (X-89). El texto sería inglés. También matiz político tiene el siguiente ejemplo mexicano de Carlos Fuentes: «Hay demasiados intereses creados [en México] para que se perpetúe un sistema que beneficia a los que nosotros llamamos el *parque jurásico,* los dinosaurios» [llamados luego los *dinos*], *El País semanal,* 20-11-94, pág. 48. Como era de esperar, la moda de los dinosaurios, de repercusión internacional, ha favorecido la acuñación y expansión del término que la califica, ingl. *dinomania*, fácilmente incorporable al español añadiendo una tilde: así, p. ej., en crónica de J. Berlanga: «la dinomanía nos había llevado a aguardar... la novena maravilla del mundo» (*ABC*, 8-9-93, pág. 75a).

Por cierto, en el comentario de *Time International* al éxito de la película que motivó esta moda se dan 21 equivalencias en otras tantas lenguas del neologismo seudogriego acuñado por Owen. En la lista aparece el español con la grafía *dinosauro*, acaso preferida en algún país hispano o influida por el italiano. Lo mismo vale para el portugués, escrito con doble *s*. Mi viejo y valioso Figueiredo solamente registra *dinosáurios*, y el reciente bilingüe de M. Almoyna (Oporto, 1990) escribe *dinossáurios*, pero ofrece en español las variantes -sauro, -saurio. El comentario de *Time* no es un modelo de documentación, pues renuncia a las citas de Owen, a la variante inglesa de *dinosaur, dinosaurian*, y en cuanto al francés, opta por la alternativa *dinosaure*, cuando *Lexis* (Larousse) y *Robert* prefieren el calco inglés del *dinosaurien*.

Merece la pena destacar estos hechos porque la forma académica, a partir del segundo elemento del compuesto, *saurio*, es acertada y evita el confusionismo ortográfico.

Si no fuera por la laboriosa recopilación de anglicismos en *Blanco y Negro* de A. Fernández, no habría huella alguna en los diccionarios españoles del deporte llamado **dirt-track**. Gracias a su información sabemos que, nacido en Australia y llegado a Inglaterra en 1928, se inauguró en España al año siguiente con el nombre inglés. Cita nuestro investigador la protesta del «inventor» por usarse el término *dirt-track* 'pista sucia' cuando el «nombre técnico» es *speedway*. Se ve que aquí falla la unidad del idioma. *Speedway* 'vía rápida' es el término norteamericano, *dirt-track* el británico, desconocido en *RHD*. El *Collins Bil.* de 1992 traduce 'pista de ceniza' como otros diccionarios bilingües, pero esta expresión no la registra ni el *DRAE* ni ningún otro diccionario consultado. Prueba de la popularidad —efímera— del término es el derivado español *dirtraquista*, anotado por A. F.

Afirma *Robert Angl.* que **disc-jockey**, con *k* en *disk*, es grafía americana, como el nombre. Sin embargo el *RHD*, muy americano, remite la grafía *disk-* a *disc-*. La adaptación española, muy libre, de *pinchadiscos* no debería ser calificada de vulg. como hace el *DMILE*, sino de fam., acaso, como hace *VOX*, pero sin remitir a la voz inglesa, con lo que implícitamente se rebaja la original formación española, tan legítima o más que la inglesa. *LEPaís* y *LRVang.* recomiendan *pinchadiscos*. Los muy entendidos usan la sigla *d. j.* del ingl., también escrita *deejay* /diyei/.

La aclaración fonética «Se pronuncia dis yoquei», si representa el uso general, no me atrevería a impugnarla. Si es un intento de aproximación a la fonética inglesa, cae en el mismo error, favorecido por la ortografía, que las adaptaciones de *voleibol, jersey,* o *hockey* (en *VOX* = jockei) cuando la palabra inglesa termina siempre en *-i* en singular, no en diptongo.

La entrada **diseño** en el *DRAE* ha recibido en 1992 cuatro acepciones nuevas. Aunque el origen de la palabra es una trasliteración fiel del it. *disegno*, las dos últimas acepciones son calco del inglés *design*, que no parece deber nada al fr. *dessein*, si es la forma documentada en el s. XIV como *designen*.

En Francia, *design*, según Höfler, ya en 1952 aparece en una presentación de creaciones americanas con el título *Design for use*, y se considera intraducible. Sin embargo la expresión *Estética industrial* (nombre también de una revista) alterna, cuando se refiere a objetos utilitarios y como estilo de moda, con el anglicismo *design*. *Robert Angl.* rastrea el origen de esta actitud estética en los arquitectos Gropius, W. L. Wright y Le Corbusier.

Es evidente que la acepción 1.ª del *DRAE* 'traza, delineación de un edificio o de una figura' está lo suficientemente distanciada, por el origen y la significación, de la 5.ª, que ofrece como ejemplos de uso *diseño gráfico, de modas, industrial*, o de la 6.ª: *el diseño de esta silla es de inspiración modernista*. Hay que decir aquí que tanto en francés, como en alemán o en italiano, por no citar más que lenguas próximas, han acogido sin reservas el anglicismo, a veces con su pronunciación inglesa /dizain/. El español, sin vacilaciones, se ha limitado a añadir nuevas acepciones al italianismo primitivo. Resulta curioso el anuncio, aparecido repetidas veces en la prensa española, de un Istituto Europeo de Design (Primera Escuela Italiana de Diseño en España —Milano-Roma-Torino-Toledo-Madrid—), p. ej. *ABC*, 1-7-94, pág. 43.

Ha entrado en el *DRAE*'92 la voz **disquete** sin mención de origen. Existiendo antes el masculino *disco* y siendo de uso general algunos diminutivos en *-ete* habría que considerarla, como en francés, donde *disquette* es femenino, un neologismo motivado por el inglés *diskette*, pero que arrastra el género masculino de la forma primitiva.

Nótese que otro neologismo español, el galicismo *casete*, invariable, resuelve con el artículo los significados hoy dominantes en el término. En fr. *cassette* es sólo femenino en ambas acepciones.

Se incluye también en el *DRAE*'92 la etimología inglesa del adjetivo **distal**, como antónimo de *proximal*, términos anatómicos ambos, acuñados respectivamente en los siglos XIX y XVIII a partir del latinismo *distant* y de la raíz de *proximus* con el sufijo *-al*, de gran vitalidad en inglés.

También es anglicismo la acepción 3.ª de *distante* en el *DRAE* 'persona que rehúye el trato amistoso o la intimidad', significado no recogido en la XX edición (1984) pero sí en *DUE* (1966).

La Academia se resiste, probablemente porque no se ha propuesto una grafía aceptable, a incluir **dock** en su inventario, pese a que figura en todos los diccionarios (incluido el propio *DMILE*); en *DUE* «palabra inglesa de uso corriente». Alguno añade *docker*, que creo innecesario, aunque algún corresponsal español escribiera sobre la huelga de «doqueros» londinenses precisamente cuando la prensa británica llamaba a estos trabajadores en huelga *stevedores* (< esp. *estibadores*). Algunos manuales de estilo condenan el anglicismo, proponiendo *dársena, muelle* o *desembarcadero* como sustitutos.

El neologismo **docudrama** —hemos anotado también (¿errata?) «Un apasionante 'docugrama' para la T.V.», A. Alférez, *ABC*, 24-2-81— designa un género híbrido de periodismo y drama que aparece en inglés en la década de 1960 e incluso produce un derivado *docudramatist*, que, de adaptarse al español, sería *docudramaturgo*. Ejemplos: «El tratamiento de los temas [serie TVE sobre 'El hombre y el mar' de C. J. Cela] desde un formato de docudramas», *ABC*, 5-5-89, pág. 100; «el discurso que el realizador se proponía era cada día más... cercano a lo que... pasó a denominarse con el odioso término de 'docudrama'», ibíd., pág. 91.

El compuesto inglés **dog-cart**, documentado en el s. XVII, lo incluye el *Peq. Larousse*, acaso porque es un anglicismo bastante difundido en Francia desde mediados del s. XIX, pero raro en España, pese al testimonio de A. F. *Collins Bil.* lo traduce al español como *dócar*, pero *dócar* falta en la parte español/inglés.

En cuanto a **dogo**, 'perro dogo', uno de los anglicismos más antiguos en español (1644), cf. Corominas s.v.

Aunque los caminos de entrada de las palabras marcan la forma e incluso el significado de éstas, **dólar** nos viene sin duda del inglés y según A. F. se escribió siempre *dollar* hasta 1916, con acento agudo o grave.

Primer testimonio: *dollars*, 1865. Como es sabido, llega al inglés a través de una forma *daler*, del bajo alemán, procedente del alto alemán *thaler* o *taler*, por acuñarse en *Joachimsthal*, el valle de San Joaquín, en Bohemia. La Academia incluye, sin relacionarlas con esta voz, las variantes *tálero* y *táller*. Esta última parece venir del italiano *tallero* y no del al. *taler*, como se dice. Lo que hoy es unidad monetaria de los EEUU debe su adopción a Thomas Jefferson, que convirtió el peso español o 'pieza de a ocho (reales)' en el mejor sustituto de la libra inglesa tras la guerra de la Independencia. En 1782, al proponer el 'Spanish dollar' como unidad monetaria lo justificaba escribiendo «It is a known coin and the most familiar of all to the mind of all of the people. It is already adopted from south to north» (*Apud* C. M. Carver, *Hist. English*, pág. 189). No hay unanimidad sobre el origen del *dollar-sign* ($) entre las propuestas: el 8 de las piezas de a ocho y las columnas de Hércules (dólar de las columnas). Aparte del préstamo simple, existen otros derivados y compuestos en español: *petrodólar, dolarización* (en Cuba, 'despenalización de la tenencia de dólares', *El País Domingo,* 22-8-93, pág. 3).

Dolby 'sistema para reducir el ruido en grabaciones' figura como marca registrada en *RHD* y en *Collins*. De los diccionarios españoles sólo lo incluye *VOX*. También figura en el *Duden* alemán, como anglicismo.

No hay unanimidad en rechazar el extendido uso que la política y la aviación comercial han venido haciendo del calco semántico **doméstico** por 'nacional, interno' frente a 'internacional'. Un columnista de *ABC* escribe, refiriéndose a Reagan: «dejándole incapacitado doméstica e internacionalmente» (31-12-86, pág. 3c). El comentario del *LEABC* «Es galicismo incluso referido al ciclismo» no es muy afortunado, primero porque ese uso de aviación es raro en francés, si es que existe, 2.º porque implicar aquí al ciclismo es favorecer la otra alternativa de los segundones de un equipo ciclista, *gregario*, probable italianismo ('membro di squadra sportiva'). ¿Cuál sería la opción española? *Doméstico* figura, en su acepción ciclista, en el *DRAE*'84; *gregario*, en esta nueva acepción, en 1992.

Solución ecléctica: *ABC*, el 26-7-93 escribe «domestique». Sin embargo la *Guía Práctica* del Gobierno de La Rioja y la Agencia EFE (Logroño, 1992), con la colaboración de importantes académicos, periodistas y filólogos, admite ambas formas y además *peón*, sin condenarlas (pág. 46). La obra se titula *El español en el deporte* (=

GP-IED), nombre de un congreso celebrado en La Rioja entre el 13 y el 16-5-1992.

Para adaptarse al curso de la Historia, la Academia ha definido en pretérito la acepción 4.ª del artículo **dominio:** «territorio del antiguo Imperio Británico», procedente, no del lat. *dominium*, que también existe en inglés, sino de un *dominion* medieval, del mismo origen, considerado anglicismo en francés.

En cuanto a la acepción 5.ª ejemplificada en «dominio lingüístico leonés», e incorporada al *DRAE* en 1984, podría ser calco del fr. *domaine* o ingl. *domain*, ambas con significados próximos al del ejemplo.

Uno de los productos más populares de la cocina norteamericana han sido las rosquillas conocidas con el nombre de **donuts** = *doughnuts* (liter. 'nueces de pasta, masa'), pronunciado en España *donuts* o *donus*. Sólo los registra con esta grafía el *Collins Bil.*'92 pero, aunque no muy literario, debe de estar abundantemente documentado en el comercio: «se vende como donuts» lo tenemos anotado en *MM* (1981), pág. 13. Usos como éste facilitan la interpretación de un singular con *s*: «Eres tierno como un *donuts*» (sic) (anuncio en TV 2, 16-11-93, 15 h).

No hay mención en español, como en francés, de préstamos ingleses derivados de *to* **dope**, verbo originariamente de significado inocuo, luego difundido con el valor de 'excitar, estimular'. El diccionario de Höfler, aunque de la misma editorial que *Lexis*, sitúa en 1900 (tres años antes) el primer ejemplo de *doping*, «terme adopté pour designer ce droguage (sic) bienfaisant... jusqu'à un certain point». Con esto queremos subrayar el carácter especializado y deportivo del término y sus derivados. Así, se presenta *doping* en el *Peq. Larousse* (1964) como «(pal. ingl.) Estimulante que se da a un hombre o animal antes de una prueba deportiva» (también registra *dopar* y *dopado*). Dos años después, M.ª Moliner recoge las tres palabras indicando que «para desterrar las cuales la RAE ha aprobado la inclusión en el *DRAE* de *drogado, drogar* y *droga*». Pero más adelante añade que «más concretamente, se aplica este nombre a los alcaloides». Pese a la oportuna decisión académica, *doping* y sus derivados *anti-doping, dopado, dopaje, doparse, dopante* e incluso *dopingar* (sic) aparecen en diccionarios y libros de estilo, en éstos para condenarlos. El *DMILE* recoge también, entre corchetes, *dopado*. Tanto éste como el *Peq. Espasa* marcan el término como propio de la jerga deportiva. Igual hace V. León con el adjetivo *dopado*.

Se contradicen estas posturas con las recomendaciones que aparecen en la *GP-IED*, pág. 31: «*Antidoping control*: Mejor *control antidopaje*; no *control de estimulantes* o *control antidroga*, porque el uso de *dopaje* y *dopar* se justifica por la diferencia de efectos buscados respecto a *drogado* y *drogar* (referidos en general a... estupefacientes)». En *doping* se recomienda «dígase mejor *dopaje*».

La voz *dragge* del inglés medio, que llega a España a través del francés en las formas **draga**, **dragar**, no era propiamente autóctona en Inglaterra, sino préstamo del continente, pues la evolución normal del ingl. ant. *dragan* es a ingl. medio *drawen*, hoy *to draw*, que a veces se filtra en español, como anota A. F., en el compuesto *drawing-room*, 'sala', en serie con *living-room*, *sitting-room, dining-room,* etc. El valor común de los dos verbos es atraer, arrastrar, atraer para sí, retirarse. El nombre de la habitación se explica como reducción de *withdrawing room*, 'sala adonde se retiran (los comensales)', expresión anticuada.

Un compuesto reciente entre marginados es **drag queen** (fem.), traducido por '*reinona*' ('reina, homosexual pasivo', V. León), a veces reducido a *drag* (pl. *drags*). Comentando el movimiento de las «drag queen» (sic), el supl. de *El Mundo Metrópoli*, 8/14-11-94, dice que «llevan muchos años... paseando por Madrid» (pág. 3). Este uso de *drag* procede de la expresión *to wear drag* 'vestirse de mujer'. El escritor L. A. de Villena, en un artículo titulado «Reinonas de tacón y lamé» (*El Mundo*, 16-12-94) dice: «Hoy no se puede aspirar a mayor modernidad que incluir en tu fiesta... una *drag queen*... desde el inglés americano... podría traducirse como *reinona disfrazada*, siendo *queen* (reina) el mariquilla dado a perifollos, plumas, gestos, maquillaje... Dicen que la última moda de los grandes ejecutivos... es darse un garbeo por las noches convenientemente transformados en glamurosas *drag queens*...». Del Brasil nos traen la siguiente noticia: «... la *drag queen* Isabelita dos Patins... y su otro yo, Jorge Iglesias, exhibiendo ropa interior femenina y masculina...», *El País*, 3-8-95, página 23.

Drástico, ya comentada. Cf. pág. 91.

No llega a entrar en los diccionarios académicos el compuesto naval **dreadnought**, para designar un tipo moderno y temible de acorazado, primero nombre propio, a principios de siglo. Quien haya leído sobre la guerra del 14 y sus antecedentes tiene que estar familiarizado con esta máquina de guerra, tan impresionante como su nombre —el «teme-nada», el impávido, el impertérrito—. A. Fernández registra varios ejemplos y derivados de este nombre: *superdreadnought, predreadnought*.

Dream Team 'equipo de ensueño, equipo soñado' es el calificativo aplicado al de baloncesto de los EEUU durante los Juegos Olímpicos de Barcelona (1992). Posiblemente se usó antes, pero su presencia en España favoreció el arraigo del apelativo. Lo tengo también anotado con respecto al tenis: «... fuera del 'dream team'...», M. Adrio, *ABC*, 30-6-94, pág. 86. Luego se ha aplicado también a otros grupos, no siempre deportivos. Así, en *El Mundo* de 14-3-95 se titula «El Dream Team del Ocio» la crónica que describe el 'proyecto multimedia' de Spielberg, Gaffen y Katzenberg denominado *Dream Works Interactive*. Tampoco tiene que ver con el deporte la frase: «El 'dream team'... por el control de la Chrysler está compuesto por una inefable pareja...», P. Rodríguez, *ABC*, 14-4-95, pág. 39. Pocas semanas después escribe *ABC*, 9-5-95, pág. 84, sobre «Problemas en la transformación del otrora 'Dream Team'...» [se refiere al F. C. Barcelona]. También se llama así al equipo barcelonés en el diario *El País*: «El colectivo de Cruyff, el *Dream Team*, cayó sepultado...» (11-6-95, pág. 42). Otro equipo, éste alemán, merece también esa distinción, «... el 'Dream Team' de la Bundesliga (= Borussia Dortmund)...», *ABC*, 21-11-94, pág. 83.

Ya M.ª Moliner señala en *DUE* que **dren** (cirugía), **drenar** y **drenaje** vienen del inglés. En estos últimos añade que son anglicismos aprobados para su inclusión en el *DRAE*. No se equivocaba en cuanto a la admisión pero sí en cuanto a la filiación con que entraron, pues hasta la XX edición figuran como galicismos. En la XXI, siguiendo el ejemplo de los franceses, se indica el papel intermediario de su lengua a partir del inglés *drain*, nombre y verbo.

El caso de **driblar** (ingl. *dribble*) y su familia merece especial atención. Ya Pfändler, *op. cit.*, calificaba el verbo inglés de «unübersetzbar» (intraducible), por eso existe en francés y en alemán. También observa que *regatear* y *regate*, propuestos como traducción española, no son lo mismo. Hoy, casi 40 años después de su comentario, no se han aclarado las cosas. Por una parte, el *DRAE* ha admitido sólo el verbo, que remite a *regatear*, 4.ª acepción 'hacer regates'. Pero *regate* es una 'finta que hace el jugador para no dejarse arrebatar el balón'. Choca esta definición con la del *DMILE* s.v. *dribling* 'arte de... conducir [el balón] hacia delante sin que se separe mucho de los pies'. Acompañan a esta entrada entre corchetes *driblar* y *dribler* (Pfändler había registrado *driblador* en 1954), todos con una sola *b*. Ése es el significado del verbo inglés, en el que no entra la idea de esquivar al adversario. La explicación de *Peq. Larousse* trata de conciliar ambos sentidos: «en el fútbol, engañar al adversario sin perder el balón». También aparece en *VOX* la idea de eludir al contrario, como añadido a la definición del *DMILE*, idea que no posee originariamente la voz inglesa pero que en español a veces domina: Pfändler aduce un ejemplo significativo de 1951: «su delantera dribla mucho sin retener el balón». En la *GP-IED* se recomienda *regate* o *finta* para *dribling*.

Ha tenido buena acogida ingl. **drill** en español. Aunque en los diccionarios ingleses figura en cuatro o más entradas, alguna con una docena de acepciones, el significado 'tela fuerte de hilo o de algodón crudos' es el que crea menos dificultades etimológicas. Hasta 1984 no se suprime la etimología *drilling*, falsa adaptación del al. *Drillich* (< lat. *trilix*). La voz española *terliz* tiene el mismo origen latino y significado semejante: 'tela fuerte de lino o algodón... tejida con tres lizos'.

Por otra parte, *drill* entra como segundo elemento del nombre *mandril* (< ingl. *mandrill*), que designa un mono africano también conocido primero como *drill* en francés e inglés hace más de dos y tres siglos. *Mandrill*, con influjo de *man* 'hombre' está atestiguado en inglés en 1744, según el *OED*.

Entre profesores de inglés *drills* es término frecuente para designar ejercicios repetitivos (< ingl. *drill* 'ejercicio, instrucción militar').

También ha entrado con fortuna **drive** en el mundo deportivo. A. Fernández lo documenta, referido al golf y al tenis, en 1910. La *GP-IED*, en el vocabulario de los juegos olímpicos (el golf no lo es) propone para *drive*, en badmintón, *golpe plano* y en tenis *golpe natural* mejor que *derechazo*. Pratt (*op. cit.*, pág. 156) observa que en inglés se pronuncia /dráiv/ y así lo ha oído pronunciar en España.

El compuesto **drive-way**, de difícil equivalencia en español, ya lo hemos comentado en otro lugar. Ycaza incluye, en un inventario de los anglicismos más usuales en Nicaragua, el neologismo *drive-in*: «sitio al lado de la carretera donde se expenden bebidas y comidas». J. Marías (*Los EEUU en escorzo*, 1972, pág. 17) lo traduce (hacia 1951) por 'cine para automóviles'. Más de uno escribe *drive-inn* creyendo que es un compuesto de *inn* 'posada'. La Academia admitió en 1984 *autocine*, de uso restringido, me dicen, al litoral mediterráneo.

No ha tenido mucha aceptación en España el angloamericanismo **drugstore**, que irrumpió hace unos años como variante adaptada a los usos españoles de la peculiar institución yanqui. J. Marías, en la obra arriba citada, pág. 39, usa el término en 1951. Hoy no quedan más que reliquias, calificadas de cafeterías, de aquel impulso inicial.

Sin embargo, aunque *droguería* era voz implantada en el comercio español con todas sus connotaciones de perfumería, cosmética, pintura, etc., que se conservan inalteradas en el nombre del establecimiento, hay un abismo insalvable entre este respetable gremio comercial, el de los drogueros, y los numerosos derivados del lenguaje de la *droga*, en singular, que constituye hoy una jerga plagada de anglicismos crudos y traducidos, además de creaciones ocasionales que deseamos tan efímeras como el fenómeno social que las origina: yoe, yoi, yoin = *joint*; yonqui = *junky*, volar, estar volado, volcán, viaje = *trip*, viajar (id.), trip, tripi = LSD, tripear, trócolo (= porno), trompeta, tierra, tila, tate, taco, talego [sólo de la *t* en adelante en el *Dicc. de Argot*, de V. León]. El *DRAE* registra el nombre de esta jerga —lenguaje de la droga— por ejemplo s.v. *esnifada*.

Entre 1970 y 1984 el nombre *droga*, 2.ª acepción, y el verbo *drogar*, 1.ª acepción, han recibido en su definición tras la palabra droga un adjetivo más, alucinógeno, donde se refleja levemente el efecto sociolingüístico que el narcotráfico ha causado en las costumbres y el lenguaje, pues en la edición de 1992 el *DRAE*, aparte de los anglicismos *drogadicto* y *drogadicción* incluye los cultismos *drogodependencia* y *drogodependiente*, así como las formas familiares *drogota* y *drogata*.

Registra y comenta A. Fernández varios ejemplos del ingl. **dry** 'seco' desde 1911. Lo considera innecesario y propone el adjetivo español. Para *extra-dry* recomienda *sequísimo*.

Ahora bien, llamar seca a una bebida por oposición a dulce parece un calco semántico que sólo registra el *DRAE*'47 s.v. *vino seco* 'el que no tiene sabor dulce', acepción que no menciona Corominas y estaría justificada por las citas de A. F., que a su vez podrían ser reflejo de usos franceses, pues los mencionados en ese estudio (*dry sherry, Canada dry, extra-dry*) tienen su equivalente en francés, donde *extra-dry* sólo se aplica al champán.

Comentar que *seco*, italianismo aplicado al vino del sur (Málaga, Canarias, Jerez), significa, según Kluge (*Etym. Wb.*), en el norte de Europa 'vino dulce extraído de uvas pasas', que en su forma *sack*, que también significa *saco* y *saqueo*, lo usa Shakespeare en su *Enrique IV*, 2.ª parte, acto IV, y que Falstaff en su canto al jerez (*sherris-sack*), *ibídem*, al pedir un vaso de *sack* en su versión alemana convirtió el *sack* en *sekt*, hoy 'champán', nos llevaría muy lejos. Que con el tiempo una marca famosa se llamara *dry-sack* contribuye más a la confusión. Lo que pretendemos decir es que seco por *dry* no es más que un calco; otra opción, *brut*, sería un galicismo aceptado por la industria de espumosos españoles.

Las tintorerías españolas que quieren marcar el ritmo de los tiempos anuncian a veces su servicio como **dry-cleaning**, sin prescindir del calco *limpieza en seco*, a veces intensificado en *superlimpieza*. En H. J. Gutiérrez (*La lengua del Barrio*) se anotan dos respuestas individuales de *dryer* y *blow-dryer* (> *draya* y *blodraya*) procedentes de puertorriqueños jóvenes ya nacidos en el Barrio, nada significativas. Sin embargo, en Nicaragua, según Ycaza (*art. cit.*), se cuenta *dry-cleaning* entre los anglicismos más usuales.

Se han cumplido ya más de 70 años desde la aparición en 1922 —y nada menos que en la *Gaceta*— de la voz **dumping**, presente en todos los libros de estilo para rechazarla, como ya se hacía en 1922 por ser «palabra bárbara y odiosa» (*A.E.*). Más que proponer equivalencias, estos manuales recomiendan que se escriba entrecomillada o en cursiva e invariable en plural.

El sentido primitivo del verbo *to dump* aparece en el préstamo *dúmper* 'volquete' en *VOX* y *Collins Bil.*

Pocos pueden dudar de que la grafía **dúplex** con su insólita *-x* es prueba de palabra latina. Pero excepto la 1.ª acepción del *DRAE* 'doble', los usos telegráficos o metalúrgicos del término, así como la 4.ª acepción del *DRAE*'92 'vivienda... de dos pisos o apartamentos', suponen conceptos nuevos de la civilización occidental. El diccionario *Lexis* da casi un siglo de antigüedad a aquellas acepciones. En cuanto a la 4.ª, documentada en 1960 en francés y registrada por M.ª Moliner en su *DUE* en 1966, es, según todos los datos disponibles, un angloamericanismo aparecido hacia 1935. Así lo admitía *Robert Angl.* s.v., que lo describe como «mot américain n. (pl. *duplexes*), 1922, abrév. de *duplex apartment*».

Los derivados actuales en *-x*, casi todos neologismos que a veces indican relación con productos comerciales, son hoy frecuentes: kleenex, scottex, duralex, relax, fax, simplex (telec.), unisex, pyrex, multiplex. No todos son ingleses.

La acepción 3.ª de **durmiente** 'traviesa de ferrocarril' se debe al ingl. británico *sleeper*. Nótese que también la variante americana *tie* dejó huella en el español de Nuevo México (según Aurelio M. Espinosa, *taya*). Aparte del Cono Sur, hemos anotado el britanismo en México. En el *LHCMéx.* los 25 sujetos consultados sobre 'traviesa' dieron como respuesta *durmiente*.

Ya en su primera edición (1988) incluía A. H. en su diccionario la expresión **duty free shop** 'tienda libre de aranceles', generalmente instalada en los aeropuertos y en el tráfico internacional de buques o aviones. No se ha alcanzado unanimidad en la traducción y por eso se mantiene el nombre inglés: «almacenes de venta libre o *duty free shop* en el aeropuerto», *La Época* (Santiago, Chile), 8-2-95, pág. B4; «Inglaterra y Alemania al precio de *Duty-Free*», anuncio en *El País*, 19-4-95, pág. 63. En Argentina, según *Oxford Bil.*, el término *free* *shop* es la forma abreviada de *duty free shop*. No lo confirma el diccionario de Chuchuy.

Es- < s + cons. Debido a la estructura fonológica del español, parece obvio que aquellos anglicismos que empiezan por la llamada «*s* líquida» (*s* + cons.) desarrollen una *e-* de apoyo como los latinismos e italianismos, que se convierte en núcleo de la sílaba inicial de la palabra cuya primera frontera silábica queda marcada por dicha *s*. Así tenemos ya en el s. xv *scottes* > *escotes* 'escoceses' (*Conf. Amantis*, libr. II, v. 929), y modernamente *scanner* > *es-cáner, sniff* > *es-nifar, snob* > *es-nob*. Admitidos también por la Academia están *esmoquin, eslogan, esplín, estrés*.

Pero quedan todavía muchos anglicismos de este tipo pendientes de adaptación y admisión ulterior, si fuera necesario, que ya figuran, con grafía variable, en otros diccionarios o libros de estilo: *escúter* (< *scooter*) al lado del otrora popular *biscúter*, creación española traducida al inglés como *three-wheeler*, *scoop*, *score, scout* > *escaut, sketch, slide*, *slip* > *eslip, script, smog, snack (bar), spaniel, sparring, speaker, speech* > *espiche, spider, spin* > *espin, sponsor* > *espónsor, spot* > *espot, sport* > *espor, spray* > *esprai, sprint* > *esprint, esprintar, squash, squatter, stand, staff, standing, star, starter* > *estárter, status* > *estatus, stick, stock, stop, strip-tease*. De los adoptados con *es-* en español haremos mención en las páginas que siguen.

Ebonita. *DRAE* (del ingl. *ebonite*). Se podría añadir que *ebonite* es derivado de *ebony* 'ébano'.

Edición, editar, editorial. La irrupción de *to edit* y sus derivados en español ha sido objeto de airadas protestas y sensatas aclaraciones que no parecen haber frenado su difusión. El comienzo del desbarajuste consistió en el uso, al parecer intrascendente, del adjetivo *editorial* como nombre del artículo de fondo que, sin firma, representaba el punto de vista de la dirección de un periódico. «Si el director hace editoriales... edita». Luego se produce la proliferación de «cargos importantes» con su correspondiente etiqueta. Y así, aunque una revista como *Time* tiene un *editor* por antonomasia, al que se dirigen las cartas (Letters to the editor), en la condensada columna —tercio de página— de un número reciente he podido contar, s.e.u.o., más de sesenta *Editors*, que van desde un *Editor-in-chief*, a la cabeza, hasta diecisiete *Assistant Editors*, pasando por un *Managing Editor*, un *Deputy Managing Editor*, un *Executive Editor*, dos *Assistant Managing Editors* y un *Editor-at-Large*, etc. No entran en este cómputo los colaboradores, los reporteros, fotógrafos, maquetistas, creativos, administrativos o corresponsales en el extranjero ni otros puestos de variable equivalencia en la prensa española. Visto esto, nada tiene de extraño que además de un director, o en vez de él, tengan revistas, periódicos y telediarios sus correspondientes «editores» ni que, siguiendo también el ejemplo inglés, el compilador de una serie de artículos sobre un tema se llame también *editor*. No he encontrado todavía ejemplos de *editar* en el sentido de adaptar (= corregir) las cartas de los lectores a las normas o estilo de la publicación.

Educar, **educación**. Un escritor prestigioso ha afirmado en la prensa que el Ministerio de Educación fue nombrado con este anglicismo para desterrar el nombre de Instrucción pública, que tenía resonancias francófonas. Lástima fue no preguntar al insigne académico don Pedro Sáinz Rodríguez, primer ministro de ese título, quién había inspirado el cambio de nombre. Dados los vientos que soplaban durante la guerra y la posguerra españolas, cuando el cine *Savoy* se convertía en *Yavoy* y el *consomé* en *consumado* (*DRAE*'47), no puedo imaginar un «anglicismo» tan violento en el centro de la irradiación cultural española. Más parece una traducción del alemán, pues los compuestos de *Erziehung*, según el dicc. *Sachs-Villate*, alemán-francés (1911), se traducen al francés con el adjetivo *pédagogique* o los sustantivos *d'éducation* (2 veces) e *instruction publique*. Claro está que *Instrucción pública* es calco del francés, pero dudo de que Educación Nacional lo fuera del inglés. Además, el primer *Ministerio* *de Educación* inglés no se creó hasta la victoria laborista al final de la 2.ª Guerra Mundial (1945).

Tal vez la clasificación de anglicismo proceda de Pratt, quien apoyado en Stone la incluye en lo que él llama «anglicismo semántico paronímico», que corresponde a lo que nosotros llamamos calco semántico. *Educación*, por 'enseñanza', acaso no corresponde al neologismo de Lope señalado por Corominas, pero el *DRAE* de 1780 s.v. *educación* explica «La crianza, enseñanza y doctrina con que se educan los niños en los primeros años». Se podrá objetar que tal educación era sólo enseñanza de párvulos, pero en el art. *educar* entra también «...educar... a la juventud...». Emparejada con *instrucción* aparece en una cita recogida por M.ª Paz Battaner de 1871 (*Vocabulario político-social en España (1868-1873)*, Madrid, 1977, s.v. *desarrollo*).

Sobre **eficiente**, calificado por los franceses de anglicismo, sobre todo como alternativa de *eficaz* desde el s. XVIII, se puede decir que el caso español es distinto, pues, como hemos señalado hace 40 años (cf. pág. 85), en español no son términos sinónimos más que excepcionalmente, y están bien atestiguados, con toda su familia léxica, desde el s. XVI. *Eficiente*, según Corominas, ya en 1530.

Aunque la mayoría de los creadores de crucigramas tienen como norma de referencia el *DRAE*, el *DMILE* o el *DUE*, hay algunos que, aunque no figura en éstos, remiten a la palabra **eider**, definida en el *Peq. Espasa* como «ave anseriforme anátida, que produce el edredón». Pero la voz *edredón* se explica en el *DRAE* indicando «(Del fr. *édredon*)» y el usuario se queda sin saber cuáles son las aves que lo producen y además, sin resolver los crucigramas, a menos que acuda al ya citado, al *Peq. Larousse*, al *VOX*, o a los diccionarios bilingües de *Collins* y *Langenscheidt*. Como se ve, la voz está lo suficientemente difundida, con definiciones variables, para merecer sanción académica. Mas si *edredón* es un galicismo, *eider* no es una palabra sueca, como afirman algunos diccionarios, sino adaptación del isl.

ædr a otras lenguas del Mar del Norte, inglés, neerlandés, alemán, etc., con el añadido *-down*, *-daune*, *-don* 'plumón'. En francés se dijo *edre* en la Edad Media, de donde *edredón*, que se refleja también en el al. *Eiderdon*, por *Eiderdaune*. En francés *eider duck* se considera el equivalente inglés de *canard édredon*. *Eider* figura ya en la *Enciclopedia* (1755). La voz española, si pensamos en el testimonio del *Peq. Larousse*, podría haber entrado a través del francés.

Antes de 1984 el único valor sustantivo incluido en la entrada **ejecutivo, va** era el femenino de 'Junta directiva de una corporación o sociedad', es decir, *la ejecutiva*. En esa edición, la XX.ª, aparece, como masculino y femenino, la acepción 'persona que forma parte de una comisión ejecutiva o que desempeña cargo directivo en una empresa', calco del ingl. *executive*. Esta posición de prestigio se contagia a la función adjetiva: director ejecutivo, secretario ejecutivo, etc.

Hay que reconocer en el físico y químico inglés Michael Faraday, aparte de su descubrimiento de la inducción electromagnética, su capacidad creadora de nuevos términos, algunos ya citados (*anión, ánodo, catión, cátodo...*), otros, como los derivados de **electro-**, propuestos por él o no usados antes: en 1834, *electrodo* «In place of the term pole I propose 'Electrode'» (apud *Robert Angl.*); asimismo, *electrolizar* (< *electrolyze* < *electro-* + *(ana)lyze*), de donde salen *electrólisis* (no al revés, como dice la Academia) y *electrolización*. También de 1834 es *electrólito*.

No tiene que ver con Faraday y la física en general la fusión de *electro-* con *(exe)cute* para crear el verbo **electrocutar** que, con la silla eléctrica, se inventó en los EEUU a finales del siglo XIX y que otros países, más anticuados, no hemos sabido aprovechar.

Tampoco tiene que ver con Faraday, pero procede del inglés y se apoya en dos creaciones suyas, el término **electrón**, usado por primera vez, según las enciclopedias, por el profesor dublinés G. Johnstone Stoney.

El americanismo **elevador** (ingl. amer. *elevator*) por 'ascensor' figura en diccionarios bilingües sin mayor precisión geográfica. El *DRAE* lo registra como acepción 4.ª y referencia a «países americanos». Dado el origen de los fabricantes (EEUU) es natural que prolifere en Iberoamérica. También aparece en España (*ABC*, 8-8-93, pág. 29 a).

No se consigna en el *DRAE* la etimología de la palabra **elfo** y sí su relación con la mitología escandinava. Esta voz existe también en francés, italiano y alemán, lenguas que la consideran tomada del inglés *elf*.

Falta en la edición del *DRAE*'47 la voz **endogamia** y por eso no conocemos la opinión de Corominas, pero sabemos por *Robert Angl.* que su creador fue MacLennan en 1865 a partir de *polygamy*. Es posible que llegara al español por intermedio del francés, pero en ese caso estaría documentada antes. Nada debe al francés o al inglés el uso universitario español de llamar también endogamia a la práctica de renovar o aumentar el profesorado sin acudir a fuentes extrañas al propio centro.

Para las voces **ensayo**, **ensayista** en sentido literario el *DRAE* no hace distinción alguna, aunque hubiera bastado con asomarse a Corominas para comprobar el origen francés o inglés, respectivamente, de ambas.

En la primera edición de *EEH* (1966, pág. 21) comentábamos en nota cómo una palabra del gobierno Johnson, *to escalate*, había llegado ya a España en 1966 (cita de *ABC*) con el valor de 'intensificar'. En el *DRAE*'84 aparece en el deverbal **escalada** acep. 3.ª «Aumento rápido y por lo general alarmante de una cosa, como precios, actos delictivos, gastos, armamentos, etc.», significado que no se infiere de ninguna de las seis acepciones enumeradas s.v. *escalar*.

En los bocadillos (*DRAE*, acep. 8.ª) de dibujos y tebeos aparece desde hace muchos años la 'onomatopeya' *sniff, sniff* para indicar que alguien olfatea o inhala algo por la nariz. Del mismo origen inglés es el verbo **esnifar**, referido a los toxicómanos: «Tuvo que perder veinte kilos para hacer el esnifador de 'Bloody mama'», *ABC*, 30-11-86, pág. 115; «... beben cerveza y 'esnifan' cocaína», P. Crespo, *ABC*, 8-2-87; según R. Tamanes «Luis Yáñez ha esnifado cocaína», *ABC*, 3-6-87. Más ejemplos recientes: «... murió en un hostal tras esnifar heroína... adulterada»; «C. A. había esnifado dos *papelinas* de heroína...»; «... pagó 3.000 pesetas por unas *rayas* esnifadas en el lavabo de una cafetería...», *El País Madrid*, 18-11-95, pág. 5.

Ya Pratt (*op. cit.*, pág. 227) comenta la grafía hipercaracterizada de **establishment**, sin *e-* inicial, fenómeno de «aproximación» al inglés semejante a la inversión de consonantes en *foreing* por *foreign*.

La reacción ante este anglicismo es comedida. El único diccionario que lo incluye, si no me equivoco, es el *Peq. Espasa*: «Voz i. utilizada innecesariamente por poder, grupo de líderes». El *LEPaís* la considera término sociológico que no debe emplearse en un texto noticioso. Su definición es «sector o grupo que domina en cualquier campo». El *MEU* recomienda que se use así, sin intentar adaptarla como *establecimiento;* no la define. El *LRVang.* ordena: «Evítese su uso. Cuando sea imprescindible... escríbase entre comillas». El *ME-TVE* no se pronuncia, pues da el término como incluido en el *DMILE* (1989), pero se trata de un error. Su definición —«sector o grupo dominante»— es un eco de la del *LEPaís*. El *LEABC* no incluye esta palabra.

Los diccionarios bilingües hubieran brindado traducciones más acertadas. La del *Collins Bil.* ofrece como opciones 'el sistema, la clase dirigente, los que mandan'. El *DTJ* de Alcaraz/Hughes: 'poder establecido'.

Entró en la edición de 1984 el anglicismo **estándar** con 4 equivalencias: 'tipo, modelo, patrón, nivel'. La de 1992 respeta esto como 2.ª acepción y añade como primera su valor de adjetivo invariable.

El *MEU*, inspirado probablemente en Lozano Irueste, recomienda (sic) el uso de **estanflación** para traducir el neologismo —soldadura— inglés *stagflation* (< *stagnation* + *inflation*), un tanto insólito fuera del ámbito económico. F. Rodríguez (1991) registra *stanflación* («horrendo nombre») en 1974 y *estagflación* «estagnación e inflación» en 1977.

Después de la abrumadora exposición de Corominas, apoyado en Wahlgren, sobre el origen de los puntos cardinales, hay que reconocer que **este** por 'levante' es término tomado del inglés antiguo o anglosajón a través del francés, sobre todo porque las primeras documentaciones presentan la forma *leste* o *l'este* indicando aglutinación del artículo. No es tan clara la procedencia de los otros nombres, pese a los esfuerzos por explicarla del etimólogo catalán.

Estereofonía y sus derivados aparecen en inglés entre 5 y 10 años antes que en francés, donde no consta su origen. En alemán, *Stereophonie* figura como calco del ingl. *stereophony*. Otros derivados con *estéreo-* son más antiguos y de diverso origen.

Aunque **estrés** y **estresante** (< ingl. *stress*) figuran desde hace más de un decenio en el *DRAE*'84 (*VOX* añade incluso el verbo *estresar*), siguen usándose entrecomillados o en cursiva. El *MEU* tiene que recordarlo y explica que el plural es regular: *estreses*.

No comprendemos la condena del *LEABC* sobre el uso de **evento** en el sentido de 'suceso' o 'acontecimiento', pues la primera acepción registrada en el *DRAE* es 'acaecimiento', voz que se define machadianamente en 1947 como suceso (*suceso* = cosa que sucede).

Acontecimiento y *acaecimiento* son sinónimos, pues ambos remiten a *suceso*, 1.ª acepción, con el matiz 'especialmente cuando es de alguna importancia'. Pero no creo que sea éste el motivo del rechazo, sino el de subrayar la acepción 2.ª 'eventualidad, hecho imprevisto'. Estamos aquí en un dilema: o rechazamos la primera acepción por poco usada, insistiendo en lo contingente, imprevisible, etc., o aceptamos la realidad hispánica, donde *evento*, aparte del valor neutral 'cosa que sucede', ha adoptado, como anglicismo, el de prueba deportiva o especialidad deportiva —salto de altura, 100 m. lisos, etc. En cuanto a *eventual*(mente) es claro el calco semántico inglés en frases como las denunciadas por *MEU*: «eventualmente se salvó» (= al final se salvó), «el resultado eventual de la crisis» (= el resultado definitivo).

Evidencia por 'pruebas' es calco semántico que venimos denunciando en clase hace muchos años. A veces se cruzan los dos significados y se condena como anglicismo lo que «evidentemente» es evidente: «Hubo un incendio, con muertos y heridos. A pesar de esas evidencias, dijo que la cosa no era grave».

Evolución, sin duda, es palabra que existe en latín con el valor de movimiento de algo o alguien que se desplaza en líneas curvas. Pero las acepciones decimonónicas que se centran en el término **evolucionismo** como alternativa de *darwinismo* se deben al inglés. (Cf. más arriba, s.v. *darwinismo*.)

No ha tenido en cuenta la Academia el origen inglés de la acepción 'extravagante' en el neologismo **excéntrico** (< *eccentric*) propuesto por Corominas s.v. *centro*, acepción también considerada anglicismo en francés.

El uso circense de *excéntrico* debe de ser creación española.

Nos consta que el adjetivo **exhaustivo** (ingl. *exhaustive*), que algunos critican por reiterado (*MEU*), fue creado por Jeremy Bentham antes de la Revolución francesa, a partir del participio latino *exhaus-*

tus, con el significado de 'muy completo, que agota la materia' referido a estudios y otros trabajos.

Según *Robert Angl.*, fue el mismo McLennan que acuñó el término *endogamia* quien en 1865 inventó, apoyado en el griego, el antónimo **exogamia**. Podría haber dudas sobre si los dos términos vinieron al español desde el francés o el inglés. Lo que no es probable es que se formaran en griego.

El tren **expreso** de Campoamor (*express train*), como la mayor parte de los términos ferroviarios, debe su forma y significado al inglés, como bien reconocen los franceses que lo escriben a la inglesa, sin acento y con doble *s*. *Lexis* incluye tres entradas para *exprès* francés y dos más aparte: una para *express* inglés 'rápido' y otra para el italianismo *caffè expresso*, difundido en Francia con la grafía del inglés, que curiosamente prefiere, buscando lo exótico y diferente, la grafía italiana *espresso* (= 'exprimido'), voz que probablemente identifica con su participio *pressed*, pues el vapor actúa a presión en estas «cafeteras esprés» que conocemos como italianas.

Express-train, según A. Fernández, está documentado en 1865; *tren express* en 1872; *sud-expréss* en 1897. Muy curiosa es la deformación, varias veces atestiguada por este autor, de *sud-exprés* en *sub-expres(o)*, con valor positivo. No es el caso del crítico de arte empeñado en defender *subrealismo* frente a *surrealismo*, por entender que estaba por debajo del realismo.

Hay que mencionar aquí, por ser error que saltó a la prensa, el significado inglés de **extravagancia** 'despilfarro, gasto excesivo'. Preguntado un arquitecto americano sobre el proyecto de un auditorio español y su presupuesto, le atribuyeron el comentario de que era una *extravagancia*, con gran consternación de quienes no sabían inglés.

Debemos también a la laboriosidad de A. Fernández la datación de los primeros ejemplos de **fading** y **antifading** en España. Los datos recogidos por él superan en antigüedad a los mencionados por *Robert Angl.* pero no a los de Höfler. Éste documenta *fading* en 1924 y *antifading* en 1929, como adjetivo.

En español su uso estuvo restringido al desvanecimiento o extinción temporal del volumen de sonido en radiodifusión y lo registran casi todos los diccionarios (*Peq. Larousse, Peq. Espasa*, *DUE*, *VOX*) excepto los académicos. Siendo la radio el más influyente, al parecer, de los medios de comunicación, se esperaría que los manuales de estilo mencionaran el término, pero supongo que las nuevas técnicas de radiodifusión han acabado con esta contingencia y, por supuesto, con el dispositivo *antifading* para evitarla.

De hecho, en inglés —y esto corrobora lo antedicho— el *fading* como riesgo radiofónico ha desaparecido y, en cambio, domina el valor de aumento o disminución de luz o sonido, tanto en espectáculos directos como transmitidos.

Disponiendo el español peninsular de sinónimos expresivos como *hincha, forofo, seguidor*, etc., es extraño que el anglicismo **fan** (como *supporter*) se use modernamente (*DMILE*: *fans*), en especial entre admiradores jóvenes de figuras o grupos musicales, a veces alternando con la palabra completa *fanático, ca*. El *LEABC* recomienda el pl. *fanes* pero prefiere las soluciones españolas; igual que *LEPaís*, está a favor de *aficionado*. Ahora bien, en español, *aficionado* no posee la carga irracional inherente al término *fanático*. Lo que ocurre es que la voz *aficionado*, en inglés, se describe como 'an ardent devotee, fan, enthusiast', matices que faltan en las definiciones más asépticas del *DRAE*. Pero los *hinchas* y la *hinchada* son anteriores a la presencia en español de los *fans*, y difícilmente podrían sustituir a éstos, como se afirma en *NN*, menos aún a los *supporters*, que es el término preferido para los *hinchas* futbolísticos. *Fanáticos* sí podrían serlo de la música, del fútbol o de la bicicleta, pero no de un equipo, ni de un artista o deportista famosos. *Hincha* figura en el *DUE* (1966) en esta acepción (para más precisiones véase G. Colón, *Español y Catalán*) y el derivado *hinchada* como americanismo en el *Larousse Bil.* Ello es posible en un principio, como ocurre con *hincha*, que Corominas cita como argentinismo y lo relaciona con *fan* pero sin dar el inglés como motivación.

Para el mundo juvenil entusiasta de los grupos o ídolos musicales se han creado revistas llamadas **fanzines** o **fancines** (*fan* + *magazine*). Las dos formaciones las registra el *Collins Bil.* (1992, no en 1988), lo cual da idea de su novedad, pero yo tengo apuntada la palabra desde 1981 (*MM*, pág. 9, y en *Domingos ABC*, 18-10-82). También existe la «mentalidad *prefanzinera*» (1984).

Son muchos los hispanohablantes que conocen el mundo geográfico y cultural que se esconde tras el término **Far West** y su correlato cinematográfico, el *western*. Pero no todos ellos llaman a los pantalones vaqueros /farwés/ o /fragwést/ (< *Far West*), como ocurría en Uruguay. Kühl los identifica con los pantalones vaqueros o tejanos de España y califica el término de obsoleto.

Ni siquiera como calco del inglés **fashionable**, registrado en francés desde 1804 (*fashion* en 1890) según *Robert Angl.*, figura en los diccionarios franceses la voz *façonnable*, origen teórico de la formación inglesa, que aparece en un anuncio a toda página de *El País semanal* (2-4-95, pág. 61) de moda masculina. Igual que en francés, el adjetivo precede al nombre en español. A. F. la registra en 1876, pero la hemos anotado en Larra con valor de sustantivo en 1835, «los fashionables suben y bajan a los palcos», y en Valera como adjetivo y adverbio, en 1847: «la más fashionable señorita» y «fashionablemente». También, como en francés, la voz ha pasado de moda.

Aunque la expresión **fast-food** aparece ocasionalmente entrecomillada o en cursiva referida a los EEUU, hay algún intento de aclimatación al español, desde la traducción literal en 1972 'comida rápida', 'platos rápidos' hasta la expresiva solución puertorriqueña *come-y-vete*, usada por el desaparecido Ricardo Gullón (*ABC*, 9-11-

87, pág. 3), y casos de identificación con otro anglicismo, *burger* (pron. *burguer*), que tal vez acabe triunfando apoyado en el nombre, muy extendido, de *hamburguesería*, ya en el *DRAE*'92, que no es exactamente lo mismo. Cf. además en CALCOS PLURIMEMBRES s.v. *comida rápida*.

La identificación de *x* = *cs, ks* en algunas lenguas (la transliteración ocasional del ruso *Aleksandr* = *Alexander*) ha facilitado en inglés la reducción de *facsimil* a **fax**, que el *DRAE*'92 acoge con el rodeo *telefax*, hoy poco usado. Es la misma licencia ortográfica que permite la grafía *cómix*, con verbo en plural, por *comics*, ya señalada, que hemos observado alguna vez en España.

No ha ingresado todavía en el *DRAE* el anglicismo **ferry(-boat)**, que ya figuraba en el *Peq. Larousse* de 1964 y en el *DUE* (1966). También tienen entrada las dos opciones en el *DMILE* como voces inglesas, a pesar de la condena general de los manuales de estilo. El uso de la lengua hablada y, a veces, de la escrita se decanta a favor de *ferry*. Acaso la causa sea, aparte de la brevedad, la nueva acepción de *transbordador* para traducir la llamada *lanzadera espacial* (ingl. *shuttle*), así aceptada por la Academia, cuya conexión léxica con el uso actual de *lanzar* no refleja ya la idea de ida y vuelta de la lanzadera textil, muy vivo en el inglés *shuttle*, para el telar, o *shuttle-cock* para el volante (acep. 15.ª) o zoquetillo de corcho y plumas usado en el bádminton.

Transbordador, según la Academia, se aplicaría al barco, acep. 2.ª, y *lanzadera espacial* a lo que normalmente leemos como *transbordador*. En la prensa de hoy —13 de agosto de 1993— se nos informa del aplazamiento de la salida de uno de ellos. En dos periódicos —*El Mundo* y *ABC*— se usa la voz *transbordador* 8 veces y *lanzadera* ninguna. Algo parecido en *El País* de los mismos días.

Sobre **festival** véase pág. 62.

Tiene razón Corominas al señalar, a propósito de **filibustero** 'pirata', que es palabra mal estudiada. Él, que examina su historia con atención, se abstiene cautamente de dar una explicación definitiva. El *DRAE*'84 enmienda la etimología de las ediciones anteriores (< ingl. *freebooter* 'merodeador') y propone fr. *filibustier* < neerl. *vrijbuiter*. La voz neerlandesa desaparece de la edición última. Sobre la 2.ª acepción de *filibusterismo*, referida al movimiento de emancipación de las colonias españolas de ultramar, no hay mención en Corominas, y en las últimas ediciones del *DRAE* (al menos las tres últimas) figura como desusada. Sin embargo, hay en inglés otra acepción de *filibuster* que define el término como 'mercenario irregular que interviene en un país extranjero para fomentar o apoyar una revolución'. Esto explicaría la 2.ª acep. académica mencionada.

Sea cual sea el origen último de estas dos acepciones poco explicadas, existe hoy en español un calco semántico del verbo inglés americano *to filibuster* 'to impede legislation by irregular or obstructive tactics esp. by making long speeches'. Este significado lo menciona oportunamente A. Fernández pero no da ningún testimonio español del uso. Ahora bien, al condenar la 2.ª edición del *LEPaís* (1980) el término *filibusterismo* en cuanto «táctica de bloqueo parlamentario por el sistema de tomar la palabra y mantenerse en el uso de ella horas y horas. No debe emplearse», hay que suponer su uso. Yo no pondría objeciones a su empleo, pues los equivalentes de los diccionarios bilingües resultan rebuscados (*Collins Bil.* «usar de maniobras obstruccionistas»), pero es que, además, se trata de un hispanismo en inglés (cf. *OED*, *RHD*, *Collins*) que vuelve al español con ecos del Capitolio de Washington. Aunque no es un término jurídico, Alcaraz y Hughes le dan entrada en su *DTJ* s.v. *filibusterismo* equiparado a «obstrucción parlamentaria por medio de discursos prolongados e irrelevantes». Con ello apoyan la recomendación de Alfaro a favor de «obstruccionismo, tácticas dilatorias». Alfaro recoge la etimología académica, hasta 1970, (del ingl. *freebooter*) para todas las acepciones. Cf. CALCOS, págs. 514-15, s.v. *filibusterismo*.

En *AE* se nos da como primera documentación de **film** en *ByN* un ejemplo de 1915 y otro del plural *films* en 1916. El artículo de A. Fernández s.v. *film* es de los más completos. Por él sabemos que, al principio, por influjo de *película* (1.ª doc. 1908) toma el género femenino: *la film*, varias *films*, *films* madrileñas, etc. En italiano pasó lo mismo, primero *la film* (*la pellicola*), luego *il film*, (Dardano, *Viereck*).

Filme y *filmes* son anteriores a 1922; el verbo *filmar* está atestiguado en 1917, y sus formas flexionadas, después; hay derivados: *fílmico, filmación, filmable* y, más modernamente, compuestos: *filmófilo, filmófono* (¿marca registrada?), *fonofilm* 'película sonora', *filmoteca* y *filmografía*.

La Academia dio entrada en 1956 a *filme, filmar* y *filmación*, innecesarios según Alfaro, que prefiere *película, rodar* y *rodaje*. En cuanto a *microfilme*, que da por aceptado, no aparece hasta el suplemento del *DRAE*'70. En su última edición (1992) la familia léxica de *film* tiene 9 entradas. En *VOX* del mismo año hay 12.

Una vez más toma Alfaro un galicismo, **financiar**, y su familia para denunciar su penetración a través del inglés: «anglicismo favorito de políticos y hombres de negocios», dice al comenzar sus tres columnas de ilustrativas disertaciones sobre *financiar, financista, finanzas* y sus derivados y alternativas: «es *financiero* y no *financista* el equivalente castizo de *financier*...». En cuanto a *finanzas*, recuerda que «Baralt condenó rotundamente esta palabra como galicismo innecesario hace más de cien años... con todo... sigue teniendo uso... entre gente culta por la influencia del... inglés». Tiene razón: hay ministros de Finanzas Públicas en América.

También hoy se siente la influencia en España, donde se recibe y se cita a diario el *Financial Times*, pero pese a la moda inglesa de los adjetivos en *-al*, es *financiero*, como sustantivo y adjetivo, la forma casi única tanto en América como en España (cf. Alcaraz-Hughes, s.v.).

J. Gómez de Enterría (1992) nos ofrece lo que deben de ser primeros testimonios de la palabra en España: uno del francés, sin adaptar, *financiers* (1786), y otro del italiano, *financieri* (sic), de 1785, ambos con el significado de recaudadores de *finance*, voz que, según el traductor del italiano, «tienen los franceses e italianos para significar la Real Hacienda».

No se ha encontrado todavía (y me temo que si se encuentra, ya será tarde) sustituto para el anglicismo **finger**, término de aviación que designa el túnel, fuelle, corredor o pasarela[3] que permite el acceso al avión directamente desde la sala de espera del aeropuerto. *Oxford Bil.*, además de 'finger' —reconociendo el anglicismo— propone 'pasarela telescópica', solución de la que se hace eco la crónica de *El País Negocios* dedicada a su fabricación: «TEAM (= Tecnología Europea Aplicada al Movimiento) fabrica 'fingers' con tecnología española» (titular). En el texto se usa 10 veces la palabra inglesa, que alterna con pasarelas telescópicas, pasillos y pasarelas de cristal (modelo nuevo). En trenes y autobuses el paso de un coche a otro se realizaba a través de un fuelle, que exteriormente, salvo en la longitud, no se diferenciaba de estos *fingers*.

El adjetivo *telescópico* no resuelve mucho, pues aunque figura en el *DRAE* (sólo desde 1992) en sus acepciones 4.ª y 5.ª con sentido semejante, éste procede del inglés, de donde lo toma también el francés, precisamente para describir con el verbo *télescoper* el efecto de embutirse en un choque un vagón en otro; *Wagons qui se télescopent* (cf. *Robert Angl.* s.v. *télescoper*).

Ya hemos aludido más arriba al caso de **firma**, considerada por Alfaro «traducción literal del inglés *firm*», sin tener en cuenta su posible procedencia española. Coincide con el origen español el *Robert Angl.* («de l'espagnol *firma* 'signature'»). Sobre la vía de penetración

[3] En México hemos anotado también «gusano o pasillo que acopla el avión con la sala de espera en el aeropuerto», *El Heraldo de México*, 30-10-86, pág. 2A.

en francés puede servir de testimonio el suplemento del dicc. de Littré: «se dit en Belgique comme synonyme de raison sociale». Es curioso que este uso no lo admita la Academia hasta 1970, como acep. 5.ª 'razón social'.

El en otro tiempo famoso **five o'clock (tea)** no ha entrado en nuestros diccionarios ni creo que entre. El laborioso A. Fernández lo documenta antes de que apareciera en *ByN* con dos citas de 1889, una de Rubén Darío. Desde entonces y con variedad ortográfica tenemos *cloc, clok, cloches, thea, tea, té, thé, the*. La costumbre —y el término— parecen extinguirse hacia 1930, desplazados por el *cock-tail*. M. Seco (1970) cita en Arniches *five cloques* (pl.) y *five cluqui* (pág. 50).

En la misma categoría de anglicismo desusado entra la voz **flapper** o **flaper**, comentada benévolamente por Alfaro y citada por A. F. sin aportar ningún ejemplo. El anglicismo que hoy la sustituye es *teen-ager*, sin el matiz peyorativo que tuvo *flaper* en su tiempo. El término *quinceañera*, aunque impreciso, parece que por su neutralidad tiende a imponerse.

En la última edición del *DRAE* se ha dado entrada a la palabra **flas** (< ingl. *flash*). Las tres acepciones con que aparece justifican su aceptación. En *VOX* (edic. 1992) son seis las acepciones, que van desde la fotografía y el periodismo hasta el lenguaje de la droga.

Flay o **flai** (< ingl. *fly*), como término de béisbol, lo considera Alfaro aceptable. *VOX* lo incluye con el valor de 'golpe dado a la pelota lanzándola muy alto'. Pero también aparece en baloncesto y en balonmano. Para el primero la *GP-IED* da dos grafías de sonido diferente pero susceptibles de confusión para el oído hispánico: *fly-flight* /flai-flait/, y para ambos deportes propone *vuelo*. En cuanto al béisbol, ofrece todo un surtido: *volea, bombo, elevado, palomita*, excluyendo expresamente *vuelo* por «poco adecuado». Una vez más, las semejanzas formales —fonéticas u ortográficas— dan lugar a confusiones (cf. *crack/crash, fault/foul*).

Sobre **flip** y su familia (*fliper, flipado, flipar*, etc.) cf. pág. 54.

Los derivados de **flirt**, **flirtear**, **flirteo** están ya en el *DRAE*'70 (no en 1947). La voz primitiva se resiste a la hispanización en **flirte*, pues las propuestas sin *-t* (*flir, flair*) no serían congruentes con los derivados ya aceptados, en que la *t* inicia la segunda sílaba. A. Fernández, que aporta interesante documentación, menciona la oposición de Alfaro a la adopción de estos anglicismos y de *flirtación* (*Peq. Larousse*) por la Academia (1956) por «simplemente innecesarios», puesto que tenemos *coquetear* y *coqueteo*, galicismos más antiguos. Ello es cierto, pero las modas son intrínsecamente contrarias a lo antiguo. Precisamente por ello, hoy en día ni el galicismo ni el anglicismo gozan de especial favor entre los jóvenes, que prefieren, aunque no sean sinónimos —las costumbres cambian— el calco inglés *romance*, los derivados de *ligar*, o el académico *tontear*.

Antes de difundirse el empleo del DDT es probable que el insecticida más usado fuera el conocido con la marca comercial **flit**, que documenta A. Fernández en anuncios y en F. Flórez, pero la explica, por error, como «voz inglesa que significa moverse, pasar rápidamente...». En el campo de Gibraltar, como informa Loma-Osorio, se pronuncia, naturalmente, *fli*, que explica indicando que en el envase «aparecía 'fly-killer' pero se adoptó únicamente la primera parte de la expresión». El origen del monosílabo es más simple, si nos atenemos a la versión francesa del producto, *fly-tox* < *fly-toxic*, es decir, «mosquitóxico», voz anticuada como la española. El *NShOED* registra el término como nombre comercial: «Proprietary name for an insecticide».

Entre los diccionarios españoles sólo encontramos *flit* en el *Peq. Larousse*, 'líquido insecticida'.

El documentadísimo *Robert Angl.* nos explica que las voces inglesas *fluorescence* y *fluorescent* fueron creadas en 1852 por el físico y matemático británico Sir George G. Stokes, sobre el modelo de *opalescence, opalescent*. En español **fluorescencia** lo registra la Academia en 1947 (acaso antes), pero no *fluorescente*, pues las lámparas así llamadas, inventadas a fines del s. XIX, no se habían difundido aún en España.

Más de una vez, en noticias de prensa relacionadas con el agua potable o con la limpieza de la dentadura, aparece **fluorina** (igual que otros metaloides, *clorina, bromina, iodina*, por cloro, bromo y yodo) para designar el *flúor*. No es anglicismo si se refiere a la *fluorita*, mineral con ese nombre alternativo. Los derivados *fluorizar, fluorización* (*VOX*), *fluoración* (< *fluoridation*), como *cloración, clorinar*, parecen calcos del inglés; no han entrado en el *DRAE* excepto *cloración*.

Los orígenes de la voz **folclor(e)** (antes —1947— *folklore*) y sus derivados darían pie para un interesante artículo. Condensando su etapa prehispánica, merece la pena recordar que la serie de compuestos y derivados iniciada por Herder en alemán al traducir en 1771 el ingl. *popular song* por *Volkslied* desencadena toda una serie de formaciones —*Volksgeist* (1794), *Volkskunde* (1806), *Volkstum* (1809), etc. (cf. H. Paul, *DW*)— que no pueden ser ajenas, ni por su estructura ni por su contenido, a la aparición de un *folklore* inglés en 1846. La especialización del término en español, donde según A. F. aparece ya en 1884, junto con el adjetivo *folklorista*, según el modelo inglés *folklorist*, indica hoy una total hispanización cuando se habla sin más de las *folclóricas*.

Pese a la Academia, o tal vez por culpa de ella, que admitió esta palabra primero con *k*, dos manuales, el *MEU* y el *LEPaís*, recomiendan la grafía *folklore*.

En páginas anteriores hemos mencionado **footing** como ejemplo de creación semántica seudoinglesa en francés para designar lo que ingleses y norteamericanos prefieren llamar *jogging*. También aquí la *GP-IED* aplica la fórmula ya comentada: «Es voz no existente en inglés». Ahí se juntan el *ser* y el *no ser*. Pero lo cierto es que la voz, formalmente, existe, aunque no con el significado franco-hispánico usual hoy. Nada menos que catorce acepciones registra el *RHD*, entre ellas la 2.ª que literalmente traducimos «la acción de moverse a pie, como para andar o bailar». En Francia y el Canadá francés ha sido objeto de burlas esta nueva acepción románica.

No se solía considerar **fotografía**, ni tampoco **fotogénico**, como anglicismos, pero el inestimable *Robert Angl.* rastrea *photogénique* y *photographie* hasta las sesiones de la Royal Society inglesa de 1839 en que W. H. Talbot designó primero como *photogenic drawing* y luego como *photography* la técnica y también el producto de ella, llamado *photograph*.

La incongruencia de las grafías inglesas para reproducir los diptongos ha dado lugar a una gran confusión entre **foul** /faul/ y **fault** /folt/. Aquélla designa una falta —juego sucio, golpe, etc. — contra el adversario («XX fue expulsado por cometer *foul*», *La Nación*, Buenos Aires); ésta, sobre todo, la cometida por el propio jugador contra sí mismo al rebasar o no alcanzar las líneas marcadas en una cancha. La ortografía de una y la pronunciación de otra, así como la traducción —las dos significan 'falta'— contribuyen a ello.

Recoge A. Fernández en su libro cuatro entradas para **fox** y sus compuestos *fox-hound, fox-terrier* y *fox-trot*. De ellos sólo *fox-terrier* ha sido admitido en el *DRAE*'92, que remite a *perro fox-terrier*, pero este término falta. M. Seco (1970, pág. 50) recoge las grafías arnichescas *fosterriere(s)*, *fusterrieres*. *Fox-hound* es de uso más restringido, pues corresponde aproximadamente a 'sabueso, perro de caza (del zorro)'. La omisión de *fox-trot*, incluso en el *DMILE* y en el *DUE*, si bien aparece en el *Peq. Larousse, Peq. Espasa* y *VOX* (que explica las características de este baile), resulta sorprendente, pues cuando se ha usado la forma abreviada *fox* creo que se pensaba más en el baile que en el perro.

Nada hay que objetar a que el modelo inmediato de **frac** sea el fr. *frac*, inventariado en los diccionarios como anglicismo. El inglés lo había tomado antes del francés *froc*, hoy ingl. *frock* (Bloch-Wartburg), y se lo devuelve con una vocal más abierta que se identifica como *a*. Esa misma vocal la tiene el alemán desde Goethe (1774), según señala Kluge (*Etym. Wb.*) y por las mismas razones, pero acaso tomada del francés, donde la *a* está documentada en el mismo siglo XVIII. Lo curioso de este exilio de una voz germánica es que acaso la forma no viajera sea la que se conserva hoy como *Rock* 'falda, chaqueta' en alemán.

Aunque una *c* (= *k*) en posición final es anómala en español, el plural *fraques*, registrado en *DMILE* y otros, contribuye a mantenerla y favorecer la hispanización *fraque*.

La palabra **freezer** /fríser/ aparece registrada en *Oxford Bil.* como de uso vagamente localizado en Amér. Lat. para 'congelador'. *Collins Bil.* registra la grafía *frízer* que suponemos, con seseo, pronunciada igual pero restringida al Cono Sur. Para el ingl. *freezer* se traduce al español 'congelador, congeladora' (Amér. Lat.).

Ya había entrado en 1984 en el *DRAE* la voz **fuel** para designar un combustible destinado a la calefacción. En el *Peq. Larousse* de 1964 la entrada reza *fuel-oil*, como sinónimo de *mazut*, palabra rusa. El *LEPaís* admite *fuel*, pero rechaza *fuel-oil* y *fuelóleo* (mas no *gasóleo*, como el *MEU*). Sí tolera, en cursiva, *fuelship*. Pero en *ABC* (1-11-93, pág. 43a) encontramos *fuelóleos*.

Las funciones adverbiales o adjetivales de **full-time** en inglés han tenido variable representación en español. Como adverbio se traduce literalmente 'a tiempo completo', como adjetivo 'de tiempo completo'. Sin embargo, aparte de la adopción *full-time*, así recogida como ejemplo, con la pronunciación *fultaim*, en el acta académica de 1 de abril de 1993, las variantes de dedicación hispánica a un trabajo han sufrido con el tiempo las necesarias adaptaciones exigidas por la evolución laboral de los dedicados. Como consecuencia, la llamada *plena dedicación* pasó a ser una mera figura administrativa y hubo que «inventar» una *dedicación exclusiva* que venía a ser lo que en inglés significaba un *full-time job.* En el campo de la enseñanza universitaria, lo que se entiende hoy por «dedicación exclusiva» merecería un buen trabajo de «investigative reporting». Yo no podría explicarlo.

Fue el académico y dramaturgo José López Rubio quien propuso la inclusión en el *DRAE* de **fundir-fundido** para describir la transición gradual de un plano a otro o de un sonido a otro en cine y televisión. El verbo inglés para esta acción es *to fade to.* La pérdida o aumento de intensidad de luz y sonido se describen como *fade out (away)* o *fade in.*

Acaso el anglicismo más difundido en el mundo hispánico sea el **fútbol**, fenómeno social que mueve miles de millones en dinero y masas incalculables de aficionados. Aunque existen tres variables importantes de este deporte de campo espacioso —prescindimos del *fútbol-sala* o *futbito* (sic, *VOX*), de dimensiones reducidas y del *futbolín*, marca registrada—, la Academia, fiel al uso actual, describe el que, en caso de dudas, se llama *fútbol asociación* internacionalmente, incluso en francés, que crea así una sigla de híbrida sintaxis —FIFA—, lo cual se presta a extrañas traducciones. En noticia de agencia, un diario madrileño nos cuenta que «la Federación Internacional de Asociaciones de Fútbol (FIFA) decidió en

Zurich...» (26-10-89); otro diario habla de la «Federación Internacional de Fútbol Asociado (FIFA)» (25-8-93). Para evitar la confusión entre las tres variantes, el inglés llama *foot-ball* a secas a la variante americana que se está introduciendo en España; *rugby-football* o *rugger* al *rugby* (> esp. *ruger* 'jugador de rugby'; cf. Pfändler, *op. cit.*, pág. 111, desconcertado sobre el origen); y *Association Football*, reducido a *soccer*, al fútbol, hoy de uso general cuando hay dudas. El *MEU* interpreta correctamente FIFA como «Fédération Internationale de Football Association... París [?]». Aparecen en diccionarios los derivados *futbolero, futbolito, futbolístico*, etc. Digno de mención es el usado en Uruguay, *futbolers*, que alterna a veces con el normal *futbolistas*. Es, al parecer, el nombre de la sociedad «Mutual Uruguaya de Futbolers Profesionales», que hemos anotado en la prensa de Montevideo varias veces. Es palabra que me han confirmado académicos uruguayos.

El intento de calco español *balompié* no es tan disparatado como creen algunos puristas. «Ningún compuesto castellano puede construirse así. Sería *pie-balón*, pie con el balón, pero no balompié, no existe esa construcción castellana» (*El neologismo necesario*, Agencia EFE, 1992, pág. 217). Sin embargo, aparte de que la serie de nuevos deportes y alguno antiguo —¿es que en *pelota a mano* o *pelota a cesta* se separa la preposición *a* de pelota?— merece y recibe igual o parecida condena, sean *balonmano, balonvolea, baloncesto* (no digamos *pelota-base* (cf. *WSS*) o *peso pluma, peso mosca,* etc.), hay tipos de compuestos en español más o menos prolíficos que desafían el «no existe» anatemizante de ciertas personas. ¿Cuántos compuestos del tipo *aguamanil, bocacalle, volapié, traspié, cesta punta, pordiosero, hazmerreír,* etc., tenemos en castellano? Ése es uno más de los encantos de nuestra lengua: muchas vías de creación abiertas, tantas veces desaprovechadas.

En *VOX* y *Peq. Espasa* se incluye la voz **gag** para definirla como 'situación ridícula o cómica'; algunos manuales de estilo recomiendan comillas.

Sobre el anglicismo **galley** 'cocina de avión' nos ocupamos en nuestro discurso de ingreso en la RAE (Madrid, 1981, págs. 20-21). El uso no ha trascendido fuera de la aviación comercial. El sustituto propuesto para el francés y el español es *office*, pero no ha tenido fortuna en ninguna de ambas lenguas.

Distinto es el caso de **galón** como medida para líquidos. Igual que el *galón* de los uniformes militares, es de origen francés. Uno y otro son galicismos de procedencia última desconocida. Ya hemos comentado en otro lugar la confusión producida por el *ten-gallon hat* o sombrero de diez galones, nombre que alterna con el de *sombrero* en inglés americano.

La palabra *galón* se relaciona en España vagamente con el mundo anglosajón, pero en la América hispana, más influida por el automovilismo de origen yanqui, el *galón* de combustible es término cotidiano en ciertos países y equivale a 3,78 litros y no a 4,54 como el británico (llamado *imperial gallon*).

En la última edición del *DRAE* aparece por primera vez el anglicismo impronunciable, pero fiel a la ortografía inglesa, **gángster**. En la primavera de 1993 la propia Academia, con sensato acuerdo, aprobó la grafía *gánster*, ya recomendada por libros de estilo, pese a que se perdía la congruencia con el anglicismo del mismo origen *ganga* 'pandilla', usual en hispanohablantes influidos por la cultura norteamericana. El *LRVang.* recomienda como plural *gángsteres*. El *MEU* y los libros de estilo de *El País* y *ABC* favorecen *gánster / gánsteres*. No así el *METVE*.

Más de una página le dedica A. F. a la expresión **garden-party**, documentada ya en 1891, con grafías variadas y tendencia a la concisión, más ambigua, desde la tercera década del siglo actual. *Party*, que es voz de crecida polisemia como sustantivo, se emplea hoy raramente en español, excepto, creo, para referirse a reuniones o fiestas de angloparlantes. En los demás casos se suele encontrar adecuada traducción. El dicc. *Collins Bil.* «traduce» ingl. *garden-party* como esp. *garden-party*... M. Seco (1970) registra la pronunciación *partí* como posible galicismo y cita el ejemplo de Arniches (1914), *agarren-partí* (*Am. Melquiades,* pág. 94).

El anglicismo **gasolina** (como gasoil) se usa en español, según los países, de manera exclusiva o alternando con otras voces. En Chile se prefiere *bencina* (< al. *Benzin*) y *petróleo* (ingl. brit. *petrol*) como carburantes.

Gate. El escándalo político conocido como *Water-gate* ha dado lugar en español a compuestos autóctonos en que se utiliza uno de los dos componentes, preferentemente el segundo. Vinieron de fuera *Irangate, Dallasgate, Koreagate*, pero es creación española *Txiqui gate* (cf. F. Rodríguez, 1991, pág. 223) como también lo son *Borbolla-gate*, *Presidente-gate*, *Godó-gate, Filesa-gate* y varios más de vida efímera. *Irangate*, por cierto, solía evitarlo la prensa norteamericana por cautela antilibelo. Los sustitutos prudentes eran *Iran-contra* (< esp. *contra*), *Iranscam, Iranian coverup.* Aparte de los citados, en España se ha usado *Water-guerra* profusamente desde 1990 y *Water-lerma* en 1994.

Aunque es una acepción reciente del inglés (después de 1950), que tomó la palabra del francés, el uso de **gay** por 'homosexual', generalizado en español en los últimos años, debe ser considerado un anglicismo, que coincide formalmente con la variante *gay saber* (= *gaya ciencia*), incluida, p. ej., en *VOX*, y los adjetivos *gayo, ya* 'alegre' (*DRAE*), tomados del provenzal. Sobre el último origen de la palabra —¿latín, germánico?— se explaya brillantemente Corominas sin llegar a una conclusión.

Gay, como voz inglesa, figura en el *DMILE* y en *VOX*. La usa en pl. F. Lázaro, «unas lesbianas y unos gais declarados», *ABC Cultural,* 2-6-95, pág. 7.

No debería constar como anglicismo el uso específico de **gentleman** para referirse a un angloparlante así llamado en su lengua. Así se evitaría que el nombre se aplicara a las mujeres, como en algún ejemplo de A. F. Un diccionario español meramente informativo, no prescriptivo, podría incluir la palabra como 'caballero inglés', igual que un diccionario inglés, p. ej. *RHD*, explica *caballero* como 'Spanish gentleman', o el diccionario *Duden* alemán lo «traduce» como 'spanischer Edelmann, Ritter' (= noble español, caballero).

Gin, **ginebra** se usan hoy como sinónimos y probablemente lo son en todo el dominio del español. Pero al primero, desde un principio, aparece ya en 1877 en traducción del francés, hay que considerarlo, según Bloch-Wartburg, un anglicismo. El *DRAE* da como etimología < fr. *genièvre* ya en 1947, pero Corominas propone cat. *ginebre*, dejando la voz francesa como origen del argentinismo *giñebra*. En francés, según *Robert Angl.*, se distingue hoy entre el *gin* inglés y la *genièvre* belga u holandesa.

Es interesante la observación de Fernando Lázaro sobre el relevo de *gin-fizz*, probablemente otro seudoanglicismo francés, por *gin-tonic* (*NN*, pág. 42), aunque no creo que, salvo en la publicidad, la palabra estuviera vinculada a una determinada marca, que en tal caso la hubiera registrado. El dicc. *Robert Angl.* coincide con él, salvo en las fechas, pues se trata de Francia. *Gin-fizz*, que falta en los diccionarios ingleses, fue bebida de moda en Francia según ese diccionario antes de 1939; *gin tonic* (< ingl. *gin and tonic*) desde 1962; también existe así en alemán. Pero los testimonios de *gin-fizz* en Francia son posteriores a 1940.

En A. F. encontramos un ejemplo de *gin-cocktail* que el autor identifica, creemos que correctamente, con unos *chincotels* de 1914 que ha visto repetidos en anuncios de TV, en singular como *chincotel.*

Gincana, aparte de los libros de estilo *MEU* y del *LEABC*, los diccionarios *Collins Bil.* y *VOX* lo incluyen con esta ortografía. El

Peq. Larousse respeta la ortografía inglesa *gymkhana*. Sobre la transliteración de *kh* véase más arriba, pág. 54, s.v. «Gurkas».

Algunos diccionarios (*Peq. Larousse, VOX, Peq. Espasa*) incluyen, en una o dos palabras, el compuesto inglés **ginger-ale**. La calificación de «refresco agrio» resulta sorprendente. El jengibre, por otra parte, nunca se describe como agrio, sino acaso como acre.

Sobre **gingerbeer** y sus variantes hispánicas *vide supra*, pág. 174.

Así como *boy-scout* ha sido término de gran difusión en España (cf. pág. 137), su pareja femenina **girl guide**, o su variante *girl scout*, no tuvieron tal suerte, posiblemente porque la vida campestre de los «exploradores» no atraía a nuestras chicas o a sus familias. En cambio, el uso de *girls* como 'chicas de conjunto' en revistas o *music-halls* estuvo más extendido.

No registran nuestros diccionarios, pero sí algún libro de estilo, el anglicismo **glamour**, que Alfaro parece aceptar porque «no hay ningún equivalente en nuestra lengua... el más aproximado es el general de encanto o hechizo», aduciendo un texto de una revista literaria en que *glamour* se identifica con ambos. Hoy, más que en tiempos de Alfaro, aparece esta voz en España en contextos en que a mi entender se funden *esplendor* y *embrujo*, deliberadamente vagos y diametralmente opuestos a su sentido primitivo (< *glammar* < *grammar*) 'gramática (como saber oculto)'. También existe el adjetivo *glam(o)uroso*.

Contra lo que cree Haensch (1993), *glamour* aparece frecuentemente en la prensa española e incluso crea adjetivos —«[M. Loy] una de las divas más 'glamourosas' de Hollywood...», *ABC*, 16-12-93— y compuestos: «Madrid nos brinda... la exposición 'Glamour kinki'... y su show de los jueves...», *ABC*, 11-12-93...; «ese brillo... sinónimo de 'glamour'», J. Berlanga, *ABC*, 29-1-94; «...perdido en el 'glamour' del pasado, el francés no representa...», Ovidio, *ibid.*, pág.

18; «la imagen glamurosa de Lana Turner», *El Mundo*, 23-9-94, pág. 88; otro ejemplo (vide supra) s.v. *drag queen*.

De esta palabra ha surgido por apócope la sílaba *glam*, que califica a un tipo de música moderna conocida como *glam rock*, la cual alterna con *gay rock* y *glitter rock* según los entendidos: «*glitter rock* o *glam rock*, término que engloba a todo artista resplandeciente del periodo 1971-76» (de *La historia del rock. El País*, s.a., núm. 31, pág. 326). *Glam* (masc.) a veces significa lo mismo.

Ya comentamos hace años el triunfo absoluto de **gol** (< ingl. *goal*) como grito de multitudes para expresar la emoción del tanto logrado en el fútbol, pero de hecho hubo un periodo de tiempo en que *goal* o *gol* designaban todavía, como en inglés, la meta y se aplicaban a otros deportes. Esta palabra está bien documentada por A. F. desde 1904. La pronunciación *gol* está atestiguada en 1909; pero puede ser anterior, si el deporte, como indican las voces *fútbol* y *orsay* (*VOX*, *DMILE*, *WSS*), entró por vía oral. Pero el ejemplo de rima que aduce A. Fernández no lo corrobora —*goal* rima con Pascual y *fútbol* con perol—. El pl. *goals*, alternando con *tantos*, lo registra A. F. hasta 1935.

De sus compuestos, derivados e intentos de adaptación de los mismos hay abundantes testimonios. *Goal-keeper* alterna según A. F. con *guardameta* (y con una adaptación fonética, *golkíper* (1909)), hasta los años treinta, en que *guardameta* «parece haber caído en desuso». Creo que aquí yerra nuestro investigador. Hoy se usa todavía el calco español, pero ha desaparecido el préstamo inglés. No son exactamente calcos literales, pero sí motivados, los sustitutos de *goal* y *goalkeeper* en nuestra lengua: para *goal*, aparte de *gol*, tenemos *meta, marco, portería, puerta, arco*; para *goalkeeper* registra *VOX guardameta, cancerbero, portero, arquero, guardavalla* (Amér.), *guardapalos* (Colomb.) y *meta* (m.). En Paraguay hemos anotado *cuidavallas*, en Chile *golero* (recogido en *Oxford Bil.*).

Gol, en la acepción de 'tanto' ofrece *golazo, golear, goleada, goleador, vicegol, bigoleador* (el que marca 2 tantos). Pfändler registra también *golecillo, autogol* (1951), ya en *VOX*'92, *go(a)l average* (1951). Este término, que algunos traducen literalmente, significa, y así queda dicho (cf. pág. 63), más 'cociente' que 'promedio', como advierte oportunamente este autor s.v. *promedio*.

Golden. Parece que España, país agrícola, es poco diligente a la hora de crear nuevas variedades de la horticultura. Igual que hoy nos invaden las lechugas *iceberg*, habían llegado antes variedades de naranja con nombres que no proceden de las huertas levantinas. Si bien es verdad que los ingleses conocen, mejor que los españoles, las *Seville oranges*, ingrediente esencial de su *marmalade* del desayuno, también es cierto que las variedades de naranja más explotadas —*clementina, sanguina, nável* (= *California, Washington*)— poco recuerdan el Levante español y se sienten tan extrañas que el *DRAE* se resiste a acogerlas en sus páginas. *Sanguina* tuvo ya entrada en 1970; *clementina* en 1992; *nável* y sus sinónimos no han entrado todavía ni siquiera en el *DMILE*; pero sí figuran en el de M.ª Moliner. *Nável* falta también en los otros diccionarios usuales consultados, pero yo tengo ejemplos de 1965 y un derivado, *navelinas*, de 1969 (cf. pág. 307).

Viene esto a cuento de la ausencia total de las variedades de manzana que invaden hoy nuestras mesas y mercados con su atractivo aspecto: *golden*, *granny*, *starking*, de origen australiano o norteamericano. En Francia se registran las dos primeras en los diccionarios de anglicismos; la tercera figura sólo en el de Höfler. El nombre completo de la primera es *Golden Delicious*, el de la segunda *Granny Smith* y el de la tercera *Starking (Delicious)*. Sería difícil encontrar hoy una frutería madrileña en que no hubiera ninguna de las tres.

Entre las intervenciones del seminario «El Neologismo Necesario» figura una del Sr. García Candau, director de la Sección de Deportes de la Agencia EFE, que dedica un comentario interesante al **golf**, admitiendo las dificultades de la Real Academia para castellanizar el vocabulario de este deporte. Pone como ejemplos los términos *búnker* y *birdie*, señalando que este último no toleraría la traducción literal «pues decir que un jugador ha conseguido un *pajarito* sería confundir el golf con la caza con cimbel» (*NN*, pág. 201). Se podría argüir que en otros deportes se dice de algún jugador que «consiguió una palomita» sin que nadie lo confunda con el arte cinegético. Otro participante, redactor del diario *Marca*, destaca también el golf como deporte que aporta anglicismos de manera regular, sin que se sepa qué significan: *eagle, birdie, bogey*.

El redactor-jefe del diario *Sport* se queja, con razón, en el mismo seminario de que la palabra *golfista* no esté en el *DRAE* mientras que «el *criket* (sic) está adaptado como *criket* (sic)». La edición de 1992 ha remediado esto en parte: *golfista* está incluido; *criquet* (no *criket*), que figuraba en 1984, desapareció, como hemos dicho, en busca de la tilde (*críquet*) y no volvió. Se ve que es una voz aojada (cf. INTR., n. 17).

Pero justamente se cumple ahora el siglo desde la primera aparición de *golf* en español, que se ha defendido bien sin intentos más o menos acertados de adaptación, teniendo en cuenta que teníamos ya dos *golfos*, de distinto origen, que hubieran obstruido, pero no impedido, su aclimatación en *-e* (como *filme, bloque, clipe*, etc.). Una posible adaptación hubiera sido *golfismo* (como *ciclismo, alpinismo*, etc.) y en cambio se inventó un *golfing* (1904) que no ha dejado ni estela. A. F. aporta una concisa historia de la palabra en los 45 años estudiados de *ByN*, con alguna creación seudoinglesa llegada a España como *golfman*, *golfminiatura* (< ingl. *miniature golf*), *mini-golf*, procedentes del francés, o *golf-Pulgarcito*, versión local y jocosa de lo mismo.

Aunque está documentada ya en 1910 por A. F., la voz **grapefruit** (escrita graspfruit), así como la costumbre extranjera de tomarla antes de una comida, no ha tenido gran acogida en España (A. F. cita sólo otro ejemplo, *grappe-fruit*, de 1929), acaso porque el español disponía de otros tres nombres en competencia, nunca muy reñida, pues hasta hace pocos años fue fruta un tanto exótica. Alfaro ya la rechazaba en su día proponiendo como sustitutos 'toronja' y 'pomelo', voz ésta que considera «americanismo catalogado por Santamaría». Mas pese a ello, y a la existencia en inglés de la alternativa *pomelo* (cf. pág. 46), los hispanohablantes americanos han aceptado la forma inglesa cruda, ya con la ortografía original, ya con adaptación fonética aproximada. Cf. *greifrut* 'fruto', *greifruta* 'árbol que produce el greifrut'; también *naranja grei* en Colombia (*apud* Haensch, *art. cit.*, 1993).

El terreno de juego del golf (ingl. *golf-course, golf-links*) se ha «traducido» como 'campo de golf' o **'green'**, rara vez por *links*. Argumenta el Sr. García Candau que «el *green* no quedaría muy fino con llamarlo *verde*, porque el color es la característica fundamental del campo y el *green* es un verde cuya particularidad no reside en la diferencia de tonalidad, sino en circunstancias que tienen que ver con la proximidad del hoyo, el tipo de hierba, e incluso el modo en que está cortada» (*NN*, págs. 200-1). Noticia de EFE: «El golfista [consiguió] seis *birdies* por ningún *bogey* y una gran precisión en sus golpes de *green*», *ABC*, 9-10-93, pág. 79a.

Si las fechas de A. F. son correctas, **grillroom** estaría documentado en España (1889) antes que en Francia (*Robert Angl.* 1893). Mas el texto aducido resulta ser una traducción del francés cuyo original debe de haber escapado a nuestros laboriosos vecinos. El compuesto, poco frecuente según A. F. (aunque figura en *Peq. Larousse*, 1964), es hoy casi desusado. Sin embargo, el primer elemento se mantiene vivo y lo incluyen *Peq. Espasa* y *VOX*. Acaso ello se deba a que el compuesto, como recuerda oportunamente Alfaro, fue traducido por la Academia a 'parrilla' y así figura como tercera acepción en 1970 con el significado de 'comedor público en que se preparan asados a la vista de la clientela y, por extensión, cualquier restaurante de cierta categoría'. Pero los diccionarios modernos, salvo el *DMILE*, no coinciden con esta solución. El interesante derivado —¿lo es?— *grilladores*, tomado por A. F. de *La Ilustración Artística* (1888) con motivo de la Exposición Universal de Barcelona, habría que comprobarlo.

Se ha consumido mucha tinta en explicar la palabra **gringo**, que hoy designa principalmente al *yanqui*. La Academia, con buen acuerdo, decidió en la edición de 1992 sustituir la etimología propuesta en 1984 («De griego») por la más prudente «De etim. disc.». Pero la antigua explicación de que el nombre procedía de una canción estadounidense oída a las tropas yanquis en México durante la guerra de 1847, descartada porque Terreros usa ya la palabra en su diccionario (1787), cobra autoridad con el reciente artículo de Ignacio Soldevila «De gringos y pechilingues» (*Antiqva et nova Romania*, Granada, 1993, págs. 229-232), donde se aclara por qué la canción estadounidense rezaba «Green grows the grass in Ireland», partiendo acaso de una rima popular «Green grow the rushes O!». Soldevila rehúye cautamente pronunciarse a favor de esta explicación, pese a estar avalada por el hecho de que hubiera en la guerra de sucesión española hasta ocho regimientos irlandeses combatiendo a favor del triunfante bando borbónico. Por si esto fuera poco, lo confirma el testimonio de Terreros (s.v. *gringos*): «en Madrid dan el mismo [nombre]... con particularidad a los irlandeses...». Soldevila funda su cautela señalando otras combinaciones inglesas de las que hubiera podido resultar también el vocablo: *green coat, green cloth* y *green horn*. Este último «está documentado desde el siglo XVII como equivalente de recluta inexperimentado» (Soldevila). Creemos que el razonamiento de Soldevila, incluso con sus reservas, aclara mucho la cuestión.

En el libro *A. E.* se documenta **grog** ya en 1865, «*grog* o ponche irlandés», que ha entrado en los diccionarios con distintos ingredientes: agua caliente, ron, limón, whisky, etc. M.ª Moliner lo incluye en su *DUE*; también el *Peq. Larousse* y *VOX*. Aunque no muy usado el término, aparece a veces en recetarios periodísticos, como en la fórmula que da *El País semanal* (30-10-94) para preparar el «grog colonial».

El derivado *groggy*, referido al boxeador aturdido por los golpes, aparece en 1925 en España, pero los diccionarios tardan en incorporarlo a sus páginas. M.ª Moliner no lo incluye pero el *Peq. Larousse* sí (1964). El *Peq. Espasa* (1988) mantiene la grafía inglesa, pero al hispanizarse en el *DMILE* (1989) en la forma **grogui** y recogerlo el *DRAE*'92 así, el dicc. *VOX* repite la grafía académica. El *Collins Bil.* recoge las dos grafías en su edición de 1992. En español la voz ha adquirido acepciones propias que el *Oxford Bil.* no puede traducir por 'groggy'.

El caso de **groom**, indudable anglicismo, no reviste dificultades en cuanto al origen y difusión. Aparece ya en el dicc. de Domínguez (1848) escrito *gron* y *groun* y posteriormente *grom* y *groom* (1877) según datos de A. Fernández. Hoy apenas se usa y sólo aparece en el *Peq. Larousse* (1964).

Donde sí lo incluyen los diccionarios españoles es s.v. *grumete*, que consideran derivado o afín de *groom*. Pero tal parentesco resulta hoy cuestionable, si consideramos los argumentos de Bloch-Wartburg, Corominas, *Robert Angl.*, etc., poco unánimes en el origen último de ambos. El *DRAE*'84 daba *groom* como origen directo; en la edición de 1992 se menciona prudentemente su discutida etimología, que, en lo inmediato, podría ser inglesa o francesa. Colón utilizó la palabra y por entonces debían de estar vivas ingl. *grumet* y fr. *gromet*, hoy desusadas en ambas lenguas (esp. *grumete* se traduce al inglés por 'ship's boy').

Hoy se tiende a considerar, sin mucha convicción, *groom* como derivado del verbo *to grow* 'crecer' (así en *RHD, Collins* y *Robert Angl.*). Curiosamente en Bloch-Wartburg se dice: «Empr. de l'anglais *groom*, v. *gourmet*» y s.v. *gourmet* «Étymologie obscure; l'anglais *groom* est empr. du français». *Gourmet*, por cierto, figura en algún diccionario español como galicismo (= gastrónomo), pero nadie, salvo Bloch-Wartburg, lo relaciona con el ant. prov. *gormet* 'aide-matelot'.

La voz **grunge**, de origen inexplicado, aparece en inglés en el periodo 1960-65 con el significado de 'mugre, basura, suciedad' y también el movimiento musical de este nombre. En un artículo de *ABC* titulado «El entierro del grunge» se habla de la trágica muerte de Cobain, estrella del estilo 'grunge' «que lideraba [...] estilo desgarbado y sucio de Seattle...», 17-4-94. En un chiste de Mingote alterna esta variedad musical con otras de origen anglosajón, excepto una: «¿Qué clase de música prefieres: folk, rock, heavy, punk, soul, grunge, bakalao?», *ABC*, 22-12-93. El aspecto descuidado de sus adeptos es nota destacada: «si van vestidos con cuatro trapos, dicen que es moda 'grunge'», J. Berlanga, *ABC*, 11-12-94, pág. 109. Puede aparecer invariable en plural: «Los grunge» era el título de un episodio de media hora de la serie «Prêt-à-porter» (sept. 1994).

Citábamos en 1987, en un simposio de romanistas[4] «para consuelo de francófilos alarmados ante los avances del inglés», el último galicismo de nuestras notas: el verbo **gunitar** (< fr. *guniter*) y su familia léxica. *Gunite* (< ingl. *gunite* < *gun* 'pistola, cañón') fue al principio —1910-15— marca registrada, hoy no, y el procedimiento de revestir superficies rociándolas, mediante una pistola u otro aparato, con cemento, agua y arena o escoria triturada llegó hace más de diez años a España, según me asegura el arquitecto Jaime L. Lorenzo, como puede comprobarse en la serie de empresas que ofrecen este tratamiento para piscinas, paredes, pistas deportivas y taludes. Una de ellas se llama Hormigones Gunitados, S. A., lo que implica el verbo *gunitar*, tomado del francés, usado por ingenieros y arquitectos. Otras opciones del término son «*hormigón proyectado gunite, construcción en gunita, gunita (hormigón proyectado), hormigón proyectado gunitado.* En la expresión «*piscinas en guinita*» (sic) se explica que se trata de hormigón proyectado a 7 atmósferas. Fuera del mundo de la publicidad hemos anotado: «proyecto... que estudia alternativas a los tratamientos tradicionales con gunitados o aplicaciones de asfalto y materiales no degradables», *Desarrollo tecnológico*, Ministerio de Industria y Energía, junio 1994, pág. 47.

---

[4] Publicado con el título de «El español en la traducción y los peligrosos parentescos románicos», en *Cuadernos de traducción e interpretación*, Barcelona, 11-12 (1989-91), págs. 195-208.

La forma verbal **hábitat** ha trascendido hoy desde el dominio restringido de las ciencias naturales al uso normal. Por eso la incluyó la Academia en la XX edición (también figura en el *DMILE*, el *Peq. Espasa* y *VOX*) con la explicación de «palabra científica inventada sobre el lat. *habitare*». Pero la de 1992 es más informativa que la anterior y que todos los diccionarios extranjeros a mi alcance (*Migliorini*, *Lexis, Zingarelli,Collins, Duden*, *ShOED*) excepto el *RHD,* pues nos explica que es la 3.ª pers. de sing. del pres. ind. de *habitare.* No la registran como anglicismo Höfler ni *Robert Angl*., pero sí el *Duden* alemán. Sin tomar partido cabe consignar aquí que la primera cita del *OED* es de 1796 y la primera francesa de 1808. El texto británico está escrito en latín científico y *habitat* aparece con uso sustantivo y no verbal, pero *RHD* retrotrae la primera documentación a 1755-65. Sobre la aspiración de la *h-* que menciona Pratt *(op. cit.,* pág. 156) no puedo opinar.

La edición del *DRAE'*1984, más explícita que la última, da una etimología de **haca** (> *jaca*) y *hacanea* que permite discrepar o no sobre su concisa explicación, basada probablemente en Corominas. El usuario del *DRAE'*92 ha de quedar perplejo al comprobar que el fonema /x/ de *jaca* se debe, sin más argumentos, a una *h-* inicial del francés. Habría que demostrar que al tomar *haca* del fr. *haque* esta voz se pronunciaba con *h-* aspirada (pues sabemos que también se escribía sin *h*), Bloch-Wartburg, después de admitir el *ShOED* que el origen último era desconocido, dan otra explicación y el *COD* (5.ª ed., 1964) declara «origin much disputed».

Sin entrar en un debate para el que harían falta más datos, recordemos que *haca* (> *jaca*) y *hacanea* según el *DRAE'*84 vienen respectivamente del ingl. *hack* y *hakenei* (*COD*) a través del francés *haque* y *haquenée. Hakenei* se ha convertido en *Hackney*, un lugar próximo a Londres donde se criaba esta raza de caballos.

El verbo *to* **hack** significa 'tajar, dar hachazos', pero modernamente ha adquirido el valor de 'piratear' en el mundo de la informática y así lo registran los diccionarios bilingües. El colectivo OVIDIO habla de «los 'hackers' (término inglés para los piratas informáticos). Ya hay películas al respecto...» (*ABC*, 5-1-95, pág. 27).

Aunque **hall** (pron. *jol*) se ha hecho palabra de uso general en España, no restringida al mundo de la hostelería, y figura, no siempre aceptada, en casi todos los diccionarios, incluido el *DMILE*, todavía no ha recibido el visto bueno para entrar en el *DRAE*. De significar el vestíbulo grande de un hotel (hoy llamado *lobby* en inglés), acepción tomada del francés ('salle de grandes dimensions', *Lexis*), ha pasado a designar 'vestíbulo, zaguán, recibimiento'.

Los ejemplos recogidos por A. F. confirman esta reducción espacial del significado a la vez que su expansión semántica a ámbitos más reducidos. Ya en 1887 «el vasto *hall*», «*hall* de una estación» (1889), «*hall* del Ayuntamiento» (1916), un patio de entrada (1922). Pero desde los años veinte se aplica el nombre a espacios menores. En 1934 hay que justificar su uso porque el *hall* es de mayores dimensiones que el vestíbulo. Por eso, al parecer, surge el diminutivo *jolito*, lo cual parece normal cuando esta voz había llegado a significar 'zaguán'. No hay duda de que la pronunciación generalizada (en 1919 con la grafía *jole*) es *jol*. Jamás oí pronunciar *all* o *al*. Creo que si la solución *jol* estuviera más difundida en la escritura, ya habría entrado en el *DRAE*. Un académico, Gregorio Salvador, novel novelista, escribe «el jol del hotel» (1994, pág. 131). Otro, A. Zamora, también escribe *jol* en *Historias...* (1995, pág. 147). Véase s.v. *jol*.

De distinta naturaleza que *hampster* (cf. infra) es **hamburguesa**, que curiosamente omite Pratt en su inventario (en cambio incluye *hinterland*). Una cosa relativa a Hamburgo es, por supuesto, *hamburguesa*, mas la 'tortita de carne picada... frita o asada' admitida por la Academia en 1992, junto con *hamburguesería*, es voz tomada, como asegura el *DRAE*, del inglés americano *hamburger* (también llamado *Hamburg steak)*. Me explico que haya escapado a la atención de Alfaro, pues en su día no estaba tan difundido este alimento, pero no que pasara inadvertida a Pratt. El *DMILE* es más explícito en los ingredientes; *VOX* da una receta completa y *Peq. Espasa* es el único en registrar, como otra acepción, el bocadillo que contiene la tortita o filete así descritos. *Burg(u)er* por 'hamburguesería' aparece a veces en la sección de locales en venta o renta de la prensa y también en la bolsa de trabajo; «Vendo burger (sic) pleno funcionamiento, zona Pozuelo», *ABC,* 18-5-82, pág. 53; «Universitario necesitamos para ayuda burger», *El País,* 5-5-81, pág. 38. También en sentido figurado: «una cadena de 'burguers' políticos», *ABC,* 13-6-82, pág. 40.

Confusión semejante a la que tiene lugar en la voz *handball* (cf. infra) supone el descuido de Pratt al incluir en su libro, como ejemplo de grupos consonantes anómalos aceptados en español, el formado por *mpst* en **hampster** (sic). Lo único inglés de este anglicismo es la solución fonética-ortográfica de la secuencia *ms* (como Simson > Simpson, Thomson > Thompson, etc.). La palabra es alemana y se escribe *Hamster*. *VOX* la registra s.v. *hamster*. El *DMILE* da una descripción cumplida del animal. También existe en inglés como germanismo. Creemos que se trata de un error de copia.

Sabida es la bifurcación que con los siglos siguió la evolución del inglés y del alemán, originariamente lenguas muy próximas. Pese a la patente diferenciación en el plano morfológico y sintáctico y gran parte del léxico, deformado a menudo con una ortografía caprichosa, quedan todavía parónimos que inducen a la confusión.

Uno de los casos más fragrantes es el del deporte conocido como *balonmano (*al. *Handball,* ingl. *handball).* La mención del inglés aquí es engañosa, pues si bien existe la palabra para designar un deporte de pelota, no de balón, este deporte se parece más a la pelota vasca —«similar to squash», según el *RHD*— que al balonmano, el cual, a pesar de ser olímpico, todavía no ha entrado en muchos diccionarios ingleses. La coincidencia ortográfica, salvo la mayúscula alemana, no ayuda a aclarar las cosas, pues *handball* en inglés rima con *football* = /bol/, mientras que en alemán, paralelamente, *Handball* rima con

Fussball = /bal/. En francés se guarda la distinción original: *football* con /o/ y *handball* con /a/, cuando significa balonmano. Para ser exactos, hay que decir que el *OED* registra un término *handball* que hace pensar en la versión olímpica alemana, pues se disputa entre dos metas. Sospecho que no tiene mucho que ver con ella, pues su primera documentación antecede a la Armada Invencible en siete años. La última edición del *ShOED* (septiembre 1993), compendio de la «combinada» de 20 volúmenes de 1989, parece dar entrada, por fin, al **handball** olímpico: «a game similar to football in which the ball is thrown rather than kicked in the attempt to get it into the opposing team's goal». Como esta acepción se data, igual que en la primera edición, a fines del siglo XVI, creemos que no es una definición muy afortunada, pues las reglas hoy establecidas para ese juego «semejante al fútbol» no creemos que sean las mismas. En el Río de la Plata se pronuncia *ball,* a la inglesa, /xámbol/.

Nos ha parecido oportuna esta larga aclaración porque, según la definición académica y el uso general, este calco español, como el préstamo francés, deben poco al inglés y pasan por anglicismos inexplicables para A. F., que contrasta perplejo la definición del *Webster* con la versión británica mencionada, la cual, por cierto, desconoce el *Collins'*79, pero que en su versión bilingüe, tantas veces aquí citada, induce a error: *Collins Bil.*'92: Balonmano = handball; handball = balonmano. El *Peq. Larousse* recoge *hand ball* (sic) como «(pal. ingl.)». Kühl, en Uruguay, registra la pronunciación /xambol/ y describe el *handball* olímpico.

Handicap es palabra que se resiste a su adaptación a otras lenguas. Incluso el *Vocabolario* italiano de Migliorini, que dedica una página escasa a la H, tiene que respetar la ortografía inglesa y explicar que se pronuncia /haendichep/. En España, A. F. la documenta ya en 1889, indicando que aparece desde principios de siglo en casi todos los vocabularios y diccionarios españoles. Su permanencia en español, reforzada con un verbo *handicapar* (*VOX*) que suponíamos inaceptable, se debe en gran parte a haber rebasado el ámbito de las carreras hípicas y entrado en otros deportes, como el atletismo y el polo. Luego ha tomado un sentido más general fuera del mundo deportivo. La definición del *DMILE* no es muy afortunada, sobre todo en la primera acepción 'Carrera, concurso, etc. en que algunos participantes reciben una ventaja para nivelar las condiciones de la competición'. Aceptada así, resulta difícil imaginar que «por extensión» signifique 'desventaja de un participante' y mucho más el valor general de 'condición o circunstancia desventajosa'. El sentido general del término queda manifiesto cuando se traduce por 'desventaja, estorbo, obstáculo' y *handicapped* en medicina por 'minusválido, discapacitado'.

Sin duda, al tratar de nivelar las condiciones de los competidores, caballos u hombres, unos reciben trato ventajoso y otros al revés. La definición comentada sólo menciona los favorecidos, olvidando los «handicapados». Precisamente se llama *handicapper* la persona encargada de adjudicar el peso que debe llevar cada caballo participante y los obstáculos que hay que establecer para equilibrar fuerzas en una carrera calificada de *handicap*.

El término **handling**, usual en relación con el transporte aéreo, se describe como 'servicio de asistencia en tierra a aeronaves, pasajeros y mercancías' y es objeto de un reportaje en *El País Negocios* de 12-2-95, pág. 5, donde la palabra se repite diez veces más.

Happening. Siendo lo espontáneo e improvisado dos de las notas definitorias de este espectáculo, no es de extrañar que haya prendido entre los aficionados al teatro. La Universidad Complutense monta hace años unas carpas en su campus y ofrece un *happening* profusamente anunciado en él. Ignoro si coincide con el uso inglés. Copio del cartel exhibido en la Facultad de Filosofía en 1995: «Jápenín (¿ocurriendo? traducc. libre): 10.30. 'El berberecho salvaje y la avutarda de los Pirineos como paradigma de la intertextualidad en el bajo-aragonés' - 20.30. Ciclo 1.ª lectura: 'La maté por un donut...'».

Happy end. El *DPFE*, el *MEU* y numerosos escritores y periodistas lo registran como anglicismo, pero sólo lo es como *smoking, footing, dancing* y otros seudoanglicismos franceses. No está prohibido en inglés. En el inglés se prohíbe poco, pero no es término usual que alterne con *happy ending*, que sí lo es. Ejemplos en CALCOS s.v. *final feliz.*

Sobre **hardware** y su familia cf. págs. 409-10, s.v. *software*.

Alfaro comentaba hace decenios, indignado, el uso boxístico y pleonástico de 'campeón de *peso pesado*' como traducción del ingl. **heavyweight** *champion*, poniendo como ejemplos de traducción correcta del adjetivo: *gran* peso o peso *mayor*, *gran* industria, *fuertes* gastos y aceite *grueso*. La verdad es que, pasados los años, no ha triunfado ninguna de sus propuestas; se sigue hablando de *pesos pesados* alternando con *máximos*, de *industria pesada* y de *aceite pesado*. A los *fuertes* gastos creo que se prefiere *cuantiosos*.

Pero en tiempos recientes la música moderna ha dado impulso a otro *heavy* que no se traduce y que se conoce como *heavy metal,* música de *rock* violenta y fuertemente amplificada. El término suele reducirse a *heavy* e incluso usarse como adjetivo para sus adeptos: «...afición al *heavy*... soy muy *heavy*, por eso tengo discusiones con mi hija, que es *punk*» *(El País semanal*, 14-6-87, pág. 132). Pero no siempre el *heavy* se mantiene pacífico en el mundo de la música. Hay grupos *heavy* en las tribus urbanas, junto a los *okupas,* los *punkies* y los *skin-heads* (*ABC*, 10-4-94, págs. 68-9). *Heavy metal* «aparece pintado en muros de cementerios profanados», en Rivas-Vaciamadrid, *ABC*, 13-1-94, pág. 63.

Aunque helicóptero es voz creada en francés (*hélicoptère*) y difundida probablemente por el inglés *helicopter*, la voz **helideck** (cubierta de helicópteros en plataformas petroleras) es uno más de los anglicismos desconocidos por los diccionarios ingleses a mi disposición. La palabra está usada dos veces en un reportaje sobre estas plataformas (*Domin. de ABC*, 13-2-82, pág. 30), y no creo que haya caído en desuso. Otro término de la misma familia, **helipuerto**, como se ve a simple vista, podría venir de *helicóptero + puerto*. Pero si *helicóptero* viene del griego, según el *DRAE*, y no del francés, no cabía esperar que se buscase la etimología inmediata (< ingl. *heli*copter + air*port*). Así en *Robert Angl.* s.v. *héliport.*

El acrónimo inglés **hi-fi** (< *high fidelity*) está más extendido que muchos anglicismos autorizados. Figura como expresión espuria en el *MEU*: «*hi-fi* (pron. /jifi/). Tradúzcase por *alta fidelidad*». Pero el *DMILE* se limita a incluirlo con corchetes como «voz inglesa» y explica su uso.

Highball (*jaibol*) ya lo hemos comentado más arriba. Alfaro defiende su incorporación al léxico oficial. El *Collins Bil.* lo incluye s.v. *jaibol* como americanismo. [F. Ayala (*Fondo*..., pág. 69) lo usa, con la grafía inglesa, en el marco de un país hispanoamericano.]

Del mismo modo, este diccionario registra la adaptación *jailaif* (< **high life**) como adjetivo y nombre de vigencia americana. Alfaro, al comentar el anglicismo, destaca sus dos acepciones principales, que corresponderían a 'gran vida o vida regalada' y a 'gran mundo o alta sociedad'. A esta acepción precisamente es a la que se refería don Juan Valera cuando escribía a Menéndez Pelayo desde Portugal en 1882 y le decía: «le suplico que me hable también de la *high life* de Madrid y de las damas a quienes usted visita» aparte de la literatura. La expresión estaba ya difundida antes de que A. F. comenzara el despojo de *ByN* en 1891. Larra (1832) hubiera preferido 'sociedad de *buen tono*'.

En Pérez de Ayala (*Belarmino y Apolonio*..., 1924, pág. 52, escrito en 1920) aparece *higuelife* como adjetivo —zapatos *higuelife*—. Este uso de *high*, como el de *higge faeshion* en Arniches (*Trevélez,* pág. 138) parecen anunciar ya el de *alto* 'elegante, grande' que con ayuda del francés *haut(e)* encontramos hoy en español: *alta peluque-*

ría, alta costura, alto secreto, alta fidelidad, alta velocidad, alta sociedad, etc. Para 'alta sociedad' registra Haensch en Colombia, como coloquialismo, la *jai.* Acaso a este uso se deba la grafía *haigh* en el texto siguiente: «Lástima que nuestra *jet* sea inculta. Nuestra jet-society, nuestra haigh/haigh [sic] es culta con un siglo de retraso», F. Umbral, *El País*, 23-5-82.

Es discutible que la voz **hindú** y sus derivados, que Alfaro comenta *in extenso,* sean anglicismos en español. La presencia de *hindou* en francés hace más de siglo y medio y de *hindouisme* en 1876, entre otras posibles razones, han inducido a la Academia a aceptar la etimología francesa en 1992 (antes se decía 'del persa *hindu*').

Ya hemos comentado en otra ocasión cómo, pese a las críticas de misoneísmo y lentitud que se hacían a la Academia, algunos anglicismos fueron aceptados en el *DMILE* antes que en algunos diccionarios ingleses. **Hippy** era uno de ellos, y aunque no ha entrado en el *DRAE,* si se conserva vivo y se consolida, acabará por ser admitido. El *Peq. Espasa* y *VOX* recogen la palabra en sus dos grafías —*hippy* y *hippie*— (así aparecen en un mismo texto de *ABC*: «la primera novela 'hippie' de verdad»; «una de las pocas novelas 'hippy'...», 26-5-95, pág. 83); y en *VOX* con la advertencia de que se pronuncia *jipi.* Ya en el *DMILE* se indicaba: «En esta palabra se aspira la *h*». El *Peq. Espasa*, por su carácter de enciclopedia, ofrece una satisfactoria información sobre el movimiento *hippie.* Bryce-Echenique (*Martín Romaña*, pág. 331) usa «vestimenta hippizante».

Hit y **hit-parade** (masc.) figuran oportunamente en el *MEU* con sus correspondientes soluciones para evitarlos. Para *hit* como obra musical se propone 'en cabeza de los éxitos'. En sentido deportivo, para el golf, «equivale a tanto, o mejor, acierto». Pero también se usa *hit* para el béisbol. Precisamente la *GP-IED*, publicada por la Agencia EFE, recomienda para 'hit' *batazo bueno.*

En cuanto a *hit-parade*, el *MEU* dice: «Tradúzcase por relación de discos (o libros) más vendidos». También aparece en sentido figurado: «el *hit-parade* de los juguetes más vendidos en el Reino Unido», *El Mundo,* 6-1-95, pág. 59.

Pratt *(op. cit.)* menciona los dos términos a propósito de ortografía y pronunciación y registra la pronunciación española /xiparéis/ como interpretación fonética de *hit-parades*. El periodista P. Rodríguez escribía por entonces «el *jiparei* de la transición» (*ABC*, 15-8-82).

La ausencia de **hobby** en el inventario de A. F. da idea de lo reciente de esta adquisición en español, aunque en francés está documentada en su forma plena —*hobby horse*— y en su forma abreviada —*hobby*— desde principios del s. XIX, anglicismos que alternaron con la creación autóctona *violon d'Ingres*, de difusión muy posterior, y que llegó al español, en traducción literal, como *violín de Ingres*, probablemente antes que el anglicismo. El *Peq. Larousse* registra el galicismo en 1964 con el significado de 'ocupación secundaria con la cual uno sobresale' y *hobby* con el de 'pasatiempo favorito que sirve de derivativo a las ocupaciones habituales'. M.ª Moliner no recoge ninguna. El *DMILE* registra ambas indicando que en *hobby* se aspira la *h*. El *Peq. Espasa* y *VOX* sólo admiten el anglicismo.

Como se ve, en español no se ha juzgado oportuno definir *hobby* como 'violín de Ingres', siguiendo a los diccionarios franceses (*Lexis, Robert Angl.*), en parte porque la metáfora músico-pictórica del francés no ha alcanzado la difusión del anglicismo; en parte también porque, como se puede ver en los diccionarios en que figuran ambas, no se identifican plenamente. Hay tendencia a usar *hobby* en plural abarcando con el término distintas actividades: «Mis hobbies son: baloncesto, música, *bakalao*, hacer bromas...», carta en el *Peq. País*, diciembre 1995. Alfaro propone como traducción 'afición favorita' pero en su descripción del término indica que pueden ser varias.

Ni aun alcanzando los españoles campeonatos del mundo en alguna de sus variedades —hierba, patines, hielo— ha admitido el

DRAE el anglicismo **hockey**, que no tiene sustituto y que algunos transliteran erróneamente como *joquei* (así *GP-IED* y *VOX*) mezclando la ortografía inglesa con una falsa pronunciación (ingl. /hoki/). Alfaro se muestra partidario de darle cabida en el léxico oficial por haberse admitido *fútbol* y porque sus reglas se asemejan a las de éste. La semejanza ya fue advertida en España en sus comienzos, pues se explica en 1904 como «el foot-ball de las señoritas». Esto es inexacto, ya que en sus orígenes, según Höfler, se habla de «Polo sur la glace, ou mieux le Hockey» (1876). Si la primera de las tres variedades mencionadas era el *hockey* sobre hielo, que se ha convertido en uno de los deportes más violentos y brutales, no nos lo imaginamos protagonizado por señoritas. En España parece que las primeras menciones se refieren al *hockey* sobre hierba, muy practicado por mujeres, en el que los equipos españoles alcanzaron éxitos internacionales. No ha sido popular el *hockey* sobre hielo, aunque A. F. lo documenta ya en 1925. Pero la modalidad más practicada en España, en el plano internacional, es precisamente la más moderna, el *roller hockey* o *hockey* sobre patines, que apareció según *RHD* hacia 1926-30 y se describe como «juego semejante al *hockey* sobre hielo que se disputa sobre patines de ruedas». Höfler registra esta variedad con el nombre de *rink-hockey* en 1929, traducido 'hockey sur patins', pero ni una ni otra fórmula parecen haberse impuesto en francés. *Lexis* s.v. *hockey* menciona el hockey sobre hierba ('sur terrain gazonné') y sobre hielo ('sur glace'). Nuestro diccionario *VOX*, que sería homologable, menciona los tres tipos ya enumerados, pero la variedad sobre hielo sigue siendo exótica en España. La *GP-IED* no incluye esta modalidad entre los deportes olímpicos.

No ha tenido difusión, aunque se usa ocasionalmente, el sustantivo **hole** 'agujero', acaso porque su pronunciación se asemeja a la de *hall* pero sobre todo porque el español dispone de excelentes equivalencias. Ya citamos *agujero negro* (cf. págs. 113-14) en el mundo de la astronomía. En el deporte del golf, donde el *hole* constituye la unidad básica del recorrido, se tradujo primero 'agujero' (así todavía en el *DRAE*'92 s.v. *golf*), pero también 'hoyo' «que es como se dice hoy» (A. F., 1972). También están atestiguados los anglicismos crudos *hole* y *holes*. *Hoyo* y no *agujero* es la voz usada por García Candau (*NN*, pág. 201) para referirse a ellos.

A la desaparición de la voz *trust* del *DRAE* creo que han contribuido dos novedades léxicas extranjeras, que, con matices, llenan el vacío dejado por ella: *cartel* (o *cártel*), tomada directamente del alemán o llegada a través del inglés, cuyo significado destaca el carácter de monopolio que ejerce una empresa o grupo de empresas para excluir la posible competencia (ingl. *cartel* se explica en *Collins* como *'trust')*; y **holding** (*company*), con el carácter de agrupación o consorcio de empresas bajo control superior.

Esta voz *holding* la recogen *Peq. Espasa, VOX* y los diccionarios bilingües, aparte de los libros y manuales de estilo que recomiendan su sustitución por 'grupo financiero o industrial' (*MEU, LEABC*), 'sociedad de cartera... grupo de empresas' (*LRVang.*) o definiciones más explícitas (*LEPaís*). *VOX* añade que se pronuncia 'joldin'.

Derivado del mismo verbo inglés —*to hold*— pero de significado contrapuesto es el término **hold-up** que recoge, p. ej., el *LEPaís* con el comentario «atraco a mano armada. No debe emplearse». A mi parecer se trata de una palabra infrecuente en España. No así en la América hispanohablante, según Alfaro, si consideramos las dos adaptaciones fonéticas, que él llama «groseros pochismos», *joldear* y *jolopear*, de cuya difusión social o geográfica no da cuenta.

Es un error evidente, aunque disculpable, el de incluir **homard**, nombre francés del *bogavante*, como anglicismo sólo porque la cita completa reza «*homard* a la americana». Lo de «a la americana» referido a la langosta es una expresión que me intrigó durante años sospechando que una exquisitez culinaria no tenía porvenir asociada a la cocina americana. Además, viendo cómo un alumno yanqui confundía el topónimo *Armorica*, usado en ant. ingl. para designar la actual Bretaña, con *América,* creí las dudas disipadas asumiendo la posible confusión *Armorican* y *American* (haga un español la prueba), pero ni en uno ni en otro gentilicio pude encontrar la asociación con *lobster*, que es el término usual para *langosta* en inglés y que sería normalmente *langouste* en francés. Mas igual que en España se han confundido la langosta y el bogavante, excepto entre los entendidos, en el inglés americano *lobster*, con dibujo que resalta las grandes pinzas, es un bogavante, es decir, un *homard* francés (además el nombre científico de *lobster* es *homarus americanus*). El francés, respetando el patrimonio bretón por un lado y admitiendo el influjo del nombre científico, por otro, da su receta del «*homard à l'americaine* ou *à l'armoricaine*», sin decidir. Son los gastrónomos los que tienen la palabra.

Fue sorprendente, y celebro que se haya rectificado en las últimas ediciones, encontrar en el *LEPaís* (2.ª ed., 1980) la palabra inglesa **hooligan** explicada como «término ruso incorporado al lenguaje político internacional. Tradúzcase por 'gamberro'». Cierto es que en inglés se desconoce su etimología, mas el término se documenta en el siglo XIX y tiene todas las apariencias de un apellido irlandés, que es el étimo propuesto. En la edición de 1990 ya se había corregido. Sin embargo, etimologías aparte, este diario, en dos editoriales parece atribuir a *hooligan* un significado que se nos escapa: «[lo que descuentan al PSOE y lo que anotan a favor del PP] puede que se deba a la influencia de sus poco matizados *hooligans* en algunos medios de comunicación», *El País*, 11-6-94, pág. 14; «También es una constante que los principales líderes y sus *hooligans* respectivos juren que las inmediatas son las más importantes elecciones de la democracia», *El País*, 27-5-95, pág. 12.

Con un aspecto tan familiar, pocos atribuyen a la voz **hormona** orígenes bastardos. Sin embargo el propio *DRAE*'92, ampliando la etimología de la edición anterior, explica el origen remoto y el inmediato. No parece acertar aquí el *Robert Angl.*, pues no es necesario apelar al verbo gr. *horman* + sufijo *-one* si el participio activo del verbo es *hormon*. Así lo reconocen el *ShOED*, el *Collins*, el *Duden* y Migliorini.

Lo que sí parece indiscutible, según los datos del citado *Robert Angl.*, es que el término fue adoptado, no creado, por el investigador inglés E. H. Starling y difundido con un nuevo significado («These chemical messengers... or 'hormones'») en la revista médica *The Lancet* en 1905.

También es inglés, como tantos adjetivos en *-al*, el derivado *hormonal.*

Tiene razón en parte Corominas cuando afirma, tras comentar *hormón* (*DRAE*'36): «Corre bastante la variante incorrecta hormona», pero como buen etimólogo sabe de sobra que las fronteras de lo correcto y lo incorrecto son movedizas. En mi ya larga experiencia no he oído nunca la forma *hormón* y la Academia, con muy buen acuerdo, opta por *hormona* en 1970 y respeta *hormón* remitiendo esta voz a la más usada.

El término completo **horse-power** apenas se usa en español excepto para explicar la sigla H. P., de vigencia universal. La adaptación propuesta, *caballo de vapor*, alterna con su sigla *c.v.*

Aunque mencionada ocasionalmente, la voz **hot-dog** es también inusitada en español. No así su traducción *perro* (*perrito*) *caliente*, popular en España desde hace dos o tres decenios. No todas las lenguas la han traducido. En Francia se quiso traducir por *chien chaud,* sin éxito. En Alemania *Duden* registra *hot-dog* como angloamericanismo y se limita a explicarlo, pese a ser los inventores de la materia prima (la primera acepción de *hot-dog* es precisamente *frankfurter* o salchicha de Francfort), sin pretender aclimatarlo o buscarle equivalencia. Los italianos, fronterizos con Austria, han adoptado la versión austriaca de la de Francfort y la llaman *würstel* (dim. de *Wurst*, 'salchicha').

Algunos diccionarios españoles incluyen la voz **hovercraft** sin traducirla, y explican las características de este vehículo. El *MEU* y el *LEABC* recomiendan la traducción *aerodeslizador*, que parece calco del francés *aéroglisseur*. El *Peq. Espasa* recoge las dos formas y remite a ésta. Unos diccionarios (*Larousse Bil.*) usan *aerodeslizador* como traducción de *hydrofoil*, que para otros tiene como correspondencia el *hidroala* (*Collins Bil.*), que a su vez se considera en otros el «dispositivo que a modo de aleta adherida a una embarcación...»; esta embarcación sería la descrita en el mismo diccionario s.v. *hidroplano*. Tengo anotado el singular *hidroalas:* «cuatro fueron salvados por el hidroalas 'Tintorera' de la Compañía Transmediterránea», *ABC*, 24-4-94. El término italiano *aliscafo* destaca también el papel importante de las alas en estas embarcaciones. El prof. Haensch, que lo incluye en el *Langenscheidt Bil.*, me dice que este italianismo —*alíscafo*— se usa en el Río de la Plata, en vez de *hidroala*, para designar el medio de transporte que hace el servicio entre Buenos Aires y Montevideo. Así lo registra Kühl (1993).

La Academia, en 1992, incluye una definición de *aerodeslizador* que trata de conciliar estas aparentes contradicciones nacidas de los distintos tipos de embarcación agrupados tras las siglas ACV (= *air cushion vehicle* 'vehículo de colchón o cojín de aire') y entre los cuales destaca el británico *hovercraft*.

Hay cierta confusión en el significado de las adaptaciones españolas del ingl. *winch*, donde alternan formas con *h* y con *g*: **huinche**, *güinche, guinche*, y significados que van desde grúa hasta torno, montacargas, carrucha, polea, pescante o manivela. Los que conocimos una famosa marca de cigarrillos inglesa llamada *Capstan*, con ilustración marinera de cabrestante o torno vertical, no podemos explicarnos la confusión, pero ahí está, incluida en sus dos formas por Alfaro (*huinche, güinche*), y también en *VOX*, que distingue: «*güinche* (*m. Amér.*). Cabrestante, montacargas» y «*hüinche* (*m. Chile*). Grúa, pescante». Para mayor confusión, existe en Chile y Perú la voz quechua *huincha* que designa en plural la cinta de partida en las carreras de caballos o una cinta para medir distancias; quien la maneja se llama en Chile *huinchero*, pero *güinchero* (la grafía, como se ve, es caprichosa), según *Collins Bil.*, es quien maneja el *güinche* (< *winch*) 'torno o grúa'.

El *TLEC* registra, aparte de la forma *güinche* 'grúa', la variante *guinche* 'carrucha' en Canarias.

Figura en el diccionario *VOX* el término **hula-hoop**, marca registrada para designar un juego muy de moda hace unos treinta años. Pero la moda pasó pronto y no conozco ningún intento de aclimatar el término excepto adaptarlo como préstamo, sin indicar la pronunciación. Creo recordar que entonces se pronunciaba *jula-jú(p)*. Hubo hace unos años un renacimiento de la moda y quien lo vivió me asegura que se pronunciaba *jula jop*. Un grupo musical de esas fechas compuso incluso una canción en que el nombre del juego y su pronunciación han quedado como testimonio.

Sea cual fuere el origen de la acepción 5.ª de **humor** 'humorismo, manera graciosa de enjuiciar las cosas' (*DRAE*'92) es indudable que, aun admitiendo influencia inglesa, como en el derivado *humorista* (< *humorist*, según Corominas), el hecho es que la acepción 3.ª 'jovialidad, agudeza' y el sustantivo *humorada*, antes de Campoamor, registradas ya en el s. XVIII, hacían prever el sentido actual, adoptado del inglés y bien definido por la Academia. Recuerdo esto porque A. F., por lo general bien documentado, afirma que «en el sentido de 'gracia, jocosidad' su empleo en español es un anglicismo».

El componente semántico de lo ridículo y la ironía sirve de apoyo para el desarrollo de la idea de *humor negro* (< ingl. *black humour*), creación reciente (1965-70), que no registra todavía el *Collins*'79 ni siquiera el *ShOED*'93 y que el francés desconoce en la acepción actual del español (*humeur noire* 'état de dépression, d'abattement, de grande tristesse', *Lexis*); acaso calco del término médico lat. *atrabilis*, formado sobre *bilis atra*, es decir, cólera o bilis negra (cf. Bloch-

Wartburg s.v. *atrabilaire*). El *DRAE*'84, en un alarde de actualización, ya recogía esta acepción inglesa.

M.ª Moliner es la única en recoger la expresión *sentido del humor* (< ingl. *sense of humour*) como corriente (no hay duda) y en definir *humor*, *humorismo* destacando la «aptitud de descubrir y mostrar lo que hay de cómico o ridículo en personas o cosas».

Alfaro rechaza *humor* y *sentido de humor* (sic) como anglicismos innecesarios, pero desecha la equivalencia de 'jovialidad, agudeza' de la Academia (acep. 3.ª). No conoce la 5.ª 'condición de la expresión irónica' (*DRAE*'70) ni la 5.ª (*DRAE*'92) que citamos más arriba.

Humorista, que según Corominas no se atestigua hasta el año 1914 (*DRAE*), lo documenta A. F. en Menéndez Pelayo (1891) comentando a Madame de Staël.

Aunque admitida por la Academia como expresión de alegría o estímulo, **hurra** (ingl. *hurrah*) sigue siendo, como ya comentaba Alfaro en su día, poco usada.

Debe notarse aquí que el primer testimonio español es de Espronceda, como recuerda Corominas (se refiere al *Canto del Cosaco*, que se inicia con un *hurra* que sirve de estribillo a las estrofas siguientes).

Destaca también Corominas el desplazamiento del acento, oxítono en inglés y en francés. No debe extrañar en vista de la tendencia española al acento grave (*penálty*, *Nóbel*), ya comentada (cf. pág. 174).

IATA. Sigla inglesa de International Air Transport Association.

Sobre **iceberg** mantiene el *DRAE*'92 la misma explicación etimológica que la edición de 1984: del ingl. *iceberg*. Así lo consignábamos en 1955, mas destacando el hecho de que se trata de una trasliteración libre del neerl. *ijsberg*, ya que *-berg* no existe en inglés como palabra ni como elemento compositivo. Cuando la familia real inglesa quiso desvincularse de sus lazos alemanes convirtió el apellido Battenberg en Mountbatten. No ha sido éste el caso de *iceberg*.

Alfaro defendió sin reservas su entrada en el *DRAE*. Así ocurrió en 1984.

En los últimos años se ha introducido en España una variedad de lechuga bautizada en inglés hace cien años con el nombre de *iceberg lettuce* y conocida como 'lechuga iceberg', pero escrita correctamente a la inglesa.

Otro compuesto de *ice* totalmente inglés es **ice-cream**, documentado por A. F. desde 1925 pero poco difundido en español. Habría que comprobar la cita de 1929 *ice-cream soda* en que A. F. cree advertir un significado que le hace pensar en una crema de afeitar. Un diccionario tan americano como *RHD* no recoge este compuesto, pero sí el *Collins* británico, como americanismo, para designar un helado servido en una copa alta con agua carbónica y leche.

El adjetivo **icónico** no figuraba todavía en el *DRAE*'70. Aparece en la edición de 1984 y sigue en la de 1992, en ambas sin indicación de procedencia. Dadas las fechas, lo mismo podía haber entrado a través del francés que directamente del inglés. En francés pasa por anglicismo; cf. *Robert Angl.*

Voz casi desconocida en España, pero no en América, es el acrónimo **identi-kit**, marca registrada que figura en el diccionario de Kühl (Uruguay) traducida por 'retrato robot', pero también en el *Oxford Bil.,* en sus dos partes (Esp.-Ingl.; Ingl.-Esp.), con la indicación ® correspondiente y la grafía *Identikit.* Aparte de *Identikit (picture)* se usa en inglés la alternativa británica *Photofit* ® *(picture)*, traducido al español sudamericano por 'retrato hablado' (en México 'reconstruido'). He aquí un ejemplo español del término, referido a la compañía propietaria que le da nombre: «Expertos de la compañía norteamericana Identi-Kit [...] han conseguido un 'software' [...] con el que la policía puede [...] reconstruir con rapidez en una pantalla [...] el rostro del agresor», *ABC Cult.*, 14-4-95, pág. 52; otro ejemplo: «El identikit del típico *criónico* (el que elige la congelación para revivir en el futuro) corresponde a personas de 30-40 años, buena instrucción, óptimo empleo...», *La Mañana*, Montevideo, 15-2-95, pág. 15.

No ha tenido suerte la razonada defensa de **ignición** frente a *combustión* y *encendido*, hecha por Alfaro para traducir, con su venia, ingl. *ignition.* Ya decía él que *ignición* se estaba generalizando entre hispanoamericanos, de suerte que hoy ya la registra *VOX*, referida al automóvil, como americanismo. Pero los diccionarios bilingües traducen *ignition* por 'encendido'. El *Peq. Larousse* parece haber sido el primero en recoger la acepción automovilística 'inflamación de la mezcla de aire y carburante' (1964), sin mencionar localización geográfica.

Ya hemos comentado (cf. pág. 72 s.v. *reluctancia*) el caso de **impedancia**. Es casi seguro que se tomara del francés, aunque no estaba admitida en el *DRAE*'47. Esa procedencia consta en la última edición, que remite, como la del '84, a un neologismo, *impediencia*, creado al parecer para evitar *impedancia,* ya admitida en 1970 como derivada del lat. *impedire.* Se ve que pese a la recomendación a favor de *impediencia*, por considerarse forma más «correcta», el uso de *impedancia*, que aprendimos en el bachillerato, está muy arraigado. El *Peq. Larousse* y *VOX*, con buen acuerdo, optan por *impedancia* y prescinden de *impediencia.* El *Peq. Espasa* incluye ambas pero prefiere *impedancia.* En ninguna de las ediciones se dice que es un anglicismo — *impedance*— acuñado por el físico Heaviside (1886).

Más exacta es la Academia con las palabras **implemento-implementar**, admitidas respectivamente en 1984 y 1992, en vista, suponemos, del uso frecuente de la primera en la América hispana y de la segunda en la administración española.

Para **Inc**. (= *incorporated*), abreviatura norteamericana de *corporación*, hay un ejemplo en S. Tió, *Lengua Mayor...*, Editorial Plana Mayor Inc., 1991, Río Piedras... Impreso en España/Printed in Spain.

Córdova dice (*UMA*) que la utilizan tres compañías ecuatorianas. Pero *Inc.* ha invadido también la administración española: «El Consejo de Ministros... acordó... la creación de las Corporaciones 'Instituto Cervantes USA Inc.' e 'Instituto Cervantes Chicago Inc.'», *ABC*, 24-12-95, pág. 54.

Inflación en su 1.ª acepción, 'acción de inflar', es, sin duda, latinismo; la segunda, fig. 'engreimiento', parece creación autóctona; pero la tercera, con su valor económico, es probablemente anglicismo, lo mismo que en francés.

Un ejemplo español demuestra que el sufijo inglés **-ing**, aunque más raro, puede aparecer, como en francés, en voces autóctonas. Ya en una tercera de *ABC* ha denunciado con humor Carmen Martín Gaite la afición española al sufijo: «...palabras como *holding, marketing, parking, consulting* y otros *-ings* por el estilo...», *ABC*, 4-2-94, pág. 3. Esta afición se manifiesta inconscientemente en el reajuste de letras al mencionar al *Foreign Office* como *Foreing*, o al protestar un popular columnista de que a *Brooklyn* se le haya quitado la -g final (no le falta razón, pues *Brooklyn* también aparece escrito *Brookling* en una tercera de *ABC*, 1-1-95). En estas páginas hemos aludido más de una vez a seudoanglicismos de origen francés, como *smoking*, *leasing*, *footing*, *dancing*, etc., acogidos por el hispanohablante como genuina mercancía anglosajona. Pero como prueba de que nos estamos liberando de la servidumbre a lo francés, tenemos el *puenting*, con ese inconfundible diptongo castellano que prueba su estirpe. Este deporte, del que se han ocupado la prensa y la televisión, se llama en inglés *bungee jumping*, explicado en el *NShOED* como 'deporte o recreo que consiste en arrojarse una persona, desde una altura o un puente, sujeta a una cuerda elástica'. Admitido el seudoanglicismo, que proclama abiertamente su hispanidad, no es de extrañar que se aplique a una novedad típicamente celtibérica como son las expansiones laborales que ha adquirido la ya superada semana inglesa: «...lo que ocurre en este país... cinco días de *puenting* institucional...», J. Berlanga, *ABC*, 11-12-93. En un reportaje de *El País semanal* sobre los diseños del siglo (¿abril 1994?), se cuenta cómo al presidente de Sony su *olfating* (sic) —en ingl. *olfaction* existe y **olfacting* sería posible— le dio la idea del conocido *walkman* que hoy alivia la soledad o el aburrimiento de los melómanos poco exigentes. Pero hay acuñaciones más atrevidas, como *sanfermining* (en *DVUA* s.v.). La última creación española anotada es el artículo de Camilo J. Cela sobre el «deporte» del *dwarfthrowing* o *lanzamiento de enano*, que comentábamos hace años (*ABC*, 26-3-88, pág. 26) y que nuestro premio Nobel llama *enaning*, consciente tal vez de que sea un nuevo deporte anglosajón, pero según el diario *The Guardian*, que comentábamos entonces, el deporte tenía antecedentes en 1963. Usa Cela el neologismo —¿tendrá imitadores?— seis veces en su columna de *ABC* (10-9-94). Pero tres meses después arremete contra el vicio en una breve sátira (1 columna de *ABC*) contra la anglomanía en la que, aparte complementos «ambientales» anglosajones —«O. K. darling, thank you very much, P. O. Box, pubs, burgers, snacks, topless, etc.»—, se entra en el terreno de los seudoanglicismos e híbridos españoles como *puticlubs*, *puenting* (ya comentado), *resigning* 'resignación', *amorming* 'amor mío', *discodancings*, reforzados con los auténticos y difundidos como *darling* (4 veces), *skating*, *parking*, *smiling*, *shopping*, *marketing*, *consulting*, *advertising*. Como se ve, casi un inventario de las posibilidades hispánicas del sufijo *-ing* y sus subproductos de imitación.

En otra página de *ABC*, el 3-1-95, pág. 11, Cela insiste en la sátira con una columna titulada precisamente «Insistiending», aprovechando no sólo los anglicismos en *-ing* más o menos aclimatados —*sleeping*, *marketing*, *consulting*, *advertising*, *mailing*, *leasing*, *franchising*, *darling*, *trading*, *forfeiting*, *factoring*, *hedging*, etc.—, sino usando algunos insólitos en inglés o creando otros nuevos en función sustantiva, adjetiva o de gerundio en construcciones sintácticas inaceptables. A este grupo pertenecen el título, repetido dos veces, *articuling*, *pantaloning vaquering*, *chamulling*, *el pan friting*, *re-*

sultanding, todo ello sazonado con otros anglicismos corrientes como *citys*, *pubs*, *burgers*, *snacks*.

Falta el gentilicio **inglés** en Corominas. En el *DRAE*'92 aparece la sorprendente etimología «(Del fr. ant. *anglais*)». Si no se trata de voz tomada directamente del inglés podría deberse al uso italiano (*Inghilterra, inglese*). La ortografía inglesa, al cabo de los siglos todavía no registra el cambio *angl- > engl- > ingl-*.

En la edición del *DRAE*'1984 se había incluido el vocablo **interfaz**, que se explicaba como «formación paralela del inglés *interface*, desarrollado sobre *surface*, superficie». La de 1992 es más escueta: «del ingl. *interface,* superficie de contacto». La grafía *interface* es también usual (cf. *VOX*).

También ha tenido entrada en el *DRAE*'92 la pareja **interferencia-interferir** con su filiación inglesa (antes venían directamente del latín). Fue Corominas quien señaló el origen.

El término bioquímico **interferón** sirve para designar una proteína sintética capaz de combatir ciertos virus, impidiendo su reproducción. *Robert Angl.* destaca la novedad del término, acuñado por sus descubridores, un inglés y un suizo, a partir del verbo *to interfere* en 1957. El diccionario *Collins Bil.* s.v. ingl. *interferon* lo registra en su 2.ª ed. (1988), así como *Duden* y *Lexis*. También se usa como producto farmacéutico. En español sólo parece haberlo admitido el *Peq. Espasa*, que da los nombres de sus descubridores.

Cuesta trabajo creer que un esdrújulo español como **intérlope**, de más de un siglo, venga del francés. Algo se remediaba el origen en la edición de 1984 añadiendo que la voz francesa *interlope* con acento en la *o* procedía del inglés *interlope*, donde cabe un doble acento, en la primera y en la tercera sílabas. Si el étimo último, como sugieren *Collins* y Corominas, tiene que ver o no con el neerl. med. *loopen* 'correr, andar' es algo que no resolvería la cuestión del acento español, pues no coincide con el inglés (acento en la *i* o en la *o*) ni con el francés, donde es palabra oxítona.

Insider trading (cf. CALCOS PLURIM. S.V. *tráfico de influencias*).

Para **internacional**, que pocos considerarán anglicismo, tenemos, aparte del testimonio de quien acuñó el término en 1780, Jeremy Bentham, jurista y filósofo, el del lingüista Benveniste, que glosa la primera aparición de la palabra en francés (1819, según *Robert Angl.*) y confiesa que la voz *international* es «nueva». Alfaro comenta el también anglicismo *internacionalista* y pide que la Academia revise la definición. Ya se hizo.

Aunque usada hace más de un siglo por Menéndez Pelayo, la voz **interview**, documentada como masculino en 1891, no ingresa en el *DRAE*, con la grafía *interviú* y el verbo *interviuvar*, hasta 1992. A. F. aporta ejemplos suficientes para demostrar la vitalidad del préstamo y las vicisitudes de la incorporación al español. Hay que destacar que la grafía hoy admitida, *interviú*, la registra *ByN*, según A.F., en 1892 (pl. *interviuves*, luego *interviús*) y el verbo *interviewear* en 1891. Del mismo año 1892 es la frase de Valera «la *interviú* del *reportero* político» (*Ob. Compl.*, I, pág. 1893). Hoy *Interviú* es el título de una popular revista de gran tirada.

Un caso semejante al de *internacional,* comentado más arriba, es el de **introspección**. Según Bloch-Wartburg lat. *introspectio* es voz tan rara que no debe de haber servido de modelo. *Robert Angl.*, apoyándose en Wartburg (*FEW*), considera *introspection* palabra inglesa introducida con acepción psicológica en francés a principios de este siglo.

Dice el *DRAE* que **ion** viene del griego y significa 'que va', pero nos consta que es otra de las acuñaciones de Faraday (1834).

Sobre **iron curtain** *vide supra* págs. 63-64 y *vide infra* pág. 560.

No resulta apropiada la identificación de **issue** con eslogan, como hacía una periodista en *Tiempo,* 6-5-84: «el único eslogan, el 'issue'...», cuando se quiere destacar, en una campaña electoral, la cuestión, el problema, o los problemas fundamentales o puntos clave que se ventilan. Con un buen ejemplo, el diccionario *Oxford Bil.* traduce: '*We are campaigning on the issues*' por 'nuestra campaña se centra'.

No cabe duda de que **ítem** como adverbio y en la 2.ª acepción del *DRAE* es un latinismo. Las acepciones 4.ª y 5.ª de la edición de 1992, la 4.ª de Informática y la 5.ª de Psicología, se deben a la terminología de la informática y de las ciencias humanas, desarrollada en inglés según *Robert Angl.* Para Alfaro es anglicismo patente el uso de las dos últimas acepciones. Registra y condena el verbo *itemizar* («barbarismo inadmisible»).

Falta **jack**, como se indica en *A.E.*, en el diccionario de Alfaro, pero A. Fernández lo documenta ya en 1919 para designar los agujeros de enchufe en una centralita telefónica. También se usa como sinónimo de clavija o *banana*, voz ésta ausente en los diccionarios. *Jack,* entre los consultados, sólo figura en *VOX*, como voz inglesa.

La marca registrada **Jacuzzi**, única opción, al parecer, para los hispanohablantes de Florida, tiene en México y en España, por lo menos, una alternativa en el neologismo *hidromasaje* y así se ha empezado a difundir en España en los últimos años. Pero también aparece en la prensa española el nombre comercial: «[una casa lujosa] dispone de... una sauna, jacuzzi, etc.», *ABC*, 6-10-83, pág. 65d. En anuncios de prensa hemos encontrado las dos opciones y también la adaptación fonética, correcta, *yacuzi.* En Uruguay, Kühl registra la grafía *yacuzzi.*

Recoge A. F. s.v. *boy scouts* la voz **jamboree** como gran concentración de jóvenes exploradores: «... en 1933 participan en Budapest en una gran 'jamboree'... más de 30.000 'boy scouts' de todos los países». Yo la he oído aplicar en broma a simposios o congresos en que domina lo festivo sobre lo científico. *Jamboree* lo usa F. del Paso con respecto a un boy-scout (*Palinuro*, pág. 114). En todo caso es término poco usado.

Sin embargo, una formación al parecer motivada por *jamboree,* el compuesto **jam session**, está gozando de cierto favor en nuestros días. Ya Luis Goytisolo, en su novela *Recuerdo* (1973) la menciona en un campamento de la Milicia universitaria: «Llegaba dominante, desde otra tienda, el jaleo de la jam session, armónicas, guitarras, y una batería de marmitas...» (*Antagonía*, I, pág. 131). No parece lo descrito fiel reflejo del tipo de reunión de músicos, especialmente de jazz, que desde principios de los treinta disfrutaban improvisando, según el *RHD*. Esta misma fuente apunta a *jamboree*, como origen, por apócope, del primer elemento del compuesto. Prueba de su vigencia es el aviso, encabezado por el titular «Jam Session Jazz» en que se anuncia una de estas sesiones en la localidad de Rivas-Vaciamadrid, próxima a la capital de España, a las «12 horas, entrada gratuita» (*El País Madrid*, 18-12-94), con el subtitular «El flautista J. M. inicia una jam-session para todos los músicos». Luego se explica que tal sesión «consiste en que un grupo empieza a tocar una partitura» y durante ella «se suman y se ausentan músicos que no pertenecen al grupo».

En su política de adaptar a la fonética y la ortografía españolas los anglicismos frecuentes, la Academia incluyó en el suplemento a la edición de 1970 la grafía *yaz* para sustituir a ingl. **jazz**. Aunque han pasado 25 años desde entonces, parece que, como en el caso de *güisqui*, se prefiere *jazz* pronunciado con *y* inicial y *s* final. Como oportunamente señala nuestro léxico oficial, el origen es tanto *jazz* como *jazz-band*. De hecho, y así lo apunta A. F., la forma dominante al principio, desde 1919, es *jazz-band*, usada con preferencia como masculino. Los testimonios son abundantes. La pronunciación, según *VOX*, es *yas* y *yaz*; según *Peq. Larousse*, *yas*. El *Peq. Espasa* registra la adaptación académica y remite a ella. *VOX* recoge además *jazzman*, indicando pronunciación y forma de plural.

Jean. Voz inglesa incluida en *VOX:* «Pantalón vaquero. Se pronuncia *yin*». El nombre completo es *blue jeans*. *Yins*, en «el Barrio» (Nueva York), alterna con *mahones*. Pratt (*op. cit.*, pág. 215, nota) comenta, con razón, el hecho de que el nombre de una prenda tan popular no haya arraigado en España. La causa puede ser el uso generalizado de los nombres españoles, *tejanos* y *vaqueros,* ambos en el *DRAE*. Sin embargo, por esnobismo, aparece hoy con bastante frecuencia *jeans*. Haensch (1993) recoge dos adaptaciones colombianas, *bluyins* y *yins*. En Argentina y Uruguay se ha creado el derivado *jeanería,* pronunciado /ŷinería/.

Jeep es marca registrada de origen incierto, pese a su corta historia (medio siglo). En España se empezó a usar a raíz de la II Guerra Mundial. El *Peq. Larousse* registra la palabra en 1964 (pr. *yip*). Rosenblat (1969): «Y claro que tenemos *yips* (jeep) y *motonetas*» (IV, pág. 138).

Jerrycan es un anglicismo de poco uso que registran el *Peq. Larousse* y *VOX*.

La palabra **jersey** (*vide supra*, pág. 64) la documenta A. F. en 1890 en una traducción del francés. La Academia admite tres grafías: *jersey*, *yersey* y *yersi*, las dos últimas como americanismos (el plural escrito, en España, parece ser, según mis notas, *jerseys* o *jerséis*). De las tres, la primera y la última copian o imitan la ortografía y la pronunciación inglesa, respectivamente. *Yersey* es un híbrido de ambas soluciones; el diptongo *ey*, en inglés, es meramente gráfico.

Para **jet**, **jet set**, *vide supra*, pág. 64.

Recuerdo haber comentado con Arthur Montague, en una de sus visitas otoñales a Madrid, la falta de un equivalente español del conciso **jet lag** con que en inglés se designan las inconveniencias que el cambio de hora causa a los viajeros de largos recorridos a través de meridianos distintos. Creo que llegamos a aceptar *desfase* como punto de partida y así aparece, en *Collins Bil.*'88 (2.ª edic.), con el añadido «debido a un largo viaje en avión». En la siguiente edición (3.ª, 1992) se abrevia la equivalencia y se opta por *desfase horario*, fórmula recogida por el *Oxford Bil.*'94, cuya difusión no he podido medir. Si los anuncios son exponente del grado de aceptación, habría que pensar que a los diccionarios todavía no les han hecho caso, pues de esta laguna del español se aprovecha una compañía aérea a fines de 1994 para proclamar sus excelencias afirmando que «lo único que no sabemos decir en español es *jet lag* [*dzet læg* en transcripción fonética aproximada]». Tampoco, sin ser anunciante, el director de cine J. L. Garci como cronista deportivo cuando escribe: «El jet-lag (cambio de horario) hace de las suyas...», *ABC*, Dep., 21-6-94.

La grafía **jiddish** usada en *VOX*, que remite a *yiddish*, no es propiamente un anglicismo, sino una adaptación del judeo-alemán *jiddisch*, que reproduce la pronunciación judeo-oriental del alemán *jüdisch* 'judío'. J. Luis Serrano, profesor de la Universidad de Estocolmo y gran especialista español en la materia, prefiere la adaptación *yídico*.

La voz inglesa **jingle** 'cascabeleo' aparece en Argentina y Uruguay con la misma grafía y se pronuncia /ŷingle/. Se designa así la tonada o melodía que acompaña un anuncio publicitario.

Jingo y **jingoísmo** los registra A. F. en la última década del s. XIX, 1898 y 1896 respectivamente. El segundo lo admitió la Academia en la edición de 1936.

Hoy uno y otro son desusados y, como ya hemos comentado, igual que en francés, *jingoísmo* ha sido sustituido por *chovinismo* o *chauvinismo.*

Registra Alfaro, s.v. *yob,* el anglicismo **job** 'colocación, destino o empleo permanente'. En España es, al menos por ahora, desconocido.

Yoqui, que dicho autor comenta a continuación, remite, en cambio, a **jockey**, que califica de «extranjerismo usable en su forma original...». Tiene razón al decir que la grafía española debe ser «yoqui». Es un caso parecido al de *yersi* (no *yersey*). La Academia, sensatamente, acepta dos formas en la misma entrada: *yoquey* para unirse al uso general (*VOX*, *Peq. Espasa*, *DUE*, *Peq. Larousse: yoke*) y *yoqui* para reproducir mejor la pronunciación inglesa.

Pese a la expansión del *footing* (pron. *futin*) y el intento de establecer diferencias con **jogging**, esta forma, que es la usual en inglés, no acaba de desplazar a la otra, probablemente por dificultades de pronunciación, pero en la lengua escrita parece ser hoy la más frecuente. *VOX* la incluye s.v. *joggin* (sic), indicando que se pronuncia *yoguin.* En la Argentina y Uruguay, pronunciado /žógin/ equivale a *chándal* en España.

El diptongo inglés de **joint** aparece en el lenguaje de la droga en las variantes gráficas *yoe, yoi* (también *joe, joi*), *yoin* 'porro'.

Lozano, en su *NDBEE*, ofrece una docena de opciones para decir en español lo que en inglés se llama **joint venture**, alguna tan breve y explícita como *coinversión.* Pese a ello y a la difusión de su diccionario, la prensa y los economistas insisten en usar el término inglés, a veces explicado con un equivalente español tomado de Lozano o inventado: «[Cerveza Guiness]: Mantenemos una *joint venture* con Codorniu», *El País Negocios*, 15-5-94; «*joint venture* (negocio conjunto)»; «la primera j.v. del mundo en que participa capital árabe, israelí y europeo», *El País Negocios*, 19-1-95, pág. 6 (la misma fórmula en el citado diario en 4-12-94); «[Ford] en 'joint venture' con Volkswagen...», *El Mundo*, 7-1-94, pág. 55; «[G.M.] anunció una 'joint venture' (empresa de riesgo compartido) en China», *ibíd.*, pág. 56.

No es **jojoba** palabra inglesa ni mucho menos, pero la incluimos aquí en espera de que la Academia la incorpore a su diccionario antes de que sea tarde: *VOX* ya se ha adelantado, como lo hizo *RHD*, el *NShOED* y algún otro. Se repite con ello el caso de *machismo*, que apareció antes en los diccionarios extranjeros que en los españoles, pero aquí las consecuencias pueden ser más graves, pues pensando la propaganda comercial que el aceite extraído del arbusto así llamado en México es voz inglesa, transcriben —así en anuncios— *yoyoba* porque así suena acaso más exótico. Ingleses y franceses, sin embargo, intentan imitar la pronunciación española: en inglés «pronounced ho-ho-bah», *Time*, 27-7-81, pág. 48, y en francés con *hr*: «(La plant)... s'appelle jojoba —prononcer 'hrohroba' comme 'jota'—, ce qui signe son origine mexicaine» (*L'Express*, 9-8-85, pág. 37a).

Afortunadamente, una crema de manos fabricada en Valencia, llamada Pur-oba, se explica por su alto contenido en aceite de jojoba.

La carta de la baraja inglesa llamada **joker** tiene el nombre escrito en el naipe que con figura de bufón desempeña el papel de comodín. Así lo registra *VOX* con la indicación de que «se pronuncia *yoquer*».

Jol es la versión escrita adoptada por M.ª Moliner y algunos autores del ingl. *hall*.

Después del nombre del deporte, en el béisbol la palabra más usada —equivalente en importancia al *gol* futbolístico— es **jonrón**

(< ingl. *home run),* para la que Alfaro propone 'carrera completa' añadiendo el verbo *jonronear*. Ambas formas, nombre y verbo, están recogidas con la grafía hispanizada en el *Collins Bil.* También tengo anotado «hermanos *jonroneros*» (*El Nacional,* Caracas, 31-8-86).

La *GP-IED* menciona esta hispanización y las traducciones *vuela cerca, cuatro esquinas* y *cuadrangular*. Yo sólo tengo anotada la última.

La adaptación **jud** 'cubierta del motor', que condena Alfaro s.v. *automóvil* para el angloamericanismo *hood*, no sabemos dónde se usa. Entre los datos recogidos por Quilis (1982) no aparece en ninguno de los 15 países americanos encuestados ni con la grafía inglesa ni con la transcripción española. En España se ha optado por el galicismo *capó* y así figura en el *DRAE*.

Conocido primero como nombre de un elefante de circo exhibido por el empresario P. T. Barnum a fines del siglo XIX y luego aplicado a animales o cosas grandes, **Jumbo** llegó a España —hacia 1970— aplicado a un enorme avión de pasajeros. *Jumbo* aparece en este sentido en el *Collins Bil.* como traducción del ingl. *jumbo jet*. En España ha prendido también la acepción de algo grande: nombre de un supermercado (también en Chile), salchichas *Jumbo*, hamburguesa *Yumbo.* Por analogía con la *jet set,* algún periodista escribe «las fiestas de la 'jumbo-set'», *ABC*, 17-8-82.

El verbo inglés *to jump* 'saltar' ha dejado en español una interesante estela de préstamos y adaptaciones como forma verbal sustantivada. Nuestros diccionarios registran: «**Jumping**. Concurso hípico de saltos... Se pronuncia *yampin*» (*VOX*); *Peq. Larousse* recoge esta significación con la pronunciación *yamping*. También tenemos *jumper* 'vestido de mujer sin mangas' (*VOX*). A. Fernández documenta el término *jumper* en 1922: «viene a ser como un *jersey,* de la misma especie que el *pull-over*».

Pero en el español de América existen las variantes *chomba*, Chile, 'especie de chaleco cerrado' (*Peq. Espasa*, *VOX*, que remite a *chompa* 'suéter'); *chumpa*, Guat.; y también *chumba*, Chile, 'especie de chaleco' (*VOX*). Todas, salvo la última, incluidas en el *DRAE*'92. En Colombia, Haensch registra también *chompa* 'especie de chaqueta deportiva, generalm. con cremallera y ajustada a la cintura [España, cazadora]', pero además incluye s.v. *jumper* las pronunciaciones /yúmper, yómper/, que supongo cultas e influidas por la ortografía inglesa. En Argentina y Uruguay también se registra la pronunciación /žumper/ para designar lo que el *DRAE* describe como *pichi*[2].

No entra hasta 1970 en el diccionario académico la voz **jungla**, de origen hindi, transmitida a través del inglés. M.ª Moliner anunciaba su admisión en 1967 como *yungla*, pero entró con *j*. Alfaro está en contra de su admisión pues, alega, disponemos de *selva, monte, bosque* y *manigua*. Vista su defensa de la *y* inicial en *jingo*, aduciendo el caso de *yute* (vide infra), creemos que la grafía *yungla* le hubiera contentado.

La adopción de **junior** para indicar el hijo de alguien del mismo nombre ha chocado siempre con la condena de todos, sobre todo porque el doble apellido, regular en el ámbito hispánico, hace superfluo tal aditamento, pero además, porque lo clásico, como recuerda Alfaro, era oponer *el Viejo* a *el Mozo*. A. F. lo documenta, en sentido deportivo, referido a una carrera ciclista y añade que «nuestros locutores» pronuncian *yúnior* y *yúniors*. Pero *VOX*, que registra tres acepciones como inglesas, dice que el plural es «*juniores,* nunca *juniors*» y que «se pronuncia *yúnior* en todas las acepciones».

Ya en 1980 V. León, *op. cit.*, incluía en su diccionario la palabra *yonqui* (< ingl. **junkie**) 'el que se inyecta asiduamente'. Tuvo entrada en el *DMILE* en la última edición, con el mismo significado, y en *VOX* con el de 'toxicómano que consume drogas duras'. Contra la tendencia a usar plurales en *-ies* , señalada más arriba, con *yonqui* tenemos ejemplos en *-is*: «trataban de robarles los *yonquis* de la zona» (*El País Madrid*, 10-10-93, pág. 4e).

Como decimos más arriba, fue un acierto incluir la voz *yute* (< ingl. **jute**) con *y*, como se ha hecho con *yoqui* (< *jockey*), *yersi* (< *jersey*) en América, o *yaz*. Es acaso tarde para imponer estas grafías, pero dada su proximidad al original y dado el uso americano, ello contribuiría a la unidad del idioma.

La hispanización de voces inglesas con *k-* inicial explica su escasez en español. El *DRAE*, que dedica una página a esta letra, sólo admite, como anglicismos, el nombre comercial **klistrón**, procedente de la terminología electrónica (< ingl. *klystron*), y **kelvinio** (de Lord Kelvin, físico y matemático inglés). A. F. registra *kelvinator* en 1932, que es marca comercial. Menos conspicuos en la citada página son el segundo elemento de *kilovatio* (James Watt, inventor escocés), voz documentada ya en 1892 (*kilowats*, según A. F.), y **kiwi**, **kivi**, ave de Nueva Zelanda. El fruto del mismo nombre se ha hispanizado como *quivi*, ignoro si con aceptación general.

Otras voces con *k-* llegadas del inglés, como origen o intermediario en su difusión, son:

Caleidoscopio, invento inglés de 1817 (ingl. *kaleidoscope*), ya documentado en francés (*kaléidoscope*) en 1818, de donde probablemente pasa al español.

Caqui (< ingl. *khaki*). M.ª Moliner y *VOX* incluyen *kaki*, que remite a *caqui*.

Alfaro registra y condena la grafía y pronunciación anglicada *kangarú* como contrarias al uso español, que prefiere **canguro**, cuya vocal tónica reproduce el timbre francés dominante *kangourou* (también se ha escrito *kanguroo, kangurou* y *kangarou*). En francés es anglicismo.

Como queda dicho más arriba, s.v. *baby-sitter*, el español actual ha adoptado la voz *canguro* como traducción del compuesto inglés. Así está en *DRAE*'92, acep. 3.ª.

El nombre inglés **kapok** (< javanés *kapuk*), recogido por Alfaro en su diccionario, no está aceptado por la Academia. M.ª Moliner sí lo incluye en el suyo s.v. *kapoc* y remite a *miraguano* (palmera). Dados los distingos que establece Alfaro sobre la identidad de esta planta, sólo hay unanimidad en que de su fruto se extrae una especie de lana, plumón o materia algodonosa que sirve para rellenar almohadones, cojines, etc. Sin ser botánico quien esto escribe debe consignar que Alfaro identifica la planta con la especie *eriodendrum anfractuosum*; el *RHD* con la *Ceiba pentandra* y M.ª Moliner con la *Thrínax parviflora*, que es el *miraguano*. *VOX* registra *kapok* y lo define como 'una variedad de ceiba'.

Entre 1960 y 1970 apareció en España el deporte conocido como *karting* porque se practicaba con pequeños automóviles llamados (*go-*) **karts** (< ingl. *cart* 'carro'). *VOX* registra *kart* y *karting* y añade que el plural de *kart* es *karts*. También en el *Peq. Larousse* figura *kart* con *karting* 'carrera de karts', y en *Peq. Espasa kart*. El diccionario bilingüe alemán *Langenscheidt* (1990) registra *kartódromo* 'Go-kart bahn', que no hemos podido documentar en nuestras notas.

El diccionario *Robert Angl.* afirma que **kayak / kayac** es voz inglesa tomada del esquimal *qajag*. Alfaro opina que *kayak*, por su frecuente uso, justificaría su adopción en nuestra lengua. No ha entrado en el *DRAE*, pero figura como *kayac* en el *Peq. Larousse*'1964. *VOX* registra tres acepciones del término y señala las condiciones del deporte olímpico disputado con este tipo de embarcación. También lo recoge el *Peq. Espasa* s.v. *kayak* 'especie de canoa usada por los esquimales'.

En el *DRAE*'70 figura ya el neologismo *queroseno*, a partir del griego *kerós* 'cera'. En la última edición (1992) se añade a la voz griega el sufijo *-eno* y se admiten dos variantes americanas: *querosén* y *querosín*. Pero el *Robert Angl.* explica que el nombre fue acuñado, a partir del griego, por su inventor norteamericano, que lo patentó en

1854. La pronunciación inglesa de la sílaba final de **kerosene** /-sin/ explica la variante *querosín*. *VOX* y *Peq. Larousse* incluyen también las variantes con *k-*: *kerosén, keroseno*. Alfaro registra además las formas *kerosín, kerosina* (fem.).

La salsa de origen malayo difundida por el inglés con las grafías **ketchup**, *catchup* y *catsup* figura en el diccionario *VOX* con la primera de ellas y se pronuncia, según él, 'cadchup'. Pero con esta grafía la pronunciación única, según Jones-Gimson, es /kechəp/, mientras que la de *catsup* admite tres vocales tónicas palatales, no *a*, que sí sería una posibilidad en angloamericano.

Igual que en *kilovatio* se esconde el nombre de James Watt, en **kilogray** tenemos el del radiobiólogo inglés L. H. Gray en cuyo honor se adoptó en 1975. En *VOX* (1992) figura *kilogray* 'mil grays' y *gray* con dos acepciones ('dosis de radiación...' y 'código binario...'). La Academia no registra ni la unidad ni el nombre de las mil unidades.

La faldilla a cuadros de los escoceses, llamada **kilt**, tiene explicación, mas no traducción, en español. Así figura en el *Peq. Larousse, Peq. Espasa* y *VOX*.

No hay razón de peso para incluir **kimono**/*quimono* como anglicismo, como hace Alfaro.

Según mis datos, la primera vez que se usó la palabra **kinésica** (< gr. *kínesis*) en España fue en 1969, vol. IX (núms. 35-36 abril-agosto) de la revista *Filología Moderna*, pág. 165 y ss. («Enfoque behaviorista del hablante como miembro de su cultura»), aunque antes había sido utilizada en reuniones de hispanistas (México, 1969; Chicago, 1969). Fernando Poyatos, hoy figura mundial en el campo de la paralingüística, adapta en ella al español el sustantivo inglés *kinesics* y el adjetivo *kinesic*. El diccionario *VOX* la recoge con la grafía *quinési-*

ca, con la *q-*, preferida por la Academia, pero admite también *kinésica* y *cinésica*. El término se ha impuesto en al. *Kinesik*, sin más etimología que la del griego, como en inglés. *Lexis* registra *kinésique*, para el francés, pero remite a *kinesthésie*, considerado por *Robert Angl.* adaptación del inglés *kinesthesia, kinesthesis* (< gr. *kin(ein)* + *esthesia*), pero no son sinónimos. La *kinésica, cinésica* o *quinésica* (no sabemos cuál ni cómo se admitirá) es el 'estudio de los movimientos corporales, ademanes y gestos faciales, etc. en su función comunicativa' (*RHD*).

Suelen registrar algunos diccionarios de uso (*Peq. Larousse*, *VOX*) el nombre de una raza canina conocida como **King Charles** 'perrito faldero de pelo largo' (ingl. *King Charles' Spaniel*), variedad del *spaniel* (= español), perro de caza de moda en el reinado de Carlos II de Inglaterra. A. F. lo documenta en 1922.

No ha pasado a los lexicones de carácter general otro rey inglés que dio nombre a un tipo de patata conocido en Canarias como «papa *quinegua*, *guinegua*» (< ingl. *King Edward*), en el *TLEC*.

Únicamente en *VOX* parece haber tenido entrada la voz **kit**, de uso general en el comercio en el sentido de 'Conjunto de piezas... cuyo montaje es fácil de realizar por un inexperto gracias a las instrucciones que las acompañan'. Sin embargo, en los usos españoles aparecen otras acepciones: así, el botiquín se llama en inglés *first-aid kit* 'equipo de primer auxilio'. Ejemplos de uso: «el *kit* del afeitado [en estuche]», *El País semanal,* 30-1-94, pág. 84; «[Contra el sida] ...un millón y medio de *kits* distribuidos gratis en farmacias... ¿Qué es un *kit?*. —Una bolsita [con jeringuilla, preservativo, alcohol, etc.]», *El País semanal,* 23-10-94, pág. 52; «[sobre la policía española] ...Nuevos elementos para la inspección ocular... mejora de los maletines... con incorporación a los mismos de kits, conforme a normas internacionales...», *El Mundo*, 11-11-94, pág. 16; «*Cinesa regala un 'kit'*. [Para celebrar el Centenario del cine regala] un 'kit' con el libro '100 años de cine', el póster 'El cine' y un 'pin' a los escolares...»,

ABC, 31-5-95, pág. 78; también hay «*kits* de energía solar», fabricados por una empresa tinerfeña, «que calientan el agua hasta un promedio de 55º», *El País Negocios,* 11-6-95, pág. 11. Cf. también s.v. *identi-kit*.

M.ª Moliner incluye en su diccionario la voz **kitchenette**, diminutivo con sufijo francés de *kitchen* 'cocina', poco usado en España. En la prensa de México hemos anotado el calco *cocineta*, que parece usual, en los anuncios «clasificados».

M.ª Moliner registra la voz *claxon* (ingl. **klaxon**, en tiempos marca registrada) como recientemente admitida por la Academia. Antes ya la incluía el *Peq. Larousse* (1964) s.v. *klaxon*. Como ocurre con otros nombres comerciales (cf. *delco, fliper, kodak*), la voz es infrecuente en los diccionarios ingleses. *Collins Bil.* «traduce» esp. *claxon* 'horn, hooter' y *tocar el claxon* 'to sound one's horn, hoot'.

Kleenex, cf. s. v. *clineros*.

A. Fernández registra **knickerbockers**, nombre usado ya en 1912 para designar un tipo de pantalones holgados sujetos por la rodilla, luego aplicado a los de esquiar y jugar al golf. También menciona las variantes *knickers* y *nickers*. Hoy nadie sabría qué significa la palabra.

Debemos al boxeo la introducción del verbo *noquear* (< ingl. **knock out** 'dejar sin sentido, dejar K.O., poner K.O.'). A. F. lo documenta desde la tercera década del siglo en contextos ajenos al boxeo. Figura en *Peq. Larousse*, *Peq. Espasa* y *VOX. Collins Bil.* y *Oxford Bil.* registran como americanismos las adaptaciones *nocaut, nocaut técnico; Collins Bil.* añade el verbo *nocautear* y otro término boxístico, *nocdáun* (< ingl. **knockdown**).

Los avances indudables de la tecnología norteamericana han difundido por todo el mundo el angloamericanismo **know-how**, compuesto sintáctico que alude al modo (*how* = cómo) de hacer bien las cosas. En Francia *Robert Angl.* lo documenta en 1959, pero Höfler tiene ejemplos de 1949 y 1952. No lo encontramos en ningún diccionario español, pero el *Collins Bil.*, como equivalencias «españolas» de *know-how* ofrece 'saber hacer, know-how'. En el *MEU* encontramos: «Tradúzcase por *habilidad, destreza, experiencia, pericia.* (A veces debe traducirse por *tecnología*)». Estas mismas, salvo *tecnología*, son las propuestas de M. Sousa. El *Oxford Bil.* añade 'conocimientos' y es probable que haya ocasión de usar todas como traducción, pues el término inglés no es muy frecuente. En una revista del Ministerio de Industria leemos, a propósito de ciertas empresas: «falta de un know-how adecuado».

El *Peq. Larousse* incluye **kodak** (marca comercial) con el significado de 'cámara fotográfica manual', que también recoge el *Peq. Espasa* con el de 'marca registrada de numerosos productos fotográficos'. A. F. citando el *OED* lo toma por *nombre de propietario*, pero «proprietary name» es equivalente a *trademark* o marca registrada. También A. F. cita el *Webster* para indicar que es una formación arbitraria. Puede decirse que todos los diccionarios y el investigador español tienen razón. De ello nos informa puntualmente Mencken (*AL*, pág. 172 y ss.; *AL-I*, pág. 342): a) el nombre no es del propietario George Eastman, sino acuñado por él, arbitrariamente, buscando una palabra que se pronunciase y se escribiese sin faltas. No tuvo suerte en España. La primera cita documentada por A. F. (1910) empieza «¡Cuántos *kodacks* indiscretos!»; b) al convertirse en nombre común para las máquinas de fuelle y rollo (no de placas) los fotógrafos alemanes lanzaron patrióticamente en 1917 una advertencia a quienes usaban la palabra, pues favorecían la industria angloamericana a costa de la alemana. *Collins Bil.* incluye *kodak* como voz española = 'small camera', pero no como inglesa.

Debe de parecer a muchos una grafía enrevesada la de **ku-klux-klan**, pues la primera vez que aparece se escribe *ku-kus-klan* (1925) y la segunda *klu-klux-klan*. Todavía hoy el esmerado *VOX* registra *kukuxklán*. La entrada del *Peq. Espasa* es correcta.

Si **laboratorio de idiomas** es un anglicismo en francés (cf. *Robert Angl.* 'laboratoire de langues'), también lo es en español como traducción de *language laboratory*. No poseo ejemplos de su introducción, pero me consta, por experiencia, que la expresión era ya familiar en 1964, cuando se proyectó un programa de la Fundación Ford que incluía la introducción de cinco *laboratorios de idiomas* en otras tantas universidades españolas con licenciatura en Filología Inglesa. Las dos acepciones del *DRAE*'92 no dan pie para incluir esta 'oficina o taller' entre lo definido.

Sobran, en cambio, testimonios escritos en prensa sobre el **laborismo** y lo relativo a él en la sociedad británica. Hay que decir que el adjetivo *labourist* apenas se usa en inglés, que prefiere *Labourite* o, mejor, *Labour* en función adjetiva y recurre a *Socialist* cuando se refiere al partido equivalente norteamericano o a otros movimientos afines no británicos.

El *DRAE* refiere acertadamente *laborismo* y *laborista* a la ideología política británica.

No se va a librar la Academia de la acusación de machista si sigue condenando al ostracismo la voz **ladi**, incluida, por ejemplo, en 1947, 1970 y 1984 y suprimida en 1992, sobre todo cuando se mantiene en su sitio la variante masculina *Lord*. Supongo que las feministas no perderán esta oportunidad de tildar a los académicos de retrógrados. Figura *ladi*, con razón, como voz académica, en el *Peq. Larousse*, pero prefiere *lady* (pr. *leidi*). Lo mismo en *VOX* y en *Peq. Espasa*. También la recoge M.ª Moliner como voz académica señalando que la grafía *lady* es la más frecuente. A. F. la documenta en España en 1844, igual que *milady*, indicando que el plural usual era *ladys*. Hoy no parece usual. A. Zamora escribe *leidi* en *Hablan...*, pág. 43.

El noroeste de Inglaterra, conocido como Lake District, fue lugar de encuentro de tres grandes poetas ingleses: Wordsworth, Coleridge y Southey. «He aquí por qué a los tres se los agrupa con el nombre de **lakistas**» (E. Pujals, *Historia de la literatura inglesa*, Madrid, Gredos, 1984, pág. 310). El *DRAE* no ha admitido el término en ninguna de sus dos grafías —la otra es *laquista*— ni el del movimiento, *lakismo, laquismo*, que se considera escuela poética prerromántica. El *Peq. Larousse* recoge ambas voces con *k*; *Peq. Espasa*, *lakista*; *VOX*, *lakismo, laquismo* y *laquista*. El *DMILE* incluye *laquista* pero en el significado de 'persona que aplica la laca'.

El acrónimo inglés **láser** sí está admitido en el *DRAE*'84 con despliegue de las iniciales que lo forman, con error de *Activation* en vez de *Amplification* y pl. *Radiations* por *Radiation*; en 1992 se corrige la primera.

No parece aceptable, sin más, que el término **latitudinario**, nombre de los seguidores de una secta anglicana (ingl. *latitudinarian*), sea en español derivado del lat. *latitudo, -inis*.

El nombre completo del deporte conocido primero en inglés como **lawn-tennis** 'tenis de césped' apenas se usa y se suele reducir en español a *tenis*, pero *VOX* lo registra con la grafía inglesa y añade que se pronuncia *lon-tenis*. A. F. no tiene una entrada para este compuesto en su glosario, pero nos ofrece dos citas —*launtenis* y *launtenis*, s.v. *garden party*—, y algunas más s.v. *tenis*; en una de ellas se recuerda (en 1925) que el deporte se practicaba ya en 1877 en la Alameda de Osuna y el Palacio de Liria. Santander y Burgos ofrecen en 1915 y 1923, respectivamente, concursos de *lawn-tennis*.

El primer testimonio de la voz **leader** lo encuentra A. F. en una carta de Valera a M. Pelayo en 1878, referido al jefe de la oposición; luego se aplica a otras actividades no políticas, entre ellas los deportes. La forma hispanizada *líder* la documenta en 1929. Su derivado *leadership* ha originado en español *liderazgo* y *liderato*, así como el verbo *liderar*.

Ya hemos comentado más arriba (cf. pág. 65) que **leasing** pertenece al grupo de los seudoanglicismos. La palabra figura en algún diccionario inglés como arcaísmo, con el significado de 'falsedad, mentira'. La forma difundida en España acaso proceda del francés, donde, según *Robert Angl.*, ha dado paso a *crédit-bail*. En España recogen esta voz casi todos los diccionarios y manuales de estilo con el sentido de 'arrendamiento con opción a compra' (*VOX*). Pero en inglés *lease*, de donde procede, significa 'contrato mediante el cual se entrega una propiedad a alguien por un periodo determinado, por lo regular mediante el pago de una renta'. El uso español parece delatar el significado del término americano *lease-purchase* 'uso continuado de bienes o propiedad mediante contrato que otorga al arrendatario la opción de compra y con parte de la renta deducible del precio de adquisición'. Alcaraz-Hughes, cautamente, sólo registran *leasing* con valor adjetivo en el compuesto *leasing company*. El último peldaño de la penetración de *leasing* en España es la «Cerdo-Leasing. Sociedad Cooperativa de Criadores de Cerdo Ibérico», anuncio de *El Mundo,* 20-1-95, pág. 63.

Sobre **leggings** cf. más arriba, pág. 42.

La Legión Americana (*American Legion*) es una asociación de ex combatientes fundada al concluir la I Guerra Mundial, que se reúne en congreso periódicamente. En el celebrado en 1976 en un hotel de Filadelfia se declaró una enfermedad desconocida, bautizada entonces con el nombre de *legionnaires' disease* y atribuida luego a una bacteria designada (1979) con el neolatinismo **legionella** *pneumophila*, aceptado mundialmente. Hay una adaptación española, **legionelosis**, para la enfermedad, a la que la revista *ByN* dedica una página, al tiempo que se describe la mencionada bacteria, descrita también como 'bacilo aerobio estricto' en el *DVUE* al registrar la noticia de *El País* (8-12-89) de que «un brote de neumonía... en... Benidorm [podría ser debido a] la legionella».

Levitación y **levitar** no aparecen en el *DRAE* hasta 1984, ambas sin indicación de origen. Corominas, naturalmente, no las incluye. En inglés existen *levitation* y *levitate* desde el siglo XVII, formados por contraste con *gravitation* y *gravitate* (cf. págs. 117-18, s.v. *atracción universal*). En francés, tanto el sustantivo como el verbo (*graviter)* se consideran anglicismos (el último, según Höfler, hacia 1930).

No los incluye M.ª Moliner. En el *Peq. Larousse* (1964) figura sólo *levitación* 'acto de levantar un objeto por la sola potencia de la voluntad', repetida por *VOX*, que añade otra acepción y el verbo *levitar* 'elevarse en el espacio... sin intermediación de agentes físicos conocidos', coincidente con la del *Peq. Espasa.*

No parece normal que palabras como **lift** y **lifting** aparezcan en un mismo anuncio en España. La primera significa en Gran Bretaña 'ascensor' y así se ha extendido en otras lenguas europeas (francés, alemán, etc.). También significa lo que en América se llama *aventón*, 'transporte amistoso y gratuito en automóvil'. A. F. registra un ejemplo de la primera s.v. *liftboy*, que no encuentra en diccionarios pero que el contexto hace identificar como variante de *page-boy* 'botones que atiende el ascensor'. *Lift* significa además como nombre y como verbo muchas cosas más. El *NShOED* registra 22 acepciones del primero y 12 del segundo.

Hoy *lift-boy* sigue ausente de los diccionarios ingleses, pero *Robert Angl.* lo documenta en Proust (1918) en la forma abreviada *lift*, de *lift-boy* (1904) 'garçon d'ascenseur'.

Lifting, como tratamiento de cirugía estética, es también voz difícil de encontrar en los diccionarios, excepto si se busca s.v. *face-lift* que tiene como variante *face-lifting* 'operación que consiste en quitar las arrugas de la cara estirando la piel'.

No la registra ningún diccionario español a mi alcance. Sin embargo, no es menester esforzarse mucho para encontrar en la prensa anuncios de *thread-lift, mesolifting, lifting endoscópico, lifting* o *biolifting, minilifting,* etc. pagados por institutos de belleza, y también en sentido figurado: «La selección [de fútbol] iba a sufrir un lifting en toda su superficie», *El Mundo*, 17-6-94.

Creemos que peca de intransigente Alfaro cuando condena el uso de **Liga de (las) Naciones** como anglicado, no tanto por el empleo de la voz *liga*, que tiene precedentes antiguos en español (debe excluirse la *Liga Hanseática*, término relativamente moderno), como lo revela el hecho de que *Liga* y *Ligada* en alemán se consideren hispanismos (cf. *Duden* s.v.), sino por no usar el artículo plural utilizado por los franceses. Extinguida la vigencia del esperanzado proyecto, reducido a un edificio de Ginebra, el uso actual, como reliquia histórica, alterna entre *Sociedad de Naciones* y *Sociedad de las Naciones*. En cualquier caso, *liga,* salvo en alguna traducción del inglés, ha desaparecido. Sí creo que es un anglicismo el uso de la palabra en competiciones deportivas, especialmente en fútbol, con derivados españoles como *liguilla, liguero, -ra.*

Uno de los anglicismos en boga en la actual década es el adjetivo **light**, de cuya pronunciación me han contado más de una anécdota. En el uso español parece compartir el significado de *descafeinado* (*DRAE*, 4.ª acep.), es decir, 'desvirtuado, privado de lo nocivo o violento'. Es adjetivo que se aplica sin restricciones lo mismo a bebidas —«bebidas 'lights'» (sic), *ABC*, 1-7-94— que a actividades o virtudes de toda índole: «felicidad 'light'» (*ABC*, 29-1-94, pág. 107); «lo mío es más *light*, vuelvo a casa a las 11», *El País Domingo*, 19-6-94, pág. 15; «vanguardias light», F. Umbral, *El Mundo*, 13-2-95, pág. 88.

En el *DVUA* se ofrecen más ejemplos ilustrativos de la llamada «época de lo light»: «cerveza light, refrescos light, esplendor social y político light», y se remite a otras tantas citas de *Cambio-16, El Sol, El Mundo* y *El País.*

Figura **liliputiense** (< ingl. *Lilliputian*) en el *DRAE*'47. No cabe duda del origen inglés del término creado por Swift. Como la primera traducción española de los *Viajes de Gulliver*, debida a Máximo Spartal o

Espartal (1794), procede del francés, según declara el autor, habría que considerar el español como calco directo del francés *lilliputien* y remoto del inglés. Larra (1834) usa *lilipuciano* (*Rev. Española*, 18 febr.).

La XX edic. del *DRAE* (1984) s.v. **limiste** daba la siguiente etimología: «De Lemster, ciudad de Inglaterra, a través del fr. *limestre*». La XXI edición rectifica diciendo «Del ing. ant. *lemster*, especie de paño de lana, por la ciudad inglesa donde se fabricaba». No son acertadas las conjeturas de Corominas sobre el origen de esta palabra, incluso cuando cita a Rabelais o la relaciona con *Frómista*. También yerra *Robert Angl.* cuando mencionando los topónimos ingleses Limster, Lemster y Leominster se refiere al último como la forma primitiva, pues el hecho es que ésta es la grafía actual en mapas y enciclopedias; en cuanto al acento esdrújulo que conduce a Corominas a *Frómista*, es corriente en topónimos ingleses derivados del lat. *castra* o *monasterium* (*Exeter, Lancaster, Westminster, Axminster, Manchester, Gloucester*..., todos con acento en la primera sílaba). *Robert Angl.* s.v. *limestre* explica: «Ancien nom français de la ville anglaise de *Lemster* (ou *Limster*, d'abord Leominster)... pour désigner une étoffe fabriquée... dans cette ville, puis en Espagne, à Ségovie, (XVe s. *limiste*) et au XVIe s. à Rouen».

Leominster, según Jones/Gimson, se pronuncia /lémste, léminste/. Corominas lo registra como voz esdrújula en la entrada y en las citas. La Academia omite hoy la tilde, que figuraba en 1947, y que, siendo voz inglesa, reproducía la acentuación originaria.

El caso de *lunch* y su etimología ha sido un buen ejemplo de los recursos a los que acuden los etimólogos para explicar lo muchas veces inexplicable. No es ése el caso de los problemas que rodean el origen del verbo **linchar** y de la *Ley de Lynch*, ambos de significado claro. Parece que hubo un personaje de nombre Lynch en los Estados Unidos, pero hay notables discrepancias, no sólo en cuanto al nombre, sino en cuanto a las fechas de su nacimiento y muerte. Es su nombre Charles (1736-96) para el *DRAE*, *Duden* y *Collins*; y William

(1742-1820) para *RHD*, *Robert Angl.* y *NShOED*. Sí parece que hay unanimidad en que era alguien en Virginia (capitán, magistrado, hacendado, juez popular) y que sus modos de entender la justicia eran ilegales. Los franceses, prudentemente, se abstienen de tomar parte en la cuestión y atribuyen todo a un «hipotético juez de Virginia» (*Lexis*).

Linesman es el anglicismo crudo que da lugar al inexplicado *linier* usado en español. *WSS* registra los plurales: *linesmen, linesmans* y *linesmens*. Aparece por primera vez en el *DRAE*, edición de 1992, la «voz inglesa» *linier* en el significado de 'juez de línea' que hemos comentado (cf. pág. 65) como presunto galicismo. Ya queda dicho que no es voz inglesa ni francesa, mas buscando el origen del término, alguno ha propuesto una etimología catalana, apoyado acaso en el *Diccionari català-castellà*, publicado por la Diputación de Barcelona, 1.ª edic. 1987: «*línier* m. esport, juez de línea (o de banda), linier». Pero este diccionario bilingüe está basado en el *Diccionari de la Llengua catalana* (Barcelona, 1982), donde se declara que es un anglicismo. Se ve que ni uno ni otro diccionario tienen noticia de la etimología propuesta en *WSS* por Pfändler en 1954 cuando dice: «Katalanische Bildung» (= formación catalana). Su explicación no es convincente (ingl. *linesman* + sufijo *-ier*), pero el plural *liniers,* que según él apunta a un extranjerismo ('deutet auf ein Fremdwort hin'), no desmerece al lado de *carrers, pomers* o *sabaters*. Se podría también aducir el apellido *Liniers*, marino de origen francés famoso por su defensa de Buenos Aires al servicio de España y sus descendientes, pero esto nos llevaría al principio (fr. *linier* = linero). Consultado el académico Martín de Riquer, opina, en comunicación oral, que Pfändler pudiera tener razón en su tesis de catalanismo.

La voz inglesa **lingo** 'jerigonza', término jocoso formado sobre el modelo de *jingo* (vide supra, s.v. *jingoísmo*), *bingo* y el español *gringo*, es el nombre que adoptó un programa de televisión en otoño de 1993, calificado por algunos como seudofilológico y dirigido por uno de los cultivadores de la jerga llamada cheli.

Como apuntaba oportunamente A. F. s.v. **link** 'campo de golf', M. Amador sólo la menciona con la forma *links* que pertenece a los *pluralia tantum* y figura separada de *link* 'eslabón' en los diccionarios. Desde 1910 a 1918 A. F. la documenta en singular, pero afirma, erróneamente creo, que en el *COD* tiene también, en singular, el significado de campo de golf, apoyado en la misma edición (1964) que yo consulto, donde figura el significado del golf en entrada aparte, s.v. *links*.

Linóleo y **linotipia** aparecen casi contiguas en el *DRAE*'92. Pero la primera se explica como compuesto de *lino* + lat. *oleum* y la segunda como tomada del ingl. *linotype*. Pero tanto una como otra son, o fueron, marcas registradas e inventos patentados cuyos creadores se conocen, así como la fecha del registro de marca (1860, para *linoleum*, y 1885 para *linotype* < line of types).

Aunque **living-room**, o **living** a secas, tuvieran su auge más llamativo en los años del desarrollo turístico español, a veces con el significado de 'apartamento de una sola habitación con sus servicios', A. F. nos ofrece un ejemplo de 1929 que ilustra la falta de un equivalente en nuestra lengua y añade que la forma abreviada *living* es hoy la usual. En anuncios de la prensa de Buenos Aires aparece en combinación con comedor: *living comedor*. Con el significado de 'cuarto de estar' y como abreviatura de *living-room* la recoge *VOX* .

El anglicismo **lock-out**, escrito también *lock out* (*Peq. Espasa*) o adoptado (*VOX*) como *locaut*, tiene como traducción recomendada 'cierre patronal' en *LEABC, LRVang.* y *MEU*.

Gracias a A. F. podemos datar el anglicismo **locomotor**, **-ora** (< ingl. *locomotive*) siete años antes de la fecha (*DRAE*, 1869) anotada por Corominas s.v. *lugar*. A. F. lo encuentra en la *Revista Científica*, núm. 14 (1842).

Consta en el diccionario académico la procedencia griega de los dos componentes de **logaritmo**, pero no se dice quién inventó la palabra. Mas si consultamos la voz *neperiano* (del matemático escocés Juan Néper) vemos que como segunda acepción se nos remite a *tablillas neperianas*, explicadas como 'tablas de logaritmos, inventadas por Juan Néper'.

Más corrrecto sería decir (del lat. cient. *logarithmus*, voz creada por John Napier) o bien (del ingl. *logarithm*, del lat. cient. *logarithmus*).

Resulta interesante comprobar cómo la voz germánica *LAUBJA 'galería, atrio' (> al. *Laube* > lat. med. *laubia, lobia*) nos llega al español primero a través del prov. ant., como verbo *alojar* (s. XV), luego, a través del valenciano o mallorquín *llonja,* como *lonja*, y finalmente del italiano (antes francés) *loggia* en la forma *logia.*

Pero el significado de **logia**, si es masónica, está tomado del francés, que, a su vez, lo tomó del inglés *lodge* (antes francés), según *Lexis* (1732), como calco semántico.

Modernamente llega otra vez la palabra a través del inglés en forma de *lobby,* tomado del lat. med. *lobia* antes citado, que se suele traducir como 'grupo de presión'. Figura en el *MEU.*

No está claro, pese a la afirmación académica, que **logística** venga del francés *logistique*, pues según los propios franceses (*Robert Angl.*) la voz francesa es «Adaptation de l'anglais *logistics*» que la tomó, a su vez, del francés con el valor de 'estrategia'. Mas Littré, en 1877, distingue *estrategia* de *logística*. En la primera acepción del *DRAE*, que parece traducida del francés, con el sentido de 'arte militar que organiza el transporte, avituallamiento y alojamiento de tropas', incide la forma y significado de *logis* 'alojamiento' admitido en el *DRAE*, a la que los ingleses asocian *logistics*, pero que ningún francés, según *Robert Angl.*, soñaría en relacionar con *loger, logis*.

Es curioso que la voz **logotipo** figure en el *DRAE*'84 con dos acepciones tan separadas históricamente. La primera acepción, referida a la imprenta, aparece en inglés entre 1810 y 1820, y en francés en 1873, de donde parece tomada la definición del *DRAE* «*Impr.* Grupo de letras, abreviaturas, cifras, etc., fundidas en un solo bloque para facilitar la composición tipográfica» (= fr. «*Impr.* Groupe de lettres, abréviations, etc. fondues en un seul bloc pour accélérer la composition typographique», *Lexis*). La segunda acepción, «distintivo formado por letras, abreviaturas, etc., peculiar de una empresa...», trata de vincular el significado a la primera, manteniendo en él las letras y abreviaturas, pero de hecho éstas son secundarias; por eso en la definición de *VOX* se omiten a favor de «dibujo o símbolo gráfico adoptado por una empresa... para sus productos, cartas, etc.».

La primera acepción, si no es inglesa —habría que datarla—, procede probablemente del francés. Las imprentas tienen la palabra. La segunda, abreviada a veces en *logo*, procede del inglés y así la acepta el alemán (cf. *Duden*'89, s.v. *logo*). En francés no parece haber entrado.

Para el término inglés **long play** reducido a LP, se recomienda el deletreo de la sigla: *elepé*. Así figura en *VOX* y *Peq. Espasa* y así lo recomiendan *MEU* y *LEABC*.

Pese a la tendencia (francesa) a crear seudoanglicismos en *-ing* aludida por Pratt (*op. cit.*, pág. 154), no excluyo la posibilidad de que **looping the loop** haya alternado alguna vez con *loop the loop* (raro en español) para describir lo que ya en sentido figurado se expresa como *rizar el rizo*, frase que tuvo entrada en el *DRAE* ya en 1947 en la acepción aeronáutica, pero no en las dos nuevas acepciones que registra la edición de 1992. De todos modos, la pronunciación *lupin* (< *looping*), posible hace 50/60 años, no creo que se dé hoy excepto en especialistas. En cuanto a que *looping the loop* no sea inglés ortodoxo, como apunta Pratt (*op. cit.*, pág. 154), basta consultar diccionarios para ver que sí es posible. La edición *ShOED* 1944 (reimpr. 1950) registra *looping* 'the action of loop', pero la de 1993 es más específica: «*loop-the-loop*, an act of looping the loop». A. del Hoyo la incluye en su diccionario, fechándola en 1922 (E. d'Ors).

No encontramos en la correspondencia de Gondomar, que trató lo más encumbrado de la corte inglesa a principios del siglo xvii, muchos ejemplos de **lord** o *milord*. Aunque en un diccionario como *VOX* se da como ejemplo de su uso el compuesto *Lord Mayor* 'presidente de la corporación municipal de Londres...', cuando Gondomar recibe su visita prescinde del título de nobleza y escribe: «aviendome venido a visitar el mayor de Londres» (*op. cit.*, II, pág. 74). En otra ocasión escribe: «son muy pocos los que le llaman milort [sic] o embaxador». Él mismo prescinde del título y convierte a Lord Burleigh en *barón de Burle*. Méndez Silva (*Cromueles*) usa marqués, conde, duque, vizconde, etc., pero rara vez Lord: *milor de Montagut.*

En las cartas de Monteleón, embajador de España en Londres (M. Josefa Carpio, *España y los últimos Estuardos,* Madrid, 1952), se cita a *Milord Tousen* y a *Milord Marr*, *Milord Stairs* (también *Mylord Stayrs).*

En el ya citado libro de Antonio Ponz *Viage fuera de España* (1785) se transcriben *Lord* y *Milord*(*s*) tal y como hoy los recoge el *DRAE*. Cf. más abajo, s.v. *milord.*

No ha entrado en el *DRAE* el *ácido lisérgico*, más conocido como **LSD**, difundido por el inglés americano como 'nombre de un alucinógeno derivado del cornezuelo del centeno'. De hecho el descubrimiento y el nombre son alemanes y la sigla tiene como base al ***L**ysergsäure**d**iäthylamid* (> ingl. *lysergic acid diethylamide)*, es decir, 'dietilamida del ácido lisérgico'. *Lyserg* está formado con *lys-* (< gr. *lysis* 'descomposición') + *erg* (fr. *ergot* 'cornezuelo').

Aunque la palabra **lúdicro** figura en Pratt (*op. cit.*, pág. 184) no cabe conceptuarla como anglicismo. Es voz rara, como dice Corominas (s.v. *ludibrio*). En su última edición, la Academia ha adoptado la decisión de remitirlo a *lúdico* y no al revés, como en *DRAE*'84.

Lunch es acaso uno de los «anglicismos» más populares y peor adaptados del español, tanto fonética como morfológicamente. Ya hemos comentado, desde 1952, la formación de un plural ficticio, sin contar los problemas semánticos resultantes de la existencia de dos formas inglesas —*lunch* y *luncheon*— que los lexicógrafos de habla inglesa tratan de fijar sin mucho éxito.

Sobre las fluctuaciones del significado cabe citar desde las pintorescas equivalencias del *New Revised Velázquez... Dictionary*, venerable reliquia del siglo XIX, digna de estudio: «*Lunch, Luncheon* 1. Puñado de comida, la cantidad de ella que puede caber en la mano. 2. El alimento tomado entre el desayuno y la comida; refección, merienda», pasando por el siempre respetable *Cuyás* «1. Almuerzo (comida del mediodía, generalmente ligera), merienda, colación, refrigerio, (fam) piscolabis, tentempié», a las que M. Amador añade 'refacción' y 'ambigú', hasta la definición actual en España del *Peq. Larousse* (1964): «(pal. ing. pr. *lanch*). Almuerzo, fiambre ligero que se toma a veces en pie con motivo de una boda u otro acontecimiento». Casi 30 años más tarde *VOX* 1992 viene a decir lo mismo. El *DRAE*'92 sigue desconociendo el término, pero el *DMILE* ya lo incluye con corchete para no comprometerse: «[merienda, colación, ambigú, refrigerio, etc. según los casos».

Hay etimologías para todos los gustos. A. F. cita la del *Webster*, que postula, para una acepción hoy desusada —'pedazo, mendrugo'—, el español *lonja* cuando la *j* era palatal (cf. *loncha*) y no velar, etimología que recoge *Robert Angl.* y la última edición del *ShOED*, lo cual la hace más plausible. No lo es tanto la propuesta por Alfaro y comentada por A. F.: esp. *las once* > fr. *les onze* > ingl. *lunch*. Más complicada, pero igualmente posible, es la propuesta por *RHD*: *lunch* < *luncheon* < dialectal *nuncheon* < ingl. med. *none(s)chench* = *noon drink* 'trago del mediodía', cuyo primer elemento viene del lat. (hora) *nona* y el segundo del ingl. ant.

scencan = al. *schenken*, del mismo origen y significado que el germanismo español *escanciar*.

La historia de la palabra en español todavía no ha concluido y puede leerse el plural impronunciable *lunchs* en los establecimientos del ramo. A. F. la documenta después de anotar *luncheons* en 1865, pero confiesa que no ha podido anotar nunca el plural correcto *lunches*. Este investigador señala que el término había cobrado en español un sentido elegante, «cierta categoría aristocrática» ausente en la lengua de origen, como lo prueban los calificativos que acompañan a la palabra —suculento, escogido, espléndido, delicado, magnífico—, los lugares donde se ofrece (Hotel Ritz) y los personajes asistentes (Reina Victoria, Rey, Príncipe de Asturias, etc.). Recientemente (*ABC*, 14-10-95, pág. 3) traté de poner al día la cuestión en el artículo «Una loncha de beicon».

Lycra es el nombre de un tejido sintético, marca registrada que recoge *VOX* sin indicación de origen. Figura en *Lexis, Duden* y *RHD,* entre otros. La pronunciación alemana /laikra/ permite suponer origen inglés.

No podían suponer los escoceses (llamados *escotes* en español medieval) que el prefijo patronímico **Mac** (hijo) iba a tener la repercusión internacional, que incluye al español, alcanzada por los epónimos de la antigua Caledonia que vamos a comentar:

Casi un siglo tardó en ser admitido en el diccionario académico (1956) el término **macadán** (< apellido del ingeniero escocés Mac Adam), usado por primera vez según A. F. en 1862, acompañado en 1865 del participio *macadamizado*, tomado de inglés *to macadamize.* En 1995 se habla de una publicación de marginados titulada *Macadam,* calificada por otra de la competencia de «periódico de burgueses», *El Mundo Comunic.*, 7-4-95, pág. 1.

También escocés, de nacimiento u origen, debió de ser el creador del **macfarlán** o *macferlán*, formas no admitidas en el *DRAE* pero sí en el *DMILE* (con corchetes), en *VOX, DUE* y *Peq. Larousse* (con ilustración) con el significado 'gabán sin mangas con esclavina'. A. F. cita a F. Restrepo (*Semántica,* 5.ª edic., 1956) para una etimología *Macferland*, no admitida por diccionarios solventes, que prefieren *Macfarlane* o *MacFarlane*. La forma popular *manferlán*, previsible fonéticamente, no la registra ningún diccionario, pero la hemos visto, entrecomillada, en un intencionado romance de T. Luca de Tena: «Mis 'manferlanes' de Austria», *ABC*, 14-4-95, pág. 41.

No ha tenido mucha difusión el nombre de prenda **macintosh** 'impermeable' que registra A. F. en 1908, 1912 y 1926. Viajeros modernos españoles en Inglaterra usan la palabra pero no la escriben (recelo ortográfico); a veces se usa la forma abreviada *mac*.

También he oído referirse a establecimientos de comida rápida con el nombre genérico **Mac Donald**, aunque pertenezcan a otra cadena.

Macartismo (< ingl. *McCarthyism*, del senador americano J. R. McCarthy) lo recoge el *LEPaís* como 'corriente de intolerancia' en EEUU, añadiendo explicación histórica y mencionando la *caza de brujas* suscitada por esta política a mediados de siglo. Á. Rosenblat (1969) comenta el uso en Venezuela: «Sin saber muy bien lo que significan, se habla mucho de *maccartismo* y de *gorilismo*» (*op. cit.*, IV, pág. 141). Hay todavía alusiones a esta actitud, p. ej. «[J. V.] ...una bestia parda digna del macartismo», M. Torres, *El País semanal,* 15-5-94, pág. 4.

Aunque la voz **macrobiótica** tiene antecedentes en el siglo XVIII como 'arte de vivir muchos años' (*DRAE*, 2.ª acep.), el *macrobiotismo* (*VOX*) 'régimen alimenticio a base de cereales, legumbres y frutas' se debe a la publicidad difundida en inglés de la dietética budista japonesa (ingl. *macrobiotics*). Así lo acepta *VOX*, que enmienda la definición académica: '...régimen encaminado a prolongar la vida por medio de reglas dietéticas e higiénicas'. *Macrobiótica* figura también con larga explicación en el *Peq. Espasa.* Don Juan Valera no podía sospechar en 1888 que una frase suya, en que comenta a Herbert Spencer, pudiera leerse como actual un siglo después: «...esta raza humana superior [...] si no logra la inmortalidad, logrará ser *macrobiótica,* esto es, tendrá vida grande y más completa, por la intensidad [...] y por las nuevas [...] correspondencias con el medio ambiente o *environment*». *Ecologista* es hoy, según el *Oxford Bil.*, 'environmentalist'.

Made in... Historia resumida en *Robert Angl.*: 'fórmula obligada en productos importados'; véase más abajo s.v. *make-up.*

Las grafías **magazín** (*VOX*) y **magazine** (*Peq. Espasa)* delatan el origen inglés del neologismo. La Academia ha optado por la grafía insólita *magacín* (< fr. *magasin* a través del ingl. *magazine*), aunque también admite *magazín*, que remite a aquélla. *Robert Angl.* recuerda que *magazine*, como 'publicación periódica', aparece en 1776 en la revista que significativamente se llamaba *Journal anglais*.

LRVang. recomienda que no se use *magazine* ni en su acepción de 'tienda' ni en la de 'revista ilustrada'. El *LEABC*, más prudente, se limita a decir que «no es de uso imprescindible».

En ciertos anuncios de prensa de la propia televisión se llama *magacín* al mismo programa que en periódico distinto se denomina espacio o programa. En la revista «Autovía» se llama *magazine* a cualquier artículo monográfico, incluso de dos páginas, ofrecido a los lectores. Ignoro si este uso está muy difundido.

Sobre **maicena** cf. págs. 65-66.

Es un anglicismo ya anticuado el compuesto **mail-coach** o **mail**, bien documentado por A. F. Su sentido primitivo de 'silla de posta' no parece haber tenido vigencia en España, donde, tal vez por influjo francés, alcanza un prestigio y difusión entre las clases acomodadas que no tuvo en su país de origen. Según A. F. «no era desde luego un medio de transporte público... era para la gente de posición social y adinerada».

El término **mailing**, que F. Lázaro ha comentado oportunamente, tiene hoy en Francia y España la acepción que en el inglés americano corresponde a *direct mail*, pero no puede decirse en rigor que sea un «seudoamericanismo» como afirma *Robert Angl.*, pues la acepción dominante de *mailing* 'conjunto de correspondencia enviada por un remitente de una vez' permite, por extensión, aplicarla al llamado *direct mail*. Ése es el sentido que tiene el término en el ejemplo siguiente: «...el PSOE percibirá 505 millones para el 'mailing' [de las elecciones europeas]», *ABC*, 26-5-94, pág. 30.

El *DVUA* recoge varios ejemplos de *mailing* en la prensa española, pero que no deben identificarse con *buzoneo*, voz admitida en el *DRAE*'92 con el significado de reparto de «publicidad o propaganda en los buzones de las casas particulares». Dos de los ejemplos de *mailing* citados lo explican entre paréntesis como «(envío por correo de la propaganda [electoral])».

El *LEPaís* registra y explica la voz **majorette** (pl. *majorettes*) que aparece de vez en cuando en la descripción de fiestas y desfiles franceses y españoles que imitan a los norteamericanos.

La voz inglesa *make-up* 'maquillaje' la documenta A. F. en 1928 y añade que «el arte del **make-up** ha creado los *make-up man* (sic) (caracterizadores) especializados en maquillar a los actores cinematográficos». Del mismo año es el uso que hace Benavente en la comedia, estrenada el 10 de marzo, *No quiero, no quiero*: «Usted sabe lo importante que es el *make-up*.—¿Qué es eso?.— El maquillaje; debe usted maquillarse de amarillo» (acto 2.º, esc. 3.ª). A. F. nos informa de que García Sanchiz, en 1931, escribe 'makeop'. No sabemos si tendría seguidores. En la actualidad creo que es un término en decadencia. En un anuncio de cosmética de fines de 1992, con más de treinta anglicismos referentes al cuidado facial, no figura esta palabra.

Aunque **mala** con el significado de 'correo' haya desaparecido de las zonas españolas de emigración, que usaban «la Mala Real Inglesa» para cruzar el Atlántico (< *Royal Mail*), hay que considerar ese uso un anglicismo. El diminutivo *maleta* es francés. *Mala* 'correo' lo usa Larra (1833).

El inglés ha tomado, como tantos afijos y elementos compositivos en función de prefijo, el latinismo **mal-**, con el que ha formado derivados originales que luego han trascendido de esta lengua:

Malformación, referida al cuerpo humano, aparece en inglés a fines del siglo XVIII y la recibe el francés antes de 1867. Figura en el *DRAE* en esa acepción, pero también lo tengo anotado, usado por un académico, referido a formación de palabras.

Malfuncionamiento 'funcionamiento defectuoso', en el *DVUA*, tomado de *El País*, tiene como antecedente en inglés el nombre y verbo *malfunction* (1925-30).

Malnutrición no figura en el *DRAE*'92, pero sí en el *VOX* y en el *MEU*, donde se comenta: «Hay que aceptarlo. No es lo mismo que desnutrición». La misma tolerancia hacia este anglicismo muestran los franceses, que incluso han creado los participios *mal-nourri* y *mal-nutri*.

La formación **malpraxis** ha sido objeto de un comentario condenatorio de F. Lázaro. Es posible que quienes la utilizaron hayan estado influidos por el uso marxista del alemán *Praxis*, recogido por *VOX* (1.ª acep.) como 'conjunto de actividades cuya finalidad es transformar el mundo'. Creo que la condena es bien merecida, pues además se trata de una confusión, favorecida por la fonética, del ingl. *malpractice*, aplicada hoy a médicos y abogados que por negligencia o ignorancia causan daños o perjuicios al cliente. Un largo artículo de *ByN* sobre este problema se titula «Errores médicos» y de ellos se habla en las cuatro páginas a él dedicadas. Aparece aquí cuatro veces el término *malpraxis*, que, según el *NShOED*, es utilizado por los abogados para referirse precisamente a la *malpractice* de los médicos. La 1.ª edic. del *ShOED* registraba *malpractice* y mencionaba *malpraxis*. En la última tienen las dos entrada aparte y se explica la segunda en función de la primera.

No figura la palabra en ninguna de las dos formas en los diccionarios españoles. *Collins Bil.* registra, naturalmente, *malpractice* con el significado de 'procedimientos ilegales' y en su acepción médica 'negligencia', que coincide con las equivalencias del *Larousse Bil.* Los abogados de hispanos en EEUU se anuncian en la prensa ofreciendo sus servicios, entre otras actividades, para reclamaciones en casos de *negligencia médica* o *mala práctica médica*.

¿Es una extensión de lo mismo la frase «la denuncia de la mala praxis de una parte del periodismo español»? Aplicado a la prensa sería éste el único ejemplo, pero después de los usos de *praxis* antes comentados no se puede evitar el eco del ingl. *malpractice*.

El clérigo y economista inglés T. R. Malthus dio lugar con sus teorías a dos entradas en el *DRAE*: adj. **maltusiano** y sust. **maltusianismo**; esta última documentada ya por A. F. en 1927 unida a *birth control*. Para el adjetivo, escrito *malthusiano*, tiene una cita en 1890, y para la «ley de Malthus» otra de 1862.

En Haensch ('93) aparece **man** (ingl. *man)* como de uso coloquial en Colombia, equivalente al esp. coloquial *tío*, pero también como 'cliente'. Sobre su uso en compuestos véanse las entradas correspondientes a *barman, recordman, showman,* etc.

El verbo italiano **maneggiare** nos ha llegado al español por dos conductos: el directo, y así consta en nuestro diccionario académico s.v. *manejar*, y el indirecto, a través del inglés, en dos formas condenadas categóricamente por Alfaro: *manachear*, desconocido en España, verbo según él sustituible por 'manejar, administrar un negocio...', ya que se trata de un «pochismo rudo» e innecesario, y *mánayer* 'gerente, empresario, etc.'. Pero en el mundo del boxeo, *manager*, que es la grafía más frecuente, parece insustituible, como en otras actividades, no siempre deportivas, donde ejerce el cargo de gerente, apoderado, representante, etc. Los estudios léxicos de grandes ciudades —México, Madrid— muestran las dos formas, con predominio de *manager*, alternando con *preparador, entrenador,* cuando se trata del boxeo.

No ha tenido entrada esta voz en el *DRAE*, pero sí en el *DMILE*, en *VOX*, *Peq. Larousse, Peq. Espasa* (pron. *manéyer).* Es voz condenada por el *LEPaís.* Hay definiciones para todos los gustos; nos parece la más completa la del *Peq. Espasa*: «angl. por gerente, administrador, apoderado, representante, entrenador o preparador (en deportes, sobre todo individuales y especialmente boxeo)», etc.

A. F. la documenta en 1909 referida a una bailarina que «ningún *manager* quería contratar». Alfaro, como se ve, la presenta como esdrújula, que es la pronunciación correcta del inglés. A. F. dice que no recuerda haber visto esta voz con acento pero sí la ha oído pronunciar como esdrújula en TV.

Curiosamente, el intento único de adaptar la palabra a nuestra lengua aparece en los diccionarios de argot de V. León y J. M. Oliver: «*Manejador.* Manager, en el argot de los roqueros» (V. León).

También en Colombia aparece registrado el anglicismo **manicure**, patente en la ortografía y también en la pronunciación /manikiur/. Cf. Haensch ('93). Por su parte, Kühl ('93) registra en Uruguay *manícura* (sic), cuyo esdrujulismo no debe nada al inglés.

No creemos, como se afirma en *NN* (pág. 192), que **marcar** en fútbol, con el significado de 'anotarse un tanto', sea un anglicismo, pues en inglés se suele usar el verbo *to score*, el jugador que marca *scorer* y *scoreboard* el lugar —tablero, pantalla— en que aparece el tanteo. En la acepción de 'controlar a un jugador adversario' podría serlo, pero ambos significados los tiene el francés *marquer*: a) 'réussir un but dans les jeux de ballon'; b) 'surveiller de près un adversaire'

(*Lexis*). En ciertas partes de América se usa el anglicismo para la primera acepción (*to score a goal*); *score* 'tanteo' fue frecuente en España, según los datos de A. F., antes de la guerra civil. Para la segunda habría que rastrear los orígenes.

Marginal está registrado en el *Robert Angl.* como anglicismo. La terminación en *-al* del adjetivo corrobora esta filiación. Yo lo incluiría por lo menos entre los anglicismos de frecuencia, en vista de las combinaciones y compuestos a que da lugar. Lozano Irueste registra más de sesenta formaciones, más o menos soldadas, en que entra este adjetivo, sin contar aquellas en que *margin* 'margen' aparece en función adjetiva, no siempre equiparable a *margen* o *marginal*: así *gross margin* 'beneficio bruto', *gross income margin* 'base de beneficio bruto'.

Los infantes de Marina de los EEUU se conocen con el nombre de **marines**, término difundido por la prensa, diccionarios y manuales de estilo, donde se recomienda que se escriba entre comillas y se evite confundirlo con su parónimo *marinos*. Hoy la recomendación resulta innecesaria, pues esta palabra figura ya en la última edición (1992) del *DRAE* como «(voz inglesa). Soldado de la infantería de marina estadounidense o de la británica».

También se recomienda el entrecomillado para el neologismo comercial **marketing** o bien traducirlo por el compuesto *mercadotecnia*, aprobado por la Academia. Aunque el anglicismo sigue figurando en manuales de estilo (*MEU, LRVang., LEABC*) que remiten al neologismo español motivado por la voz inglesa, la publicidad de las instituciones o empresas que tienen algo que ver con el asunto parece preferir, por esnobismo u otras causas, el préstamo inglés, si es que no optan por otro calco, *mercadeo*, más usual en América. La Academia, consciente, al parecer, de la difusión del término, admitió en la XXI edición del *DRAE* la voz inglesa, que remite, para indicar su preferencia, a *mercadotecnia*. Alcaraz-Hughes traducen también 'comercialización', igual que Lozano Irueste. Mas en compuestos, según este autor, puede aparecer, dependiendo de cada caso, *comercio, comercial* o *distribución*.

Una golosina de la industria confitera norteamericana conocida en inglés con el nombre de **marshmallow**, que utiliza en su composición la raíz del malvavisco, ha tenido aceptación en gran parte del público hispanohablante que la consume y la llama en *El Barrio* de Nueva York *másmelo, márshmelo* o con su nombre inglés. Si sólo fuera un reflejo previsible en una comunidad, de mayoría puertorriqueña, expuesta a diario al influjo intenso del inglés, nos hubiésemos limitado a registrar el uso. Pero este préstamo tiene mayor difusión. En el *Boletín de la Academia Colombiana*, XLI, núm. 172 (Bogotá, 1991), págs. 98-99, a una consulta del académico León Rey, Secretario General de la Comisión Permanente de Academias, se contesta con una carta de Maruja Vieira, en que dice que «el término que se utiliza corrientemente para dicho producto de confitería es *masmelo*». Así lo registra G. Haensch (1993). Sin localización geográfica también recoge el vocablo *Collins Bil.*'92 añadiendo que también se conoce este producto como 'esponjas'. El *Oxford Bil.* localiza en Venezuela la voz *gomina* y en México *bombón*. La industria confitera española ha adoptado la grafía *masmelo,* con signo de marca registrada, pero la gente menuda, me aseguran, llama a este producto *nubes. Masmelos* ® figura, como marca registrada, en el envase español de este producto, fabricado en Alcoy; en dicho envase se explica que la voz inglesa es *marshmallows*, esp. *espuma dulce*, fr. *guimauve fantasie*, it. *cotone dolce,* al. *Schaumzuckerware.* Supongo que los fabricantes alcoyanos habrán comprobado la vigencia de estas denominaciones. El *Robert Angl.* registra el anglicismo y lo hace equivalente a *guimauve* (nombre, sin *fantasie*, del *marshmallow* en francés).

Para el hispanoanglicismo **mascara**, cf. CALCOS, S.V. *máscara.*

De formación parecida a la de *láser*, la voz **máser** (= *microwave amplification by stimulated emission of radiation)*, otro acrónimo, ha tenido entrada en el *Peq. Espasa* y en *VOX*, mas no en los diccionarios académicos, acaso por ser término menos frecuente.

Mass media (*Peq. Espasa*) o **mass-media** (*VOX*, m. pl.) falta también en los diccionarios académicos, pero aparece en casi todos los manuales de estilo, en los que se recomienda su sustitución por 'medios de masas, medios de difusión', etc. Los diarios *ABC* y *El Mundo* mencionan una empresa española, *Mediating*, en suspensión de pagos (19-12-93). Este último diario menciona el 13-1-95, en la pág. 7 de «Comunicaciones», la «central de medios Mediápolis» y en la misma columna informa que un ministerio convoca «dos concursos para la compra de medios con 200 millones de presupuesto». El *Collins Bil.* registra el adjetivo *masmediático*, que no he podido corroborar, pero *mediático* no es infrecuente: «la gran máquina mediática», *El Mundo*, 23-3-94, pág. 2; «...sociedad mediática, en la que la televisión es más importante que el parlamento...», edit. de *ABC*, 9-5-94, pág. 25. Para *multimedia,* vide infra, s.v.

En el caso de **máster** el *DMILE* ha admitido la palabra, que es hoy uno de los anglicismos más difundidos en el mundo universitario y en la vida pública, pero ni *VOX* ni *Peq. Espasa* han considerado conveniente incluirlo. *Collins Bil.* traduce ingl. *master* por 'licenciado', lo cual es lícito; en cambio, esp. *master* (sin tilde) lo equipara a 'master's degree', lo cual es un error. La definición de *máster* en el *DMILE* es correcta como traducción del uso americano pero no refleja el significado actual español, ya que hoy las universidades y otras instituciones ofrecen, como titulación complementaria de la licenciatura, un diploma de máster que se puede alcanzar tras un año académico o dos, e incluso en periodos más breves, dependiendo de las horas por semana. No es, por tanto, equivalente al título de licenciado, como lo define el *DMILE.*

Aunque hay textos sobre boxeo desde hace más de un siglo, la primera documentación de **match**, referida precisamente al pugilismo, es de 1910, según A. F., s.v. *welter*. Todos los diccionarios a mi alcance, excepto el *DRAE*, admiten este anglicismo. Aparte de su estructura fónica, anómala si se aceptara así en español, creo que sus equivalencias españolas, sólidamente asentadas, lo hacen innecesario; en el fútbol, *partido*; en boxeo, *combate*; en ajedrez, *partida;* en otros deportes, *encuentro*. A. F., s.v. *match*, documenta usos del golf, pero hoy, con la popularidad del tenis, aparece con más frecuencia *match-point*, tanto en litigio que decide el partido. No es frecuente, pero merece citarse el uso de *match* para una partida de billar en 1916 (Arniches, 1993).

Entran perfectamente en este inventario de anglicismos dudosos las voces **materialismo** y **materialista**, cuyo origen se discute. Basta comparar la edición del *DRAE* de 1984 con la de 1992 para advertir algunas de las razones políticas y religiosas que pesaban sobre el origen de la palabra, sobre todo en cuanto a su versión marxista, de origen alemán. Mas según el *Robert. Angl.*, fue Leibniz, en 1702, replicando al inglés Robert Boyle, creador del término *materialism* (1674), el primero en usar *materialisme* en francés en sentido filosófico (Leibniz escribía también en francés). Sin embargo, la misma fuente recuerda que la *Enciclopedia* de Diderot atribuye el calificativo de *materialistas* a una secta de la antigua Iglesia. Los *materialistas* mexicanos mencionados jocosamente por Ángel Rosenblat (1971) nada tienen que ver con la Iglesia, y sí con el transporte, no sólo la venta, como quiere la Academia, de materiales de construcción. El ejemplo citado por el filólogo venezolano, si no es apócrifo, algo parece apuntar —de ahí su ironía— a su valor filosófico primero: «Prohibido a los materialistas estacionar en lo absoluto». Merecería ser cierto.

Incluye Alfaro en su diccionario ciertas acepciones inglesas de **materializar** no admitidas entonces por la Academia, tales como el uso intransitivo de este verbo en el sentido de convertirse en realidad una idea, expectativa, plan o proyecto. Pero ya en el *DRAE*'84 se incorporaron nuevas acepciones en que *materializar*, transitivo, adquiere, en la forma pronominal *materializarse*, los significados ingleses de *materialize.*

También condena Alfaro, s.v. **mayor**, los usos nuevomexicanos en que esta voz significa 'alcalde'. Creo que hay que disculpar a los hispanohablantes de Nuevo México, que probablemente no recuerdan haber tenido jamás un municipio con alcalde, sino cabildos con corregidores. Algunos libros de estilo insisten en diferenciar el valor inglés de las voces *mayor* y *major*, fuente de confusiones como la que se produjo en la clausura de los Juegos Olímpicos de Barcelona al referirse a los alcaldes de Atlanta y la Ciudad Condal.

La crítica de Alfaro no parece justificada, si se tiene en cuenta que *alcalde* y *mayor* se combinaban en la Nueva España (hoy México) para designar a quien «gobernaba por el rey algún pueblo que no era capital de provincia» (cf. *DRAE*, s.v. *alcalde mayor*). Por si fuera débil este argumento, el reciente Anejo LIII del *BRAE* (1993) publica en primer lugar, como documentos más antiguos de América, un pleito de Santo Domingo (1509-10) en que el *alcalde mayor* dirige todo el proceso.

La confusión de ingl. *major* 'comandante' con el comparativo español *mayor* da lugar a torpes traducciones; «El mayor socialista británico Clement Atlee» (R. de la Cierva, *Época*, 3-8-87, pág. 60) choca a los que vivimos en Inglaterra cuando era jefe de gobierno o *prime minister* el socialista británico, comandante (o mayor) Clement Atlee, con el partido laborista.

Suele faltar **mecano** (< ingl. *meccano*, marca registrada) en algunos diccionarios. No figura en el *RHD* ni en el *Collins Bil.* ni en el *Peq. Larousse* pero sí en el *DRAE* y los inventarios basados en él. M.ª Moliner también lo registra, mas como italianismo. Es, claramente, un error, pues el *Vocabolario* de Migliorini no lo conoce. Pratt (pág. 134) ya lo identifica como nombre comercial y anglicismo, aunque la coincidencia formal con el adjetivo *mecano, na* (de La Meca) haga pensar otra cosa.

A. F. registra s.v. *match-play* dos usos de **medal-play** para designar una variante del golf en que cuentan más los golpes que los hoyos. Sus citas son de 1927 y 1932. El término usual en Inglaterra es *stroke-play*, al cual remite *medal-play*. En el diccionario americano *RHD* es al revés. En España es hoy una expresión desconocida, salvo entre algunos golfistas.

El compuesto inglés **medicine-ball**, creado a principios de siglo y traducido al español en los años treinta, probabl. a través del fr. *ballon médecine*, por *balón medicinal*, no lo he visto incluido en ningún léxico, excepto en el *Collins Bil.*, que lo traduce 'pelota medicinal'. Sospecho que la resistencia a registrar la voz *balón* se debe a la definición académica (hasta 1992) «pelota grande hinchada de aire que se usa en varios juegos», rectificada en la citada fecha con «pelota grande, de diverso peso, usada en juegos o con fines terapéuticos». Ignoro si hoy se usa en algún juego, como en entreguerras.

El latinismo **médium** (pl. *media*; cf. *mass-media*) recogido en el *DRAE* ya en 1947 (acaso antes) remite a la acepción 26 de *medio* 'persona que en el magnetismo animal o en el espiritismo presume de tener condiciones a propósito para que en ella se manifiesten los fenómenos magnéticos o para comunicarse con los espíritus', muy modernizada en 1992. Alfaro condena el plural **mediums**. Ya en 1965, comentando la edición del *Diccionario de Dudas* de M. Seco, del año anterior, señalábamos la dificultad de aceptar un plural académico **mediumes,* cuestión que hoy sigue sin resolverse. M. Seco (1986) remite a la Academia. Sin estadísticas a mano creo que actualmente, en la lengua escrita, se sigue el modelo de *álbum: médium/mediums.*

En el mundo del espiritismo, según Bloch-Wartburg, procede este uso en francés del inglés americano, pero el concepto se debe al místico sueco Swedenborg, que tuvo muchos seguidores en la Inglaterra del siglo XVIII.

La primera edición del *DRAE* (1780), tras el de *Autoridades* no incluye ni los elementos compositivos **mega-** y **megalo-** ni ninguno de sus derivados, que hoy ya son nueve en la edición de 1992, y más de treinta en el *VOX* del mismo año. Se trata, como afirman Bloch-Wartburg, de voces cultas de fines del siglo XVIII y del XIX. De algunas se conoce el origen: el *megáfono* fue inventado por Edison y *megalito* se documenta por primera vez en un texto inglés de 1853 (*megalith)*. Es sin duda de origen inglés el compuesto *megastore*, usado en la propaganda comercial de una cadena de almacenes a fines de 1994.

En la terminología internacional *mega-* ha adquirido el significado de un millón de unidades: *megatón* (*DRAE* < ingl. *megaton*) 'un millón de toneladas'. Existen también *megaciclo, megohmio (VOX), megahercio, megavatio,* etc. El *RHD* recoge más de cincuenta entradas de derivados con ambos elementos compositivos.

Sobre **menta / hierbabuena** cf. pág. 86.

El verbo **mercerizar** y sus derivados *mercerización* y *mercerizado* son debidos al nombre del inventor de este tratamiento de tejidos. Figura este verbo ya en el suplemento de la edición del *DRAE* en 1947.

Según el *DVUA*, el anglicismo **merchandising** significa 'estudio de los problemas de creación, mejora, presentación y distribución de mercancías en función de la evolución de las necesidades'. Prueba de la extensión del vocablo es el libro *Merchandising, la revolución en el punto de venta,* reseñado en el suplemento «Negocios» de *El País* el 21-8-94, pág. 24. El comentarista llama al neologismo «término anglosajón que se ha colado en nuestro vocabulario y que se utiliza con profusión» y añade que «tal vez sea el *merchandising* la rama de la mercadotecnia que cuenta con un futuro más prometedor».

Así como para la voz *marketing* se van imponiendo sus calcos —mercadeo y mercadotecnia— de suerte que en el *DVUA* no figura la voz inglesa, no parece encontrarse un sustituto de *merchandising* aceptable. El *Robert Angl.* reconoce que es difícil la adaptación fonética y menciona tres propuestas de calco: *merchandisme, techniques marchandes* y *marchandisage*, ésta aprobada oficialmente en 1973, y según *Lexis* «préconisé par l'Administration pour remplacer *merchandising*».

Incluye Pratt en su libro (pág. 151), entre los «términos científicos acuñados en inglés» la voz **mescalina**, forma que alterna —como *mezcal/mescal*— con *mezcalina. VOX* recoge las dos variantes sin identificarlas (*mescalina* 'alucinógeno... de las flores de... cactus...'; *mezcalina* 'alcaloide del mezcal...').

Tanto la forma **mesón** (*DRAE*) como *mesotrón* son creaciones modernas de la Física. La segunda parece hoy descartada, pero la recoge todavía *VOX*, que remite a la primera; es de hecho el origen de *mesón*, hoy usual y aparentemente más correcta. En *mesotrón* ve algún diccionario *meso + electrón;* otros, en cambio, *meso + neutrón.* El *Robert Angl.* registra ambas voces como anglicismos.

Las dos acepciones de **metodismo** que aparecen en el *DRAE* y el adjetivo **metodista** proceden, según Bloch-Wartburg, del inglés. Ahora bien, de las dos acepciones de *metodismo,* la primera, religiosa, con varias ramificaciones, tiene hoy vigencia general; la segunda, relacionada con la medicina, tiene su antecedente en el uso de *methodist* para designar a un médico que atribuía «las enfermedades a la estrechez o dilatación de los poros del cuerpo humano». Esta acepción figura todavía en el *OED* debido a su carácter histórico, pero ha desaparecido de los diccionarios de uso ingleses, por anticuada. M.ª Moliner y *VOX* recogen ambas acepciones.

Aunque en inglés ya no se usa el término **metropolitano** para designar un ferrocarril subterráneo urbano (en Londres, *underground, tube*; en N.York, *subway*), parece ser que el *metro* nuestro, que tomamos, ya truncado, del francés *métro,* procede, según *Robert Angl.* del nombre *Metropolitan Railway*, explotado en Londres desde 1863, que conectaba entre sí las distintas estaciones de ferrocarril de la ciudad.

Mezzanine es en su origen una voz italiana equivalente al español 'piso entresuelo'. En España es casi desconocida pero en la prensa hispana de América aparece con su significado teatral y otros de influjo angloamericano. En el *Collins Bil.* Español-Inglés encontramos *mezzanine* (*Andes, Teatro*) = 'circle', es decir, piso 1.º de un teatro o cine, pero en la parte Inglés-Español aparece *mezzanine* = 'entresuelo'. En anuncios: «Local comercial... incluye mesanine» (Guatemala); «Mezzanine para eventos» (= actos), México. Según Ángel Rosenblat, en el uso mexicano se registra el masculino: «Oficinas en el mezzanine». En el *LHCMéx.* (pág. 157) al concepto 'entreplanta' contestan 22 informantes (de 25) *mezanine*, mas no se indica el género. Lope Blanch (1979) incluye *mesanín(e)* entre los «anglicismos más usuales», alternando con *entrepiso, entresuelo* y *entreplanta*. El mismo Rosenblat, comentando el uso venezolano, dice: «...la *mezzanina*, que no nos ha venido directamente del italiano (...) sino del inglés de los arquitectos: *the mezzanine*, un piso bajo intermedio entre dos pisos principales, a veces en forma de balcón saliente (...). Hay también *mezzanina* en ciertos edificios, un piso con... especie de balcón que da sobre una sala o sobre un hall» (1969, IV, pág. 107). Tenemos anotado un uso metafórico español del mundo de las finanzas: «fórmulas de defensa entre las que se encuentra la *mezanina* —emisión de deuda subordinada a mitad de camino entre el capital y las obligaciones—», L. I. Parada, *ABC*, 9-4-89, pág. 81.

El **micrófono** que hoy conocemos es un invento yanqui de 1877, aunque la palabra existía antes en inglés y francés para designar un amplificador, partiendo del sentido *micro-,* 'amplificador', extraído de *microscopio.*

La voz **milady**, incluida en algún diccionario español (*miladi* en *DMILE*, *milady* en *VOX* y *Peq. Espasa* —pron. *mileidi*—), no ha tenido igual suerte que *ladi* en el *DRAE*, pues nunca fue aceptada. Nuevamente se ofrece un motivo de queja, por discriminación, a las feministas, ya que **milord**, como *lord*, sí han sido aceptadas por la Academia.

Tanto *milady/miladi*, como *milord* los consideran los ingleses tratamientos «continentales» difundidos por el francés para referirse a nobles ingleses. Del francés, sin duda, procede la adaptación española, de incorrecta etimología (*DRAE, DUE*), ya que si procediera de *mylady* se pronunciaría */mai leidi/*. El *NShOED* es muy preciso en este punto (s.v. *milord, milady*) y reconoce el origen francés de ambos tratamientos y grafías.

La 2.ª acepción de *milord* en el *DRAE* 'birlocho, con capota, muy bajo y ligero' figura con pleno derecho, aunque no aparece en los diccionarios ingleses. En España, según A. F., se documenta ya en 1882, probablemente tomado del francés, lengua en que aparece en 1835, según *Robert Angl.* A. F. recoge suficientes ejemplos de este uso como para justificar su entrada en el diccionario académico en su día. Hoy, como en francés, es voz anticuada en nuestra lengua.

Sobre **mildew/mildíu**, según *VOX*, la sílaba tónica es *mil-* y se escribe *mildiu.* El primer testimonio en español, según A. F., es de 1894, en la forma inglesa; luego se ha escrito *mildieu, mildeu, mildiú* y *mildió*. Hay otras grafías: «El 'mildius', comúnmente llamado 'geña' en el cultivo de la patata» (*ABC*, 3-6-84).

El elemento compositivo **mini-** aparece hoy en multitud de neologismos de distinto origen, acaso suscitados por la aparición de una serie de términos de moda ingleses formados con dicho elemento, el más famoso de los cuales fue la falda corta o *mini-skirt* (> esp. *minifalda*) lanzada por la diseñadora inglesa Mary Quaint en 1965. El *Robert Angl.* enumera una serie de anglicismos así formados, entre ellos el coche *Mini Morris*, que yo conocí en 1949 como *Morris Minor*. Pero hay muchas formaciones que no deben nada a dicha modista: *minibus* (s. XIX), *minicam*(era), *minicar*, *minicab* (entre 1935 y 1960); *minibasket* es probablemente, según Höfler, formación española, dando una cita de 1966: «mon ami Anselmo Lopez, le père du mini-basket espagnol»; *minigolf* corresponde al ingl. *miniature golf;* y *minifundio* es también anterior a 1965.

En algunos diccionarios españoles figura la voz **minimalista** en sentido político, opuesta a *maximalista*, para designar, como calcos, a través del francés, los préstamos del ruso *menchevique* y *bolchevique*. Sólo el *Collins Bil.* registra *minimalismo*, sin más explicación, y cabe suponer que como equivalente del movimiento artístico norteamericano conocido con el nombre de **minimal art**, corriente entre los críticos de arte: «Una escultora en madera, post-minimalista» (J. M. Bonet, *ABC Cultural*, 12-11-93); *minimalismo* (2 ejs.), *minimalista* (2 ejs.) en *ABC*, 17-11-93. También *minimal art,* al lado de los citados, en *ABC*, 15-2-94. Como voz aclimatada cf. «El edificio [Palacio de Cristal] no se apaga... En su interior una botella vacía... protagoniza una improvisada exposición minimalista» (*El País Madrid*, 17-4-94).

No tengo ejemplos españoles de *minimalismo* aplicado a la música, pero el siguiente ejemplo muestra esta variedad, sin duda norteamericana: «Minimalismo es el nombre adjudicado por un crítico a un supuesto movimiento musical cuya existencia [Philip] Glass se ha aburrido ya de negar... el término se refiere al empleo de cantidades mínimas de materiales y estructuras en una misma composición...», *Cambio*, publicación quincenal bilingüe, Oakland, Calif. (1/15-4-93). Glass fue Músico del Año en 1985. Hay un derivado ocasional, hablando de la Bienal veneciana: «...el neominimal, el *neo pop,* el neoexpresionismo...», J. Cueto, *El País semanal*, 27-3-88.

Aunque el ámbito de vigencia de la expresión **minimal pairs**, usual en la lingüística moderna, no rebasa el dominio de los especialistas, hoy se ha hecho moneda corriente en español con el nombre de *pares mínimos* y un diccionario de terminología lingüística no debe prescindir del neologismo. El primero, según mis notas, en usar el término fue el profesor Roca Pons en su libro *El Lenguaje* (1973), pág.139.

En México hemos anotado más de una vez **mink** por 'visón'. Incluso llega a aparecer en el título de una película exhibida en España: «Historia de un abrigo de mink».

En una lengua en que las hijas solteras del Cid se llamaban doña Elvira y doña Sol, y en el Tenorio, doña Inés, no se ve la necesidad de importar un término extraño, **Miss** (*mistress* < *maistresse* < *maistre* < lat. *magister*), para designarlas o dirigirse a ellas. Se aplica primero, según A. F., a mujeres inglesas de la buena sociedad, luego a institutrices, y finalmente a las distintas reinas de belleza, locales, regionales o nacionales. El *DMILE* y *VOX* registran la palabra como tratamiento y como 'ganadora de un concurso, generalmente de belleza', añadiendo que el plural es *misses*.

En los comienzos de la era espacial y de los proyectiles teledirigidos de larga distancia se adoptó la voz inglesa **missile** para denominar estos ingenios destructores. Así figura esta palabra en el *Peq. Larousse* de 1964. No lo incluye M.ª Moliner. La Academia lo admite en el suplemento de la edición de 1970 con las variantes **misil** / **mísil**, y la etimología correcta (del ingl. *missile*, y éste del lat. *missile*, 'arma arrojadiza'). La edición de 1984 respeta todo, pero suprime una palabra intrusa —(enmienda)— filtrada en el suplemento. La última edición de *DRAE*, más latinizante, prescinde del inglés, acercando así a los romanos a las últimas conquistas armamentistas de la guerra moderna. No comete tal error el *Peq. Espasa,* que explica sus variedades y no entra en etimologías, ni tampoco *VOX*, que hace constar el origen inglés y aventura una forma latina —*missilis*— que otros no aceptan.

Distinto camino que *Miss* ha seguido **míster**, del mismo origen románico (< *master* < *maister* < *magister*). El primero en ser citado así en España fue el político Gladstone en 1867. Sin embargo, luego se empleó como simple vocativo, con cierto matiz despectivo. La presencia de entrenadores ingleses en algunos equipos de fútbol favoreció el uso de *míster* 'entrenador, preparador' para designarlos. También el *DMILE* y *VOX* recogen estas dos acepciones. El *Peq. Espasa* recoge además la acepción 'ganador de un concurso de belleza', mas sospechamos que es burlesca e insólita.

No ha corrido igual suerte **mistress**, voz que se presta a más de un malentendido, pues escrita así, cuando el contexto no ayuda, sería una posible causa de equívoco. A. F. la registra una vez, precediendo al nombre, en 1920. También la recoge el *Peq. Larousse,* que explica correctamente su uso: «Se pronuncia misis y se escribe abreviada Mrs.». Prescinde acertadamente de su empleo como sustantivo, raro en español. El *Peq. Espasa* no menciona la pronunciación. *VOX* no incluye la palabra.

No es muy actual la definición que el *DRAE*'92 nos ofrece de **mitin** (< ingl. *meeting),* admitido, según Corominas, en 1899 ó 1914 y documentado por A. F. en 1865. El vocabulario de M.ª Paz Battaner (1977) sólo abarca un periodo de 5 años (1868-1873) y trae una cita de 1869, «un *meeting* numerosísimo», que concuerda con la definición académica. Pero el término abarca hoy otras acepciones, ha generado una descendencia bastante viva —*mitinear, mitinero, mitinesco,* etc.— y dado lugar a giros desconocidos en inglés: *dar el mitin, dar un mitin*. Alonso Zamora (1986), en un estudio exhaustivo, rastrea la expansión de este anglicismo en la lengua y literatura hispánicas, y completa profusamente la documentación aportada por A. Fernández, con abundantes datos literarios y bibliografía no abarcada por aquél, quien, como sabemos, detiene su investigación de *ByN* en 1936. Zamora destaca la vacilación ortográfica de los ejemplos recogidos por A. F. para el plural —*mitins, metines, mítines, meetings, mitinges, metingues, meetinges*— señalando que estas formas caprichosas son reflejo de «los balbuceos e inseguridad en el proceso de adaptación». No comenta A. F. los casos de pronunciación aguda (*mitín*) recogidos por M. Seco en su *Arniches* (1970) ni las grafías *meetinge* y *mitingggg* (sic), anotadas por este autor, quien nos advierte sobre el carácter efectista de algunas grafías arnichescas. La forma *metingue* puede ser reproducción del francés *métingue*, que es la aceptada en esta lengua. Kühl (1993) registra la pronunciación *mitín* en Uruguay, señalando la discrepancia con España.

En la actualidad he anotado *meeting* para referirse a una entrevista con la empresa de quien aspira a un puesto de trabajo. Por ejemplo, en un anuncio en que la compañía CBM Network: «Busca Managers, para desarrollar su red de ventas en el mercado español. Realizaremos Business Meetings en las siguientes fechas y ciudades. [...] Los Meetings se realizarán a las horas [...]».

También se ha extendido el uso de *mitin* referido a competiciones deportivas, condenado por algún libro de estilo como si fuera una desviación española del primitivo *meeting*, lo cual sería lícito, dados los cambios semánticos a que, como vemos en estas páginas, están sometidos todos los barbarismos léxicos. Sin embargo, en este caso, se trata de una adaptación, tan caprichosa como muchas otras, del sustantivo inglés *meet*, como en *track meet* 'competición de atletismo'. *Meeting,* en inglés, no se suele usar en este contexto.

Igual que el español sirvió de intermediario en el mundo de un sinfín de voces de los aborígenes americanos de distintas lenguas, el inglés, con la palabra **mocasín**, ha desempeñado el mismo papel. Aunque esta voz, en la forma *makezin*, se atestigua primero en el Canadá francés como préstamo directo del algonquino, en francés no se difunde en su forma actual *mocassin*, tomada del inglés *moccasin*, hasta el siglo XIX, si bien hay testimonios varios de esta misma grafía y otras seis más en el siglo XVIII que no llegaron a consolidarse.

El acrónimo **módem** se ha instalado en las lenguas europeas occidentales para designar uno de los más prometedores inventos de nuestra época. Siendo un neologismo formado por dos nombres de origen latino posibles en las lenguas romances y, por adopción, en las germánicas, podría, en teoría, haber sido acuñado en cualquiera de ellas —fr. *modulateur* + *démodulateur*, it. *modulatore* + *demodulatore*, esp. *modulador* + **demodulador*, ingl. *modulator* + *demodulator*. Una pista sobre el origen la da el *Duden* alemán, que remite al inglés; otra el *Zingarelli* italiano, que tras explicar el acrónimo con los dos elementos citados, explica *demodulatore* < *demodulare* «(comp. di *de*— e *modulare* sul modello dell'ingl. *to demodulate*)». Citamos un solo ejemplo: «Cualquier ordenador con módem puede conectar hasta con la Casa Blanca...», *El Mundo*, 14-4-95, pág. 2 de «Comunicaciones». Pero la voz está incluida en el *DMILE*, y el *DVUA* aporta cinco ejemplos de prensa.

El término **modern style** no se usaría hoy en inglés sino en concreto y referido a una época —fin de siglo XIX y principios del XX—. A. F. ya lo documenta como frecuente desde 1902. *Robert Angl.* también lo recoge como anglicismo pero señala, erróneamente a mi juicio, que en inglés se prefiere *art nouveau*; la cuestión es que *modern style* no lo registran los diccionarios ingleses como término específico salvo tras la etiqueta general de *modernism*, pero *art nouveau* sí. Creo que, sin inventarlo, los franceses difundieron el término y los españoles lo copiamos, como en tantos casos, de nuestros vecinos. R. Pérez de Ayala (*50 años de cartas...*, pág. 50) usa *modern style* en 1905 con el valor literario de *modernismo*.

Mog (< ingl. *mug* 'taza, tarro') está registrado en *El Barrio* y P. Rico (H. L. Morales, 1991).

La voz **monises** se encuentra registrada, según Corominas, desde el *DRAE*'1843, es decir, hace siglo y medio, como un doble plural que parece justificar el otro singular *monís* (*DRAE*, al lado de *moni*). El compuesto *money order* 'giro postal', directamente tomado del inglés americano, tiene vigencia en Puerto Rico.

Monitor. Sólo el *DRAE* parece desconocer el origen inglés inmediato de algunas acepciones de las dos entradas de *monitor*[1] y *monitor*[2]. En la primera entrada, acepción 6.ª 'barco de guerra, etc.', se dice que se inventó en EEUU en el s. XVIII y se usó en la guerra de Secesión; en la segunda entrada, acep. 1.ª 'detector de radiaciones' y 2.ª 'TV. Aparato receptor... que controla la transmisión'. Parece evidente que deben poco al lat *monitor, oris.* Consta el origen inglés en italiano (*Migliorini*) alemán (*Duden*), francés (*Robert Angl.)* y por supuesto queda implícito en el *MEU* cuando condena *monitoring*: «Tradúzcase por control de calidad o comprobación». Pese a las advertencias, en América *monitor* ha dado motivo para varios derivados: *monitorear, monitoreo, monitorizar, monitorización,* etc. En Chile, p. ej.: «María C. P. ...realizaba trabajos de *monitoreo* de bosque nativo», «equipos de control, manejo y monitoreo», *Las Últimas Noticias,* Santiago (8-2-95). En Uruguay: «Hablar de monitorear la libertad... es... acotar la misma», *El Observador*, 15-2-95, pág. 11.

La última edición del *DRAE* ha admitido la voz **monorraíl** sin indicación de origen. Acaso proceda directamente del inglés, como hace pensar el segundo elemento —*raíl*—, pero los testimonios escritos no lo corroboran, ni siquiera el figurar en el *Robert Angl*., pues hay citas más antiguas en francés.

En el Río de la Plata se llama **montgómery** (por el mariscal británico de ese nombre) a la prenda llamada en España *trenca*.

No puede censurarse a los puertorriqueños de la isla y de Nueva York la adopción del préstamo *mapo* (< ingl. **mop**) para designar el utensilio conocido en España como *fregona*, pues esta voz no figuraba todavía en la edición de 1970 del *DRAE* más que como «criada que sirve en la cocina y friega. U. generalmente en sent. despectivo». L. Morales (1991) registra también el verbo *mapear* 'limpiar el suelo' (pág. 136); en Alfaro aparecen *mopear* y *mop*, ambos condenados a favor de *fregar*, *trapear* y de *lampazo*, al que no le veo porvenir. El verbo *mopear* por 'fregar con un trapo' lo tengo anotado en *El Tiempo* (28-1-94), de Santafé de Bogotá, usado como voz corriente. Parece que hoy es de uso general en España *mopa*, que no registra ninguno de los diccionarios españoles. Sólo la encontramos en el reciente *Oxford Bil.*, como traducción de ingl. *mop* (s.v.), en oposición al uso hispanoamericano *trapeador;* la frase inglesa *to give the floor a mop* se traduciría al español americano 'trapear el suelo' y al español de España 'pasarle la fregona o la mopa al suelo'; el verbo *mopear* no lo registra.

Mormón, **mormónico** y **mormonismo** ya figuran, sin indicar origen, en el *DRAE*'47. La etimología no presenta problemas. Es el nombre dado por el fundador de la iglesia mormónica Joseph Smith al libro del presunto profeta Mormon, descubierto y traducido por el propio Smith, considerado biblia de los miembros de esa secta.

Con los progresos de la telecomunicación es posible que el alfabeto **morse**, invento del pintor y físico norteamericano S. F. B. Morse, se use poco, así como el sistema de transmisión, basado en electroimanes, inventado también por él hace más de siglo y medio. Sin embargo, el alfabeto ha tenido muchos adeptos y la expresión *en morse* debe de estar abundantemente documentada. En *DMILE*, *código Morse*; en M.ª Moliner, *alfabeto Morse*; en *Peq. Larousse*, 'sistema de telégrafo, alfabeto utilizado en el *sistema Morse*'; *VOX*, etc.

Ya en 1964 incluía el *Peq. Larousse* **motel** con su etimología correcta (ingl. *motor + hotel*), que coincide con la del *Webster's Third, RHD, NShOED*, *Robert Angl.*, *Duden, Lexis*, etc. Buscando la lógica, más que la verdad, el *DRAE*'84 optó por una solución «lógica», pues se trata de un hotel de automovilistas, y explica el neologismo como *motorists' hotel*, que se repite en el *DRAE*'92. El diccionario *VOX* nos ofrece *motorist hotel*, que merece también corregirse. El italiano *autostello* representa un calco correcto y literal. En Colombia, según Haensch (93), es un 'establecimiento en el que se alquilan habitaciones a parejas que desean tener relaciones sexuales en secreto'. Córdova (*UMA*) anota 'casa de trato'. Este matiz clandestino se descubre también en los anuncios de otros países americanos. Delibes en 1966 usa este término entrecomillado —«...la sabia institución del 'motel'...»— (*USA y yo*, pág. 71).

El término **motocross** consta en diccionarios de inglés —por ej. *RHD*— como galicismo, figura en cambio en el *Robert Angl.* calificado de seudoanglicismo —*moto(cyclette) + cross*—, y es explicado en *VOX* sin referencia al francés: «de *motocicleta* + ingl. *cross* country». El *DRAE*'92 todavía no lo ha admitido.

Dentro de la serie ya comentada de productos norteamericanos en *-ola,* ha tenido especial difusión, fuera del ámbito puramente comercial de la telefonía móvil, el neologismo **motorola**, definido por el *DVUA* como 'teléfono inalámbrico portátil'. Un prospecto en español de la compañía Motorola Inc. dice que el nombre data de 1947. Extracto del *DVUA* (s.v.) dos citas ilustrativas: «...a Felipe [...] otros le llaman 'Dios', como el Chiqui Benegas por la motorola...»; «La motorola ha hecho furor de manera especial entre los periodistas». He aquí tres ejemplos de *ABC*: «A [...] Benegas le pillaron definiendo a 'Dios' por la motorola...» (11-12-93, pág. 19); «La motorola llega a la trashumancia» (titular, 14-10-94, pág. 72); «Ibarra dispone de nueve motorolas [...] la junta [de Extremadura, de] un total de cuarenta y tres motorolas» (*ABC*, 14-4-94, pág. 81). Con la expansión de la telefonía móvil, también llamada celular, han aparecido otras marcas, pero *motorola* es el término aplicado, por comodidad y sin mayor precisión, a menos que se trate de publicidad pagada por otros fabricantes. Aunque en el ejemplo siguiente aparece con mayúscula, entendemos que apoya nuestra tesis: «negocios sucios que se cierran con Motorola cerca del Mercedes», M. Vicent, *El País,* 19-3-95, pág. 56. Al extenderse el uso de este sistema de comunicación parece que está triunfando el nombre *móvil.*

Aunque el término inglés **mountain bike** se ha generalizado, pronunciado, según me aseguran, /mountain baik/, hay intentos de aclimatación por calco. En titular de *El País*, suplemento «Madrid», 22-4-95, pág. 10, se dice: «Bici de montaña. 30.000 personas acudirán a la Copa del Mundo...», pero como anuncio de la prueba se lee: «Copa del Mundo de Mountain Bike», y en el texto: «Los *bikers* han tomado El Boalo» [pueblo de la sierra madrileña donde se disputa la Copa]. Cf. también pág. 78 s.v. *trial*.

En el *DRAE*'84 se admite otro nombre comercial de la misma estirpe que *motorola*, **moviola** (< ingl. *movie* + *ola*), usado primero en filmografía y popularizado después también en TV para ilustrar jugadas discutidas en ciertos deportes. Alfaro registra *muvis* (< *movies*) como pochismo (mala adaptación) y cita ingl. *movies* como vulgarismo. Hoy no lo es.

Tiene razón Alfaro cuando defiende la admisión del anglicismo **multifario** (< ingl. *multifarious*) alegando a su favor un texto de Menéndez Pelayo («idea... multifaria, esto es, de muchas maneras...»). El diccionario *VOX* recoge el adjetivo; la Academia, no, probablemente por ser voz poco usada.

Aunque originariamente *media* es un plural neutro latino y así, como plural, lo registran los diccionarios ingleses, un compuesto, **multimedia**, según las mismas fuentes, se usa con el verbo en singular. Es neologismo en inglés de los años sesenta y se usa como adjetivo atributo. Como tal parece invariable en español, de acuerdo con nuestros datos: «es un trabajo multimedia y multiescénico... que trata de unir todas las artes (teatro, danza, cine, vídeo, escultura...)», *El*

País Tentaciones, 6-1-95, pág. 16; «Nadie sabe cómo serán los grupos multimedia en cinco años», *El Mundo Comunicaciones*, 13-1-95, pág. 2. Pero también aparece en función de sustantivo, como en el ejemplo siguiente: «una ceremonia digna de un terreno de candombe que alcanza su primer paroxismo en el multimedia que quien, pudiendo hacerlo, le ha organizado a XX en Alcalá-Meco...», M. Prieto, *El Mundo*, 20-1-95, pág. 5.

Sin ser propiamente un anglicismo, **mundial**, como recuerda Alfaro, era palabra calificada de arcaica o anticuada desde el *Dicc. Autoridades* hasta la edición XIV (1914) del *DRAE*. Pero este adjetivo, que no registran los diccionarios ingleses, ha renacido para traducir los múltiples usos de *world* y *worldwide*.

El sustantivo **musical** para designar el «género de películas equivalente a la opereta teatral» (*DMILE*) no ha entrado hasta 1992 en el *DRAE* y además se ha quedado corto en la descripción del significado actual, que abarca, de hecho, también a la opereta teatral y a la revista musical, incluidas en el léxico académico sin que el componente frívolo sea necesario. El dicc. *VOX* lo incluye en este sentido general y el *Peq. Espasa* lo recoge con valor adjetivo y sustantivo. En inglés americano, como recuerda *Robert Angl.*, se documenta el término *musical comedy* en 1890.

El compuesto **music-hall** tiene en España casi tanta antigüedad como su componente *hall*, ya comentado. La falta de una adecuada hispanización en ambas es causa de que se mantengan marginados, entrecomillados o entre corchetes. La primera mención anotada por A. F. es de 1892 y se refiere a los *music-halls* de Londres. Su documentación es abundante y salvo el *DRAE* y el *DUE* todos los diccionarios españoles parecen haber acogido el término en sus páginas: *DMILE, Peq. Larousse* y *VOX* («se pronuncia miúsic jol») y *Peq. Espasa* (pl. *music-halls*).

Ya hemos comentado (pág. 67) el caso de **mustang**. Dos diccionarios, *Peq. Larousse* y *Peq. Espasa,* lo incluyen en forma doble *mustang* o *mustango*, sin etimología, y otro, *VOX* , bajo la forma hispanizada *mustango.*

Nadie duda del origen español de la palabra, que se relaciona con *mixta, mesta, mesteño, mestengo, mostrar, mostrenco* (cf. Corominas, s. v. *mostrenco*) y está documentada ya en 1287. Uno admira los datos recogidos por el etimólogo catalán para la voz española. No obstante, queda por explicar por qué *mustang(o)* con su forma inglesa se atribuye a las Pampas (*Peq. Larousse, VOX*) o a América del Norte. Esta última hipótesis parece más convincente, ya que *mustang* 'caballo indómito' se emplea desde 1808 hablando de Tejas, California y México.

Los dos diccionarios académicos —*DRAE* y *DMILE*— registran **nabab** (y *nababo*). Según el *DRAE* esta voz viene del fr. *nabab* 'gobernador, hombre sumamente rico'. Para *VOX* procede del hindustani *navab*, derivado del árabe *nuawab*, mientras que el *Peq. Larousse* nos da ár. *nauab*, que parece forma simplificada de su modelo *nawwab* (*Lexis*).

Ahora bien, según otros diccionarios —*Robert Angl.*— es en francés un calco semántico tomado del ingl. *nabob*, con acepciones documentadas en inglés ya en 1764, que tomó prestada la palabra del portugués *nababo* (1612) o del español *nabab* (< hindi *nabab* / *navab* < ár. *nawwab*). En francés, fue tomada del portugués en 1614. Cuando don Juan Valera, en 1890 escribe «sobrará para que vivamos todos como unos nababs o reyes...», sospecho que las vocales delatan el galicismo, y el significado, el calco semántico del inglés; el plural, sea cual fuere su origen remoto, parece excluir el español del s. XVII como antecedente directo.

La última edición del *ShOED*, es decir, el *NShOED* da también el port. *nababo* o el esp. *nabab* como origen de ingl. *nabob*.

La acepción 2.ª del artículo **napa** en el *DRAE*'92 no parece deducirse de la 1.ª (fr. *nappe*) 'Conjunto de las fibras textiles que se agrupan, al salir de una máquina cardadora...'. De hecho, procede del inglés *Nap(p)a leather*, de la región californiana donde se curtía y preparaba esta piel. Así la ha tomado el alemán *Nap(p)aleder*. Según el *Webster's Third* se trataba la piel de cordero con una mezcla de jabón y aceite; luego se aplicó el nombre también a otras pieles que se parecían, por su suavidad, a la original.

Sobre el acrónimo **napalm** hemos comentado (cf. pág. 67) su inclusión en el *DPFE*. Cabe añadir que la etimología propuesta por *Lexis* y *Robert Angl.* y recogida por Arturo del Hoyo (*natron* 'sodio' + *palmitato*) reforzada con el año de la invención —1942— no la comparten los lexicógrafos de habla inglesa y alemana más que en lo que respecta al segundo componente, es decir, *palmitate*. Para el primero se nos ofrecen cuatro derivados de nafta: *naphthenic*, según el *NShOED*; *naphthene*, según el *RHD*; *naphthenate*, según *Webster's Third* y *Collins*; el *Duden* alemán opta por el ácido *Naphthensäure*.

Los diccionarios españoles, salvo los académicos y el *DUE* de M.ª Moliner, recogen este neologismo sin consignar la etimología. En el *LEPaís* (1980) se explica el acrónimo según el modelo británico.

El anglicismo **nável** para designar una variedad de naranjas no aparece en su sitio en los diccionarios españoles o bilingües consultados. Se salva el de M.ª Moliner, pero no debido a su, a veces, caprichosa ordenación alfabética, sino como atributo informativo de la voz *naranja*. Aunque popularmente conocida como naranja *guasin, uasin, guachin* (en EEUU *California orange* o *navel orange*), el término ha tenido y tiene todavía la suficiente difusión para admitirlo, a menos que se opte por la forma vulgar *guasin*, no general y resistente a la escritura. La explicación de M.ª Moliner (s.v. *naranja*) es, más que suficiente, enciclopédica, y aunque recoge también las dos variantes citadas —California, Wáshington— ambas remiten a *naranja nável.*

Resulta extraño que el *Robert Angl.* no registre esta palabra, que sí figura, en cambio, en el diccionario de Höfler, con una cita de 1912, en la enciclopedia *Larousse* de 1979 y en *Lexis*. En 1965 habíamos anotado: «nuestras 'navel' a 15,50 dólares», *Ya*, 2-12-65, pág. 18, y varios ejemplos del plural *navels* en *El Economista,* 11-12-65. Como variedad de esta naranja tenemos registrado el diminutivo *navelina* en 1969 (cf. nota 2 de *El español de hoy*, Introd.), que muchos españoles confiesan desconocer, pero que tiene hoy vigencia comercial clara: «[anunciando contratos de futuros sobre cítricos] ...la mercancía objeto del contrato... es naranja española de las marcas Navel y Navelina de todas las regiones...» (*El País Negocios*, 21-8-94, página 13.

Parece una paradoja que el acrónimo **navicert** (*navi*gation + *cert*ificate), usado con frecuencia durante la última guerra mundial, esté presente en todos los diccionarios consultados excepto en el *DRAE*, en el que *nável*, como acabamos de comentar, falta. Prueba de su vigencia restringida es su ausencia en el *RHD* y en el *Webster's Collegiate Dict.*

Que en alemán se escriba *Nationalsozialist* y el inglés use generalmente la forma truncada **nazi** (también alemana) no autoriza (cf. Pratt, pág. 127) a incluir *nazi* y sus derivados *nazismo, nazista* como anglicismos. El grupo /tj/ de los latinismos en *-tion-* se pronuncia en alemán como zi = tsi. Alfaro refuta con buenos argumentos la posible filiación inglesa del término.

Otro epónimo británico, el escocés John Napier, da en español el derivado **neperiano**, ya comentado más arriba s.v. *logaritmo*. *Neper* es versión latinizada (*Neperus*) de *Napier*.

En el deporte del tenis, el saque de pelota que roza la red y ha de repetirse se califica de *let,* voz anticuada que equivaldría a 'obstáculo' pero que tiende a identificarse con el casi homónimo **net** 'red'.

VOX remite la primera a la segunda, que no registra. M.ª Moliner sólo incluye *net*. La *GP-IED*, pág. 64, define *let* así: «Voz del juez de silla que indica que se ha de repetir el punto. Voz que se escribe entrecomillada o en cursiva».

La acepción 3.ª de **neumático** 'llanta', con distinta redacción, figura ya en el *DRAE*'47, pero debería figurar como artículo aparte, pues es un nombre patentado del invento atribuido al escocés John B. Dunlop, llamado primero *pneumatic tyre*, hoy reducido a *tyre* (Amér. *tire*).

La unidad internacional de fuerza en el sistema metro-kilogramo-segundo-amperio se llama desde 1948 **neutonio** [= *newton* en la nomenclatura internacional (*DRAE*)].

He leído más de una vez la expresión **new age**, pero sólo dispongo ahora de un ejemplo de *ABC* (29-1-94): «filosofía de la 'new age'», en la sección desaparecida «Punto y Aparte», junto con otras expresiones modernas como *aerobic*, felicidad *light*, el *big one*, bailar el 'Hula'... R. Montero la describe como «ese movimiento vagamente místico nacido hace una década en Estados Unidos y que engloba tanto una actitud personal como una mescolanza de teorías...», *El País semanal*, 12-2-95, pág. 6.

Tuvo repercusión internacional la política del presidente Roosevelt en 1933 para hacer frente a la llamada *gran depresión*. Esta política, conocida como **New Deal**, figuraba en varios diccionarios españoles, pero ha caído en desuso. La registran el *Peq. Larousse*, M.ª Moliner, *Peq. Espasa*, Alfaro, *LEPaís*, etc., pero no el «actual» *VOX*. Tampoco la menciona Pratt. Creo que acierta Alfaro cuando recomienda como traducción 'nueva política'. En la primavera de 1995, con motivo del medio centenario de la muerte de F. D. Roosevelt, se recuerda la política del New Deal (4 veces) como modelo y antecedente del Estado de bienestar (*El País*, 13-4-95, pág. 7).

El término **new look** (cf. pág. 67), inventado por los franceses para una moda femenina, se ha extendido a otras actividades ajenas al vestido. El *LEPaís* recomienda no usarlo en un texto noticioso y lo define como 'expresión inglesa, nueva dimensión o concepto de la estética'.

Night-club. Con esta grafía dudo que se admita en los diccionarios españoles. Hay oposición general a admitirla por la enrevesada ortografía arcaica del primer componente (por algo en EEUU se ha extendido la grafía *nite* (= *night)* desde principios de siglo). A. F. data su uso en España de 1928. Se proponen para su adaptación al español 'cabaret' (*Peq. Larousse*), 'club nocturno', 'sala de fiestas', 'sala de fiestas nocturnas' (A. F.). *VOX* lo define extensamente y da la pronunciación = *naitclab*. *LEPaís* no lo recoge. Con variantes, este préstamo viene a sustituir a los galicismos *boîte* (*buat* en el *DUE* y *Peq. Larousse*) y *cabaré*. *Lexis* explica *night club* como 'boîte de nuit'.

El nombre del metal **níquel** es, en su origen, alemán y designaba un tipo de mineral de cobre. Pero en los EEUU se llamó también *nickel* primero a la moneda de un centavo y luego a la de cinco. El nombre se extendió después a otras monedas. Cf. Alfaro (s.v. *nicle*, *níquel*). Así, en Guatemala anotamos el compuesto (máquinas) *traganíqueles* y, en Colombia, según Haensch, *traganíqueles* y *niquelera* 'monedero'.

Es posible que *níquel* con el valor de moneda norteamericana esté ampliamente documentada. En España circuló hace más de medio siglo una moneda de 25 céntimos que registra el *DRAE* s.v. *cuproníquel*, aleación de cobre y níquel como la de la moneda yanqui.

Es posible también que **niquers** sea tan infrecuente como la forma ortográfica *knickers* mencionada en pág. 266. *VOX* ha juzgado oportuno incluir esta voz.

Niqui (niki), en cambio, es palabra usual en la lengua hablada y frecuente en anuncios. Pratt la recoge con la forma *nickey* como anglicismo, con otras prendas de vestir (pág. 215). Sin embargo, el *RHD*, eminentemente americano, no registra tal palabra, pese a la afirmación de nuestro colega de que «no hay un ejemplo de un anglicismo que provenga exclusivamente del inglés británico». Se podría objetar aquí que sí los hay (cf. *gasfiter, durmiente, acumulador, rugby,* etc.). Tampoco figura este *nickey* en otros diccionarios británicos consultados, ni el italiano ni el francés pueden darnos pista alguna. Pero, por fin, nos la da el último *Duden* alemán: «*Nicki*. Pullover aus plüschartigen Material; Nickipullover», es decir, 'pulóver de tejido afelpado. Pulóver niqui'.

Puede aceptarse en general la explicación de Corominas (s.v. *este*) sobre los puntos cardinales compuestos con **norte**, de procedencia inglesa a través del francés (*nordeste, noroeste,* etc.), excepto *nórdico*, que muestra impronta alemana.

Number One lo define el *RHD*, en su acepción 4.ª, como 'first in rank, order or prestige'. El término ha hecho fortuna en España y aparece como préstamo y como calco, a veces, como en el siguiente ejemplo, en las dos lenguas: «muchos le consideran [al periodista H.] el auténtico *number one.* —No, el auténtico número uno es Ch. [+ cinco razones por qué no es el número uno]»; otro ejemplo: «Carlos... el número uno del terrorismo internacional», *ABC*, 20-8-94, pág. 18. Ello desata la serie *número dos, número tres*, etc. Así: «El imán Alí B., *número dos* del FIS...», *El País*, 21-8-94, pág. 9. Un intento de aclimatación del término lo hemos anotado, en una ensalada de anglicismos, de la periodista P. Urbano: «el personal very important... un Comité Federal longplay que terminó a las tantas... el papel de botones del *nambar guan* [la cursiva es nuestra]... cuando a un jefe sus scouts le plantean...», *El Mundo*, 29-7-94, pág. 8.

Las citas recogidas por A. F. para documentar **nurse** en español resultan interesantes por sus explicaciones. Aunque la voz es originariamente francesa (*nourrice* < lat. tardío *nutricia*, es decir, 'nodriza'), la cita primera, de Rubén Darío (*s.a.*), separa *nurses* de *gouvernantes*, que es la voz francesa correspondiente. Es misión suya el baño de los niños, vestirlos y llevarlos al parque (1913).

En otra cita de 1915 se dice que las *nurses* no son francesas ni españolas, porque ambas han «despreciado este oficio»; son inglesas las que se ven por todas partes.

La acepción 'enfermera' no se documenta hasta 1933; en cambio, *nursery*, en traducción del francés, aparece en 1889 y 1893 con el significado de 'enfermería'. La primera escuela de enfermeras la fundó la famosa Florence Nightingale en 1860. Hacia 1923 aparece el significado de dormitorio o aposento para los niños. Miguel Delibes usa la voz *nursería*, sin titubeo (*USA y yo*, 1966, pág.71), para designar una más de las ventajas— otras son piscinas, pistas de tenis, jardineros, lavandería, incineradoras de basura, etc.— que ofrecen las comunidades de vecinos yanquis a los copropietarios de un «condominio» (Delibes no usa el término *condominio*, incluido en el *DRAE* desde 1984).

Hoy en Inglaterra, el término general para quien cuida de los niños ('a child's nursemaid') es *nanny*. También lo tengo anotado en anuncios de periódicos hispánicos de Miami.

En 1952 anotábamos el plural **nylons** (pron. *nailons*) cuando, referido a medias de esta fibra textil, se dudaba en la ortografía. Así está documentado en francés en 1956 (*des bas nylons*). Alfaro, en la 1.ª edición española de su *Diccionario* (1964), recuerda que en la 1.ª americana (1950) defendía la adopción de *nilón*, y se alegra de que la Academia no haya admitido «*nylon* o *náilon* (sic), como suelen escribir y decir los angloparlistas».

Se refería, sin duda, al *DRAE*'56. Pero la Academia admite *nailon* en 1970 y a esta voz remite *nilón*. Hoy se han hecho generales las dos formas, pero algunos manuales recomiendan *nailon* (*LEPaís, LRVang., MEU, LEABC*). *VOX* erróneamente dice (s.v. *nylon*) que la Academia, entre *nailon* y *nilón*, ha adoptado esta última, «tanto en la pronunciación como en la grafía». (No, *nilón*, en *DRAE*'84 y '92, remite a *nailon.*)

La prolija explicación de su etimología que hace *Robert Angl.*, por lo regular bien informado, no coincide con la de las fuentes anglosajonas más recientes a mi alcance, *Webster's Third* (1993) y *RHD* (1987), ni con la citada en *Mencken* (I), recibida de la casa inventora Dupont aunque no registrada por ser toda una familia de productos semejantes. Si no hay nuevos datos, lo único cierto es que entre 250 nombres propuestos en 1938 se escogió éste, en el que el sufijo *-on* se asocia con *rayon* o *cotton* ('algodón') y otras fibras textiles. El *Webster's Third* se limita, acertadamente, a indicar que es una voz acuñada (*coined word*) sin establecer etimología.

Ha hecho fortuna en español la partícula **off** y sus derivados *offset* y *offside* (menos, aunque figura en algún diccionario, *offshore*), y *off-line* 'autónomo' (*Inform.*), del cual Aguado ofrece seis compuestos (cf. *on-line,* más abajo).

Aparece, sin aglutinarse en lexema mayor, en la expresión *'voz en off',* acaso tomada del francés *voix off* (< ingl. *offscreen*). El olvido de esta circunstancia en la edición del *DRAE*'84 ha obligado a revisar la acepción 12.ª y la entrada *doblaje* en la de 1992. Se decía en 1984 para *doblar* 'sustitución de las palabras del actor que aparece en la pantalla...'. Ahora *doblar* es 'hacer un doblaje' y el *doblaje* supone «una nueva banda sonora... en que se traducen las partes habladas al idioma del público destinatario».

Offset y **offside** figuran en varios diccionarios usuales. No en el *DRAE*, pero sí en la versión manual, con la grafía inglesa y la adaptación española *orsay*, cuya pronunciación da por anticuada. Ello no obsta para que s.v. *orsay*, descrita como «voz inglesa», se añada la frase *estar en orsay* «fig. y fam. Estar distraído». *Collins Bil.* añade «no estar al tanto».

El *DVUA*, en la entrada **offshore** incluye ejemplos de prensa con otras grafías: *off shore* y *off-shore* con función adjetiva y significados imprecisos. Una variante, anotada en la prensa de Chile, es la utilizada para designar una regata que se describe como «la tradicional 'off-Valparaíso'», competición que imaginamos en la costa del Pacífico donde se asienta el principal puerto chileno.

La locución **off the record** 'confidencial, no divulgable' figura en *DMILE, Peq. Espasa* y *VOX*, y la condenan el *LEPaís, MEU, LEABC, LRVang.*

Otras locuciones inglesas ocasionales, como *off-Broadway, off-limits, off-duty*, incitan a algún osado a crear un *off-Gran Vía*, sin imitadores.

El caso **office** es algo complejo. Aseguran que es voz francesa el *Peq. Larousse, MEU, DMILE, Peq. Espasa;* otros callan, limitándose a recomendar *antecocina*, no muy frecuente. *Peq. Espasa* tiene razón cuando afirma que a veces se dice *oficio*, no que se escriba.

Los que transcriben la pronunciación hacen grave esta palabra. Sólo *DMILE* la considera aguda al remitir *office* a *ofis* (voz francesa) = *antecocina*. Ese predominio del acento grave inclina a *VOX* a explicarlo como voz francesa a través del inglés. M.ª Moliner es quien da la explicación más satisfactoria reconociendo que se oyen las dos pronunciaciones —a la inglesa *ofis*, a la francesa *ofís*— y que *oficio*, que también se oye, sería una buena traducción. El *Collins Bil.* registra *office* como voz española que «explica» como equivalente al ingl. *pantry.* Pero *pantry* también aparece ocasionalmente en español, por ejemplo, en un aviso de Caracas que anuncia una vivienda con «cocina, pantry y lavadero» (*El Universal*, 5-4-81).

Sobre la pronunciación sólo hay que decir que es un caso más de desplazamiento del acento francés (cf. *élite*...). En cuanto al significado, es claramente un galicismo 'pièce attenante à la cuisine' (*Lexis*), lo cual no impide que el *Robert Angl.* registre la voz como anglicismo cuando significa 'bureau, agence', es decir, nuestra 'oficina de escribientes, papeles y archivos'.

Parece que hay ya cierta unanimidad sobre el origen de la fórmula de conformidad angloamericana **O.K.**, **okey** (pron. /oukei/) que recogen algunos diccionarios españoles como *Peq. Larousse* (1964) y *VOX* (1992). Aunque relativamente rara en España, es usual en casi toda la América hispana en el habla coloquial. Después de un siglo de propuestas etimologizantes se acepta hoy que el origen de la expresión es una grafía jocosa, *orl korrect*, de la forma estándar *all correct*, difundida en la campaña presidencial de 1840, que coincidía con las iniciales del apodo *Old Kinderhook*, con que se designaba al candidato, luego presidente, Van Buren, nacido en la localidad de Kinderhook (N.York).

Igual que *off-line*, citado más arriba, es usual en Informática **on-line** 'en directo, en línea'. Lo es también (cf. arriba *off-line*, Aguado) con otros tantos compuestos.

Comenta acertadamente Pratt (*op. cit.*, pág. 223) la difusión del anglicismo **open** como rasgo de esnobismo al citar el caso de las entrevistas en que preguntan sobre si un torneo es *open* y le contestan «Sí, es abierto». No hay estadísticas sobre la extensión de este uso, pero el diccionario *VOX* ya lo incluye con la definición de competición abierta a todas las categorías. En 1994 la voz, en sentido deportivo, parece definitivamente consolidada. En el programa de tarde de la 2.ª cadena —televisión pública— se anuncian el mismo día «Motociclismo. Campeonato de España. ...Open Ducados... Jerez» y «Mountain Bike. Open de España... Santander», *El País*, 29-5-94, pág. 58.

No hay nada que objetar a la remisión a *optimar* del anglicismo **optimizar**, llegado al español directamente (ingl. *to optimize*) o a través del francés, lengua que admite *optimiser* y *optimaliser* pero no *optimer*. En consecuencia, se desecha el anglicismo *optimización* a favor de *optimación* (*MEU* s.v.).

Dice el *Peq. Larousse* que **orange** 'naranjada' es un galicismo, pero aparte de que el término francés sea *orangeade*, que existe como préstamo también en inglés, creemos que su uso, hoy infrecuente, procede del término comercial *orange crush*, registrado por A. Fernández, quien se extraña de no encontrarlo en diccionarios ingleses. Añade A. F. que hoy (hacia 1970) «se oye en la TV pronunciado a la francesa y se ve en... los envases». Con la invasión de las bebidas anglosajonas, en 1993 parece haber desaparecido toda publicidad de este producto.

Osterizar 'batir o licuar los alimentos' (< *Osterizer*) figura en los repertorios de Haensch (Colombia), Kühl (Uruguay) y Gutiérrez (P. Rico, N. York), todos de 1993. También lo tengo anotado en México, «licuadora Osterizer» (*Palinuro*, págs. 166, 218), y en Cuba, según el recetario *Cocina Criolla* de la autora cubana Nitza Villapol, ed. Zócalo, México D.F., 1968. Es un caso igual que el de la voz *túrmix*, marca comercial de batidora usada en España y recogida por el *DMILE*, *VOX* y los bilingües de *Collins* y *Oxford*. Siendo nombre comercial registrado, no aparece en dos diccionarios recientes del inglés: *RHD* y *NShOED* (1993).

OTAN. Siglas españolas de *NATO* (cf. pág. 105). El *MEU* registra el adjetivo *otanista*.

Ya hemos comentado en **out** 'fuera' su pronunciación en deportes. También se usó —moda pasajera acaso llegada de Francia— para calificar actitudes u objetos en decadencia, en oposición a *in* 'lo triunfante o vigente'.

Pero hay tres derivados por prefijo de *out-* que han tenido entrada en los manuales de estilo y diccionarios: **output** (*MEU*, *LEABC*,

LRVang.), en Electricidad e Informática '(potencia de) salida'; **outrigger** 'embarcación de regatas' (*Peq. Larousse*, *VOX*); y **outsider** 'competidor desconocido de rendimiento dudoso' (*Peq. Larousse, VOX*). La Academia no ha admitido esta última palabra en el *DRAE*, pero sí en el *DMILE*, por error, pues figura *outrider* con el significado de *outsider*. Parece una errata. *Outsider* significaba primero 'el que está fuera', en oposición a *insider* (cf. *insider trading*) 'el que está dentro'. Se difundió en el siglo XIX en el mundo hípico para designar a caballos y propietarios no acogidos a la organización Tattersall, radicada en Londres. El término está documentado en francés en 1859 (*Lexis*); en italiano (Zolli), en 1892. En alemán, calcado como *Aussenseiter,* aparece en 1894 (Kluge); hoy se usan ambas formas, pero en *insider,* sólo el préstamo crudo.

Outplacement, voz infrecuente en español, aparece en *El País semanal*, 2-1-94, pág. 84: «los servicios de 'outplacement' pretenden... que el trabajador encuentre en un plazo medio de cinco meses un nuevo empleo... servicio que contrata y paga (unas 700.000 pts.) la empresa».

Tampoco es frecuente otro sistema de empleo conocido con el nombre de **outsourcing**, al que el suplemento de *ABC* «Nuevo Trabajo», bajo el título *Trabajo temporal y/o outsourcing*, dedica una página y explica así: «La distinción entre ETT (empresa de trabajo temporal) y 'outsourcing' está en que la primera cede un trabajador a su cliente y lo supervisa; en el outsourcing se trata de actividades especializadas (almacén de información, limpieza, vigilancia, contabilidad, etc.) controladas desde la empresa».

No acierta A. F. en la identificación de **overall**, que califica de 'especie de sobretodo' y documenta en 1915 con la grafía inglesa, pero anota que «hoy se lee *overol, overole*», sin indicar fuentes.

De hecho, *overol* es uno de los anglicismos más extendidos en América en el significado de 'mono de trabajo', generalmente con peto, como lo usan en EEUU.

La Academia lo admite como americanismo en el *DRAE*'84, 'mono, traje de faena de una pieza'.

Así como *overbooking* (cf. pág. 134, s.v. *booking*) alterna con sus calcos españoles *sobreventa, sobrerreserva, sobrecontratación*, y en ocasiones se usa en sentido político figurado (cf. el recuadro «*Overbooking* total» sobre la crisis de la compañía Iberia, *ABC*, 29-11-94, pág. 46), otros anglicismos, **overcoat**, **overdose**, **overdrive**, no han sobrevivido a una correcta traducción castellana, mas sospechamos que están más o menos escondidos entre los numerosos derivados, de varia procedencia, que empiezan con el prefijo *super-*. El primero de los préstamos citados, que A. F. registra en 1911 como nombre de un tejido y que los diccionarios bilingües traducen por 'sobretodo', no ha dejado huella en español, pues *sobretodo* es calco del francés *surtout* (*sortú* en Larra, 1832), usado también en inglés hace siglos como galicismo. Precisamente el *overall* (vide supra) inglés, que podría ser el modelo exacto de nuestro *sobretodo*, prenda a la que no se parece, ha entrado en español como préstamo fonético perfecto. En cuanto a *overdose* y *overdrive*, el francés usa la ortografía y pronunciación inglesas, y en español *sobredosis* ha entrado en los diccionarios referida al lenguaje de la droga; para *overdrive* sólo tengo el testimonio de Córdova (*UMA*): «uso muy reducido».

Otros derivados con *over-*. *Overact(ing)* se traduce normalmente por 'sobreactuar, sobreactuación' y ha sido propuesto para el *DRAE* sin mención del inglés. También parecen calcos de voces inglesas derivadas con *over-* el verbo *sobreexponer* (< ingl. *overexpose*): «1 de cada 3 niños se sobreexpone al sol», *El País*, 26-6-94, pág. 46; *sobrealimentar* (< ingl. *overfeed*); el sustantivo *sobrecalentamiento* (*DRAE*) (< ingl. *overheating*); *sobrecapacidad* (de producción de automóviles), *El Mundo*, 24-6-94, (< ingl. *overcapacity)*; *sobrepeso* (< ingl. *overweight*), etc., etc. Para *overnight* cf. pág. 55 s.v. *moonlight*.

El verbo inglés *to overhaul* 'revisar (una máquina, un automóvil)' lo tengo anotado en anuncios de automóviles en venta en Guatemala con distintas grafías: *overhall, overjoleado,* **overjol**. La última forma, como nombre, figura en el *Oxford Bil.* s.v. *overhaul 2.* Córdova (*UMA*) registra en el Ecuador el verbo *overhauliar* en aviación.

Ovni, como *OTAN*, como *sida*, corresponde a otra sigla inglesa, resuelta en sus componentes y traducida. No ha sido admitida por la Academia más que en la antesala, en el *DMILE*, como sigla destacada O.V.N.I. (el *LEABC* recomienda, en cambio, minúsculas: *ovni*). Como decimos en pág. 60, aunque esta fórmula ha sido aceptada, los expertos en la materia, *ufología,* se llaman *ufólogos*, y estas dos grafías son las recomendadas («se escribirá») por el *LEPaís*.

No es estrictamente un calco literal, sino motivado, el compuesto *marcapaso*(*s*), admitido en el *DRAE*'84 en la acepción del ingl. *artificial* **pacemaker**, y en 1992, en el sentido más general de 'órgano o sistema de regulación fisiológica...'.

El anglicismo **pack** figura en el *Peq. Larousse* con las acepciones: 1. 'masa flotante que proviene de un banco de hielo, dividido por el oleaje' (ing. *pack ice* o *ice pack*)' y 2. 'conjunto de delanteros de un equipo de rugby'. Son las dos acepciones registradas por Höfler, que añade una tercera: 'conjunto de botellas en un estuche de cartón para su mejor transporte', frecuente en España en anuncios de supermercados, pero referido también a otros productos.

El *Peq. Larousse* registra (edic. 1994) el anglicismo **package** en Informática, al mismo tiempo que su calco *paquete*. Sobre otros calcos de *package*, vide infra s.v. *paquete.*

No dudamos de que **pad** 'exfoliador' lo haya usado como anglicismo «la clase culta de toda la América española», como afirma Alfaro. No sé en qué edición académica la vio catalogada como chilenismo. Las más recientes a mi alcance —1947, 1970, 1984, 1992— no lo incluyen. Resulta más dudosa la adscripción a Chile si comprobamos que no figura en el *Léxico del habla culta de Santiago* de Rabanales-Contreras. Tampoco aparece en los diccionarios bilingües *Larousse, Collins, Langenscheidt*, que suelen recoger estas peculiaridades.

Alfaro censura el uso innecesario de **paddock**, para el cual ve varios equivalentes —*prado, potrero, corral, dehesa*— «que corresponden a cabalidad al inglés *paddock*». Pero A. F., que no considera «apropiadas estas traducciones», documenta la palabra en 1908. La acepción de 'tribuna de hipódromo', que señalan ambos, no se registra en inglés. Otra cosa es que haya tribunas próximas al *paddock* para contemplar los caballos antes de la carrera. Sería el mismo caso que el de *palco de platea*.

Pailebot, **pailebote** (< *pilot's boat*) (*DRAE*). Tengo mis dudas sobre la exactitud de esta etimología al parecer tan evidente. En primer lugar, los diccionarios no recogen la ortografía *pilot's boat*, sino *pilot boat*; en segundo lugar, este compuesto, documentado ya en la primera mitad del s. XVI, significa 'embarcación del práctico', 'embarcación que lleva y trae pilotos a naves mayores' o 'bote usado por un piloto al encuentro de un buque de arribada'. En cualquier caso, significados bastante alejados de 'goleta pequeña, sin gavias, muy rasa y fina' (*DRAE*). Corominas acepta *pilot's boat*, como todos, sin más, y añade la «corrupción vasca *failebot*».

La sigla **P.A.L.** figura en el *Peq. Espasa* como 'sistema alemán de televisión en color', lo cual puede ser cierto, pero en este caso los alemanes, como en otros nombres comerciales, han acudido al inglés (**p**hase **a**lternation **l**ine) para formar la sigla.

Anotaba Alfaro en su *DA* la ausencia de la voz **palacial** (< ingl. *palatial*) en nuestro diccionario y opinaba que su uso no era censurable, su formación era correcta, poseía fuerza expresiva y no tenía equivalente exacto en español.

Esta vez, como otras, la Academia parece que tuvo en cuenta su parecer, y admitió el vocablo en 1984.

El topónimo **Palm Beach**, nombre de una «lujosa estación invernal de la Florida», da lugar a los sustantivos *pambich* (Alfaro), *pambiche* (*VOX*) y *palmiche* (*DRAE*), que designan una tela ligera para ropa de verano. Según la Academia es un cubanismo que se refiere a ropa de hombre. Alfaro y *VOX* no indican área de vigencia ni lo definen como tela masculina. En Sto. Domingo ha perdido el lujo de la playa de Florida y significa, según *VOX*, 'traje a rayas usado por los presidiarios'. Julio Cortázar lo usa en crudo: «en el Luna Park, bailando en el Carnaval del cuarenta y dos, Celina de celeste, Mauro de palm-beach y yo con seis whiskies...» («Las puertas del cielo», *Periolibros*, enero 1993, pág. 21).

Sobre el sombrero femenino llamado **pamela** no hay unanimidad. El *DCELC* y M.ª Moliner remiten a la protagonista de la novela de Richardson del mismo nombre, A. F. aporta datos interesantes del *Dicc. Nacional*, de la *Hist. de España* de Ballesteros y de Alemany, así como el argumento de peso de que tal uso no lo conoce el inglés. Sin pretender zanjar la cuestión, acaso pudiéramos hallar la clave en ilustraciones de la época, que explicarían el vacilante significado del término que va desde la 'especie de gorra que usan las mujeres ceñida a la cabeza' hasta el 'sombrero de paja ancho de alas usado por las mujeres en el verano', de Corominas, inspirado en la definición académica. El caso del sustantivo común *rebeca* para designar una prenda femenina sería un buen argumento a favor.

Pero tal vez las cosas sean menos complicadas. El norte de Italia, especialmente la Lombardía, es famoso por la sombrerería (cf. ingl. *milliner* 'sombrerero' < *Milaner* 'milanés, fabricante o vendedor de sombreros femeninos'). Siendo así, y existiendo en italiano la voz *pamela* «cappello da donna a larghe tese, specialmente di paglia», que Migliorini explica como «nome di donna, di moda nel settecento», no parece disparatado proponer la etimología italiana directa.

También ha tenido suerte —tardía— el lexicógrafo panameño con su propuesta de admisión a favor del prefijo **pan-**, que, en rigor, no debería considerarse anglicismo, pese a incluirlo en su *DA*.

Menos afortunada fue la condena de ciertos usos anglicados de la voz **panel**, que la Academia incorporó en su edición de 1984, bien como nuevas acepciones de *panel* 1 (acep. 3.ª), bien añadiendo un nuevo artículo, *panel* 2, como anglicismo de P. Rico en dos acepciones: «1. Lista de jurados. 2. Grupo de personas que discuten un asunto en público». En 1992 se ha extendido el área de uso a Cuba, mas creo que no se reduce a las dos islas del Caribe. En España creo que podría documentarse. No recoge la Academia la acepción 'tablero o salpicadero del automóvil' que Alfaro condenó, pero que registra *Collins Bil.*

Después de más de un siglo de su condena como galicismo, como recuerda Alfaro, que también lo censura, el vocablo **panfleto** tuvo entrada en la Academia en 1984, como voz de origen inglés (*pamphlet*) y con los sentidos de 'libelo difamatorio' o de 'opúsculo agresivo'. Aunque en francés se considera anglicismo, los sentidos peyorativos presentes en la definición académica hay que atribuírselos al francés. La sustitución por *folleto*, defendida por Alfaro y otros, no sería acertada, pues este término carece de valor peyorativo. Los derivados *panfletario* y *panfletista*, también admitidos en 1984, confirman este valor.

El diccionario académico explica **panóptico** y **panorama** como voces formadas del griego *pan* 'todo' + *optikós* 'óptico' y *pan* + *orama* 'vista'. El francés, que acaso actuara como intermediario, posee *panoptique* y *panorama*, pero tras explicar sus componentes griegos señala *Robert Angl.* que son dos voces acuñadas en Inglaterra y da los nombres de sus creadores.

Panqueque, **panqué** (ingl. *pancake*). Haensch (1993) parece resolver la duda planteada por Alfaro (s.v.) sobre la voz académica *ponqué*, «con el mismo significado» usada en Venezuela, según el *DRAE*. Haensch la registra en Colombia, pero con etimología distinta y dudosa (< *sponge cake, pound cake*). Córdova (*UMA*) registra *ponqué* en el Ecuador (< *pound cake*), que según *RHD* es un pastel hecho con una libra de mantequilla, una de harina y una de azúcar, aproximadamente.

Es curioso que este término, de área de vigencia y significado tan imprecisos, haya tenido entrada en la Academia y, en cambio, sigan faltando en el *DRAE* tanto *panqueque*, de uso casi general en América, que además ha dado lugar a la variante *panqué* (Amér. Central y Caribe), como los derivados *panquequera* 'plancha de crepes' y *panquequería* 'crepería'. Los galicismos *crepe* y *crepería* los admitió el *DRAE* en 1992. En América *crepe* aparece como *crep* o *crepa*; *crepería* sería el equivalente de *panquequería*. En Madrid tenemos anotado «Y para concluir, panqueques de manzana, excelentes...», *El País semanal,* 25-12-94, pág. 99.

En cualquier caso, haría falta fijar la extensión social y geográfica del anglicismo y el galicismo, aparte de precisar las diferencias con las *tortitas* españolas (crepes) y las *tortillas* mexicanas.

También se remonta al inglés la voz **panteísta**, creada en 1705 según *Robert Angl.* por el filósofo irlandés John Toland a partir del griego *pantheos* con los mismos componentes *pan* + *theós* 'dios'.

VOX señala como intermediario el ingl. *pantheism*, lo cual es cierto, pero esta voz es posterior a *pantheist* y motivada por el adjetivo.

Aunque no aparece en nuestros diccionarios, **panty** (pl. *pantys*, *pantis*) figura como término frecuente en las encuestas léxicas de Madrid y P. Rico, como señala L. Morales (1991).

Según Corominas, **paquebote** es adaptación oral del ingl. *packboat,* compuesto de *pack* 'paquete de cartas, etc.' y *boat* 'barco', y así figuraba ya en el *DRAE*'1843. Sigue igual hasta 1970, sustituyendo 'barco' por 'buque' e incluyendo, todavía hoy, la variante francesa *paquebot* que remite a *paquebote*. En 1984 se introduce nueva etimología, prescindiendo de la opinión de Corominas. Ahora es: «Del fr. *paquebote*, y éste del ingl. *packet-boat*, de *packet*, paquete, y *boat*, buque». La historia etimológica se remata en 1992: «Del fr. *paquebote*». Hay que decir que se suman aquí varias inexactitudes y errores. En primer lugar, la forma citada por Corominas *packboat* no parece atestiguada; sí, en cambio, *packet boat* o *packet-boat*, reducido a *packet*; y al revés, la *Gramática* de Connelly (1784), en su diálogo 24.º considera equivalentes, y creo que entonces tenía razón, «to embark in the Pácket (sic) for Dúblin» con «a embarcarme en el Paquebote para Dublín» (*Oxford Bil.* traduce esp. *paquebote* = ingl. *packet,* pero *paquete* está atestiguado en español ya en 1850 (Valera, I, pág. 1484); en segundo lugar, la forma adoptada por los franceses, tomada del ingl. *packet-boat*, es *paquebot* (no *paquebote*, que no figura ni como variante); en tercero, si se admite la grafía *paquebot* —eso sí es francés— es aquí donde debe figurar la etimología francesa. En todo caso, si *bote*, que viene directamente del inglés, termina en *-e*, podría preguntarse por qué sigue, aunque sea como variante, la forma en *-t*. Pero la historia de este galicismo así lo justifica. La palabra, aunque suena a anticuada, todavía se usa como alternativa de 'trasatlántico': «...el trasatlántico *Amerikanik* que nos conducía... nuestro propio paquebote...» (T. L. de Tena, *ABC*, 3-10-94, pág. 40).

No veo imposible, con los datos de Corominas, que nuestra forma proceda directamente del francés, donde la Academia Francesa recogió *paquebot* ya en 1798. El *DRAE* registra también la variante *paquebot*, idéntica a la francesa, y *paquete* 1 (< fr. *paquet*), acep. 3, intento frustrado de adaptación en francés.

El *DRAE* ha admitido en su última edición la expresión **paquete de medidas**, que viene a corresponder al ingl. *package deal* no sólo en sentido político sino como conjunto de servicios o prestaciones ofrecidos por una agencia (de viajes) o por un programa de ordenador. El *MEU* (5.ª y 9.ª edición) acepta su uso «cuando se trata de proyectos legales, reglamentarios, laborales, etc., que constituyen un bloque inseparable...».

En turismo, los franceses equiparan el término a *forfait*, que ha sido término también usado en español. El *MEU* recomienda usarlo entre comillas.

No veo claro por qué Alfaro incuye **paracaidista** en su *DA*, apoyado además en el uso diario de *parachutist* en la prensa anglosajona. Pero los diccionarios ingleses, sin reservas, consideran *parachute* un galicismo. Igual que el inglés abrevia en *chutist*, el francés ha optado por *para* cuando quiere designar al paracaidista. El *DRAE* no indica origen. El español ha optado por *paraca* (*VOX*, *Peq. Larousse*).

Sí es, en cambio, anglicismo el neologismo **parapsicología** (ingl. *parapsychology*), admitido en el *DRAE*'84 sin mención de origen. Según el *Robert Angl.*, en francés no se documenta hasta 1956, pues antes se usaba *métapsychique*, voz creada en francés a principios de siglo.

Parka es término de reciente difusión en España para designar una prenda de abrigo de descripción bastante imprecisa. En los anuncios se implica que puede ser de tela o de piel, hecho que se refleja en el precio. Una infanta de España usaba esta prenda en abril de 1994, según *El País*. No parece esencial, según me informan, que esta chaqueta vaya provista de capucha, como en sus equivalentes inglés y francés, de donde probablemente procede el uso español. El primer testimonio de estas lenguas lo tenemos en el inglés del Canadá, pero se nos dice que procede del aleutiano, que a su vez lo tomó del ruso, que a su vez lo tomó del samoyedo...

La voz **parlamento** figura sin filiación en el diccionario académico. Tampoco es muy explícito Corominas cuando se limita a consignar esta voz *s.v. palabra* indicando que se documenta en 1590, pero no con qué significado. Lo más probable es que si fuera galicismo designara 'tribunal soberano de justicia', como era uso general desde los Capetos hasta la Revolución francesa; luego, según *Robert Angl.*, sólo el parlamento inglés. Desde 1875 entra con la III República en la Constitución francesa para abarcar el Senado y la Cámara de Diputados; luego a sus sustitutos.

Corominas resume sin tropiezos el origen de las más tradicionales acepciones de **parque**, voz de origen francés ya documentada en Covarrubias. Pero otras acepciones, entre las seis registradas por el *DRAE*'92 y diversas combinaciones, son claros anglicismos. Así, los llamados Parques Nacionales (ingl. *National Parks*) son una invención norteamericana sancionada por el Congreso de los EEUU. La acepción 4.ª 'Paraje destinado en las ciudades para estacionar... (sic)' corresponde a lo que como préstamo inglés se escribe *parking* o se traduce *parqueo* o *aparcamiento*. Corominas, que condenaba *aparcar* (o *parquear*) como barbarismo superfluo y, pese a la Academia, porque *estacionar* «es mejor», se asombrará de ver escrito *parking* en las calles y en la prensa y más aún de observar los usos figurados de *aparcar* (aparcar una ley, una decisión, etc.). *Parquímetro* (*DRAE*'92) puede proceder del ingl. *parking meter* o del fr. *parcmétre/parcométre*.

El anglicismo **partner** aparece en España en su forma inglesa o también en la versión afrancesada *partenaire*. Sólo aparecen juntos en *LEPaís*, indicando que se traduzca, según el caso, 'socio' o 'pareja'. El uso español creo que favorece la forma francesa para la acepción 'pareja' (en el juego, en teatro, en cine, etc.). Así figura en el *DUE, Peq. Larousse* y *Peq. Espasa*. El *LEABC* propone 'socio o pareja'. *Partner* se prefiere en el mundo de la economía en su valor de *socio*, aunque este significado también existe en fr. *partenaire*.

Según el *RHD*, el compuesto **part-time** es algo más antiguo en inglés que *full-time* (cf. pág. 219), lo cual parece natural. Aparte de los calcos de ambas palabras existentes en español —*tiempo parcial, tiempo completo, plena dedicación*, etc.—, el préstamo crudo *part-time* es más frecuente en P. Rico que su alternativa *a tiempo parcial* entre la gente culta. L. Morales lo incluye entre los anglicismos de uso medio. El *LEPaís* dice que deben evitarse ambas expresiones.

Sobre **party** cf. págs. 221-22.

Registra Pratt la pronunciación correcta de **passing-shot**, oída en la transmisión de un partido de tenis. A. H. traduce 'golpe rasante, tiro rasante'; *Collins Bil.* traduce 'tiro pasado'; la *GP-IED* propone 'según el caso, golpe paralelo o golpe cruzado', propuesta que se repite en *IEDep.*, de la misma fuente.

Es extraño que **patchwork** 'labor de retazos' no haya entrado en los diccionarios usuales españoles, excepto en el *DMILE*, con corchete: «[*patchwork* (voz inglesa). m. Parcheado, hecho con retazos de telas». También la incluye el *Oxford Bil.* como equivalente de la voz inglesa y en la combinación «colcha de patchwork o de retazos», que traduce *patchwork quilt*. Ya hemos comentado *patch* a propósito de ciertas muñecas (*cabbage patch dolls*) de moda efímera pero no extinguida: «una muñeca repollo» (*ABC*, 12-3-94, pág. 117). Para algunas mujeres parece ser palabra corriente. Las posibilidades de adopción por el castellano, con semejante grafía y pronunciación, las veo remotas. Sólo lo hemos visto registrado en el *LEPaís*: «Puede usarse, pero en cursiva. Debe explicarse su significado...». Sin embargo, aparece sin cursiva en el número de *El País semanal* del 20-11-94, pág. 104, como pie de foto: «Gorro-visera de patch-work en tonos verdes y marrones». En México lo tengo anotado, traducido, en F. del Paso: «colcha de retazos» (*Palinuro*, 136), que sería la *patchwork quilt* mencionada arriba. El *DVUA* ofrece tres ejemplos de uso recientes (1992, 1993).

Sólo una vez he visto confirmado en texto escrito el uso denunciado por Alfaro de un verbo **patronizar**, que parece simple metátesis del correcto *patrocinar*, pero que en ejemplo citado por el lexicógrafo panameño indica claramente, por forma y contenido, que es un calco del ingl. *to patronize* 'ser cliente o parroquiano'. La solución al barbarismo 'Esta tienda está muy patronizada', como dirían los angliparlistas, no puede ser 'Esta tienda está muy aparroquianada' como supone Alfaro que diría un tendero en España. De hecho, no un tendero, sino Ramón Pérez de Ayala, sin duda influido por el inglés, escribía en 1920: «...el hospedaje de doña Trini lo patronizaban pupilos y huéspedes flotantes» (*Belarmino y Apolonio*, 1924, pág. 25). La otra solución propuesta, sustituir el anglicismo por el verbo *patrocinar*, no vale tampoco, por ahora, para ese ejemplo, pues significaría algo distinto. Ya en 1970 (*ABC*, 22-2) Luis Calvo denunciaba esta metátesis en películas de la televisión.

Hemos mencionado más arriba, al comentar la voz *patchama* (págs. 68-69), los problemas suscitados por las diversas transcripciones del étimo hindi. Alfaro, s.v. *pijama, piyama*, declara: «en la América española no he oído jamás decir ni *pijama* ni *pajama*. La pronunciación de uso general es *piyama* o **payama**.

Si nos detenemos en la grafía *payama* es porque ella indica una clara influencia norteamericana, no en la pronunciación, sino en la ortografía: ingl. brit. *pyjama(s)*, ingl. amer. *pajama(s)*. Corominas da como 1.ª documentación *payama* (Cuba, 1920). A. F. registra, sin embargo, *pijama* (1914) en *ByN*.

En 1984 admitió la Academia en su diccionario el anglicismo **pedigrí** (ingl. *pedigree*) 'linaje, genealogía', ampliamente comentado

—y rechazado— por Alfaro y documentado por A. F. con el matiz de 'limpia genealogía, pura sangre' hoy neutralizado. La etimología *pedigree* < fr. *par degrés* 'por grados', mencionada por Alfaro como alternativa al anglofrancés *pe de gru* 'pie de grulla', ya no se acepta.

Una revista dominical dedica cinco páginas a distintos tratamientos del cutis conocidos en inglés con el nombre genérico de **peeling**, anglicismo usado 30 veces que, pese a su significado original (*to peel* = pelar, despellejarse), no implica —así se afirma— pelar la dermis. El *Oxford Bil.* registra esta voz con su significado médico 'descamación' y cosmético 'peeling'. En anuncios de cirugía estética y similares aparece también el término al lado de *lifting.* Sobre estas técnicas se ha creado un refinamiento anunciado como *micropeeling* (*ABC*, 5-7-94, pág. 119).

Hace bien el *MEU* en condenar el uso de **pellet** y su derivado *pelletización*. La forma española *pella* abarca de sobra los usos propuestos para *pellet*. Queda por encontrar un sustituto de *pelletización*, derivado moderno acaso tomado del francés. El verbo español más próximo para crear derivados sería *apelotonar*, pero Córdova (*UMA*) propone *gránulo*, *granulado* y *granular* para *pelet*, *peletizado* y *peletizar*.

Dudo de que hoy los lectores de novelas de aventuras, si no las han recibido de sus padres o abuelos, hayan tropezado alguna vez con el anglicismo **pemmican** (*VOX* registra *penmican*) para designar una especie de cecina o carne seca consumida por indios americanos y exploradores.

El *MEU*, aun prefiriendo los verbos *sancionar, castigar, penar*, etc., hace constar que la Academia ha sancionado ya el anglicismo **penalizar**, cuya necesidad no es muy evidente.

Sí hacía falta, pues no hay sustituto aceptado generalmente, la inclusión de **penalty**, voz que como decíamos hace años se intentó reemplazar, sin éxito, por *penal* en España, en los años de la posguerra. Pero de mis notas personales deduzco que lo que fracasó en España goza de buena salud en América y lo he visto usar en la prensa deportiva desde México a la Argentina. También se usa como adjetivo: *área penal* (cf. Kühl, s.v. *centro*, pág. 93).

Un problema secundario de la adopción de la voz *penalty* en el *DRAE*'92 es el de haberse extendido entre los semicultos españoles la idea —ya comentada— de que los plurales correctos (sí en inglés, no en español) de estas voces vacilan entre la grafía *-ys* y la grafía *-ies* que, con razonamiento al parecer sensato, pronuncian /íes/ en contra de la norma española e inglesa. Los manuales de estilo recomiendan el plural *penaltis* (*MEU, LEABC, LEPaís, LRVang.*), pero muchos de sus redactores y colaboradores desoyen el consejo e incluso defienden *penalties* (cf. pág. 178).

No consta en el *DRAE* el origen de la sustancia antibiótica conocida como **penicilina**, voz derivada del latín científico *penicillium*, acuñado sobre el lat. *penicillus* 'pincel'. En Francia no se documenta *pénicilline*, según *Robert Angl.*, hasta 1948, pero en España debe de haber testimonios anteriores, pues yo envié para un familiar en 1947 un paquete desde Filadelfia que no pudo franquear la Aduana española. Ello implica que los médicos españoles ya la recomendaban entonces.

En casi toda Iberoamérica parece haberse impuesto como término aceptado de los negocios inmobiliarios el anglicismo **penthouse**, en el que predomina el género masculino, con el significado español de 'ático'. Según Kühl, en Uruguay se pronuncia *pentxaus*, *penxaus*, y es 'apartamento que generalmente ocupa la totalidad del último piso'.

En 1984, el *DRAE* decía que **percal** procedía del francés, el cual lo tomó de una lengua de la India. En 1992 se dice que viene del fr. *percale*. Pero según *Robert Angl.* en francés es un anglicismo en la forma, adaptación del persa *pargala*, y significaba un tejido importado de las Indias orientales. El derivado *percalina*, según la misma fuente, es invención francesa.

Perchman figura, sin condena expresa, en el *MEU* para designar «el que sostiene un micrófono a cierta distancia». Este manual aconseja usarlo entre comillas. Es, según *Robert Angl.*, un seudoanglicismo que corresponde al ingl. *boom operator*.

Se usa a menudo en cursiva o entre comillas el sustantivo **performance**, traducido, según el caso, por 'actuación, rendimiento, función, prestaciones, ejecución, etc.'. Según A. del Hoyo, lo usa Ortega en 1923. Empezó en las carreras de caballos y concluyó (?) en Chomsky. Un derivado, *performativo*, se usa desde hace decenios en lingüística para designar aquellos verbos que se realizan en el momento de pronunciarlos: «yo declaro, juro, prometo, etc.». Se atribuye su invención al filósofo inglés J. L. Austin.

Performance figura en el *Peq. Larousse* (1964) en su acepción hípica y, por extensión, 'hazaña, hecho o resultado fuera de lo corriente'. El *LEPaís* la rechaza: «No debe emplearse. Sustitúyase, según los casos, por 'actuación' o 'hazaña'».

Según Mackenzie (1939), fue un inglés, H. Grubb, el inventor del **periscopio**, al que dio nombre (*periscope*) por analogía con *telescopio* y *microscopio*. Así lo entiende Corominas sin citar inventor.

Aunque el adjetivo *permisivo* figura en el *DRAE*'1780 y *permisión* en Nebrija, el sustantivo **permisividad** (< fr. *permissivité* < ingl. *pemissiveness*) es un anglicismo reciente con el valor de 'tolerancia excesiva' (*DRAE*'92, 2.ª acepción, sin indicación de origen). En 1984, la Academia da entrada al vocablo con la acepción obvia de 'condición de permisivo' y, en 2.º lugar, como tecnicismo de la Física, calco más libre del ingl. *permittivity* (> fr. *permittivité*).

El término **pesticida** no figuraba en el *DRAE*'47. Tampoco en el *Peq. Larousse* de 1964 ni en el *DUE* de M.ª Moliner. En francés se considera *pesticide* una voz mal formada, puesto que *peste* no significaba 'parásito, insecto o planta dañina' (*Robert Angl.*). El español, siendo un uso moderno, puede que lo adoptara del ingl. *pesticide*, donde existe desde los años 1935-40; en francés está documentado hacia 1960.

Es muy probable que **peticionar**, como indica el *DRAE*, proceda del francés *pétitionner* (hoy raro), que tiene su origen en ingl. *to petition*.

No hay razón para excluir s.v. **petrel** en el *DRAE* las dos posibles etimologías inmediatas del nombre de esta ave palmípeda, a saber, fr. *pétrel* o ingl. *petrel* (< *pitteral*), de donde procede aquélla. Las dos formas están ya documentadas en sus lenguas respectivas desde principios del siglo XVIII. Si descartamos las propuestas de algunos de que estas voces se derivan de lat. *Petrus*, como todavía aventuraba el *DRAE*'84, ello no obsta para que la etimología inmediata, que es la preferida por nuestro diccionario oficial, sea la voz francesa o inglesa, las cuales siguen hoy siendo de origen incierto, como extensamente explica Corominas.

Petrodólar está datado en inglés en 1973 y en francés en 1974. *Robert Angl.* lo considera un anglicismo. Fue admitido en la última edición del *DRAE*.

Los derivados de **petróleo** han dado lugar a frecuentes y justas intervenciones de los manuales de estilo. No se ha resuelto, sin embargo, definitivamente, la distinción un tanto bizantina —y recuérdese que petróleo viene del griego bizantino medieval— entre *petroquímico* (*DRAE*'92), *petrolquímico* y *petroleoquímico* (*DRAE*'84), derivados más o menos forzados del neologismo inglés *petrochemistry*, creado a mediados de este siglo.

Ya hemos comentado algún nombre comercial en *-ola* (*moviola, vitrola, gramola*, etc.), sufijo usado por la industria norteamericana para designar también el invento de un piano mecánico a fines del s. XIX, la **pianola**, voz incluida ya en el *DRAE*'47.

El diccionario *VOX* registra oportunamente el vocablo **pichinglis**, que explica como derivado de *petit english*. Ignoro cómo se ha llegado a semejante conclusión, ya que lo que parece normal es interpretarlo como variante acústica de *pidgin English*, que es el término internacional, con abundante bibliografía, generalmente usado. Así lo encontramos p. ej. en el *Peq. Larousse*, que lo describe como 'Inglés corrompido que utilizan los chinos en sus relaciones con los europeos'. F. Lázaro Carreter usa *espichinglis* (10-2-89), una fusión de *espiche* (< *speech*) + *pichinglis* (cf. *espiche* en *VOX*). Siendo por naturaleza una lengua híbrida, no es de extrañar que se hayan propuesto para ella nombres variados: la etimología más aceptada es la que explica *pidgin, pigeon, pidgeon*, etc. como distorsión china de la voz inglesa *business*. Aunque el término engloba más o menos todos los tipos de *lengua franca* o *lingo* (el capítulo de O. Jespersen, en *Language-1922*, se titula «Pidgin y sus congéneres»), se sobrentiende que el *pichinglis* tiene como lengua base el inglés. Sin embargo, la variedad usual en la antigua Guinea española, estudiada por el P. Zarco (1917), la llama el autor, en el título, *Broken-English*, aunque posee elementos hispánicos o portugueses característicos del *pidgin* universal (*palaba, plaba, palaver* < *palabra, sabi* 'saber', *sabi-sabi* 'sabiondo', *pikin* 'pequeño' y compuestos) o voces inglesas influidas por las lenguas ibéricas: *pinta* 'pintar', *tonado* 'tornado, tronada', *arata* 'rata, ratón', etc.

La etimología —posible— ofrecida por *VOX* no la hemos encontrado en ninguna fuente. Existe en francés el compuesto *petit nègre* para designar una lengua incomprensible o sin flexión verbal.

Tiene razón R. J. Alfaro cuando, comentando el uso español de **picket** fuera de contextos militares, defiende su incorporación con la grafía *piquete*, corriente en la milicia. Como es sabido, el término se ha impuesto, sobre todo tratándose de huelgas o manifestaciones de protesta. Los derivados que defiende —*piquetero, piqueteo* y *piquetear*— no gozan de la misma aceptación. Las acepciones 5.ª y 6.ª del *DRAE*, sin mención del inglés, significan el triunfo de la tesis sostenida por el lexicógrafo panameño. F. Lázaro ha criticado el uso de la voz *piquete* en la prensa para designar a los componentes de piquetes de huelga, pero debe decirse que el uso individual, si se acepta el nombre del grupo como anglicismo, es también calco semántico del inglés.

Ignoro de dónde ha tomado A. F. el dato, a propósito de **pickle**, de que «la Academia tiene *picle*: «conservar en vinagre ciertos frutos o legumbres» (sic). Pero no siendo forma verbal *picle* en español, debe de tratarse de una errata. Sí figura esta voz, *picle*, en el *DMILE* como «voz inglesa» que remite a *encurtido*. Alfaro también la registra, como de la «casta de los barbarismos formados por ignorancia», con esa misma grafía, pero admite que no es lo mismo que *encurtido*. Figura también, con la grafía inglesa, en el *Peq. Larousse*. Según A. F., la forma *picle* no la ha encontrado en ningún texto, excepto en diccionarios.

A. F. documenta **pick-pockets** 'rateros' en 1905 y el singular en 1908. Sólo lo he encontrado en un diccionario, el *Peq. Larousse*: 'ratero, ladrón'. No se registran usos modernos.

Sobre **pick-up** en sus distintos significados cf. más arriba pág. 42. Debe añadirse que, aunque hoy desusado, según algunos, el *DMILE* (1989) registra s.v. *picú* dos significados: 'tocadiscos' y 'fonocaptor'.

Prescindiendo del hecho bien probado de que *gira* y *jira* (cf. Corominas s.v. *jira*) se han usado en castellano en la acepción de comida opípara y que la distinción actual es un tanto artificiosa, el hecho es que mal o bien usados, *gira* y *jira* desempeñan de sobra el papel del anglicismo **picnic**, registrado en *Peq. Larousse*, *Peq. Espasa*, *VOX*, Alfaro, A. F. y en manuales de estilo. *VOX* no incurre en la condena de éstos (*MEU, LEPaís*) al definirlo como 'gira campestre' (al escribir *gira* y no *jira* evita la «redundancia»). Hay quien cuestiona el origen inglés indicando «or. incierto», pero eso no atañe al español; sí, acaso, al francés, de donde proceden la forma inglesa *picnic* y la alemana *Picknick*, también registrada varias veces por A. F., así como *pique-nique*, lo cual permite suponer que las vías de entrada pueden haber sido tres: ingl. *picnic* (1902), fr. *piquenique* (1914), al. *picknick* (1932). El primer testimonio del uso en español no aclara las cosas. Es de Valera, en carta desde Lisboa (1850), y merece la pena reproducirse: «Tuvimos un *pic-nic* monstruo [...] Entiéndese por *picnique* (no conozco a qué lengua pertenece ni cómo se escribe) una comilona o merienda en que cada uno lleva su plato...». En las obras de Huidobro y Franquelo se usa la grafía alemana, en minúscula, de *picnic*.

Una moda que creo relativamente reciente —en cualquier caso posterior a la moda *punk* (vide infra)— es la práctica de perforar la piel (**piercing**) —orejas, mejillas, nariz, etc.—. Rosa Montero la menciona como «la última moda estadounidense, el *bodypiercing* o agujereamiento del cuerpo... O sea, como en los comienzos del movimiento *punki*, pero más a lo bestia...» (*El País semanal*, 13-3-94, pág. 6). Semanas antes, la misma revista mencionaba el *piercing* en una enumeración semicaótica: «*piercing*, anillos de moda, anilladores, *dandies, landó, gentlemen*...» (*ibíd.*, 30-1-94, pág. 84).

Una moda de origen desconocido, pero expresada con el nombre inglés **pin** 'alfiler' ha producido una industria de coleccionismo de insignias (así se llamaban hace 60 años), broches, botones, emblemas, logotipos, etc., casi todos de metal, prendidos por alfileres o imperdibles en la solapa, jerseis o blusas más o menos juveniles; según algunos se debe a la llegada a la Europa occidental de estos adornos y distintivos usados en la Unión Soviética. Algo de verdad hay en ello, porque, cuando llegó a los Cursos de Extranjeros de Santander un grupo de profesoras de la universidad Lomonosov de Moscú, becadas por el embajador Samaranch, lucían y regalaban toda clase de adornos de este tipo, presididas por su decana que exhibía siempre una banderita española.

En 1991 se dice que la moda de los *pins* en Francia «es la locura». El *DVUA* recoge diez ejemplos entre 1991 y 1993. Pero en 1994 no ha decrecido; de 1994 son los dos siguientes: «...*pins* [con la cara del candidato]... los *gadgets* del P.P. [camisetas, pegatinas, etc.], chaquetas *sport,* objetos tan *kitsch*...», M. Torres, *El País*, 9-6-94; «los clubs de fans organizan... sesiones de *footing*... música *country* [cf. s.v.]... se montan los *booths* [cabinas, casetas] para ofrecer al público sus productos... *pins*... *posters*... un concierto de *blue grass* [cf. s.v.], variedad del *country*... [se trata de una Fan Fair o 'feria de fans']», *El Mundo*, 17-6-94, pág. 90; otro más reciente (citado s.v. *kit*): «un 'pin' a los escolares», *ABC*, 31-5-95, pág. 78. Este mismo diario, para promocionar su venta, regalaba en junio de 1995 *pins* circulares a sus lectores, con la cara de famosos futbolistas.

Que **ping-pong** sea una marca registrada nadie lo duda; que sea una voz francesa, sí. Aunque yerra en la etimología, la Academia ha optado prudentemente por adaptar el término a la fonética española y remite a *pimpón*. Según nos informa el *OED* (1986) s.v. *table*, una firma británica registró el nombre *Ping-Pong* en Inglaterra (1900) y en EEUU (1901) y luego vendió los derechos de ambos a un tercero, cuyo monopolio dio lugar a que los practicantes del deporte adoptaran en 1921 el nombre de *table tennis* 'tenis de mesa'. También el *OED* nos informa de que en 1901 se descubrió que el inventor del juego había sido un deportista de Cambridge llamado Gibb, vecino de Croydon a la sazón. El *LEPaís* ya recomendaba la grafía *pimpón* en 1980.

No hay duda de que el origen remoto de **pionero** es fr. *pionnier*, como indica el *DRAE*'92, pero las tres acepciones recogidas en esa entrada corresponden a usos que los propios franceses consideran tomados del inglés. Cuando Alfaro propone *zapadores* está corrigiendo la acepción francesa, desconocida por la Academia, pero comentada por el *LEPaís* 'precursor, zapador'. Corominas no registra esta voz, que todavía no figuraba en el *DRAE*'47, en parte porque había muchas vacilaciones en la grafía. A. F. anota, entre 1926 y 1936, cinco grafías distintas, en las cuales se refleja la influencia directa del inglés o el francés, según el caso: fr. *pionnier, pionner*; ingl. *pion(n)eer(s)*.

Denunciaba Alfaro, y con razón, el «grosero anglicismo [*paipa*], frecuente en boca de fontaneros, herreros y mecánicos,...fonetización rudimentaria del sustantivo **pipe**, que se pronuncia *páip*». Este uso es desconocido en España y también parecen ignorarlo los diccionarios bilingües. Antes de imponerse *oleoducto* era *pipeline* el término usual, del que quedan huellas en *Langenscheidt* (español-alemán), que escribe *pipe-line* (= Pipeline, Ölleitung), y en el *Larousse Bil.* (español-inglés), con la misma grafía. También lo recoge *VOX* con guión y remite a *oleoducto*.

No es un nombre comercial registrado, salvo en la forma francesa *pippermint*, adaptada al español como **pipermín** (*DRAE*), pero considerada anglicismo por todos. Alfaro registra *pepermin*. *Collins Bil.*, entre los significados del ingl. *peppermint*, no registra el de 'licor'; y Pratt, que comenta la palabra desde varios puntos de vista, no indica si se refiere a la hierbabuena o a la bebida. En cambio sí figura en el *Larousse* bilingüe francés-español (no en el español-francés), como correspondiente a fr. *peppermint*, la forma española *pipermín*, la misma que ya en 1964 registraba el *Peq. Larousse* 'licor alcohólico de menta'. El nombre de esta bebida, en las botellas, es el mismo que en inglés *peppermint*, pronunciado *pepermín*. Refuerza este vocalismo gráfico el éxito de una película española cuyo título es *Peppermint frappé*. La variante con *pipper* es, según *Robert Angl.* y Höfler, marca registrada (y la más usual en francés) sobre el modelo de la forma inglesa. En 1891, sus fabricantes, titulados 'inventeurs' del verdadero *pippermint*, advertían al público que no lo confundiesen con los vulgares «peppermints».

Con grafía distinta lo recoge Alfaro para indicar que es «un poscafé llamado... *pepermín* en los países hispanoamericanos y designado en los anglosajones con el nombre francés *crème de menthe*».

La Academia admitió en el *DMILE*, como «voz inglesa», *pippermint* y en el *DRAE*'92 *pipermín* (< ingl. *peppermint*). Ya antes, en 1980, el *LEPaís* rechazaba la forma inglesa, libre de trabas legales, y recomendaba *pipermín*, adaptación, como decimos, de la marca registrada francesa.

Modernamente ha aparecido en España el derivado **piping** como técnica industrial de tuberías. Supongo que la pronunciación fluctuará entre diptongación /paipin/ y lectura a la española /pipin/. He aquí unos anuncios: «Curso de *Piping*... (autorizado por el M. de E. y Ciencia)... Para la formación de Proyectistas de Piping... C.S. Diseño de Tuberías Vitoria», *El País Negocios*, 5-12-93, pág. 23; «12 ingenieros aplican ingeniería 'piping' [sic] al medio ambiente», *El País Negocios*, 21-8-94, pág. 9.

Si la voz **piquinini** o **piquinino**, **-a**, incluida en el *DMILE*, estuviera restringida a países colindantes con el Brasil podríamos inferir que se trata de un lusismo directo, pero el hecho de que aparezca en otros muy alejados de un posible influjo portugués permite afirmar que se trata, eso sí, de un lusismo —no hispanismo como dice Alfaro— incorporado al inglés ya en el siglo XVII (port. *pequenino* < *pequeno* /pikénu/) y difundido por el *pidgin English* (vide supra) en el Oriente asiático, en África y según Alfaro «se oye en Panamá, Centroamérica, Colombia y Perú».

En los países en que se practica el béisbol, el término **pitcher** 'lanzador' y sus variantes y derivados *picher, picheo* son voces comunes. Como «anglicismo muy usual» incluye *picheo* L. Morales (1991) en su lista de P. Rico; y *pitcher* entre los de uso medio. Alfaro registra —y condena— *pitcher* y *pichear* («tan ofensivo al oído como innecesario») y propone *lanzador* y *lanzar*. En Venezuela tenemos registrado *pitcheo*.

Según Ycaza (1992), *pitcher* se ha sustituido en Nicaragua por *lanzador, serpentinero* y *tirador*, pero también se ha adoptado como *pichar* para el verbo y *picheo* para la acción.

En vísperas de los Juegos Olímpicos de Barcelona, la prensa, basada en fuentes oficiales (Real Federación de béisbol y sofbol), recomendaba *lanzador* solamente.

Los que leyendo novelas del Oeste en nuestra infancia nos encontrábamos con buscadores de oro que cribaban las arenas de ríos y arroyos en **placeres** (voz escrita en cursiva o entrecomillada) poco sospechábamos que tal palabra de apariencia tan poco anglosajona fuera española, para más señas, catalana, como otros hispanismos que, evolucionando semánticamente entre angloparlantes, volvían, cambiados y exóticos, a páginas escritas en español. El *DRAE* recogía hace años las voces *placer* y *placel* como procedentes de lat. *plateola*, «inaceptable» según Corominas (s.v. *plaza*). La acepción mencionada, descrita como 2.ª en el *DRAE*, 'arenal donde la corriente de las aguas depositó partículas de oro', la fecha nuestro etimólogo en 1848 como angloamericana (en ingl. según *RHD* entre 1835 y 1845).

Hoy todos los diccionarios con información etimológica, incluido el de M.ª Moliner, aceptan el origen catalán del término.

Que las formas españolas *planeador*, **planear** y *planeo*, como sugiere Alfaro, sean en aviación calcos indirectos del inglés *glider* no lo vamos a discutir. Si lo son, habría que considerar el francés como intermediario, pero en esta lengua la acepción de 'planear' en el aire está documentada hacia 1200 referida a aves. Según Corominas, *planear* 'proyectar' debe también la forma, como *plan* 'proyecto', al francés (*DRAE* 1925).

Pero el verbo **planificar** y sus derivados deben, en parte, su existencia y significados al inglés. *Planificación familiar* es, igual que en francés, calco literal de *family planning*, pero *planning* no se traduce siempre y así figura en el *DMILE* en su sentido económico (también en *Peq. Espasa, MEU* y *LEABC*) y como página de agenda donde se anota una planificación de trabajo. *Planificar*, como sus derivados, es relativamente reciente. En 1947 no figuraba en el diccionario académico, pero Alfaro lo da por admitido en 1964 y critica el verbo por estimar que se trata de «una arbitraria traducción de *to plan*... pues en inglés no existe el verbo *to planify*...». Como tantas veces, no es menester acudir al inglés para explicar la forma española. En este caso basta recordar que *planifier* y *planification* aparecen en francés hacia 1900, según *Lexis*, aunque la sustitución de *planning* por *planification* o *programme* sea más reciente. En 1992, *planificador* está recogido por *VOX*, pero no por el *DRAE*. *Planning* aparece en francés, según *Lexis*, en 1953; según *Robert Angl.* en 1947, pero Höfler aporta citas de 1927, 1940 y 1946. *Planning familial* es posterior y sustituye al anglicismo crudo *birth control* y a su calco directo *controle (régulation) des naissances*, expresión eufemística recomendada por los médicos.

Ya en 1954 (vide supra, pág. 91) señalábamos la difusión del anglicismo **planta** a costa de *fábrica*. También lo observó Alfaro y aplaude la decisión académica de incluir esta acepción en su próxima edición. Sin embargo, no entra en la «próxima» (1970) sino en la de 1984 como acepción 10.ª, que incluye además, como americanismo, el significado de 'central eléctrica'. En México he anotado la traducción, más literal, 'planta de fuerza' (< ingl. *power plant*) que también, si es pequeña, corresponde a lo que en España se llama 'grupo electrógeno'.

Alfaro nota con satisfacción que la Academia haya admitido nuevas acepciones —de adjetivo y sustantivo— en la entrada **plástico**,

-ca para actualizar los progresos de la técnica. Pero desde la edición 18.ª que él comenta, se han añadido derivados como *plastificar, plastificado* y *plastificación*, que léxicamente deben poco al inglés y sí al francés, donde están documentados *plastifier* y sus derivados desde 1900. *VOX* y *Peq. Espasa* registran además *plastificante*.

Es también anglicismo el empleo de *plástico* para designar el material de ciertos explosivos, según el *Peq. Larousse* «a base de nitroglicerina y nitrocelulosa», hoy sustituido en España por otras variedades.

El término *cirugía plástica* (ingl. *plastic surgery*) no figuraba en el *DRAE*'47. Hoy sí figura, s.v. *cirugía*, como especialidad médica. En inglés existe el compuesto hace siglo y medio.

El término **plataforma** (electoral), en sentido político, ha sido condenado y lo siguen condenando los manuales de estilo. *MEU*: «Dígase programa electoral». *LEABC*: «Escríbase *programa electoral* y *reivindicaciones*». El *LRVang.* propone, además de éstos: «peticiones» y «programa político». El uso no es nuevo. Ya en 1890 Valera nos ofrece este ejemplo: «...no se forma partido militante ni se organizan clubs, ni se escriben plataformas o programas...» (*Ob. Compl.*, I, pág. 1847).

El verbo *to* **play**, aparte de su infiltración en calcos como *jugar un papel* —fr. *jouer un rôle,* ingl. *to play a part* (*a role*) —, figura hoy en derivados y compuestos. Como derivado —inglés— tenemos en Uruguay *player* /plejer/ con el significado concreto de 'jugador de fútbol profesional' (Kühl, 1993). Los compuestos son varios: *play-back* 'sonido pregrabado, previo', *playboy* 'señorito', *play-off* 'eliminatoria', *play-maker* 'jugador base' (en baloncesto), unos más frecuentes que otros pero todos relativamente modernos y usados con significados fluctuantes. Ni Alfaro ni A. F. registran ninguno de ellos; en aquél figura en cambio *play ground* o *playground*, s.v. *anglomanía*, por 'campo de juegos' (sic); tampoco los registra el *Peq. Larousse* en 1964. M.ª Moliner incluye *play-back* anunciando que la

Academia «ha aprobado recientemente la palabra *previo*». Efectivamente, la Academia admitió *previo* en el *DRAE*'70 con la definición anticipada por M.ª Moliner en 1967: «*Previo*. Cine. Grabación del sonido, realizada antes de impresionar la imagen». Esta explicación sería admisible, aunque no coincida con el inglés ('reproducción de sonidos o imágenes grabadas previamente'), si en español fuera el significado general adoptado, pero el desacuerdo con el significado inglés es tal que en la última edición (1992) se ha rectificado así: «*Cinem.* y *TV*. Técnica que consiste en reproducir un sonido grabado con anterioridad, generalmente canciones, al que un actor procura seguir mímicamente», rectificación muy oportuna. Sin embargo, queda sin abarcar la posibilidad de reproducir una secuencia de imágenes o un vídeo. El *Peq. Espasa* trata de cubrir esta omisión: «*Play-back*, interpretación mímica de una grabación. Se usa especialmente en cine y televisión». El mismo *Peq. Espasa* s.v. *previo* copia la antigua definición académica, igual que *VOX*.

Playboy es palabra acaso más conocida como nombre de revista erótica que en el valor de 'señorito', en que hemos intentado condensar el significado dominante. Pero hay definiciones de mayor aureola social como «Hombre generalmente atractivo y rico, que tiene frecuentes aventuras amorosas con mujeres famosas, con las cuales suele exhibirse en lugares públicos» (*Peq. Espasa*). La definición del diccionario manual de la Academia añade ciertas precisiones que hacen más atractivo al personaje: «Hombre conquistador y rico que se exhibe en lugares de moda acompañado de mujeres famosas, ricas y guapas» (*DMILE*). Al lado de ellas resulta escueta la del dicc. *VOX*: «Hombre joven de físico agradable que lleva una vida ociosa y de seductor». Más escueta todavía es la de la lengua original: «An irresponsible pleasure-seeking man, esp. a wealthy one» (*NShOED*), es decir, 'hombre hedonista; en especial, rico'. Téngase en cuenta que el diccionario de Oxford citado tiene 3.800 págs. a 3 columnas, el *VOX* 1.670 a 2, y el *DMILE* 1.666 a 3. Se ve que los españoles prestan a esta figura un poco donjuanesca y a su entorno atributos que no parecen esenciales al lexicógrafo británico.

Ya en 1970, la Academia, en vista de su difusión, consideró oportuno admitir en el *DRAE* el anglicismo **plexiglas**, voz artificial y marca registrada en inglés. El elemento compositivo *plexi-* está derivado del lat. *plexum* < *plectere*. En la etimología académica, la ortografía inglesa debería ser como la adoptada en español, pues así está registrado el nombre.

Una columna dedica Alfaro a comentar las voces **plomería** y **plomero** en su diccionario. La primera, a su juicio, corresponde al ingl. *plumbing* y la segunda a *plumber*, ambas pronunciadas en inglés sin *b*, por lo cual *plomero* es casi equiparable fonéticamente con /plome(r), plame(r)/. El argumento es válido, sin duda, para la América hispanohablante, excepto la que adoptó *gasfiter* (tomada del inglés británico), y para Andalucía, donde no es tan evidente el influjo inglés.

También en este caso la Academia ha tenido en cuenta los argumentos del estudioso panameño y desde la edición de 1984 añade a *fontanero* la acepción 4.ª 'persona que tiene por oficio instalar, cuidar, reparar, etc. los conductos de agua e instalaciones similares en los edificios', definición reducida en el *DRAE*'92 a 'persona que trabaja en fontanería'; pero *fontanería* sigue definida en función de su etimología (fuentes, aguas) y se excluye cualquier significado moderno de esta actividad artesana: gas, calefacción, instalación de bañeras, lavabos, calentadores eléctricos o de gas, impermeabilización, etc.

A Alfaro no le bastaba «arte de encañar y conducir las aguas» para *fontanería*, pero dudo de que quedara satisfecho con el añadido de 1992 «establecimiento y taller del fontanero».

El lat. *prunum* 'ciruela' parece haber tenido poca estabilidad en las lenguas germánicas, donde el grupo inicial *pr-* fue sustituido por **pl-** (antes hubo en alt. al. ant. africación de la *p*). Así, al alt. al. ant. *pflumo* 'ciruelo' corresponde en ant. ingl. *plume*, que se confundió con *plumb* (lat. *plumbum* 'plomo'), donde la *b*, como en su derivado *plumber* 'plomero, fontanero', no se pronuncia y, equiparados en la escritura, dieron lugar a la «traducción» francesa un *gâteau de plomb* citada por *Robert Angl.* Menos estabilidad aún muestran las formas románicas. Según el *REW*, de **prunea*, variante de *prunum*, se derivan sólo en Italia *prugna, bruña, brona, brüña*, en corso *gruñone*, así como el esp. *bruñola* 'ciruela silvestre' y *bruñón* (< *brugnon*) entre otros. No registra esp. *bruno, bruño, briñón* y *griñón*, hoy sustituidos los dos últimos por el término más internacional *nectarina* (*DRAE*'92).

La palabra inglesa **plum** aparece en el *Peq. Larousse* en los compuestos **plum-cake** /plam/ 'bizcocho frutado' (A. del Hoyo) y **plum-pudding** /plum/, que ya comentamos a propósito de la pronunciación. Me dicen que hoy sólo se usa en España el primero, pronunciado /plunkei/.

Incluye también Alfaro en su diccionario la voz **plus**, latinismo muy extendido en inglés, confrontando los usos ingleses y españoles de este elemento.

Una actualización de su diccionario exigiría: 1.º Rectificar que *plus* en *pluspetición* y *plusvalía* se escribe separado. La Academia parece haber tenido en cuenta su tesis y además ha añadido los neologismos *plusmarca* y *plusmarquista* para traducir ingl. *record* y *recordholder*, además de *pluscafé* (Amér.) 'licor'; 2.º Señalar que *plus* ya se usa en español con funciones adjetivales, p. ej. *canal plus*, (también *canal* +).

Los compuestos mencionados deben poco al inglés, excepto el calco libre de *record* (*holder*). Antes de la guerra civil estuvo extendido en España el préstamo *plus-fours*, como documenta A. F., pero este tipo de prenda masculina se solía llamar *pantalón bombacho, bombacha*, o *pantalón de golf*.

Si bien no lo indica la autora (Kühl, 93), la voz **plush**, que figura en el *Dicc. Uruguayismos*, 'tela sintética con felpa de textura aterciopelada en uno de sus lados', cabe identificarla como préstamo del inglés *plush*, tomado a su vez del fr. *pluche, peluche* que recoge el español *peluche* 'felpa, tejido con pelo largo...' (*DRAE*).

Aunque el pueblo español, en general, no ha demostrado especial interés por las razas caninas, algunos nombres de las distintas variedades registradas en los diccionarios (faltan muchas en el *DRAE*) tienen nombres que aluden a su origen extranjero, incluso el que se llama *español* en francés e inglés (cf. *Peq. Espasa* s.v. *spaniel*). La raza **pointer** parece haber gozado de especial interés para los españoles desde hace más de un siglo. A. F. la documenta ya en 1882 y señala que en 1891 se califica a este perro de «aristocrático». Hoy figura en el *Peq. Espasa* y *VOX* pero falta en el *DUE*, *Peq. Larousse* (1964) y en los diccionarios académicos, pese a ser perfectamente asumible por la fonética castellana.

El material llamado en Uruguay **polifón** hay que considerarlo, sin esfuerzo, adaptación regular al español del ingl. *polyfoam*, que en España suele llamarse *gomaespuma* según Kühl. No consta en diccionarios ingleses, aunque es costumbre decirlo, como marca registrada.

En *ponche, ponchada, ponchera, ponchadura, ponchazo* y *ponchar* confluyen raíces y usos ingleses de tres orígenes distintos: **Ponche** 'bebida' (< *punch*), ya en *Dicc. Autoridades*, es voz de origen desconocido. De ahí **ponchada** 'cuenco o cazuela llena de ponche' y, de ésta, 'gran cantidad de algo'; **ponche** lo cita Ycaza, con **ponchar**, como adaptación de ingl. *punch* 'golpe penetrante, puñetazo', que contaminado por *puncture* significa también 'taladro, taladrar, perforar': «*ponchar* un boleto o billete»; **ponchadura**, **ponchazo**, **ponchada** aluden al pinchazo de un neumático y proceden de ingl. *puncture*, que significa lo mismo. En España, salvo para *ponche*, no hay intentos de adaptación fonética. *Punch*, según A. F., domina en el sentido de 'fuerza, pujanza', pero sus propios datos parecen favorecer los usos boxísticos, sin contar los compuestos *punch-ball* y *punching-ball*. El primero, de origen británico (en América significa otra cosa), lo traducen algunos diccionarios como 'saco de arena' y 'punching'. El segundo es, según el *NShOED*, variante del primero y ambos tienden a confundirse con *punch-bag* y *punching-bag* (vide infra s.v. *punch, punching ball*). A. F. distingue entre los dos, dejando para *punch-ball* el significado de 'balón contra el que se ejercitan los boxeadores en el gimnasio' y a *punching-ball* el de 'acción misma de ejercitarse en el *punch-ball*', pero admite que esta última sea en sus ejemplos la que él identifica como *punch-ball*. En 1916, 13 años antes de la 1.ª documentación de A. F., tenemos tres ejemplos, deformados, en Arniches (*Trevélez*): *fuchimbool* (2 veces) y *fuchibool*, que apuntan a 'balón' y no a 'acción' («dándole puñetazos a una pelota... sujeta entre el techo y el suelo», pág. 259). No hay duda porque la «pelota» aparece en escena en el acto III. Estos ejemplos parecen probar el uso extendido del término en las clases populares y al mismo tiempo el confusionismo existente al emplear los cuatro términos ingleses ya mencionados.

Hay además en América un adjetivo *poncho* 'rechoncho', registrado por *Collins Bil.* en la zona andina y por *Langenscheidt* en Colombia, reflejo posible del ingl. *punch*, que puede significar exactamente eso: 'a short fat person', hoy dialectal en Inglaterra, pero famoso por la portada de la revista *Punch* (< *Punchinello*). Haensch, sin embargo, no lo menciona entre los anglicismos de Colombia.

Sobre **ponqué** (*DRAE*), véase s.v. *panqueque*.

La voz inglesa **pony** aparece por primera vez en el *DRAE*'84 con las grafías *póney* (del ingl. *poney, pony*) y *poni*. Esta última es la favorecida por la Academia, con buen acuerdo, para evitar las pronunciaciones ortográficas del grupo *ei* (jersei, joquei, voleibol, etc.), grupo que, en este caso, parece de origen francés, pues la ortografía inglesa del vocablo es hoy *pony*, pero no *poney*, como por error se dice.

A principios de 1994 se aireó en la prensa la idea de formar un **'pool'** de bancos y cajas de ahorros para «adjudicarles la participación mayorista» en otro banco.

Pero el término no era nuevo y está documentado por A. F. ya en 1898 para designar 'las salas de billar o lugares de apuestas más o menos legales'.

El uso reciente español se deriva de otra acepción de **pool**: 'combinación de intereses y fondos para un fin común'. Alfaro registra un uso parecido en Suramérica y sin mencionarlas cita varios tipos de asociaciones políticas y comerciales con fines de lucro y propone especialmente *consorcio* para sustituir el anglicismo.

Aunque cualquier estudiante de inglés aprende a usar (*swimming*) *pool* para 'piscina' (en Amér. 'alberca, pileta'), no vemos razón para incluirla en el diccionario de Alfaro, salvo para hacer la defensa de *alberca* frente a *piscina*. Es un caso más de conflicto entre la etimología y el uso. Sí lo he anotado, en carreras automovilistas, como error repetido de *pole* (*position*), que *Collins Bil.* traduce 'posición de cabeza, pole'. Creemos que se trata también de una confusión el uso de *pull* en el ejemplo «[sobre las ventajas de la CEE para el País Vasco] esta región tiene que estar en el 'pull' europeo...», M. Balmaseda, *ABC*, 23-1-86, pág. 21.

La voz **pop** ha entrado, más o menos disimulada, en el uso español. Primero fue la figura del marinero *Popeye* 'ojos saltones', luego el arte *pop* 'popular' en todas sus manifestaciones, principalmente en *pop-concerts*. Como variedad pictórica se extiende sólo en la 2.ª mitad de este siglo y se mantiene vivo en España como música *pop* hoy día. El dicc. *VOX* registra música y arte. Añádase *agropop* (*DVUA*) y otros compuestos como: *pop-funk*, *pop-rockero*, *pop-rock*, *pop-soul* (*DVUA*) y *pop-art*.

Otra variedad de lo *pop*, sin relación con lo popular, es el nombre *pop-corn* con que se designa el maíz que se abre al tostarse. En Uruguay se llama *pop* a secas y se define como 'golosina... acaramelada' (Kühl).

Popelín figura en el *DRAE* como variante de *popelina*, hispanización frustrada, con su filiación correcta (del fr. *popeline*). Pero *popeline* es la forma francesa del ingl. *poplin*, procedente a su vez de otra voz francesa, *papeline* (< it. *papalina, de papal*), que ya había prestado al español *papelina*, término de comparación textil usado por el *DRAE* para explicar *popelina/popelín*: «Cierta tela delgada, distinta de la papelina».

Hasta el suplemento de la 17.ª edición del *DRAE* (1947) no tiene entrada en el lexicón oficial la voz **póquer**, documentada por A. del Hoyo en 1908 con la grafía inglesa *poker*. F. del Paso (*Palinuro*) escribe *pócar, pókar*. Córdova (*UMA*): «Los ecuatorianos decimos pócar».

No he podido aclarar la historia de dos entradas del *DRAE*: **porfolio** 'conjunto de fotografías...' y **portafolio(s)** 'cartera de mano' que, aunque infrecuentes, figuran en él como adaptadas o tomadas del francés *porte-feuille*. Mas el primer sentido no lo encuentro atestiguado en francés; pero sí, en cambio, en alemán (= *Bildband* 'álbum'); el segundo es la traducción inglesa del fr. *portefeuille*, pero adaptado del it. *portafoglio*. En Uruguay (cf. Kühl), con mayor precisión, se explica como 'especie de maletín de mano, de forma rectangular...', que corresponde al significado actual inglés 'a flat, portable case...'. *Collins Bil.* registra el término como 'briefcase, attaché case'. Aunque *attaché* es voz francesa, como denuncia la tilde, *attaché case*, llamada también *dispatch case*, se describe como 'a flat, usually rigid rectangular briefcase...'. Se ve que en su sentido recto la voz está en cierta decadencia en inglés, que la reserva para el uso político de 'ministro sin cartera' (*without*

Portfolio), como el francés (*sans portefeuille*). Curiosamente, en alemán se considera anticuado *portefeuille* y se actualiza con *Aktenmappe*, que es precisamente la traducción que ofrece *Langenscheidt* del *portafolio(s)* hispanoamericano.

En el anglicismo **póster** sólo el *MEU* reconoce que «no equivale a *cartel*» y recomienda su uso. No así *LEPaís, LRVang., LEABC* y los diccionarios usuales, que lo identifican con *cartel*.

Prime time. Véase s.v. *time*, pág. 450.

En **procrastinar** y **procrastinación**, admitidos en el *DRAE* en 1992, la Academia parece haber tenido en cuenta, una vez más, la opinión de Alfaro, que apoyado en Cuervo, defiende su inclusión, porque «no debe reputarse anglicismo vicioso» y «además de tener uso relativamente frecuente entre gentes cultas, blasona de... limpio abolengo». Cuervo añade que se pronuncia *pocrastinar* en Colombia y otros países.

En España, pese al intenso cultivo del latín en los años del franquismo, no recuerdo que se usara ni entre los cultos. Como señala Alfaro, «el inglés, que... se muestra más latino [que el español], registra *to procrastinate* y *procrastination...*».

Nuestro *DRAE* prescinde del inglés y va a las fuentes: lat. *procrastinare, procrastinatio, -onis*.

Los diccionarios de hace unos 25 años, aun tolerantes con las voces extranjeras, no registran el anglicismo **pub**, de vocal vacilante entre *a* y *u* y consonante final caediza o reproducida como labiodental, *f*. Hoy, los diccionarios más actualizados, incluido el *DMILE*, destacan sobre todo en la definición la tendencia a imitar el modelo inglés. Así, en *VOX*, «...cuya decoración intenta crear un ambiente de tipo inglés»; en el *Peq. Espasa*, «establecimiento al estilo inglés»; en el *DMILE*, «bar, cervecería que imita a los ingleses». Por lo reciente, ni Alfaro ni A. F. registran el término. Además debe de ser poco frecuente en Hispanoamérica.

Figura como término propio del lenguaje de la droga en el diccionario de V. León la voz **púcher** (ingl. *pusher* 'el que empuja, impulsor'), para designar al narcotraficante mayorista que suministra la mercancía a los distribuidores. *VOX* lo define como 'traficante de droga en grandes cantidades'. El *DMILE* lo define en términos semejantes a los de V. León.

Siendo el hockey sobre hielo, como queda dicho, deporte exótico y minoritario, no es de extrañar que un término como **puck** (así en inglés) falte en los diccionarios, excepto en *VOX*, que lo describe como «disco cilíndrico de goma vulcanizada que se impulsa en el juego del hockey sobre hielo». También figura en el *Collins Bil.* 'puck, disco' y en el *Oxford Bil.* 'disco, puck'.

En la vacilación mencionada en su día por A. F. entre las dos formas dominantes para adaptar el ingl. **pudding** en español, a saber, *pudín* y *budín*, la Academia ha optado por la primera; la segunda remite a un *pudin*, con acento grave, que no ha repercutido en la grafía adoptada. M.ª Moliner optó también por la voz grave, por ser la pronunciación corriente en España y además etimológica, pero incluye también la forma *pudding*. El *DMILE* admite *pudín* y *pudin*, que remiten a *budín*. Esta forma, por la *b-* inicial y el acento, hace pensar en un intermediario francés, aunque hoy la forma preferida en esta lengua para el significado inglés sea la de *p-* inicial. Sin embargo, el fr. *boudin*, que significa 'charcuterie preparé avec du sang et de la graisse du porc...', encaja bien con el primer significado ofrecido por Corominas para ingl. *pudding*: 'salchicha, budín'. Además, según *Robert Angl.*, no se puede descartar la relación, aunque débil, entre *pudding* inglés y *boudin* francés. No es convincente la explicación del cambio *p-* > *b-* por «debilidad de la articulación de la *p-* inglesa, con frecuencia muy aspirada» (Corominas), aceptada por A. Fernández «por efecto del acento... [sobre la sílaba primera]». Pero en esta forma la palabra es oxítona.

De hecho, la documentación aportada por A. Fernández favorece, desde un principio, la grafía con *p-*. *Budin* no aparece hasta 1925 (*budines* en 1912). *Pu(d)ding* se documenta desde 1839 (*plum-pudding* en 1872).

Alfaro condena en América el uso de **pul** (inglés *pull*) 'influencia', desconocido en España, donde algunos confunden *pull* con *pool* (vide supra s.v. *pool*).

Como señala oportunamente A. Fernández, se da hoy en España el nombre de **pullman** a ciertos autocares que ofrecen mayores comodidades a los usuarios. Su primera documentación es de 1910, referida a coches de ferrocarril, no siempre coches-cama. Entre los diccionarios españoles sólo registra el término el *Peq. Larousse*: «angl. por coche-cama o coche-salón». Alfaro, al comentar la palabra, la traduce por 'coches-camas [sic], coches-dormitorios o carros-salones' y le parece bien que se aplique a los ferrocarriles de EEUU, pero rechaza «como uso vicioso dar el mismo nombre a vehículos semejantes de otras partes».

No hay unanimidad en los diccionarios sobre el significado del anglicismo **pullover** (también escrito *pulóver*, *pull-over* y *pull-ower*). A. F., partiendo, como M.ª Moliner, del significado original inglés, dice que es 'un jersey que se mete por la cabeza' y aporta citas, desde 1927, que parecen explicar la confusión. M.ª Moliner añade que este jersey puede tener mangas o no tenerlas. En *VOX* encontramos otra versión: 'jersey ligero cerrado y con el escote en pico', que considero demasiado precisa en cuanto a «ligero» y al escote.

El acrónimo **púlsar** (< ingl. *pulsar* < *pulsating star*, como *quásar*) ya ha sido admitido en el *DRAE* en 1992.

Aparte de las adaptaciones consignadas más arriba (s.v. *ponche*, *ponchada*, etc.), registran los diccionarios españoles préstamos directos como **punch** y **punching ball**. *Punch* figura en el diccionario de Alfaro con dos acepciones: 'fuerza, pujanza, vigor' y 'golpe, puñada, puñetazo'. El *DMILE* recoge esta entrada como voz inglesa, con corchete, en las dos acepciones señaladas por Alfaro, mas como americanismos. El *Peq. Espasa* registra, en cambio, *punching-ball* con el valor de 'saco o balón ovalado, sostenido por cuerdas elásticas, que usan los boxeadores'.

Parece claro que los términos ingleses *punch-ball, punching-ball* y *punching-bag* se han mezclado como sinónimos —por la función, no por la forma— de dos objetos: *ball*, en efecto, es un balón, sujeto, como el descrito por Arniches, al techo y al suelo; *bag* es el saco de arena, colgado; con ambos se ejercitan los boxeadores.

Los diccionarios ingleses revelan también cierta confusión en el uso de estas expresiones. Según el *RHD*, *punch-ball* es una especie de béisbol en que la pelota se golpea con el puño; *punching-bag* puede ser balón o saco («inflated or stuffed bag») y *punching-ball* no se incluye. Para el reciente *NShOED*, *punchball* (sic) es, en la acepción señalada, voz de uso americano, pero también significa 'un balón (*ball*) inflado o relleno, suspendido o montado sobre un pedestal para la práctica del boxeo'; *punch-bag* es el saco suspendido del techo; *punching-ball* y *punching bag* son, respectivamente, *punch ball* y *punch-bag* [sic]. Como se ve, el confusionismo no surge en el uso español, sino que viene de lejos y se observa cierta incoherencia en la ortografía.

También se notan discrepancias sobre las ramificaciones españolas del anglicismo **punki** (ingl. *punk* 'joven matón'). Cuando se pusieron de moda en España los grupos musicales conocidos como *punk rock* creo que la traducción apropiada hubiera sido 'golfo, música golfa'. Luego ha evolucionado el término, tanto en inglés como en español. El *DMILE*, s.v. *punk* o *punki* da los siguientes datos: «Movimiento juvenil de la década de los setenta, musical, de protesta [...] uso de vestidos estrafalarios, cabellos teñidos [...] y accesorios incrustados en el cuerpo [...] Son violentos». Cf. más arriba, s.v. *piercing*. *VOX*, aunque lo data en fecha posterior («segunda mitad de los años setenta y principios de los ochenta») usa el pretérito como si se tratara de una moda extinguida («propugnaba lo antiestético»). Sin embargo, un reportaje reciente de *ABC* sobre las llamadas «tribus urbanas» dice «*Punkies*. Llevan varios pendientes o imperdibles en las orejas y la cabeza parcialmente afeitada con cresta central normalmente teñida» (10-4-94, pág. 68-9). Aunque estas «tribus» ya no son sólo musicales, sigue viva la variedad *punk rock* o *punk* a secas. En *ABC* de 16-2-94 se habla del «regreso del punk» y de que «llega un *neopunk* mal dirigido» (págs. 126-7). Este regreso se ve confirmado días después en *El País semanal*, 20-2-94, pág. 72, cuando se refieren a «el *look* deportivo» como «última tendencia frente al neopunk». Mas la voz inglesa no vino sola ni vivió sola al ser aceptada: ya en 1981-82 tenemos anotados *prepunk, punkytud* (cf. fr. *punkitude*, Merle, 89), los *punkis*, única *punky* nacional, etc., y en los últimos tiempos «antiguo *punk-rocker*», «el legendario grupo británico de *punk-pop*» (*El País de las Tentaciones*, 3-6-94). Siendo un autor director de cine parece natural el neologismo *cyberpunk* (definido en el *NShOED* como «ficción científica de caracteres punk») en crónica de J. L. Garci: «Aquí [en Detroit] ha nacido el mundo cyberpunk, cuyo antecedente fue el automóvil» (*ABC*, 30-6-94, pág. 83). E. Haro Tecglen escribe *punki(s)* «porque me lo manda mi libro de estilo» y dice que «Umbral llamó a su gata *Punquita*», *El País*, 7-8-95, pág. 33.

El *DRAE*'47 registra la voz **puritano, -a** (ingl. *Puritan*) con tres acepciones. Corominas ni la comenta ni la menciona s.v. *puro*, de donde se deriva la palabra inglesa.

El diccionario *VOX* recoge s.v. **putt** las siguientes acepciones: «En el juego del golf, golpe dado a la pelota desde el green para intentar embocar. 2. Palo de golf con el que se efectúa este golpe. Se pronuncia *pat*». No dice que sea voz inglesa. Pero hay algún texto con la grafía *pot* (1910, A. F.). Modernamente se escribe *putt* y *put*. El *DVUA* registra además tres ejemplos de *putter* 'palo con el que se juegan los últimos golpes ante el hoyo'.

No se comprende bien por qué la voz inglesa **puzzle**, admitida en el *DRAE*'92 con esa grafía y que registra ya el *Peq. Larousse* en 1964 «(pal. ingl.). Rompecabezas», no figura todavía en los inventarios de Alfaro ni de A. Fernández. M.ª Moliner da cuenta de ella con prolijidad: «Palabra inglesa que designa cualquier pasatiempo para ejercitar el ingenio; p. ej., un rompecabezas. (Pron. aprox., 'pusl' —la 's' entre 's' y 'z'—.)». También la incluyen el *Peq. Espasa* y *VOX*, éste reduciendo la grafía a *puzle*.

En el *DRAE*'47 figuran las voces *cuákero* y *cuakerismo*. La primera remite a *cuáquero* (del ingl. **quaker** 'tembloroso') y deduzco que son admisiones nuevas, pues Corominas no las trata en su diccionario. Sin embargo, se trata de términos que P. Álvarez de Miranda (1992) documenta varias veces en el siglo XVIII con diversas grafías: en Feijoo (1728): «vulgarmente en España *cuakáros*» (sic); también *quákers* o 'tembladores' y *quákeres*; en Terreros: *cuaker* (*cuakre*), *cuakerismo* y *cuáquero*. Como nombre de un producto alimenticio llamado *Quaker Oats* aparece deformado en el español de Gibraltar y La Línea y de algunos países americanos con distintas grafías. En el *DY* de Cavilla, s.v. *cuécaro* 'copos de avena', se menciona la marca, pero se añade que «este producto se llama así sea cual sea su marca de fábrica».

Hace medio siglo la palabra **quark** no figuraba en los diccionarios ingleses. Hoy la registran en dos acepciones principales: una del mundo de la Física y otra del de la alimentación. Ambas están atestiguadas también en español e incluso figuran ya en el recentísimo *Oxford Bil.*: «(*Nucl. Phys.*) quark, m. 2. Br. E. *Culin.* quark. m. (*tipo de queso fresco blanco*)». De la primera acepción y de su origen nos hemos ocupado en Córdoba (1982)[5]. Lo que no sabíamos entonces es que el graznido de las gaviotas, que en 1923, oyéndolo en la playa de Bognor (Sussex), le inspiró a Joyce el famoso verso «Three quarks for Muster Mark», se hubiera asociado también con el eslavismo alemán *Quark* 'cuajada, requesón', voz conocida sin duda por Joyce, pero dudo que se usara entonces en inglés. No descarto —sería absurdo en creaciones joyceanas— que el autor, aparte de la onomatopeya ornitológica, tuviera en cuenta otro significado popular de *Quark,* 'basura, tonterías'. Se sabe el nombre del físico norteamericano que aplicó en 1963 esta palabra a unas hipotéticas partículas subatómicas en cuya definición no coinciden los sabios. El término ha sido admitido en el *DRAE* con las grafías *quark* y *cuark,* que remite a aquélla, pero hay otros intentos de adaptación, *quarkes, tecniquarkes* (F. Arrabal)[6]: «El protón, a su vez, dispone de tres quarkes. Estos quarkes...» (pág. 131). Un año antes que Arrabal, el premio Nobel François Jacob habla de *quarks* en *ABC* el 28 de marzo. Pero la historia no termina aquí. En 1984, la agencia francesa AFP anuncia «una nueva partícula subatómica, el *quark T* o *Top*, que viene a completar la familia de los seis quarks, de los cuales sólo cinco habían sido hallados experimentalmente... el nuevo *quark*, con una masa de 30 a 50 veces superior a la del protón...» (*El País,* 6-7-84, pág. 28). Esta noticia resultó ser una falsa alarma, pues el quinto quark se descubrió en 1977 y lo llamaron *bottom* [*quark*] '(del) fondo', de lo que se dedujo que había de existir su pareja, el *top quark*, 'de arriba, supremo', que es el que con gran algazara se descubrió la primavera de 1994, anunciado por nuestra prensa como *quark top*, así 6 veces en *ABC* (1 vez *top quark*, 27-4), y 8 en *El País* (28-4). Este *quark* recentísimo es, según la revista *Time*, «exactamente 200 veces más pesado que el protón» (9-5-94).

---

[5] «Creación léxica y juegos verbales en *Finnegans Wake*», *Actas de las II Jornadas Inglesas de la Universidad de Córdoba* (1982).

[6] *La torre herida por el rayo,* Destino, Barcelona, 1983.

Merece la pena recordar, como hacen los diarios españoles, los nombres de los cinco quarks anteriores: *up* y su afín *charm; down* y su afín *strange; bottom* (el 5.º, descubierto en 1977), que se empareja con el *top quark.* En *El País* —ignoro por qué— se traduce *quark top* (sic) por 'verdad' y *quark bottom* por 'belleza'; *ABC*, más literal, traduce así: *down* 'abajo', *up* 'arriba', *charm* 'encanto', *strange* 'extraño' y *bottom* 'trasero' (a veces significa eso pero no en este caso).

Menciono, pero me abstengo de opinar, el comentario del señor Arcadi Espada sobre la palabra *quark*, con unas declaraciones de Víctor Pozanco, quien, según el comentario, «ha traducido el *Finnegans* al castellano» (*El País*, 28-6-94, pág. 60). Si es verdad y se refiere a la obra entera, sería un acontecimiento histórico.

Admitido en el *DRAE* el neologismo *púlsar* (vide supra), no debe extrañarnos que haya entrado también **quásar** (ingl. *quasar* < *quas*i + stell*ar*), más antiguo y, a mi entender, más frecuente.

Creo que fue Pratt (*op. cit.*) el primero en señalar en España que la voz **quórum**, bien conocida por los estudiantes de latín como genitivo de plural, era en rigor un anglicismo. Que es una palabra latina, nadie lo discute, pero no lo es el significado 'número de individuos necesario para que un cuerpo deliberante tome ciertos acuerdos', tomado de una fórmula del derecho romano empleada en los tribunales y luego en el Parlamento inglés, pero también como cultismo en el sur de Alemania y Suiza. Corominas menciona su significado actual en Inglaterra desde el siglo XVII y el *Robert Angl.* registra su uso en francés referido primero a Inglaterra y después a Francia. Es probable que, como todos los anglicismos antiguos, nos haya llegado de nuestros vecinos del Norte.

Un derivado del verbo *to race* (vid. infra) figura en el *Peq. Larousse*: «**Racer** (pal. ingl.). Caballo de carreras muy veloz. Cierto barco de vela muy veloz». Ambos significados, no muy frecuentes, existen en francés; no es extraño que los registre el benemérito *Larousse* español. A. F. documenta el significado náutico en 1895, referido a dos *racers* que competían en la «Copa América». Asimismo, anota *racers* para conductores de coches de carreras en un texto de 1934, pero añade que también la registra Huidobro (*Pobre Lengua,* Santander, 1908).

En España, como en Francia y como en el Río de la Plata, la palabra **racing** (< ingl. *to race* 'correr') ha entrado en la combinación *Racing Club,* originariamente un club de carreras (en Francia, carreras pedestres), luego nombre de equipos de fútbol. Alfaro, s.v. *anglomanía*, condena el uso de *race-track*, derivado del mismo verbo, inusitado en España.

Sobre la *raqueta* en su sentido deportivo, italianismo de etimología indiscutida, pero mejorable, poco hay que decir aquí, salvo registrar el compuesto *racquet-ball*, definido en el *Oxford Bil.* como 'juego parecido al frontenis'. Pero la misma palabra inglesa **racket**, con su grafía regular (*racquet* es una variante ortográfica), significa también 'crimen organizado en distintos grados y variedades'. Alfaro denuncia esta voz, que estuvo muy de moda en otros tiempos, mas parece tolerar su uso por «intraducible y necesaria» en contextos como «el racket del juego clandestino... el racket de los divorcios ilegales... el racket de la reventa...». Los individuos que practican esta actividad, llamada también *racketeering*, se llaman *racketeers*, y la palabra, aparte de Alfaro, se usó en España en los años de la Ley Seca, como alternativa menos frecuente que *gangsters*. A. H. cita dos autores: Camba (1931) para *racketeer* y Jardiel Poncela (1932) para *racket.*

Si **rada**, como afirma Corominas, procede, a través del francés *rade*, del ant. ingl. *râd*, que es igual a ingl. mod. *road*, resultaría que el español actual, sin darse cuenta, posee un triplete de la voz anglosajona: *rada, raid* y *road* (en *road movie*).

Del acrónimo **radar**, con desplazamiento de acento (ingl. /réi-da:/), ya hemos comentado su historia. Aparece en el *DRAE*'70 con una prudente etimología, en vista de las discrepancias («Voz formada de las iniciales de varias palabras inglesas»). En la edición de 1992 se mencionan, por error, esas palabras —*radio detection and ranging*—, pero la segunda debe ser, según las opiniones más autorizadas, *detecting*.

El deporte conocido como **rafting**, documentado cinco veces en el *DVUA*, no figura en mis diccionarios ingleses. *Raft* es 'balsa' y la formación en *-ing*, aunque no sea inglesa, es legítima. El *DVUA* dice que «consiste en el descenso por aguas bravas en una embarcación neumática con capacidad para unas ocho personas». Otro ejemplo: «el parque contará con 30 atracciones..., desde el *rafting* por aguas bravas...».

El tipo de abrigo con mangas especiales llamado **raglan**, puesto de moda por Lord Raglan, jefe de las tropas británicas en Crimea, aparece en nuestros textos con acento y sin él, y además, por asimilación, con una *n* espuria en la primera sílaba, tan frecuente que ha llegado hasta el *DRAE*, que registra *ranglán* y *ranglan* en 1992. La Academia ha optado por la grafía *raglán*, lo que revela influencia francesa, pues en Francia fue prenda de moda durante el Segundo Imperio. Viniendo de Francia la moda, ésta sería datación mejor que «mediados del siglo XIX», como dice el *DRAE*, que, por cierto, convierte a Lord Raglan en almirante, grado que no he podido comprobar en mis pesquisas —sí general, comandante en jefe, mariscal de campo, etc.—. La combinación *manga raglán* o *raglan* es todavía de uso normal en España.

Como decimos más arriba, **raid** es una variante, del norte de Inglaterra, de la forma *road*, que triunfó en el sur y en el inglés estándar, ambas procedentes del ingl. ant. *râd*, que a través del francés da en español *rada.* Todas ellas parten del verbo ingl. ant. *rîdan* 'cabalgar', de donde viene *redingote*, pretér. *râd.* La voz *raid* no ha tenido entrada en el *DRAE*, pero sí en el *DMILE* y demás diccionarios usuales (*VOX*, *Peq. Espasa, DUE, Peq. Larousse*, etc.). El significado dominante es el de 'incursión armada en terreno enemigo', que es el del arabismo *algara*, con el cual aparece asociado, pero hay discrepancias entre los objetivos: según el *Peq. Espasa* «sin finalidad de conquista ni de apoderarse de botín», según M.ª Moliner «para bombardear, capturar prisioneros o material, etc.».

En el lenguaje deportivo y de aviación puede significar 'viaje atrevido y peligroso, vuelo de aviación a gran distancia'. Los usos registrados por A. F. se relacionan con los deportes: en 1903, carreras de caballos; en 1907, «*raid* automovilista»; en 1911, *raid* ciclista; en 1913, *raid* aéreo. En México se registra un uso especial de *raid* en la frase «pedir raid», que *Collins Bil.* traduce como 'to hitch a lift', es decir, 'pedir autostop' o, como dicen los propios mexicanos, 'hacer aventón'. También incluye el mismo diccionario el término en su acepción policiaca como equivalente de 'redada' o 'razia', que serían más apropiados. Aunque parezca anticuado el uso hípico, tenemos cita reciente de su vitalidad: «La Federación prohíbe al mejor jinete de 'raid' ir al Mundial» (titular de *ABC*, 15-7-94, pág. 72). En el texto se usa la voz cuatro veces; el *raid* mencionado «...es una prueba que se realiza campo a través... de 160 kilómetros».

Falta en el *DRAE*, pero algunos diccionarios (*DMILE*, *VOX*) la recogen, la voz **raigrás** (ingl. *rye-grass,* 'ballico, césped inglés'). La grafía adoptada es sorprendentemente fonética para una voz poco usual. Acaso los importadores de la semilla fueran alemanes (al. *Raigras*).

Como tantos términos ferroviarios (túnel, ténder, locomotora, vagón, etc.), **raíl** o **rail** es un préstamo del inglés, acaso, como todos ellos, llegado a través del francés. Corominas, s.v. *riel*, señala el impacto del término inglés sobre *riel*, voz de origen catalán atestiguada en castellano ya en el s. XV y usada hoy, en vez de *raíl*, como equivalente en América del Sur. La Academia no menciona localización geográfica y las define con leves variantes: *raíl,* 'carril de las vías férreas'; *riel,* 'carril de una vía férrea'.

Para la prueba automovilista llamada **rally** o **rallye**, dispone el español, desde principios de siglo, de ambas grafías. *Rally* es la usual en inglés (< *re-* + *ally* = 'volver a aliar'). *Rallye* es la más usada en francés, alternando con *rally* y *rallie.* En 1904, según A. F., aparece referido al hipismo, en el compuesto *rally(e) paper,* acuñación francesa «anglicisée artificiellement» y desconocida en inglés, que el *Collins Bil.* registra en la parte Español-Inglés y traduce por 'paper chase'. Como término referido al automovilismo, A. F. lo registra en 1934 en el plural *rallies* (sic) y en relación con el *Rally(e)* de Montecarlo. *Peq. Larousse* (1964) y M.ª Moliner (1967) usan la grafía *rallye*, que la lexicógrafa explica como 'forma francesa, adoptada en España, de la palabra inglesa «rally»'. Y, en efecto, *rallye* parece ser en España la grafía dominante, pese al *DMILE*, *LEABC* y *VOX* que sólo registran *rally*, y pese a la recomendación del *MEU*: «no debe usarse la grafía *rallye*, que es adaptación francesa». El *Peq. Espasa* (1988) y el *Peq. Larousse* (1994) siguen fieles a la tradición francesa y se nota que les hacen caso, pues *rallye* es la forma preferida en las citas recogidas por el *DVUA* (s.v.): cinco ejemplos + 3 casos no citados.

El adjetivo inglés *random* 'aleatorio', usado también como locución adverbial *at random* 'al azar' y origen de un verbo *randomize*, que Aguado y algún diccionario traducen por 'aleatorizar', pese a la ayuda de diccionarios da lugar al participio **randomizado**, que, aunque más conciso, corresponde exactamente a las expresiones 'seleccionado (escogido) al azar': «...a los pocos días de tratar[los]... estos pacientes se subdividen en cinco grupos randomizados... tratados con dos antibióticos distintos...», Dr. J. M. Trabuenca, *YA*, 11-7-81, pág. 16; «...[tratando de herpes zoster y varicela zoster]... este ensayo randomizado...», *ABC*, 17-1-94, pág. 51.

Ya Alfaro, al comentar la voz **rango** lamentaba que «ese parónimo del inglés *rank* y del francés *rang* se mantiene tenazmente en el lenguaje culto y semiculto», invocando las autoridades de Baralt y Cuervo y llamándolo «anglo-galicismo superfluo», y doliéndose también de que la Academia diera entrada en 1947 a este vocablo en la acepción 1.ª 'Índole, clase, categoría, calidad' y otras de vigencia americana. Pero considera además que el uso de la palabra en plural es «inglés puro, calco directo del plural ranks». Los ejemplos escogidos por R. J. Alfaro —los rangos del Partido, los rangos del Ejército, los rangos del profesorado, etc.— creo que no han tenido difusión en España.

Para explicar qué significa la voz inglesa *ranking* en español, el dicc. *Collins Bil.*, además de su valor adjetivo, da en primer lugar, como sustantivo «español» **ranking**, y luego 'categoría, clase, etc...'. También figura en la parte Español-Inglés s.v. *ránking*, pl. *ránkings*. *DMILE* y *VOX* se limitan a dar como equivalencias 'clasificación' o 'rango'. El *Peq. Espasa* es más explícito: «angl. por rango, categoría, escalafón, etc. Se usa en los lenguajes deportivos y comerciales o empresariales». Por ejemplo: «...quinto puesto en el ranking por marcas...», *El Mundo*, 7-1-94, pág. 56. Aunque el *DVUA* repite la definición de *VOX* y los cinco ejemplos que reproduce la confirman, suponemos que en los 17 que menciona, pero no copia, habrá algunos que corroboren la extensión del uso que se infiere de la definición del *Peq. Espasa*. Los libros y los manuales de estilo (*MEU, LEPaís, LRVang., LEABC*) recomiendan evitarlo. *Ranking* era el nombre de una revista mensual anunciada en *El Mundo* (21-2-92), con un artículo «Ranking de las S. G. R. [Sociedad de garantía recíproca]».

Rap, en inglés, significa 'golpe, golpear, charla, etc.', pero ha llegado a España como abreviatura de **rap music**, estilo popular creado y difundido por pinchadiscos y negros urbanos hacia 1980 (*RHD*); según el programa transmitido en español por ABC News es «música que incita a la violencia»; debe de ser verdad. En *El País* del 9-1-94 se da cuenta de que V. M. de 18 años, uno de los *raperos*, fue detenido por agresión; la misma noticia, en *ABC*, del mismo día, habla de un grupo de «rappers».

Creemos que en el caso de **raque**, **raquero** no acierta Corominas al descartar la etimología inglesa, como la alemana propuesta por la Academia (al. *Wrack*), a causa de la *w-* inicial (lo cual puede valer para el alemán /vrak/) o de la vocal actual del inglés *wreck*. También descarta ingl. *rake* 'rastrillo' por su pronunciación actual /reik/. No hay nada que oponer a esta última objeción, a menos que conozcamos fechas de introducción (en tiempos, la vocal era *a*). En cuanto a *wrack* (no *wreck*), hoy voz anticuada y dialectal en el sentido de 'naufragar, resto del naufragio', se escribe hoy normalmente *rack* y tiene otros significados. La pronunciación registrada para *wrack* en el *NShOED* es /rak/. No hay más problemas que los de datación (1.ª doc. según Corominas, 1836).

Recogen ya los diccionarios bilingües y el *DVUA* los términos **rasta**, **rastafari** y **rastafariano**, difundidos por los seguidores de una secta jamaicana —para algunos, africana— que, según el *NShOED* y el *RHD*, «considera a los negros el pueblo elegido, África la Tierra Prometida, y al último emperador de Abisinia, Haile Selassi (*ras* Tafari o Príncipe Tafari antes de su coronación), el mesías.

El *DVUA* define *rasta* como 'seguidor de una religión de origen africano que espera la llegada de un rey mesiánico'. Pero los ejemplos extraídos de *El Mundo Magazine* dan una idea algo distinta: «los rastas siguen esperando a un nuevo 'rey de reyes' que les devuelva a la buena vida...»; «Jah es el nombre del dios de los rastafaris... El amor por Jah es más sencillo y simple que cualquier religión. Cada persona tiene que encontrar al dios Jah en sí mismo».

En contextos muy próximos a *ranking* aparece con frecuencia otro anglicismo, **rating**, que tiene que ver con la valoración que el público, mediante encuestas, concede a ciertos programas de radio, televisión u otros espectáculos, pero también a empresas. Referido a un banco *El País* lo explica, para el lector, como «calificación de solvencia» (16-1-94). *Rating(s)* lo tengo también anotado en *ABC*, 21-1-94, pág. 37, y *El País semanal*, 21-4-94, pág. 24. Es término frecuente en los contextos mencionados.

Ya nos hemos referido al término **ratio** (cf. supra, pág. 72), utilizado por economistas, educadores y periodistas en general con tendencia a preferir el nominativo de *ratio, -onis*, como si fuera masculino, frente a la tradición románica, que optó por el acusativo *rationem* y conserva el género femenino del latín: «los ratios económicos españoles...», *El Mundo,* 1-11-91; «...del ratio del Banco... de Basilea...», *ABC Economía*, 16-11-92; «...Los ratios de hasta 200 alumnos por aula obligan a los profesores a...», *Ovidio* (*ABC*), 10-5-93. Ocasionalmente aparece el femenino: «...[desdoblar las clases] para que en vez de haber 30 ó 35 alumnos por clase la ratio disminuyera...». Pero la preferencia es clara: de 5 ejemplos recogidos por el *DVUA*, todos de *El País*, 4 son masculinos y 1 femenino. El modelo francés, donde *raison* y *ration* (= esp. *razón, ración*) son femeninos, frente a *ratio*, masculino, tomado del inglés (sin género), acaso haya contribuido a la confusión. Lozano Irueste, por carta, me dice que prefiere el femenino.

Figura en el *DRAE* el término **rayón**, correctamente, como anglicismo, pues se trata de un nombre comercial registrado para designar en 1923 una seda artificial inventada en EEUU, conocida también en inglés como *artificial silk* y llamada en francés *soie artificielle.* Mas los franceses, tan preceptistas, prohibieron este uso en 1934 y para el ingl. *rayon* adoptaron la grafía *rayonne*, nombre femenino.

Los ocho años de presidencia de Ronald Reagan se reflejan en el español, como en inglés, en la adopción de ciertos términos derivados de su nombre. Primero llegó como préstamo crudo la voz **reaganomics**, soldadura de *Reagan + economics*, con vacilación en el uso de género y número (en inglés es singular, pese a la *-s*): así tenemos *sus reaganomics* (*El País*, 17-10-82), *la reganomics* (R. Tamames, 19-9-82), *la Reganomics* (*ABC*, 15-10-82), *las reaganomics* (titular de *ABC*, 16-5-83); luego adaptaciones o semicalcos de los vocablos ingleses: *reaganeconomía, reaganómico, reaganismo, reaganista.*

Hace bien el diccionario *VOX* al tildar de anglicismo el adjetivo **realístico**, antes desconocido en español. De la misma raíz, pero en la categoría de calco, es el verbo *realizar* en la acepción de 'percatarse, darse cuenta, comprobar' también registrada en el mismo lexicón.

Hay que felicitar al *MEU* por su diligencia en incluir en la 10.ª edición la entrada **reality show**, uno de los anglicismos más difundidos desde 1993, que falta, sin embargo, en diccionarios ingleses y americanos muy recientes, como el *NShOED* (sept. 1993) y el *Oxford Bil.* (julio 1994). Figura también en otro diccionario español, el *DVUA* (1994), definido como 'programa televisivo que muestra como espectáculo los aspectos más crudos, morbosos, escandalosos o marginales de la realidad'. Adopta en español el género masculino, a veces invariable en plural o privado de uno de sus elementos: los *reality shows*, los *reality show*, los *show*, los *reality*; «'Infoshows'. Género televisivo que, al parecer, va a seguir la estela del éxito de los *reality*» (*El País semanal*, 24-4-94, pág. 26).

Tienen el mismo origen latino **recesión** y **receso**. La primera no aparece en el *DRAE* hasta 1984, tomada, en su 2.ª acepción, como el francés *récession*, del inglés americano, que la usa a veces como eufemismo de *depression*, situación económica más grave y duradera.

El término *receso* aparece en el suplemento del *DRAE*'47 con una acepción americana de 'vacación' que se extiende, ya en 1992, a 'suspensión temporal de actividades en los cuerpos colegiados, asambleas, etc.' y, como nueva acepción, 'tiempo que dura esa suspensión de actividades'. Podría tratarse de una extensión del significado 'retirada', pero el uso hispanoamericano y las fechas de difusión hacen pensar en el ingl. *recess*.

Aunque ya estaban a punto de cumplirse los cien años de su primera aparición documentada en España, la palabra **récord**, de frecuente uso en español en sus múltiples acepciones, como señalaba Alfaro en su día, no entró en el diccionario académico hasta su última edición (1992). Antes ya figuraba en el *DMILE* con varias acepciones. A. F. la documenta en un texto de 1894, referido al ciclismo, y es en el terreno deportivo donde con más profusión la vemos hoy utilizada, pese a la competencia del calco *marca*, difundido desde la guerra civil como sustituto favorito del anglicismo; la voz *registro* aparece alguna vez, por *marca*, sin valor superlativo. También ha tenido éxito la adaptación del término *recordholder*, convertido por los franceses en **recordman** y «pluralizado» en español a veces como *recordmans* (pero también el «más correcto» *recordmen*), como sigue diciéndose hoy día; tanto es así que en el *Collins Bil.* —Español-Inglés— figuran *recordman*, pl. *recordmans* como voces españolas, equivalentes al inglés '*record-holder, champion*', y en el reciente *Oxford Bil.* figura *recordman* como voz española, traducida al inglés por '*recordbreaker*'. Ahora bien, ambos excelentes diccionarios equiparan *record-holder* y *recordbreaker*, respectivamente, a 'recordman, titular, plusmarquista' (*Collins*) y a 'plusmarquista, recordman' (*Oxford*). El único ejemplo registrado en el *DVUA*, que define *recordman* como 'hombre que ostenta un récord', muestra la flexión «correcta» del término: *recordmen*. Tres páginas deportivas (100-102) del diario *ABC* (16-1-94) permiten ilustrar al lector sobre las preferencias actuales del periódico y las agencias que le suministran la información: *récord*, 15 veces; *marca*, 8; *plusmarca*, 1; *plusmarquista*, 1.

De los otros nueve usos o acepciones anotadas por Alfaro para *record* —probablemente hispanoamericanas— apenas dos, 'grado máximo' y 'disco', aparecen en España. A. F. nos da sólo dos ejemplos del uso, uno referido al presidente del Congreso: «D. Julián

Besteiro, con su sonrisa... y su aire de *speaker* inglés —es un devorador de campanillas—. Como que ha batido todos los *records* anteriores...».

En la arnichesca habla de Madrid aparece la deformación *rencor*: «le estoy batiendo a un amigo el *rencor* de la hora» (Arniches, 1914), explicada satisfactoriamente por M. Seco por la pronunciación aguda de la palabra, recibida del francés, como también el verbo *batir,* usado en el ejemplo de Besteiro (fr. *battre un record*). En inglés el verbo sería *to break* —de ahí *recordbreaker*—, origen de la expresión *romper el record,* registrada por Alfaro como frecuente, pero rara en España.

No hay duda de que la prenda aceptada por la Academia en 1817 y antes documentada en Terreros con el nombre de **redingote** está tomada del francés, que a su vez la había adaptado del ingl. *riding coat*, como correctamente señala Corominas, que hace notar también que es vocablo «poco usado en cast., mucho menos que en fr...». La definición del *DRAE* 'capote de poco vuelo y de mangas ajustadas' no coincide con la del sabio catalán, que se limita a traducir literalmente el compuesto inglés «chaqueta para montar a caballo», confundiendo *jacket* con *coat*. Pero tampoco los franceses acertaron en la adaptación, según *Robert Angl.*, acaso influidos por Voltaire, que comenta la voz *riding coat* en el *Dictionnaire philosophique*, la traduce como 'habit de cheval' y opta, entre más de una docena de variantes del francés, por la forma *redingote*, que corresponde a lo que los ingleses llamaban entonces *frock coat* y modernamente, como prenda femenina, *fitted coat* 'abrigo ajustado al talle', que también nos ha llegado a España. Así, puede verse, calificado de *redingote*, un abrigo cruzado y ajustado hasta los pies y con dos filas de botones en la edición española de la revista *Vogue* (agosto, 1994, pág. 10). Una ilustración de *El País semanal*, de 25-12-94, pág. 70, tiene como pie: «Maxiabrigo estilo redingote, cruzado, de lana negra...». Las señoras consultadas, incluidas angloparlantes residentes en España, me dicen que no es término insólito. No debe de serlo cuando los americanos angloparlantes, sin conciencia de su origen, lo reincorporan al mundo de la indumentaria actual con el nombre francés: «Many [coats] of the best were redingotes, originally a 18th century man's mantle, with a fitted waist and full skirt», *Time Magazine*, sección «*Fashion*», 17-4-95, pág. 46.

El carrete ajustado a la caña que suelen usar los pescadores recibe en inglés el nombre de **reel**, voz registrada por Kühl en Uruguay con la pronunciación /ril/.

El anglicismo **referee** 'árbitro' aparece en español con diversas formas y pronunciaciones. A. F. la documenta por primera vez en 1909 y añade que «la pronunciación vigente hasta 1930 aproximadamente era la de 'réferi'». Esta afirmación es, a mi juicio, válida para España, donde yo recuerdo haber oído *refre* por esas fechas y donde todavía se conserva en el habla popular la forma *refli* (cf. V. León, s.v.). Kühl registra en Uruguay las grafías *referee* y *referí* para 'persona que arbitra un partido de fútbol', que se pronuncian «réferi y referí». Además, la prensa uruguaya ha creado un derivado, no registrado por Kühl, el **referato**, conjunto de jueces (árbitros), en este caso de básquetbol o baloncesto: el *referato sudamericano,* el *referato mundial,* el *referato uruguayo,* con motivo de la reunión, llamada *Clínica,* de 58 jueces sudamericanos, a la que el diario uruguayo *La Mañana* dedica 8 páginas el 15-2-95. Lope Blanch (1979) registra en México la pronunciación *réferi,* pero advierte que se prefiere árbitro. Alfaro dice que el término se usa también en «boxeo... basquetbol y hockey...», mientras que «en el beisbol, el cricket y el tenis, al juzgador se le llama *umpire* [pron. *ampaya*]». Hoy en España las dos son voces poco usadas.

El estilo de música popular llamado **reggae** en el inglés de Jamaica se describe hoy como una mezcla de «blues, calypso and rock'n'roll» (*RHD*), caracterizado por un ritmo muy vivo sincopado y letra de protesta. El *DVUA* añade a estos datos «con bajos destacados».

Según mis notas, el término está documentado en España en 1981 en un artículo que extracto: «las raíces del 'reggae'... descrito como el 'blues' del Caribe... una secta, los 'Rasta-Man' (sic), una especie de 'Hijos de Dios' [Dios identificado con Haile Selassie], algo así como el 'Mahoma' de los 'rastas'», J. C. Buraya, *YA*, 13-5-81.

El *DVUA* recoge, en el breve periodo inventariado, cinco ejemplos, de cinco fuentes diferentes, en que aparece la palabra. Hay un establecimiento llamado Rastatoo en que «sólo se escucha la música *reggae*». El llamado «rey del reggae», Bob Marley, estaba estrechamente vinculado a los *rastafaris*. Cf. más arriba s.v *rasta, rastafari*.

Cabe preguntarse si el viejo verbo *relaxar,* documentado, según Corominas, hacia 1530, llevaba ya en germen, como derivado del lat. *laxare* 'ensanchar, aflojar, relajar', los distintos significados que registra el *DRAE* de 1780 o, tras la introducción del eufemismo inglés **relax**, las actividades más o menos ocultas que se insinúan hoy en columnas y columnas de los diarios españoles y que sorprenderían al turista angloparlante, en busca de tranquilidad o recreo, que acudiera a estas invitaciones, que parecerían conservar el valor de 'divertir el ánimo, dándole algún descanso' (*DRAE*, 1780). Pero ya entonces *relaxarse* podía significar 'viciarse, estragarse en las costumbres', matiz éste que dio lugar en México y Cuba a las acepciones de *relajo* 'desvergüenza, sensualidad' anotadas por el mismo Corominas. No entra en el mundo del *relax* español el *curso de relajación*, probablemente de inspiración norteamericana, que se anunciaba en *La Nación*, de Costa Rica (1-12-86), por el precio de 1.900 colones, sino más bien en la nueva acepción (10.ª) de relajar (*DRAE*'92) 'conseguir un estado de reposo físico y moral...'. Este valor curativo figura ya en la entrada *relax*, explicada como voz inglesa en el *DMILE*: «m. Relajamiento muscular producido por ejercicios adecuados, y por ext., el producido por comodidad, bienestar, etc.».

No veo justificada la inclusión de **relay** como anglicismo en el libro de A. F., en primer lugar porque al explicar su significado cita a

M. Amador, quien usa como equivalentes 'relevador, relais o relé', que atestiguan más bien su origen francés, por la grafía y la adaptación fonética. Como galicismo figura ya en el *DRAE*'70 y antes (1967) en el de M.ª Moliner anunciando su admisión. Las acepciones registradas existen en inglés y francés —electricidad, radio, televisión, deportes— pero no está claro, en cada caso, el origen del significado español.

Derivado del mismo verbo —*to make*— que el participio *made in* (vide supra, pág. 282) como indicación del país de procedencia de un producto comercial, es el sustantivo **remake**, del verbo *to remake* 'rehacer', usado también en francés y alemán para designar una nueva versión, generalmente cinematográfica, de una obra artística que tuvo éxito o que se cree poder mejorar. A. del Hoyo lo explica así: «**remake**. ingl. 'nueva versión'. Con referencia a un filme nuevo...». He aquí un ejemplo: «...con un 'remake' filmado como 'El beso de la muerte' en el 47 el cineasta nos ofrece su versión...», *ABC*, 26-5-95, pág. 83. La definición del *DVUA* se centra también en el cine: 'Filme que partiendo de otro anterior intenta actualizar su forma o su contenido', que se ilustra con cuatro ejemplos de la prensa española. No conozco ningún intento serio de adaptación de este neologismo al español. En Francia, según *Robert Angl.*, se ha propuesto, sin éxito, media docena de sustitutos: *copie, adaptation, révision,* etc. Los ejemplos siguientes prueban que el término ha rebasado las fronteras del cine, para referirse a una obra teatral: «*Yo me bajo en la próxima. ¿Y usted?* regresa, objeto de un 'remake', al escenario del B. A.»; «brillante 'remake' renovador»; «M. ha hecho algo más que un simple 'remake'», *ABC*, 10-3-95, pág. 95.

El *DMILE* incluye como voz inglesa la palabra **repórter**, documentada ya, según Alfaro (s.v. *reportero*), en las *Apuntaciones* de Cuervo (1867). Debe decirse aquí que los comentarios del lexicógrafo panameño sobre esta familia léxica —ocho columnas en 4 páginas— son ricos en argumentos y objetividad crítica, de la que no se libra la Academia, tantas veces respetada por él. Esta institución acepta hoy como calcos del inglés, mas sin indicar origen, aparte de la familia léxica registrada por Alfaro, algunas voces más, emparentadas, que mencionamos en su lugar (cf. infra CALCOS S.V. *reportar*, pág. 542). Aunque el *DRAE* ya registra *reporte* 'informe', cabría suponer, según dice Corominas, una extensión de otro «*reporte*, ant. 'cuento, chisme' (< cat. *report*), 'informe burocrático...', anglicismo grosero corriente en Cuba»; es posible encontrar el anglicismo crudo *report,* alternando a veces con el galicismo *rapport,* en relación con informes de organismos internacionales.

A. Fernández recoge varias citas de *reporter* a fines del siglo XIX y menciona una de 1901 en que se da por admitida la voz *reportero* en el *DRAE* —sería la edición de 1899, pero Corominas da 1936—, aunque también registra las formas *reporteres* y *repórteres*, sin olvidar un *reporteresa* usado por Rubén Darío, antecedente del *reportera* académico. Ya antes, en 1898, Benavente usa *reportera* y *repórter* (fem.) (pl. *repórters*), *Ob. Compl.*, I, págs. 369-70.

En ediciones anteriores del *DRAE*, la voz **reps**, admitida con ese insólito grupo consonántico, se explicaba como voz francesa; en la última, acaso tras consultar a Corominas, que tiene sus dudas, se dice: «(De or. fr.)», que es como termina su artículo el sabio catalán. Aparece en textos españoles, según A. F., hacia 1881 y «en muchos textos desde 1900» aplicada a tapicería y vestimenta.

Hoy es una voz desusada. La comentamos porque, tras discutir su origen Bloch, Kluge, Gamillscheg y Corominas, el diccionario *Lexis* la califica de «mot angl.; (1912)», que creemos justifica nuestra inclusión. También figura en el *Petit Robert* como anglicismo (< ingl. *ribs*). Sólo tengo anotado un ejemplo, de Pedro Laín, evocando tiempos pretéritos: «Son diez, veinte, cien muchachos, entre los miles y miles que entretienen su naciente ambición y su hastío sobre el reps triste y fatigado de los cafés provincianos», cita del prólogo de Diego Gracia al libro de Laín *Cuerpo y Alma*, Madrid, Espasa Calpe, 1992, pág. 13.

Ofrece Corominas un despliegue de su intuición, a la vez que prudencia, de etimólogo al examinar el posible origen de la voz **restinga** 'arrecife, banco de arena', documentada ya en 1492. Resume sus conclusiones sobre el problema al principio de su largo comentario muy brevemente: «origen incierto: quizá del ingl. *rock string* 'cordón de rocas'.

Según Corominas, las acepciones de **revista**, excepto la de 'revisión de un proceso', son calcos del francés. Esto acaso es cierto para la de 'espectáculo teatral' mas no para la de 'publicación periódica', atestiguada en inglés —*review*, 1705— y en francés —*Revue du patriote*, según *Robert Angl.* en 1792—.

En su forma inglesa, el único ejemplo anotado procede de Arniches (1916, pág. 138): «la primera plana del *Pictorial Revieu*» (sic). La grafía no es intencionada; además ignoramos cómo lo pronunciaban —en la misma página: *higge faeshion*—, pero dado el contexto cabe suponer que la revista gozara de cierta popularidad.

Asociada al principio a movimientos y prácticas religiosas, la voz inglesa **revival**, hoy ampliamente difundida en otras actividades, goza de gran favor entre los periodistas y colaboradores de prensa: «el revival puro y duro», *Magazine,* suplem. semanal de *El Mundo*, 11/17-3-94, pág. 84. El *DVUA* incluye, para ilustrar su uso, cuatro ejemplos de revista; uno en cursiva, otro entrecomillado y dos como palabra aceptada. La definición de este diccionario —«Movimiento que trata de revalorizar estilos y modas pasados»—, inspirada en la académica del *DMILE*, es acaso demasiado general y no tiene en cuenta el uso adjetivo del término, ejemplificado en «...era otra ropa que hoy, en plena euforia 'revival' vuelve a vestir la nostalgia...» (*DVUA*). Tampoco abarca esa definición el significado de una frase como «Habla del *revival* de Azaña» (*El País,* 11-6-94, pág. 15) ni del titular a toda plana «'Revival' del Real Madrid [baloncesto]», *El Mundo,* 7-1-94, pág. 61. El *LRVang.* condena este término implícitamente cuando manifiesta:

«Utilice 'evocación', 'nueva floración', 'resurrección', 'rebrote', etc.». M. Sousa, consciente de la polisemia del término, ofrece un surtido de nueve equivalentes «según el caso». El sentido primitivo 'reunión de fieles y predicadores para reavivar el fervor religioso' dio lugar a los derivados *revivalisme* y *revivaliste* en francés, que probablemente dejarían huellas en el español del s. XIX. Cf. el capítulo CALCOS, s.v. (pág. 543). A. del Hoyo registra el uso de *revival* en Eugenio d'Ors en 1925.

Aunque existe en español el verbo *revolver*, llamar *revolvedor* al tambor o cilindro giratorio que caracteriza el arma llamada **revólver** no se le hubiera ocurrido al coronel Colt si hubiera sido hispanohablante o la hubiera inventado en México o España. Para hacerla acaso más exótica —recuérdense los casos de *the, foreing* y *stablishment*—, aparece por primera vez, según A. F., en 1875, con la grafía *rewolver*. Posteriormente registra *revolver* (1882), *revolvers* (1896) e incluso unos *cañones-revólvers Hotkin* (sic) (es Hotchkiss el nombre del inventor americano de un *revolving cannon*) en 1898, con que iba pertrechada la escuadra de reserva española.

A. F. incluye entre «los revólveres más conocidos en España» el 'Browning', pero se trata de una pistola automática sin tambor, hoy menos mencionada que en otros tiempos. En noticia de Francia se lee: «Además de la pistola Browning le fue ocupada una navaja, una placa de policía...», *ABC*, 16-5-94, pág. 29. J. M. Browning es el nombre de un diseñador americano que se aplica también a otras armas de fuego automáticas, y así figura en *RHD* y *NShOED*.

Función distinta desempeña la voz **revolving** en la combinación «crédito *revolving* (circulante)» [< ingl. *revolving credit*], *El País Negocios*, 15-5-94, que también se traduce por 'crédito rotativo' (Alcaraz-Hughes), 'crédito abierto, rotatorio o renovable automáticamente' (Lozano), 'rotativo o renovable' *(Collins Bil.)*.

La voz **rifle** la hemos mencionado más arriba (cf. pág. 73) a propósito de su posible estirpe alemana. En su origen *rifle* se refería a las estrías espirales marcadas en el interior del cañón, por lo que se llamaba *rifle-gun,* reducido luego a *rifle*. En el *DRAE* se acepta como anglicismo y se define como 'fusil rayado de procedencia norteamericana', lo cual es una definición realista, pero que algunos modernos traductores no tienen en cuenta, pues traducen por rifle cualquier tipo de fusil, algunos claramente europeos. La primera aparición de la palabra, según A. F., es de 1865.

En el español del Uruguay, *estar, quedar hecho(-a) un rifle* se dice de persona u objeto en muy buen estado, tras un tratamiento médico o una reparación (cf. Kühl, s.v.).

Dudo de que en el habla coloquial el anglicismo **rin** (< ingl. *rim*), que registran algunos autores (Lope Blanch, 1979; *VOX*), se diferencie de la realización fonética del registrado en diccionarios como **ring**, en el significado de 'cuadrilátero' de boxeo, mencionado por Acuña (*Inglaterra...*, 1869, pág. 39) al hablar de los boxeadores: «celebridades del *ring* (sitio de lucha)... dos seres humanos que luchan en un círculo», usado ya en 1909 por Pardo Bazán (A. F.). El primero es de uso, impreciso, hispanoamericano (en México y Colombia, 'rueda'; en otros países, 'llanta'). Ambas voces las comenta oportunamente Alfaro, que propone para la primera, como «nombre castizo», la solución 'aro, cerco', que no parece haberse aceptado.

Puede que tenga que ver con el inglés el uso de la palabra *rin* para designar un teléfono público en Suramérica, así como la ficha utilizada para hacer la llamada. *Ring*, aparte del uso mencionado en boxeo, es verbo usual en inglés para 'llamar por teléfono' y sus derivados *ring off, ring back, ring up*, etc., así como el sonido del timbre. ¿Acaso onomatopeya del repique del teléfono?

Hemos anotado, en cambio, entre los críticos españoles de cine, el compuesto **road movie**, que suele tener como «protagonista» la carretera por la que discurren sus personajes. Sin ser especialista en la materia, me atrevo a suponer que este tipo de películas están inspiradas en secuelas de la novela de Jack Kerouac *On the Road* (1957), que marca un hito de la *Beat Generation* o de los *beatniks*. El término *road movie* no aparece registrado en diccionarios recientes de inglés (1993, 1994). Tal vez sea un seudoanglicismo más, importado de Francia o acuñado en España. Se dice de una película que está «entre el 'road movie' y el 'musical'» (*ABC*, 13-5-94, pág. 141). Pero también funciona como femenino: «la 'road movie'» (*ABC*, 15-1-94, pág. 117); «una 'roadmovie' de lujo» (*ABC*, 26-5-95, pág. 83). El crítico de cine A. Fernández Santos escribe: «*Western*... este género de géneros, matriz del *thriller* y biblia de los *road movies*, ambos ahora tan de moda...» (*El País de las Tentaciones,* 3-6-95, pág. 18). La fuga y captura de dos presidiarios en Alemania es comparada por J. M. Costa así: «La aventura que se había desarrollado el lunes como un 'road movie', adquirió ayer el carácter de 'caza del hombre'». Otro ejemplo, muy definitorio, con el género femenino: «El aventurero de medianoche pertenece al género de la road movie, la película de itinerario, en la que el protagonista vaga, más o menos sin destino, buscándose a sí mismo», *El Mundo*, 18-11-94, pág. 90. También es femenino en el ejemplo siguiente: «*Felicidades Tovarich,* una 'road movie' con paisaje murciano», *ABC*, 28-1-95, pág. 112.

Durante algunos años —tercera y cuarta década del siglo— la voz **roadster**, para designar cierto tipo de automóvil descubierto, tuvo cierto uso en España, anotado por A. F. Hoy ya no se usa y los diccionarios ingleses tienden a describirla como anticuada.

Aunque con abundantes erratas y ortografía vacilante, el núm. 8 de *El pobrecito hablador,* aparecido en diciembre de 1832, pág. 26, escribe correctamente **roastbeef**, en la que parece ser primera documentación de este anglicismo [en la línea siguiente *beefsteak* se convierte en *beefsteck*]. Corominas (s.v. *rustir*) dice que la Academia incluye *rosbif* [no *rósbif,* como señala A. F.] en su edición de 1884. Otras grafías registradas por A. F. son: *roast-beef* (1865), *roastbeef* (1872), *rosbeef* (1882), *rosbeaf* (1885), *roats-beef* (1914), *rostbeef* (1926) y *rósbif* (1928). Mas, pese a figurar *rosbif* hace ya más de un siglo en el *DRAE*, se sigue usando *roastbeef* como lo usó Larra en 1832. Según A. del Hoyo, el primer testimonio de su uso es de 1772, de J. Cadalso. También lo usa Acuña, págs. 11 y 26, quien lo explica como 'pata de carnero' (!).

A. F. documenta el eslavismo **robot**, cuya procedencia inglesa consta en el primer ejemplo, en 1936: «un hombre automático —un Robot, como dicen los ingleses—». El invento debe su difusión al título inglés de la obra de Karel Capec *Rossum's Universal Robots* (1920). En alemán, *Roboter* figura como tomada del inglés. Entra esta voz en el diccionario académico en 1970 (Suplemento) como anglicismo de origen checo. Hoy figura en todos los diccionarios y ha dado lugar a los adjetivos *robótico, -ca* 'propio o relativo al robot' (*VOX*), *robotizado, -da* (*DVUA*) y a los sustantivos *robotización* (*DVUA*) y *robótica,* éste suponemos que calco del ingl. *robotics* [1941, acuñado por Isaac Asimov; en fr. *robotique*, 1960], definido por la Academia como «técnica que aplica la informática al diseño y empleo de aparatos que... realizan operaciones o trabajos...»; la definición de *VOX* es más escueta y no coincide con la citada: «ciencia que estudia la construcción de robots». La edición *Peq. Larousse* de 1994 añade *retrato robot* 'el dibujado siguiendo indicaciones de los testigos... en un delito' (cf. s.v. *identi-kit*, págs. 248-49). La definición de *robótica* parece más ajustada que las mencionadas: «Conjunto de estudios y de técnicas que aspiran a construir sistemas...». Incluye además un verbo *robotizar* con una acepción figurada 'quitar a alguien cualquier iniciativa, hacer que el trabajo sea una tarea... automática», acaso inspirada en ingl. *to robotize* (*-ise*), 1925-30, o fr. *robotiser,* 1960.

La voz inglesa **rock** corresponde a dos entradas del diccionario: una, del mismo origen que el español *roca* y sus equivalentes románicos. Su presencia en español tiene carácter de calco. Ya hemos señalado cómo el famoso Peñón de Gibraltar se convierte, en la pluma o el teclado de traductores inexpertos, en «la Roca»; también otros traductores, menos inexpertos, pero ignorantes del uso americano, han traducido por 'rocas' las piedras o guijarros traídos por los primeros astronautas que visitaron la luna (los niños ingleses o españoles se arrojan piedras en sus peleas callejeras; los niños yanquis, más fuertes, rocas). La locución adverbial *on the rocks,* para explicar, hablando de bebidas, que se toman con hielo, se comenta s.v. *whisky*. También derivado de *roca* es el neologismo *rocódromo* —no confundir con *rockódromo* (vide infra), destinado, al parecer, a algo muy distinto—, «Instalan un rocódromo para hacer alpinismo» (titular de *ABC*, 1-11-93, pág. 60). En el texto se nos dice que está en el distrito Centro de Madrid y que servirá «para facilitar el aprendizaje de la escalada». *VOX* incluye el término en su última edición.

La segunda entrada del diccionario inglés para *rock* corresponde al verbo de origen germánico *to* **rock** 'mecerse, mecer', el cual, difundido por el estilo musical conocido por *'rock'n'roll'* (< *rock and roll)* de los años cincuenta, y abreviado a *rock*, dio lugar a toda una serie de variedades musicales pasajeras, de las cuales todavía sobreviven *hard rock* («numerosas bandas de hard rock», *El País*, 9-6-94, y varios ejemplos en *DVUA*), *rock duro, pop-rock, heavy rock,* etc. El término ha dado lugar a otras formaciones más o menos originales: *rockers, rockeros, roqueros, rockanrolleros (DVUA,* también en *ABC*, 18-11-94, pág. 86), *rocanrol, rokanroleros, rocanrolear (Oxford Bil.).* Creo que es original el neologismo madrileño *rockódromo,* edificio situado en la Casa de Campo de Madrid y destinado a espectáculos multitudinarios de *rock and roll.*

Ya hemos comentado el uso de **rol** a propósito del *MEU*. No tiene valor teatral el uso registrado por el *DVUA*: «Carmen Romero tiene dos roles difícilmente compatibles». Se le llama también *Rol* a un peligroso juego de adolescentes.

El **ron** (< ingl. *rum*) figura ya en el *DRAE* de 1817. Según Corominas, puede haber entrado a través del francés, por la vocal. No es necesario acudir al francés, pues otros anglicismos con la misma vocal en inglés —*lunch, pick-up, bluff, punch*, etc. —, sobre todo en América, los reproduce el español americano con la misma vocal *o*.

No dispongo de datos sobre el movimiento de los **rotarios** españoles. En Madrid, a 100 metros de la estatua del pintor Rosales, hay un busto de bronce, reciente, que recuerda al fundador del *Rotary International* a principios de siglo. Pero la palabra, de la que da cumplida razón el señor Alfaro, sobre su origen y actividades, no la menciona A. Fernández, acaso porque se usara desde el principio la voz española. Sin embargo, dudo de que el término y el Rotary Club tuvieran una vida pública muy intensa, pues durante el franquismo existió cierta reserva, e incluso resistencia, a asociaciones de ámbito internacional: Pen Club, Boy scouts, etc., no digamos de la masonería, tal vez por haber tomado partido durante la guerra civil. *Rotario* (< ingl. *Rotarian*) no figura en el *DRAE*'47, pero Alfaro ya lo anuncia en su diccionario como admitido. María Moliner lo da, en 1967, como aprobado por la R. A. Entró en el *DRAE*'70.

A. Fernández nos informa en detalle sobre algunas vicisitudes de **round**, en sentido deportivo, que anota por primera vez en 1927. Alfaro, sin fechas, denuncia el anglicismo en revistas de boxeo. Aunque *asalto* era de uso general antes de la guerra civil —lo dice quien presenció muchos combates de boxeo— todavía hoy se usa la voz inglesa /raun/, alternando con su traducción. A. F. menciona la paradoja de leer en la pantalla de TV 'asalto' y oír al superfluo locutor /raun/.

La voz *round* aparece traducida como calco en los frecuentes usos actuales de *ronda*, en política y torneos deportivos.

De la combinación *round-up*, que comentamos en pág. 58, observamos que M. Sousa, contagiado por el *MEU*, la define como 'mesa redonda' (*round table*). Puede que en una *mesa redonda*, al concluir, alguien haga un resumen o síntesis *(round-up)* de lo debatido; ahí acaso esté el motivo de la contaminación de significado.

Algunos diccionarios españoles (*DMILE*, *Peq. Espasa*, *VOX*) han incluido ya el anglicismo **royalty** en la acepción de 'derechos pagados al titular de una patente por utilizarla y explotarla comercialmente' (*DMILE*). El *Diccionario de términos jurídicos* bilingüe de Alcaraz-Hughes registra como primera traducción «Regalía, canon», pero añade *royalty of an author* «derechos del autor, regalía del autor».

Como precedente de esta acepción, relativamente moderna en español, se puede citar un comentario de Valera (1890) sobre los derechos de autor de un éxito editorial de aquellas fechas, que calcula en «treinta mil dollars», derechos que merecen «el pomposo nombre de *royalty, realeza*, que tienen en inglés» (*Ob. Compl.*, I, pág. 1842). Esta idea de realeza es la dominante en algunos establecimientos que buscaban un sello de distinción: *cine Royalty, café Royalty,* pronunciados con acento grave. Ésa es la pronunciación que registra *VOX*: *royalti,* pl. *royaltis.*

No tuvo suerte Alfaro con su recomendación de que la Academia admitiera la voz **rúgby**: «Si se han adoptado en castellano los términos *fútbol* y *tenis*, ¿por qué no se hace lo mismo con *rugby*?». La razón es muy simple, este deporte no ha alcanzado la popularidad de los otros dos. Aun así, está recogido en la versión popular de su diccionario, el *DMILE*. A. H. fecha su primera aparición en 1923. Pfändler, en su *WSS*, recoge también el derivado *rugbístico*, poco frecuente, y se asombra de la voz **ruger**, aventurando la etimología «ingl. *to rush*. Herkunft unbekannt». Con la grafía *rugger,* que es la correcta, hubiera hallado la explicación como voz de la jerga universitaria inglesa que alterna con *rugby* en los diccionarios.

Pese a la semejanza formal, ni **salmonella** ni **salmonel(l)osis**, voces que aparecen en la prensa española y en diccionarios bilingües y monolingües para traducir ingl. *salmonella* y *salmonellosis*, tienen nada que ver con el salmón y sus derivados, sino con el médico americano Daniel E. Salmon (†1914), por quien se han difundido ambos nombres. Si el primero se considera latín científico, nada hay que objetar a la doble *l*, pero la segunda voz, admitida como neologismo español, podría muy bien prescindir de la duplicación, como hacen algunos textos y diccionarios. En noticia de *ABC* de 2-11-94, pág. 59, se escribe 6 veces *salmonella* y dos veces *salmonelosis.* Delibes (*Diario*..., pág. 214) usa también *salmonella.*

De la estirpe germánica de *sala, salón* y, aunque no lo parezca, *agasajar,* es el conocido **saloon** que nunca falta en las películas del Oeste, llegado al inglés desde el francés y difundido con los *westerns* como ingrediente imprescindible.

Tal vez uno de los anglicismos más populares y deformados en español sea **sándwich**, documentado ya, según A. Fernández, en 1866, usado profusamente en las ciudades españolas, pero no admitido en el *DRAE* hasta la última edición (1992). El único y tímido intento de adaptación es la colocación de la tilde; otras soluciones hubieran sido polémicas, pues sólo en España A. F. registra ocho grafías distintas —entre ellas una (*san wiss),* entregada por mí, según el autor, «en una factura de bar hace unos años»—. Hoy, en los establecimientos públicos parece que el impronunciable plural *sandwichs* cede terreno ante el correcto *sandwiches*, pero la pronunciación sigue siendo muy inestable. M.ª Moliner registra *sanuich* y vulg. *sambich.* Pero Luis Flórez, en 1967 nos ofrecía *sánduiche* (*op. cit.*), «la más culta y cuidadosa en Bogotá», y «otras descuidadas y aun vulgares: *sáuiche* (con *a* nasal)*, sánduche, sanduích, sángüiche, sánguche*», semejantes a las variantes españolas registradas por A. F. pero sin llegar al «invento» *changuis* de 1919. M. Seco, apoyado en esos usos populares citados por Flórez en Colombia, opina que *sángüiche* sería una incorporación perfecta. Carlos Fuentes (*A. Cruz*, pág. 165) nos ofrece un diminutivo que respeta la grafía inglesa del primitivo: *sandwichitos.* En Chile, el *LHCSCh* registra otra variante de este diminutivo: *sanguchitos* como una opción más entre bocadillos/petites bouchées/canapés/entremeses. Visto este surtido ofrecido al perplejo usuario del idioma, no puede criticarse la prudencia académica antes de pronunciarse sobre la más apropiada. El intento de adaptación conocido como *emparedado*, si bien lo usan los diccionarios para describir el sándwich, no lo identifican con él cuando figuran ambos en el mismo lexicón.

A. F. documenta también el compuesto *hombre-sandwich*, 1895 (< ingl. *sandwich-man*, o fr. *homme-sandwich)*, hoy totalmente desusado, pero sustituido hace ya muchos años por el término *hombre-anuncio*, que figura en algún diccionario, y que también ha dejado de usarse.

En Uruguay, la Sra. Kühl explica que se llama *sandwich olímpico* a lo que en España se denomina 'sandwich vegetal'. Además registra dos derivados del término, fácilmente comprensibles: *sandwichería* y *sandwichero.* En toda esta familia léxica la pronunciación parte de una base /sángwiĉ(e)/.

De invención reciente es el verbo, procedente de la industria textil, **sanforizar**, que registran *VOX* y *Peq. Espasa* para describir un tratamiento al que se someten ciertos tejidos para evitar que encojan después de usados. El adjetivo *sanforizado* es marca registrada y, como tal, falta en algunos diccionarios. En francés no figura como anglicismo ni en *Robert Angl.* ni en *Lexis*; éste incluye toda una familia léxica —*Sanforisage* (nom déposé), *sanforiser, sanforiseuse*— sin citar origen, aparecida en francés hacia 1900. Pero hay otras explicaciones: en alemán el origen del verbo *sanforisieren* se atribuye al inventor americano Sanford L. Cluett (1874-1968). Damos las fechas del inventor, tratando de explicar lo que es más inexplicable, que el dicc. *VOX* feche en 1932 el año del invento, lo cual no resulta coherente con que éste se aprovechara ya hacia 1900. Mas si 1900, como sospecho, fuera una errata, todo quedaría explicado. Ahora bien, el diccionario de Höfler (1982), editado por Larousse, como *Lexis*, ofrece testimonios claros sobre las primeras fechas de uso en francés: *sanforisé* (1955), *sanforiser* (1956), *sanforisage, sanforiseu-*

se (1964). Las tres últimas se hallan recogidas en el *Grand Larousse,* 1960-64, según Höfler, quien cita a Sanford L. Cluett como inventor. Si quedaran dudas, las oficinas de patentes tienen la palabra.

Cautamente, el *Oxford Bil.* omite *sanforized* en la parte Inglés-Español, pero sí lo usa como «traducción» de *sanforizado = Sanforized* ®.

En un capítulo que podríamos titular «Anglicismos Dudosos» está más que justificada la entrada de **saxófono** o **saxofón**, pues con ambas grafías ha mostrado su vacilación la Academia a la hora de decidir cuál es la preferida. En las últimas ediciones opta por la rima con teléfono. En cuanto a la etimología, no ha errado la Academia indicando que procede de *Sax,* nombre del inventor, + el elemento compositivo *fono* del griego. Con ello se ha abstenido de opinar si se trata de un anglicismo o un galicismo, como dice A. Fernández que lo califica la Academia (¿1925?). Corominas opta por el anglicismo y cita 1851 como primera fecha para el inglés, pero *Lexis* da 1843 para *saxophone* en francés y 1846 para *saxhorn*, del mismo inventor belga, A. Sax, documentado en inglés entre 1835-45, según el *RHD.* No es atrevido suponer que su inventor, que podía ser flamenco o valón, empleara primero esta última forma, compuesta con *horn* (cf. al. *Horn* 'cuerno', neerl. *hoorn*, ingl. *horn*), pensando en el mercado internacional; de ahí el primer testimonio inglés. Pero luego ha sido *saxofón* la triunfante, rectificada oportunamente por la Academia. En el mundo musical predomina la forma truncada *saxo.*

Aunque ya admitido por la Academia el anglicismo **scanner** con una minuciosa explicación de su naturaleza y uso en medicina, sigue usándose, como en tantos casos, la forma inglesa, en vez de la acertada adaptación española *escáner*, precedida, curiosamente, en el *DRAE* por el verbo *escandir*, del lat. *scandere,* del cual procede en último término el anglicismo (ingl. medio *scannen* < **scanden*).

En el *DVUA* aparecen tres ejemplos del uso de esta voz en acepciones no médicas (industria, arqueología e imprenta) con grafía variable: *scanner* (sing. y pl.) y *scanners.*

Creo que la voz **scone** es una prueba más de la mayor influencia británica en el Cono Sur, con el significado de bollo o bollito que se sirve caliente (o frío) a la hora del té, con mermelada o mantequilla. *Oxford Bil.* no especifica el área de difusión, pero en Uruguay figura con dos variantes, *escón* y *scon*, en el diccionario de Kühl.

Aunque hace más de medio siglo que se publicó la famosa novela de Evelyn Waugh *Scoop,* que ha merecido dos traducciones al español, sin emplear la palabra, es relativamente reciente el uso de la voz **scoop**, que aparece hasta en los manuales de estilo, para designar un notición, una primicia informativa o noticia en exclusiva. Originariamente *scoop* significa en inglés 'pala, cuchara' y de ahí procede el término usado en hockey, según el *IEDep.*, que recomienda la traducción 'golpe de cuchara'. El *LEPaís* menciona una acepción anterior, ajena al uso periodístico, 'buena ganancia', que es versión muy atenuada de lo que el inglés (*RHD*: «a big haul, as of money» = un gran botín, p. ej. de dinero) y la jerga sociopolítica española de nuestros días conoce como «pelotazo» (en Sudamérica, «batacazo o batatazo»). En este sentido no hemos anotado el uso de *scoop.* Pueden servir como ilustración los siguientes ejemplos: «Tiempo de escándalos, tiempo de 'scoops' periodísticos» (titular de *El Mundo Comunicación,* 21-2-92, pág. 8); en el texto: «los grandes 'scoops' [de la prensa] marcan un momento... tenso... de la política en el que los presuntos escándalos florecen...»; «El *scoop* [sobre la hija secreta de Mitterand] ha sido de *Paris-Match* y ha caído como una superbomba», *El Mundo*, 4-11-94, pág. 26.

El *Peq. Larousse*, sin condenar el término, registra correctamente su uso: «Noticia sensacional dada exclusivamente por una agencia de prensa. Ganancia fácil y elevada».

No ha tenido igual aceptación académica la voz **scooter**, popularizada hace medio siglo en España para designar ciertos tipos de motocicleta de origen italiano y base de una creación autóctona, el *biscúter,* tampoco aceptada por los léxicos oficiales, cuya ausencia ya hemos comentado antes (cf. pág. 74). En América Central se registra *motoneta;* también, como en los casos de Kodak o Leica, se dice *vespa* sin atención al fabricante.

Pero cuando creíamos desusado el término, por haber mejorado la llamada automoción de los españoles, vuelve a aparecer el *scooter,* promocionado por japoneses e italianos. Ofrece el *DVUA* dos ejemplos de esta tendencia moderna: «un ciclomotor scooter de atractivo diseño»; «el Grupo Piaggio encabeza... la tipología *scooter* con una cuota de mercado del 46 por ciento...». Recientemente ha saltado a la prensa otra variante del *scooter*: la *fun-scooter*, voz no inventariada aún en mis diccionarios ingleses de 1993 y 1994 —¿acaso acuñación española?— pero cuyo significado parece obvio: 'escúter de recreo, de diversión'. En un reportaje dedicado al nuevo vehículo (*El País semanal*, 31-7-94, págs. 79 y sigs.) encontramos las siguientes formas: las *fun-scooters 50*, las escúteres de moda, cuatro escúteres, *fun-scooter(s),* una escúter, las escúteres.

En inglés, *score,* aparte de 'veinte', significaba la muesca que en la tarja marcaba las ventas pendientes de pago, como se usaba en España en zonas de escaso numerario. Luego ha entrado **score** en español al mismo tiempo que otras voces del vocabulario deportivo; en España creíamos que había sido arrinconado por *marcar*, en cuanto verbo, *marcador* o *goleador* y *tanteo* en función sustantiva, como buenas traducciones de *to score, scoreboard, scorer* y *score.* En mis notas observo predominio del término en el Río de la Plata, pero también aparece en otras partes de la América hispanohablante. No es extraño que figure *score* con el significado de 'tanteo' en el reciente *Peq. Larousse*, editado e impreso en México. Las recomendaciones del *MEU* sobre su posible sustitución («puede traducirse como *mar-*

cador, clasificación») no son afortunadas. *Clasificación* no sustituye a *score*. *Marcador*, si se refiere al jugador, sería en inglés *scorer*; referido al tablero o letrero donde figura el tanteo sería *scoreboard*. Ya hemos cuestionado (vide supra, s.v. *marcar*) que *marcar* y *marcador* proceden del ingl. *to mark* y *marker*, respectivamente. Sería muy difícil, aunque los cronistas deportivos no tienen inhibiciones a la hora de impresionar al lector o al oyente, encontrar alguno que usara en inglés estos supuestos modelos, que sin duda proceden del francés, sobre todo en la acepción 19.ª de *marcar* del *DRAE*, que corresponde al fr. «marquer un joueur = surveiller de près un adversaire....» (*Lexis*, s.v.).

Entre las varias posibilidades de decir *escocés* en la lengua inglesa, **scot** puede que sea la más antigua y de ella procede el español medieval *escote*, posible origen, según Corominas, del adjetivo *escueto*. *Escotes* está atestiguado en el *Libro de Alexandre* (s. XIII) y en la *Confision del amante*, primera traducción del inglés a nuestra lengua (principios del s. XV). Otras posibilidades son *scots, scottish y scotch*. Esta última ha hecho fortuna primero como préstamo crudo, «...agitan el vaso... lleno de 'scotch'...» (*El Mundo*, 5-8-94, pág. 2), pero también como angloamericanismo, a veces calcado como *escocés*, para designar el *whisky* genuino de Escocia (cf. CALCOS, s.v.), sobre todo en Hispanoamérica. Por eso tal vez, como *score* 'tanteo' (vide supra), figura en el *Peq. Larousse* explicado «m. (Pal. ingl.) Whisky escocés».

Scout. M. Sousa, que vive en Cataluña, confirma en su libro reciente (1993), s.v. *boy scouts*, lo que decíamos al redactar nuestra nota 9.ª a *Sin fronteras. Homenaje a M.ª Josefa Canellada*, en 1992, y consta en la edición XXI del *DRAE*, a saber, que la forma difundida en España, por influjo del catalán, es *escultismo*. Por ello, el Año del Escultismo (1982, 125.º aniversario del nacimiento de su fundador).

Algunos diccionarios recogen el uso de **script(girl)** como aceptado en español. Yo no lo tengo apuntado, aunque sí *script*, como alternativa de guión en textos relativos al cine. *Collins Bil.* «traduce» *script girl* por '*script* (fem.), anotadora, secretaria de dirección', inspirándose en la, según Seco, recomendación académica, pero opino que esa equivalencia es más un deseo que una realidad. El *Peq. Larousse* incluye *script girl*: «secretaria del director... que anota todos los detalles de cada escena...». El *MEU* es muy específico en cuanto a este término, s.v. *script*: «Escríbase entre comillas... preferible reemplazarla por *texto*, copia, guión... este vocablo se refiere más bien a la 'script-girl', secretaria de rodaje». El *Peq. Espasa* es el único que incluye una definición de *script*: «Guión cinematográfico en el que constan todos los detalles de cada escena filmada», explicando luego qué es la *script-girl* y el *script-boy*, «según que sea mujer o varón». El *LEPaís* lo simplifica más: «*script*, *script-girl*. Sustitúyanse por 'anotador' y 'anotadora'».

Según la ley norteamericana ciertos faros del automóvil, llamados *sealed beam headlights*, abreviado en **sealed beam**, forman una sola pieza herméticamente cerrada, conocida en Puerto Rico y Guatemala por el nombre hispanizado de *silbines*. A. Quilis, en nota, puntualiza que la exigencia mencionada rige en Puerto Rico por su condición de estado asociado.

Un buen ejemplo de moda pasajera es el desuso de la voz **season**, como anglicismo preferido al fr. *saison*, que aparece alguna vez, según A. F. Hoy, hablando de periodos especiales del año se prefiere *temporada* (alta) y, naturalmente, cuando se usa en contexto culinario, *sazonar*, que tiene el mismo origen. La primera documentación es de 1883, «el que viaja a las Islas Británicas, en los meses de *season*» (A. F.). El sentido dominante es el de 'época de vida social intensa'. Así, en esta cita de Valera a M. Pelayo (nov. 1886), desde Bruselas: «casi se puede decir que la *season* no ha empezado aquí».

También usa la voz Baroja en 1901 (*La ciudad de la niebla)*. El profesor A. Fernández, nuestro diligente investigador, ofrece, s.v. *season,* un abundante muestrario de usos de la palabra que refleja la variedad de acepciones cronológicas y geográficas que adopta el término: la *season* balnearia, la *season* teatral, la *season* de Biarritz, «Septiembre es la *season* parisina», la *season* italiana, coincidentes con las cuatro estaciones del año o parte de ellas. Ofrece A. Fernández trece ejemplos de este uso, el último de 1936.

Second (boxeo). Véase CALCOS, s.v. *segundos.*

El adjetivo inglés **secret** suele aparecer en la combinación *top secret,* pero el mundo de las materias reservadas admite gradaciones según nos informa *El País Domingo* de 22-5-94, págs. 1 y 3, que enumera: «*cosmic top secret, NATO secret* y *NATO confidential*».

Aunque **self** aparece casi siempre traducido, cuando es elemento compositivo, por su correspondiente español *auto-*, algunos diccionarios registran la forma inglesa sin traducir: *self-made man*, passim, resulta rebuscado en la solución 'hombre que se ha hecho a sí mismo', posible sólo como aclaración del término inglés. El *Peq. Espasa* incluye *self* como voz independiente 'mismo, propio', además de una acepción técnica: «m. Bobina de autoinducción» y *self-government* 'autogobierno'; *VOX* recoge únicamente *selfservice* (voz inglesa) 'autoservicio'. Dos ejemplos recientes: «¿Qué va a ser [...] de estos chavales [hijos de *yuppies*] forzados a ser *self-made men* sin poder ir directamente a la escuela de Wall Street?», J. Berlanga, *ABC*, 18-11-94, pág. 21; «Un 'self-made man' arquetípico» (titular de *ABC*, 14-12-94, pág. 64).

Sobre **serial** 'obra radiofónica o televisiva...' véase págs. 546-47.

Entre las excelencias exhibidas por el más reciente de los diccionarios bilingües angloespañoles —el *Diccionario Oxford*—, publicado en el verano de 1994, figura la de incluir alguno de los más recientes neologismos del inglés y del español. Entre los primeros está el compuesto **serial killer**, que se traduce por 'asesino en serie, asesino múltiple'. Recuerdo haber leído antes, pero no puedo precisar fecha, la expresión *asesinatos en serie*, que parece coherente con *robos en serie, colisiones en serie,* etc., pero así como decir *ladrones en serie* sería concebible sólo en un contexto como «la sociedad actual produce ladrones en serie», y entonces sí cabría sustituir ladrones por asesinos, la idea de una serie de asesinatos no corresponde a la de una serie de asesinos, pues la nota característica del *serial killer* es que el autor es el mismo: «una maternal y retorcida asesina en serie»; «el papel de *serial killer* (asesino en serie) en esta película», «una mujer... que mata a todo el mundo que perjudica a su hijo» (*El País,* 4-6-95, pág. 36).

En el Uruguay, según Kühl, ha prendido el anglicismo **service** —pron. /sérvis/—, en el significado de 'servicio de mantenimiento o reparación de una máquina o un vehículo'.

Set es préstamo, con varias acepciones, que hemos tratado ya en pág. 64, s.v. *jet-set*.

Una raza de perros de procedencia inglesa, la del **setter** irlandés, aparece mencionada en 1913, según A. F., a propósito de una exposición canina; pero ya en 1895, en otra exposición, se habla de «la familia de los setters». Según mis notas, en la obra de Pérez de Ayala *Tinieblas en las cumbres* (1905-7) tenemos el primer testimonio literario: «un perro *seter* de luengas lanas», Ed. Castalia, pág. 216; otro posterior (1916) en Arniches (*Trevélez*, pág. 146). Los diccionarios de uso general (*VOX*, *Peq. Larousse, Peq. Espasa*) suelen incluirlo hoy y describir la raza.

Sevenleven, 'Palabra de procedencia inglesa, formada con *seven* y *eleven*, con que se designa un juego de dados' según M.ª Moliner, me ha hecho consultar más de una docena de diccionarios de varias lenguas (por si hubiera pasado a ellas) así como —dado el significado— los diccionarios de *slang* y del hampa *(underworld)* de Partridge, sin éxito. Lo único que encontré en *RHD* s.v. *seveneleven* fue una remisión a *shiner perch* 'una variedad de pequeña perca plateada del Pacífico', a la que no se veía relación con los juegos de azar.

Consulté, por suerte, el reciente diccionario de uruguayismos de Kühl y mi búsqueda quedó recompensada: «*seveneleven*. m. Juego de dados clandestino, con apuestas de dinero. Pronunciación: seveléven». ¿Será tal su clandestinidad que hasta los diccionarios ingleses ignoran su existencia?

Luego he proseguido la indagación por donde debería haber empezado, el *Diccionario de argot* de V. León: «*seven eleven*, m. (marg.). Juego de apuestas con dos dados». Hay también una cadena de establecimientos en Madrid llamada *7 eleven,* abierta 24 horas, cuya relación con los juegos de azar no me atrevo siquiera a conjeturar.

No es originariamente **sex** palabra inglesa ni mucho menos, pero sus derivados y compuestos han invadido el mundo de los *mass-media* desplazando cualquier equivalente más o menos acertado; el primero de ellos aparecido en español fue, si no me equivoco, *sex-appeal,* recogido por M.ª Moliner como angloamericanismo con la grafía *sexapel,* acertada, pero que no ha tenido seguidores. *VOX* también lo incluye en su forma inglesa y añade que «se pronuncia *sexapil*». De esta pronunciación cabe deducir el adjetivo colombiano *sexapiloso,* registrado por Haensch en el art. cit. Falta en el *Peq. Espasa,* pero en el *Peq. Larousse* figura como expresión norteamericana que significa 'atractivo sexual'. A. F. tiene escasos y dudosos testimonios sobre el significado del término. Uno de ellos, «llamada del sexo» por *sex-appel* (sic), parece un calco literal que no tuvo éxito. En las *Obras Completas* de Unamuno debe de estar recogida su propuesta, publicada en el diario *Ahora*, de sustituir *sex-appeal* por *cachondez,* idea acertada desde el punto de vista denotativo, pero no desde el connotativo, pues ambos términos pertenecen a registros muy diversos del lenguaje, uno del exotismo seudocientífico, otro de la cruda bestialidad del corral. Hoy ha desaparecido casi del uso general y creo que pervive en la conciencia de todos los que, equivocadamente, utilizan hoy el adjetivo *sexy*, muy actual, como si fuera el sustantivo heredero del *sex-appeal*. De que mi apreciación no es un error son prueba los siguientes ejemplos: «[Hablando de Mick Jagger] ...su energía, su *sexy,* su asombroso *feeling* del gran *showman rocker*», *Semanal Diario-16,* 4-7-82, pág. 33; «...el impacto físico, el 'sexy', es superficial... el sexy, el erotismo...», *ABC*, 11-12-82, pág. 85; «Mi concepción del 'sexy' nunca coincide con lo que se supone que debería ser», *ByN,* 28-9-94, pág. 23; «Menos ropa, menos dinero, menos kilos y... piernas al aire. Es el sexy de las *ninfas siderales*», *Vogue*, edic. esp., agosto'94, pág. 20; «...su sexy estriba en su diabólica rectitud...», *ibíd.*; «Minis satinados y piernas interminables, ésta es una de las claves del sexy del noventa y cuatro», *ibíd.*, pág. 59. Creo que bastan, sin acudir al precedente de que a un hotel de Almuñécar (Granada) lo llamaran «el Sexi», en memoria del nombre prearábico de la ciudad.

Otros compuestos de *sex:* En Náñez (1973) *sexódromo; «Sex Museum* son una de las pocas formaciones originadas con el 'revival' garajero del Madrid [...] aún en activo...», *ABC*, 3-12-93, pág. 91; *sex shop*, passim, en letreros y anuncios (cf. también *DVUA*); *sex symbol* (cf. *DVUA*, con 5 ejemplos). *DVUA* registra también *sexofobia* y *sexoholismo,* que parecen acuñaciones, raras, españolas. La expresión *sexual harassment*, de moda en los últimos años, se ha usado en español y se ha intentado traducir sin alcanzar aceptación general: «La fiebre del *sexual harassment* (abuso sexual) (sic), una nueva caza de brujas puritana... ahora todo es *sexual harassment*...», R. Montero, *El País semanal,* 9-5-94, pág. 8. Más que 'abuso' suele traducirse 'acoso'.

Un diario tan esencialmente monárquico como *ABC* no se pronuncia en su *LE* sobre el nombre del extinguido soberano persa, al que sin duda designó como **shah** o **sha** durante años. María Moliner observa que el *DRAE* no recogía ninguna de las formas usuales en su día —también *schah* y *chah*—, ni siquiera *xah,* la cual, según ella, «es la escritura considerada... más fiel al sonido de la palabra en persa». Tiene razón nuestra lexicógrafa, salvo en el uso del presente, pues el sonido persa mencionado es el representado por la *x* castellana antigua —así, por ejemplo, lo vemos en la *Correspondencia diplomática* de García de Silva, editada por Luis Gil—, antes de adquirir el de la *j* actual, como la tenemos en *jaque mate* 'el rey murió' (cf. *DRAE* s.v. *mate).*

A. Fernández, como colector objetivo, y R. Cansinos, como traductor desorientado, mencionan **shake-hands** como equivalente inglés de 'apretón de manos'. Pero en inglés, como advierte atinadamente A. F., se dice *hand-shake.* Los usos comentados por éste, igual que el de Cansinos, proceden del francés, donde, sobre el modelo *to shake hands* se creó, con el mismo orden (verbo + obj.), esta forma anómala que llegó, como se ve, también a España. Este proceso podría haber sucedido en inglés, donde se da un caso paralelo completo: *to keep house —> housekeeping —> to house-keep—.*

Registra A. Fernández, en dos entradas distintas, la voz **shaker**: una, tomada de un texto de 1931 sobre la nieve, menciona un «*shaker* de punto de lana» que ni él ni yo hemos podido identificar; la segunda se refiere a la secta religiosa, originaria de Inglaterra y propagada en los Estados Unidos desde 1774. El nombre, usado en plural, significa 'tembladores, agitadores', y tiende a confundirse con el de otra secta, la de los cuáqueros o Sociedad de Amigos, fundada también en Inglaterra y difundida en América por William Penn. A los cuáqueros, conocidos en España en la primera mitad del siglo XVIII, se les conoció también como 'tembladores' (cf. más arriba, s.v. *quaker*).

No registra A. F., sin embargo, otro *shaker* que aparece, incluso en algún diccionario, con el significado de 'coctelera', p. ej. en *Peq. Larousse.* Acaso haya contribuido a su difusión el uso francés e italiano, donde no parece triunfar, como en español, otra alternativa. Hoy *coctelera* es, al parecer, la única solución española.

Admitida en el diccionario académico hace más de medio siglo, con la forma *champú* (cf. arriba. s.v.), la voz inglesa, tomada del hindi, **shampoo** y *shampooing*, como variante, siguen figurando en *Peq. Larousse*'94. El *LEPaís* incluye también el término para recomendar la grafía 'champú' (plural champúes). Igualmente se pronuncia sobre el plural el *MEU*'94: «su plural es champúes, pero el uso va imponiendo champús».

También consigna M.ª Moliner en su diccionario a continuación de la entrada *shah*, el término **shantung**: «designación inglesa de una tela fabricada con seda de gusano silvestre en la ciudad china de su nombre», además de otra tela de algodón. Esta tela debe de haber caído en desuso, aunque en francés, italiano y alemán la sigan registrando los diccionarios (*Lexis, Zolli, Duden*) y aparezca en alguno bilingüe *(Oxford)* como equivalente del ingl. *shantung*. Aparte de en M.ª Moliner, aparece en el *Peq. Larousse*'94 ('cierta tela de seda'). También la incluye el *Peq. Espasa* como nombre geográfico y el *LEPaís* para advertir que el nombre actual en pinyin es Shandong, sin aludir a su significado textil.

Una de las palabras de moda en el mundo de la televisión es **share** 'participación, cuota, porcentaje'. Según un glosario condensado (19 términos) de *El País semanal,* el *share* (cuota de pantalla) es «el tanto por ciento de personas que en ese momento estaban delante del televisor y que, durante una franja horaria o un programa determinado, conectaron con la emisora en cuestión», 14-4-94, pág. 26. Más concisa es la definición del *DVUA*: «Porcentaje de personas que siguen un programa de televisión en un momento determinado», seguida de cuatro ejemplos que ilustran su uso. Es el único diccionario que la incluye, pero figura en el inventario de recomendaciones del *MEU* (10.ª edic., 1994), donde se aconseja utilizar *porcentaje* (de audiencia, de difusión, etc.).

La grafía inglesa **sheik** —y una innovación posterior **sheika**, ambas de origen árabe— hizo fortuna en Hispanoamérica si creemos a Alfaro, que opina que cierta película de Rodolfo Valentino, *The Sheik* 'el jeque', fue causa de que esta voz adquiriera el significado —calco semántico del inglés— de 'seductor irresistible, conquistador, tenorio'. Añade Alfaro: «...para ello nos basta nuestro tradicional *tenorio*». En España, el uso del término inglés no parece muy extendido. El *DVUA* sólo tiene un ejemplo para explicar el significado 'dirigente árabe'. El *LEPaís* lo registra para decretar «Tradúzcase siempre por 'jeque'». En el *MEU* encontramos «*sheika*. Aparece como la esposa del *sheik* (jeque). Dígase *princesa*». No veo justificación para ello, pues nadie sustituye *jeque,* ni traduce *sheik* por 'príncipe'. *Sheik* en inglés —su grafía se ha impuesto— es traducido por patriarca; *sheika* es la mujer del *sheik* o matrona de una gran familia, reverenciada como guardiana de los usos y valores religiosos.

Aunque se usa en España desde los años veinte —había entonces una colección de novelas breves del Oeste con ese título— no ha entrado aún en el *DRAE* la palabra **sheriff**, que incluso se usa, en versiones subtituladas, para traducir «al español» lo que escrito en la pantalla aparece como *marshall*, que no es exactamente lo mismo. Debe de haber cientos de testimonios de su uso desde los años veinte. M.ª Moliner lo registra en 1967 como «[...] funcionario que hace funciones [sic] de juez y guardador de la paz en un distrito». También figura, con corchete, en el *DMILE*, así: «[**shériff** (voz inglesa) m. En Norteamérica y ciertas regiones o condados británicos, representante de la justicia o del poder central, que se encarga de hacer cumplir la ley». A. Fernández observa cierta confusión con el arabismo *jerife*, voz que en inglés sólo se distingue de la comentada por escribirse con una sola *f*. Siendo el arabismo en su acepción de 'magistrado' susceptible de confusión, ésta se ha producido, y así documenta A. F. en 1844 *cherife* y *jerife* en un texto que menciona como *La Torre de Londres*. *VOX* recoge el término como *shérif* y el *DMILE* señala que también aparecen las grafías *sérif, chérif* y *chériff.*

Aunque *chelín* (< fr. *chelin* < ingl. **shilling**) está documentado en español desde Terreros, la grafía inglesa sigue usándose en algún diccionario (*Peq. Espasa, Peq. Larousse*), que remiten a *chelín*, moneda que dejó de circular hace unos veinte años en el Reino Unido pero sigue siendo «unidad monetaria de varios países africanos». Buscando la diferenciación —como en el chelín *(schilling)* austriaco, admitido en el *DRAE* como *chelín-2*—, se usa la grafía inglesa, igual que en francés, para referirse a estas divisas africanas.

A. Fernández registra nueve grafías diferentes para designar el baile, popular en la primera posguerra —entre 1920 y 1930—, llamado en inglés **shimmy**, falso análisis del fr. *chemise,* tomado por plural; cf. *pea* 'guisante' < *pease* < lat. *pisum (sativum).*

La voz americana *shoe**shine*** 'limpieza de zapatos', aparte de dar nombre a una famosa película italiana con la grafía *Sciuscià(i)* (cf. Zolli, págs. 116-7), dejó su huella en Honduras, donde Moreno de Alba (*HPEA*, pág. 643 n.) registra *chainear* (< *shine*) 'limpiar los zapatos con crema'.

El verbo inglés *to shock*, voz germánica llegada a través del francés, ha legado al español dos palabras: un sustantivo **shock**, que se trata de adaptar como *choque*, así en el *DRAE*, s.v. *choque*, usado ya como término médico según A. F. en 1935 —*shocks* musculares— y hoy de uso general, registrado en casi todos los diccionarios; y el adjetivo exclamativo **shocking**, de tradición más que centenaria, al parecer en vías de desaparición, del cual nos ofrece A. F. curiosos testimonios desde 1865, con la grafía simplificada *shoking.* Un uso reciente: «los españoles creen que a los ingleses todo les parece 'shocking'», *ABC*, 2-7-95, pág. 3.

Un compuesto de *shock*, **shockabsorber** 'amortiguador', es la respuesta de Puerto Rico a la encuesta de A. Quilis sobre el léxico del automóvil en los países hispanohablantes de América.

El verbo inglés *to* **shoot** ha dejado cierta descendencia en español (cf. arriba, s.v. *chutar).* La grafía inglesa correcta para el significado 'disparo' es *shot,* que alternaba en un principio con la forma *shoot,* verbo, la cual produce normalmente esp. *chutar,* en que se apoya luego la variante triunfadora, *chut,* que a su vez crea una forma seudoinglesa *choot*, todas ellas anotadas por A. Fernández en España. El verbo *chutar* tiene una variante sudamericana, *chutear*, y el sustantivo *shot* (pron. /šot/) se mantiene vivo solo y en los derivados uruguayos *shoteador* y *shotear*. En el Ecuador (*UMA*): *shutear*.

Grave es a mi juicio el calco de este verbo cuando se usa *disparar* en sentido recto y se traduce 'el policía fue disparado' *(the policeman was shot)* por 'el policía recibió un disparo (o varios)'. Sólo sería admisible este uso en la siguiente e insólita noticia: «E. Zacchini, que actuó como 'hombre bala' en el circo y consiguió el récord mundial en 1940 cuando fue disparado a cincuenta y tres metros de distancia, falleció el pasado lunes....», *ABC*, 18-9-93, pág. 50.

Aparte del compuesto *sex-shop*, citado más arrriba, se ha extendido en el mundo hispanohablante el compuesto **shopping center** (*mall*), algunas veces traducido como 'centro comercial, multicentro' e incluso por el arabismo 'zoco', aunque no estoy seguro de que todas las denominaciones respondan a un perfil semántico claro del término. Tengo anotado *shopping* sustantivado en Asunción (Paraguay), en Chile *Arauco shopping center,* en la prensa hispánica de Miami es muy frecuente (*shopping center, shopping ctr., shopping moderno, shopping de mucha circulación,* etc.), pero menos en otros países y en España. Sin embargo, en algunos anuncios de Madrid aparecen *Modas Shopping, Autoshopping, Shopping & antique centre,* como nombres de tiendas, y en TV *teleshopping*. Recuérdese que la grafía *center* es americana.

El anglicismo **short** 'pantalón muy corto usado para hacer deporte, o también en tiempo de calor' ha sido admitido con esa definición en el *DMILE*. M.ª Moliner en 1967 no señalaba el uso y sí los usuarios, indicando que se había generalizado la palabra al ser aplicado el nombre *shorts* a los pantalones cortos de mujer.

A. F. recoge el singular y el plural en entradas aparte; el primero para designar en 1931 lo que hoy se conoce como 'cortometraje'; el segundo, en 1934, para «calzones cortos. Prenda usada por los atletas, chicos, etc. ...en ejercicios deportivos».

En Uruguay y la Argentina se dice *short de baño* para lo que en España se llama *bañador*, pronunciado /šor/, pl. /šors/. Sin ser especialista en modas, creo que en este caso *bañador* alternaría con *bermudas*, otro anglicismo.

Desconocido en España, mas registrado por Kühl en Uruguay, el nombre **shortening** se aplica a cierto tipo de margarina o grasa vegetal usada «para preparar o freír alimentos». *Collins Bil.* lo traduce 'manteca de hojaldre'.

Otra de las exportaciones léxicas más populares del inglés es el sustantivo **show**. El *DVUA* (recuérdese que sólo abarca un periodo de aprox. 4 años) ofrece un buen muestrario de la forma simple y de sus compuestos *showman* (*DMILE*) y *showoman/show-woman,* éste último ausente en mis diccionarios ingleses, que sí registran, en cambio, *showgirl* 'corista' y *showbiz* o *show business*. Existe además la frase 'montar un show' = 'montar un espectáculo': «su defendido se había negado a que el Gobierno montara un 'show'...» *(ABC*, 12-5-94, pág. 34). En el Río de la Plata 'hacerse el show', 'mandarse el show' no son enteramente equivalentes. La pronunciación dominante y grafía hispanizada de *show* es *chou*, y así se anunciaba cierto programa televisivo a lo largo de varias semanas en España. Pero Pratt afirma (*op. cit.*, pág. 154) que en *show* y *soul* «se ve imitación fiel de la pronunciación inglesa» con el «diptongo [ou] no español». *Show* ha dado lugar a varios compuestos: *talk show, infoshow, reality show* y alguno más. Sobre *reality show* vide supra s.v.

El anglicismo **shower**, en la acepción 'chubasco, ducha', nada tiene que ver con el anterior. Un uso figurado, norteamericano, descrito como 'fiesta para celebrar una despedida de soltera o un nacimiento anunciado' ha penetrado en el español de América: «¿Vendrá al *shower*?», pregunta una novia (C. Fuentes, *A. Cruz,* pág. 21). Lo registra Lope-Blanch, *art. cit.*, con el significado 'despedida de soltera' y con pronunciación anglizante /šáwer/. Córdova (*UMA*) registra compuestos en el Ecuador, *baby shower*, *curtain shower*, con protagonismo femenino.

El *MEU*, en sucesivas ediciones, recomienda traducir **shunt** por 'esfumación, atenuación, amortiguamiento...'. Nada hay que objetar si algún uso actual, que desconozco, así lo aconseja. En los testimonios recogidos por A. F., de verbo y sustantivo, que coinciden con los más antiguos del inglés y de los préstamos franceses, en electricidad corresponde a 'derivación' y en cirugía a una especie de 'puente' o *by-pass*. A. F. cita el diccionario de Martínez Amador que traduce el verbo como 'poner en derivación, shuntar', y el nombre como 'shunt, derivación'. Otros ejemplos de A. F. anteriores a la guerra civil son: «Este es el valor de la resistencia general, pero tendrá, además, que *shuntar* las dos lámparas»; «la lámpara... deberá estar *shuntada* con una resistencia...» (ambas citas de 1933). En 1932 se habla de «un condensador *shuntado*».

El *Peq. Espasa* nos da datos más actuales y precisos: «m. *Elec.* Dispositivo para ampliar el campo de un aparato de medida. 2. *Pat.* 'anastomosis'».

El verbo *to* **shut** 'cerrar' tiene en inglés un uso coloquial, *shut up* 'cierra el pico, chitón', registrado en Uruguay con la pronunciación /šaráp/, según Kühl. También en la Argentina.

Al comenzar el lanzamiento de los transbordadores espaciales, vide supra, s.v. *ferry(boat)*, la voz **shuttle** 'lanzadera' alternó con las dos traducciones españolas, entre las que, al parecer, triunfa hoy 'transbordador', pero la idea de 'lanzadera' de ida y vuelta reaparece a propósito del servicio de trenes en el *'chunnel'* (= *chanel* + *tunnel*), perforado bajo el canal de la Mancha, trenes que los franceses llaman *shuttles*, y ése es el nombre francés —*le shuttle*— escrito en la locomotora del tren.

Es difícil encontrar ejemplos modernos del uso de **sidecar**, variedad de moto que debe de haber pasado de moda, pero que hasta la última guerra mundial era de uso general en los ejércitos. Alfaro registra dos usos del anglicismo —«que se pronuncia *sáid-car*»—: el de «coche lateral» de un asiento y el de un tipo de cocktail (sic) «...nombre propio y, por tanto, intraducible». M.ª Moliner la recoge con la explicación, s.v. *sidecar*, 'Pronunciación española de la palabra inglesa «sidecar»'. A. F. sólo nos da, s.v. *polo*, un testimonio de 1925, en uso metafórico. El *Peq. Larousse* de 1994 también la incluye, ilustrada con fotografía, así como *VOX*. Figura por primera vez en el *DRAE*'70, «asiento adicional, apoyado en una rueda...», sin indicación de origen, que se explica en el *DRAE*'92.

Los diccionarios *VOX, Peq. Espasa* y *Peq. Larousse* dan como plural *sidecares*.

Nadie duda de que la voz **simposio** es de origen griego y significaba 'festín', como afirma el *DRAE*, que para ser coherente debería haber mencionado el intermediario latino *symposium*, como en otros helenismos. El *MEU*, s.v. *simposium*, recomienda las formas hispanizadas *simposio-simposios*. Mas de 'festín' (o 'banquete') a 'conferencia o reunión', significados con que irrumpe en español en la segunda mitad del siglo XX, hay un buen trecho. El diccionario *Robert Angl.* registra la presencia de la forma latina —a veces afrancesada, en el siglo XIX— con el valor de publicación miscelánea; modernamente, desde 1957, para designar primero un congreso de antibióticos y luego una reunión poco numerosa de especialistas sobre un asunto científico. Este significado se difunde hoy con el significado inglés de 'coloquio, conferencia, etc.'.

Siendo un nombre comercial, no se espera encontrar en los diccionarios la voz **sinfonola**, de la serie audiovisual *pianola, victrola* o *vitrola, gramola,* etc. Lo hemos anotado en el relato *Aura*, de C. Fuentes, publicado en Periolibros, 30-9-94: «Las sinfonolas no perturban» (pág. 6). Rosenblat (1969), analizando el habla de Caracas (1935-1965), comenta: «...hasta los dentistas le arrancan a uno las muelas con *ambiente musical* [con la] colaboración de *motorolas, sinfonolas* y *rocolas...*».

El anglicismo **single** (< lat. *singulus*) ha tenido varias vías de acceso al español, directas o calcadas: primero la náutica, luego la deportiva, después la viajera y en último lugar la discográfica. El primer testimonio de su uso aplicado al tenis, recogido por A. F., es de 1913, en texto que opone *simples* (singles) a *dobles* (doubles). La propuesta de Alfaro de que se usara *individuales* para estos partidos ya la habían anticipado en 1926, según A. F., pero *single, singles* se siguió usando, no sólo en sentido náutico y deportivo, sino también en la acepción turística de 'departamento de una sola plaza en los coches cama' (M.ª Moliner) o 'habitación para una sola persona en un hotel'. Un uso más reciente es el difundido por la industria del disco. A él se refiere la recomendación del *MEU*: «Hablando de discos, tradúzcase por *sencillo.* El *Diccionario de argot...*, de V. León, sin mencionar su origen, registra *singuel*: «'m. Disco de corta duración».

La voz *single* es anterior en español a las menciones relacionadas con el tenis. Corominas la registra, s.v. *sencillo* (< **singellus* < *singulus*), indicando que falta aún en el *DRAE* de 1884 en su acepción marítima 'cabo que se emplea sencillo....'. Sólo el *Peq. Espasa*, entre los diccionarios usuales, registra las cuatro acepciones citadas: *VOX* incluye 'cabo' y 'disco'; M.ª Moliner, las tres ya citadas (el disco sencillo era entonces una novedad); el *Peq. Larousse* omite el significado marítimo; el *DMILE* omite el deportivo, que sigue vigente sobre todo en Hispanoamérica. El *DRAE*'92 no ha variado en casi un siglo, sigue con su definición marítima, tal vez anticuada.

Para **sitcom** (= *situation comedy*) véase CALCOS PLURIMEMBRES, s.v. *comedia de situación*, págs. 573-74.

Sólo en el *DVUA* hemos anotado el nombre **ska** para designar un nuevo estilo de música popular jamaicana «entre el rock y el reggae [...] de moda entre los jóvenes ingleses que han sucedido a los punks» (*DVUA*). En inglés es también un neologismo, aparecido entre 1960-65, «de origen oscuro» (*RHD*).

Ya al comentar la voz *hockey* (vide supra, págs. 240-41) mencionamos el uso francés de *rink-hockey* por 'hockey sur patins', llamado así porque se practicaba en un **skating-rink** o pista de patinaje, que en un principio —Madrid, 1879 (A. F.)— se practicaba con cuchillas sobre hielo y luego, a falta de hielo, sobre patines. Antes, en París, según Höfler, tras una helada de tres días (febrero 1876) *Le Sport* usa el titular «Le hockey au skating club». Como en otros casos de anglicismos en *-ing* —*leasing, smoking, dancing*, etc.—, la forma *skating* acabó perdiendo su valor de atributo, se desprendió del sustantivo *rink* y pasó a significar «el lugar donde se patina con sus adyacentes» (A. F.). Nada de esto parece sobrevivir en España en la lengua hablada, pero en Uruguay se conserva la voz para designar, según Kühl, con el nombre de *skate* (pron. eskejt) 'la tabla de madera o de plástico, montada sobre ruedas, que se emplea como entretenimiento para hacer ejercicios de destreza y equilibrio'. El dicc. *Peq. Larousse*, más influido por la pronunciación norteamericana, registra: «pr. *skéting*». Esta tabla se suele llamar en España *monopatín* y así figura, p. ej., en el *Oxford Bil.* s.v. **skateboard**, voz documentada también por el *DVUA* en *El País Domingo* (25-8-91). M. Sousa traduce 'monopatín sobre ruedas'.

Otra traducción de *skateboard,* según *Oxford Bil.* es, en Venezuela y el Cono Sur, *patineta.*

Ya hemos comentado en otro lugar el caso de **skay**, considerado por algún diccionario (*VOX*) «voz inglesa», pero que en realidad es un nombre comercial, acaso inspirado en el ingl. *sky,* que designa cierto tipo de piel artificial (fr. *skaï;* al. *Skai).* En el *Oxford Bil.* se registran tres grafías «españolas» (*skai, skay* y *eskai*) como marcas registradas y se «traducen» al inglés, 'plastic, imitation leather', pero el reciente (1994) diccionario de Alianza Editorial registra «*scay.* s. m. angl. Materia sintética que imita la piel».

El diccionario *VOX*, sin explicación etimológica, recoge el sustantivo *skett,* error por **skeet** (= *skeet shooting*), con el significado de 'modalidad de tiro al plato... que se cruza ante el tirador desde muy diversas posiciones... etc.'. En inglés se considera palabra de origen desconocido, aparecida a principios de siglo; en francés se documenta hacia 1960 como voz inglesa, con un significado más amplio que en español: «Sport qui consiste à abattre au fusil des plateaux d'argile projetés dans les airs», es decir, el conocido *tiro al plato.* El libro *IEDep.* también recoge, erróneamente, la palabra *skett*: «Es una modalidad de tiro al plato».

Otro de los anglicismos que más se han resistido a un plural etimológico y pronunciable —como *lunches*, *matches* o *sandwiches*— es **sketch** —«m. (pal. ingl.). Sainete, piececilla. Escena corta de teatro o cine»—, cuyo grupo consonántico inicial presenta al hablante español una dificultad más sobre el supuesto plural *sketchs*, que todavía hoy se sigue escribiendo. Cf. «películas de 'sketchs'...», en *ABC*, 19-4-94, pág. 131. A. F. cita ejemplos de los dos plurales *sketchs / sketches* desde 1928. En la actualidad siguen alternando con cierto predominio del plural regular en *-es*. Así en el *DVUA*, con tres ejemplos frente a uno a favor de *sketches.* Es lástima que nuestros diccionarios, que tantas veces ayudan al usuario indicando cuál es el plural recomendable (vide supra, s.v. *sidecar*), lo omitan en este caso.

En el *Peq. Larousse* figura la entrada «**skiff**. m. (pal. ingl.). Esquife». Nada hay que objetar a la equivalencia, si la voz tiene vigencia en el español actual. En cuanto al origen remoto, no son convincentes las etimologías propuestas por el *RHD* (it. *schifo* < alt. al. ant. *scif),* por razones fonéticas; Migliorini propone para *schifo* el origen longobardo *skif*, que es otra grafía del alt. al. ant. citada por Kluge. La voz inglesa correspondiente es *ship,* pero también existe en inglés *skipper,* tomado del neerlandés o del bajo alemán. Todas ellas, como *esquife*, tienen el mismo origen germánico, como *equipo, equipar*.

Uno de los anglicismos más difundidos por las calles madrileñas es el que como 'pintada' de una de las 'tribus urbanas' exhiben las paredes de la ciudad, a veces acompañado de la cruz gamada. El término completo es '**skin-heads**', reducido a '*skins*' (cf. en V. León: «Individuo violento, de ideología fascista, con la cabeza rapada»), traducido en el lenguaje corriente por «los cabezas rapadas». En un reportaje sobre dichas tribus de *ABC*, 10-4-94, págs. 68-69, se usa *skin-heads* 6 veces; *skins*, 5; *cabezas rapadas,* 4, pero también se mencionan dos subtipos: *skin-reds* (no confundir con *red-skins,* que, calcado, da en español 'pieles rojas'), de tendencia comunista, y *skin-sharps*, antirracista. Ignoro si esta muestra de posibilidades es universalmente aceptada o se trata de un intento de aproximación de la reportera. En otra información del mismo diario: «...'skin sharps', grupos de 'skins' de ideología izquierdista», *ABC*, 13-1-94. En cualquier caso, sigue en pie nuestra afirmación de que, de una u otra forma, completo, mutilado o traducido, es uno de los anglicismos más comunes hoy; raro es el día en que la prensa no mencione alguna de sus actividades: «Otra paliza de 'skin heads' a un joven» (*ABC*, 19-11-93, pág. 85); «[...] los skins que mataron al travestí» (en titular); texto: «[...] seis skin-heads acusados de [....]», *El Mundo*, 24-6-94, pág. 29.

Registra el *MEU* el nombre de un ejercicio de piernas llamado **skipping** y sugiere «la posibilidad de usar *brincoteo*». Puede ser un acierto, pero no encuentro base para la definición ni la traducción. Lo más próximo que hallo en los diccionarios, incluido el *NShOED* (1993), es *skip(ping) rope*, variante de *jump rope* '(juego de la) comba'. El ejercicio en cuestión lo describe el *MEU* como «consistente en la elevación de las rodillas hasta la cadera, con alta frecuencia y poco desplazamiento». Sin verlo practicado, no me atrevo a confirmar la exactitud de la descripción, que coincide con la del libro de la misma Agencia Efe *IEDep.*, el cual añade: «No tiene traducción; si se usa, es voz que debe ir entrecomillada o en cursiva».

Parece ser que en el juego del bridge se usa, alternando con 'bola' y 'capote', la onomatopeya inglesa **slam**, que también significa 'portazo, golpe violento'. Pero donde el término, en la combinación *grand slam*, se usa hoy más en España es en el tenis y el golf, hecho que parecen desconocer algunos diccionarios ingleses (el *Oxford Bil.* en su primera edición omite la palabra *slam*. El libro *IEDep.*, en la entrada *Grand slam* dice que «puede ser sustituido por suma de grandes pruebas». En 1994, año de grandes triunfos para los tenistas españoles, en especial las mujeres, se ha acariciado la idea de un *grand slam* para alguno de ellos. En la publicación mensual *Canal + Revista,* nov. 1994, pág. 18, se anuncia que dicho canal «retransmite en directo, desde Hawai, la Copa del Grand Slam».

El derivado *slammer*, nombre de agente de *to slam*, equivale, en el mismo registro de la voz inglesa, al español '*chirona, trena, talego*'. La grafía *slamer* y el significado 'establecimiento donde se golpean fuertemente las bebidas contra la mesa', que recoge el *DVUA*, son a mi juicio erróneos.

En algunos diccionarios españoles figura la voz **slang**, traducida como 'jerga' (*Peq. Espasa)* o 'jerga del inglés' (*Peq. Larousse*). No hay duda de que se usa, y Alfaro dedica al término una larga parrafada, como si fuera un peligro su difusión en español, pero creo que siempre se usa referida a la modalidad de inglés familiar o coloquial así llamada.

A. Fernández cita un texto de Eugenio Blasco (de 1909) para documentar el primer uso de **sleeping-car** en España, pero de la forma *sleeping* recoge también una cita de 1905 («coches con *sleeping* y vagón restaurante»). Yo, antes que estas dos, he anotado otra, de 1903, en carta de Joaquina de la Pezuela a Menéndez Pelayo (*Epistolario,* XVII, pág. 32): «el calor ha sido atroz y en el sleepincar hace todavía más (sic)». C. J. Cela lo usa para rechazar la voz *single* (véase s.v.): «En los departamentos individuales del 'sleeping'...», *El bonito crimen...*, pág. 81.

El académico Ycaza registra entre los «anglicismos de uso corriente en Nicaragua» la voz **slide** 'placa, transparencia, en fotografía', llamada en España *diapositiva* y rara vez con el nombre inglés; pero en el *IEDep.* se incluye, en el vocabulario del béisbol, la traducción 'deslizamiento' para el mismo anglicismo, uso que Ycaza parece desconocer, pese a ofrecernos en su artículo un buen muestrario de voces de dicho deporte.

No es muy convincente la explicación que ofrece Corominas de *eslinga* (< ingl. **sling**): «los romances hispánicos tomaron el vocablo del francés [*élingue*] cuando ya la *s* no se pronunciaba, aunque parcialmente la restablecieran, gracias al sentimiento de las correspondencias» [¿...?]. Extraño es que en francés aparezca *élingue* en 1687 y *eslinga* esté documentado exactamente un siglo antes en español (1587) y luego recogido en el *Dicc. Autoridades*. Acaso fuera más sensato acudir al portugués, donde también existe *eslinga.*

El *DMILE* recoge, sin intentar la adaptación, el anglicismo **slip** 'pieza interior masculina...' en dos acepciones (la 2.ª 'bañador...').

Esta definición la reproduce *VOX*, s.v. *eslip,* a la que la grafía inglesa nos remite. *Peq. Espasa* y *Peq. Larousse* sólo admiten la forma *slip*, que, según el segundo, significa también 'bragas'. M. Sousa traduce 'calzón, calzoncillos'.

Ha penetrado en México, según Lope Blanch (*art. cit.*), como «anglicismo esporádico, el sustantivo *eslípers* (ingl. **slippers)** que alterna con zapatillas, pantuflas, chancletas y otras». El hecho de que aparezca hispanizado revela cierto grado de adaptación.

En mi primer artículo sobre el anglicismo (Madrid, 1955) justificaba el uso de **slogan**, aparte de proponer su aclimatación como *eslogan*, argumentando que su aparente equivalencia, *consigna*, no era lo mismo. Hoy figura en el diccionario académico con la definición de «Fórmula breve y original, utilizada para publicidad, propaganda política, etc.». Como el joven periodismo consulta ya los diccionarios, a veces se añade que no es voz inglesa sino gaélica de Escocia e incluso escandinava. (¿Mala interpretación de Scot. gael.?)

La voz **sloop** (pal. ingl. pr. *slup*) sólo la encuentro admitida en el *Peq. Larousse* como 'barco de cabotaje provisto de un solo palo'. Me parece término marítimo de uso restringido. El *DVUA* trae un ejemplo de uso deportivo, referido a una regata.

Durante varios decenios, a partir del filo del siglo, convivieron *fashionable* y **smart** en el papel que hoy desempeñan el/la *jet set,* la *cafe society* o, con matices, la 'gente guapa' o *beautiful people.* También entraba en competencia el galicismo *chic*, con el que *smart* aparece emparejado en los ejemplos recogidos por A. Fernández de *smart* desde 1900 *(fashionable* es bastante anterior, lo tengo anotado en Valera en 1847). Baroja, en *La ciudad de la niebla* (1901), usa la combinación *smart set*, traduciendo 'la gente de buen tono'. En la actualidad, como queda dicho, el término tiene varios herederos. Durante la guerra del Viet-Nam la prensa española utilizó el neologismo *bombas inteligentes* para traducir *smart bombs,* bombas teledirigidas desde el aire, empleadas en la contienda.

En la jerga del tenis suele usarse la voz **smash** para designar un golpe fuerte de arriba abajo de difícil réplica, que figura en algunos diccionarios, como el *Peq. Larousse*: «(pal. inglesa). Mate (tenis)». También recoge un ejemplo el *DVUA* que atenúa el significado de 'mate': «la alemana sólo tenía que efectuar un *smash* a placer a dos metros de la red que, para sorpresa de todo el mundo, Capriati [su adversaria]... devolvió, ganando el punto».

Admitido en el *DMILE*, el término **smithsonita** 'carbonato de cinc hidratado...', sin indicar pronunciación, me parece un cultismo de vigencia limitada, sólo recogido por el *Diccionario Manual* y por *VOX*.

El acrónimo o cruce léxico **smog** (< *smoke* 'humo' + *fog* 'niebla') se ha generalizado en el mundo hispanohablante y figura en el *DMILE* y otros diccionarios. El *DMILE* explica: «(voz inglesa). Niebla baja con hollines, humos y polvos en suspensión que cubre grandes extensiones por encima de las urbes industriales». M. Sousa lo condensa en 'niebla tóxica' y así lo recoge el *Oxford Bil.* al «traducir» ingl. *smog* = esp. 'smog, niebla tóxica'.

Smoking es voz que hemos comentado repetidas veces desde 1955. La hispanización total en *esmoquin* parece triunfar en España. En partes de América he anotado el equivalente americano *tuxedo*, p. ej. en la prensa de Puerto Rico y Miami. En alguna traducción descuidada del inglés tengo anotado el calco *chaqueta de cena* (ingl. brit. *dinner jacket*).

Es frecuente ver hoy en establecimientos públicos españoles la voz **snack** 'tentempié, bocadillo' o la denominación **snack bar**, hoy recogida, p. ej., en el *Peq. Larousse* ('especie de cafetería'), *DMILE* y *VOX* ('establecimiento que posee bar y restaurante, donde se sirven platos rápidos'). Ignoro la difusión del término propuesto por M. Sousa 'bar de tapas', que me parece acertado.

En la última edición del diccionario académico se han incluido los anglicismos *esnifada* y *esnifar* (< ingl. *to* **sniff**, aspirar por la nariz), en el *LEPaís* (2.ª edic., 1980), *snifada* («No debe emplearse»), pertenecientes al lenguaje de la droga, suficientemente difundidos y documentados en el mundo español actual, entre otros, en el diccionario *VOX* y el de Víctor León, pero antes en el *DMILE* (1989).

En el *DRAE*'70 se incluye la voz *esnobismo*: «(Del ingl. **snob**, 'esclavo de la moda'). Exagerada admiración por todo lo que es de moda». La edición de 1984 repite la definición, que el *DMILE* mantiene con cambio de verbo *(está* en vez de *es),* añadiendo dos entradas: *esnob* «(Del ingl. *snob*) 'que tiene esnobismo'» y *esnobista* «'...que sigue el esnobismo'»; la primera ha sido recogida en el *DRAE*'92 con el significado más preciso de «persona que imita con afectación las maneras, opiniones, etc., de aquellos a quienes considera distinguidos». Excluye *esnobista*, recogido también por M. Seco, que remite a *esnob*, tal vez por desusado, aunque todavía lo recomienda el *LRVang.*: «Limite [...] el uso de esta palabra [esnob] a las personas. Al referirse a cosas, use 'esnobista'. Por ejemplo, 'una ideología esnobista' [...]».

Ha sido un acierto suprimir de la etimología académica el presunto significado inglés, que es uno de tantos, sustituyéndolo por el actual. No voy a revisar la etimología, pues ya le dediqué un largo artículo (el 3-2-1987 en *ABC*, pág. 3) que resumo, descartando, por infundada, la etimología aireada por los alemanes, Marouzeau y Ortega de *sine nobilitate* (> *s. nob.* > *snob),* y proponiendo la hoy admitida de *snob* 'aprendiz de zapatero > zapatero remendón > persona de baja condición que pretende imitar a los que cree superiores'. Refuerza el sentido despectivo el fonostema *sn-*, presente en muchas voces inglesas de matiz peyorativo (cf. la entrada anterior y en diccionarios las voces *snag* 'inconveniente', *snail's pace* 'paso de tortuga', *snake* 'víbora', *snap* 'chasquido', *snare* 'trampa', *snarl* 'gruñir', *snatch* 'arrebatar', *sneaky* 'taimado', *sneer* 'despectivo', *sneeze* 'estornudar', *snide* 'insidioso', etc., con contadas excepciones como *snack*, *snow*, *snug* y alguna otra).

Aún falta en los diccionarios bilingües más recientes el término **snowboard**, documentado por el *DVUA* y explicado como «modalidad de esquí que se practica con una sola tabla». Figura, sí, en el *NShOED* como variante del *skateboard* o monopatín sobre ruedas, mencionado más arriba.

En un glosario de anglicismos televisivos de *El País semanal* (24-4-94) se explica el término inglés **soap operas** (lit. 'óperas jabonosas') como «Teleseries, generalmente de amor y lujo, tipo *Dallas*, *Falcon Crest* y *Dinastía*, de gran éxito hace un lustro [...]».

La celebración de los últimos campeonatos de fútbol del mundo en los Estados Unidos, que implicaba el uso de un término que en aquel país designa un deporte en que los pies sólo sirven para correr, hizo aparecer repetidamente en la prensa española la alternativa **soccer** (explicada en diccionarios como forma abreviada de [*foot-ball Association*]), que supongo moda pasajera. Alfaro, en su día, razonaba: «Adoptado el deporte, debemos también adoptar su nombre». Siendo panameño, parece ser que no se daba cuenta de la popularidad del fútbol y de su nombre, hoy excluyente de cualquier alternativa.

Socket. Vide infra s.v. *soquete.*

No sólo la **soda** del famoso *whisky and soda*, sino el nombre del metal llamado **sodio**, se deben a influencia del inglés; *soda* es italianismo en el significado de 'sosa', tomado a su vez del árabe, pero como nombre del agua mezclada con el *whisky* (ingl. *soda-water*) es calco semántico del inglés. En cuanto a *sodio* (lat. cient. *sodium* < it.

soda), es una creación de H. Davy, de 1807, como *potasio*, lle[illegible] acaso a través del francés, donde se documenta al año siguiente. Sobre el posible origen español de *soda*, vide supra, pág. 75.

En algunos países hispánicos se practica, con el mismo nombre, el deporte conocido en inglés como *soft-ball*, traducido, «*softball*, especie de béisbol que se juega con pelota blanda» (*Oxford Bil.*). Rosenblat lo anota como novedad en Venezuela en 1969: «Me parece que son nuevos entre nosotros el *voley-ball* y el *soft-ball*» (IV, pág. 144). Pero el caso es que, aunque no muy practicado en España, es un deporte oficialmente reconocido, con una «Real Federación española de béisbol y sofbol». **Sofbol** (sic), pues, sería la adaptación aconsejable.

El mismo diccionario *DVUA* registra un uso del compuesto **soft-laser**, tan raro que no lo incluyen ni el *NShOED* ni *RHD*. Se explica como 'láser de potencia muy reducida'.

Casi todos los diccionarios españoles, menos los académicos, han admitido en su inventario un neologismo, **software**, hoy de uso casi universal. Característico del mundo de la Informática y sin que se haya encontrado para él equivalente satisfactorio, vive pujante en la lengua escrita con intentos de adaptación fonética variables. En *VOX* /softuor/, en Aguado (1993) /sofguar/. El *Peq. Espasa* y el *Peq. Larousse*, cautamente, no recomiendan pronunciación aceptada.

Entre las traducciones barajadas, sin que ninguna se imponga, tenemos «conjunto de programas de ordenador... Sinón. *logicial*» (*VOX*), «serie de datos...» (*Peq. Espasa*), «soporte lógico (programa informático)» (M. de Sousa), etc. También se ha propuesto, por influjo del francés, *quincallería*, que no tiene seguidores por razones obvias. El *DVUA* registra un ejemplo insólito de *logicial* 'software', pero este diccionario y *VOX* los coordina la misma persona. En una traducción del inglés (*Time*, 28-11-94, pág. 44), *El País Negocios* (4-

12-94, pág. 16) traduce *hardware* por *equipo físico* y *software* por *programas*. Se usa también como plural, «nuestros *software*», *El País*, 5-2-95, pág. 43.

Figura en el diccionario académico, sin indicación de origen, el anglicismo **sonar**, acrónimo resultante de la contracción del término *sound navigation and ranging.*

En el reciente diccionario bilingüe de Oxford aparecen en la entrada **soquete** tres acepciones distintas: 1. *Cono Sur* (Indum.). Ankle sock (calcetín corto); 2. *Chile.* (Elec.). Lampholder, socket; 3. *Col. R. Pl.* fam. fool, idiot (tonto).

La segunda, como revela la traducción inglesa, *socket*, es un anglicismo para 'enchufe, portalámparas', ya calificado por Alfaro, en sus formas *sóquet*, *soquete*, como pochismo y definido como 'sección hembra de un enchufe'. En Rosenblat (IV, 1969, pág.139) encontramos la pronunciación esdrújula *sócate*. Según Lope Blanch, *socket* figura entre los anglicismos de uso general en México. La primera es un galicismo, registrado por el *DRAE* como vigente en el Cono Sur, pero censurada también por Alfaro en su forma *socks*, 'calcetines, medias cortas', *s.v. Anglomanía*; la tercera es pronunciación de *zoquete* con seseo. Lo mismo podían figurar **sapato*, **sorro* o **seremonia.*

Después de analizar las distintas etimologías propuestas para explicar el vocablo **sorche**, que figura en el *DRAE* ya en 1947 (acaso antes) como sinónimo de recluta 'soldado muy bisoño', Corominas concluye que «Es evidente que se trata de un préstamo del ingl. *soldier* 'soldado', que pudo producirse en cualquiera de las guerras en que tropas inglesas estuvieron en la Península, quizá en la de Sucesión, o más bien en las napoleónicas». Creo que esta tesis puede reforzarse con la que explica la introducción del vocablo *gringo* (vide supra, pág. 229) postulada por Soldevila.

No estoy de acuerdo con la grafía adoptada, por mi experiencia militar, que coincide con el primer testimonio recogido por Corominas: **sorchi**, así en Baráibar, 1903, 'soldado raso o sin graduación'. Esta variante ortográfica fue propuesta al pleno de la Academia y aprobada. En el dicc. de V. León figuran las dos formas pero *sorche* remite a *sorchi.*

Aunque ya comentamos en otro lugar la aparición de la voz **soul** como variedad de música, hay que añadir que este préstamo ya tuvo entrada en el *DMILE,* en *VOX* y en los diccionarios bilingües. El *DVUA* recoge cuatro ejemplos de su uso periodístico (1989-93) y define el término como «Música surgida en los cantos populares religiosos [...] de negros norteamericanos...». En nuestras notas tenemos ejemplos desde antes, cuando había que explicar el término: «M. J. retorna al 'soul', a la 'música del alma negra'...», *Domingos de ABC,* 10-6-84, pág. 19.

La **soya**, ortografía hispanoamericana de la *soja*, registrada en el *DRAE*, que remite a *soja*, es, como queda dicho más arriba, un anglicismo, o si se quiere, un niponismo llegado a través del inglés.

Sobre el vocablo **spanglish**, de clara vestimenta inglesa, ausente en los diccionarios, unas palabras: en la obra póstuma del sabio puertorriqueño Salvador Tió *Lengua Mayor*, su prologuista Manuel Alvar afirma (pág. *xiii)* que el autor «inventó un término afortunado, *espanglish*, afortunado por cuanto se difundió y porque ahora nos ha traído un ejemplo exterior, el *franglais*». El propio autor, en otro artículo del mismo libro, sin fecha, advierte que «corremos grave peligro de desembocar en un patois, en un créole, que hace más de treinta años bauticé con una palabra que se ha popularizado en todas partes: el espanglish...» *(ibid.*, pág. 157). Faltan datos cronológicos precisos para confirmar esta afirmación, mas por referencias internas —año bisiesto, hace veinte años, veinte años después— se infiere que debió de ser en 1972, es decir, ocho años después de que Étiemble publicara su famoso *Parlez-vous franglais?*

Entre los amantes del mundo canino es término conocido el hispanismo inglés (tomado del francés, y éste, a su vez, del provenzal) **spaniel** (= español), que suele figurar en nuestros diccionarios, a veces con mención de alguna de sus variedades, como el *cocker spaniel* o el *springer spaniel.*

Las bujías de un automóvil se llaman en inglés **spark(ing) plugs**, voz que, según Quilis (*art. cit.*), se hispaniza en Puerto Rico en la forma *espares.*

A. Fernández registra en 1934 un uso, probablemente no el primero, de la voz **sparring** 'entrenador del púgil', otro adjetivo en *-ing* que perdió el sustantivo *(sparring partner*). La fecha coincide con el auge de la afición al boxeo, pero todavía hoy se usa y el *DMILE* ha acogido el término, con corchete. El *DVUA* incluye un ejemplo de 1991. También hemos anotado la palabra en *El Mundo*: «[...] esta vez Poli Díaz eligió un sparring más accesible...» (19-8-94, pág. 62). Otro ejemplo (uso figurado) del mismo diario: «Los reporteros son sus esparrings para luego boxear» (8-5-94, pág. 96). También figurado: «La selección [de fútbol] va a tener un buen *sparring* para... el encuentro contra Bélgica...», *ABC*, 22-2-95, pág. 75. En el *Oxford Bil.* anoto la forma semihispanizada *esparring.* El *MEU* va más lejos: «Castellanizable como *esparrin(g)*».

Es extraño que Alfaro sólo condene el uso de **speaker** en cuanto 'presidente de la Cámara Baja en el Reino Unido y en Estados Unidos', pues la misma palabra, en la acepción francesa de 'locutor de radio' tuvo gran difusión, sobre todo en España. En A. F. tenemos citas desde 1926, con grafías y deformaciones varias, tales como *spiker*, *esplique*, *espolique* y un femenino, *spikerina*, en 1936, que debemos interpretar no como reflejo del sufijo femenino alemán *-in* (cf. *Zarina*), sino como otro galicismo más (cf. *Robert Angl.*, fr. *speakerine*, *telespeakerine*). El ejemplo de Besteiro, presidente del Congreso, s.v. *récord*, parece fiel reflejo del uso inglés. Este préstamo está documentado también en la América hispánica: el diccionario *Oxford Bil.* la registra con la grafía *espíquer* (*m.* y *f.*) traducido al inglés como 'commentator' y localizado en Uruguay, donde también lo registra Kühl, s.v. «*speaker.* Locutor de radio. Pronunciación: espíker».

Otro derivado del mismo verbo inglés, el sustantivo **speech**, suele usarse en español en tono festivo o irónico, ya como *espich* 'perorata' (V. León), ya como *espiche* 'discurso, arenga' (*VOX*), pero también en su forma inglesa. El *Peq. Espasa* lo incluye con la grafía inglesa y define «discurso corto». El primer testimonio del uso de este anglicismo es de Valera, carta de San Petersburgo, 30-3-1857: «Hubo café y licores. [...] y con el ponche varios interesantes *speeches*...» (*Ob. Compl.*, I, pág. 1602). Delibes (*Diario Jubil.*): «Don Perfecto, que es un tipo ocurrente, lanzó el espiche y pasó la bandeja» (pág. 114).

El anglicismo **speed** 'velocidad, rapidez' parece que se ha adaptado al español en la forma *espid*, definido en el *Dicc. argot*, de V. León, así: «m. (dro.). Efectos estimulantes producidos por las anfetaminas o fármacos similares. Por ext., actividad, dinamismo. *Espid bol* (dro.). Mezcla de cocaína y heroína». Pero ya en la 2.ª edic. (1980) del *LEPaís* se recomienda que «en caso de referirse a la droga, tradúzcase siempre por 'anfetamina'». Sin embargo, 13 años después leemos en *El País Domingo*: «fabricantes de éxtasis y *speed* —dos de las llamadas drogas de diseño—» (5-9-93, pág. 10).

Hay también un derivado adjetivo: «*espitoso, sa* [sic] (dro.). Que produce efectos estimulantes. Activo, dinámico» (V. León).

En el vocabulario del automóvil registraba A. Quilis (*art. cit.*) dos etimologías populares para **speedometer** 'velocímetro', aparte de la adaptación correcta *espidómetro* citada por Alfaro: *aspirómetro* (Colombia) y *espirómetro* (P. Rico). Un ejemplo de Guatemala, anuncio de *Prensa Libre*, 28-3-90: «cable de aspirómetro, 1 quetzal».

La voz **spin** figura en algunos diccionarios con significado variable. *VOX* explica: «m. *Fís.* y *Quím.* Momento angular intrínseco de una partícula o grupo de partículas». No parece lo mismo que la acepción científica que registra Pedro Laín en nota 15 del cap. I, «Sobre la materia», de su libro *Cuerpo y alma*, Espasa Calpe, Madrid, 1991, pág. 69: «Los físicos dan el nombre de 'espín' al momento cinético de una partícula que gira sobre sí misma. En inglés, *spin* significa giro».

Pero además, en el terreno deportivo se usa *spin* en el lanzamiento de bolas o pelotas en el sentido del español 'efecto', que es como recomienda traducirlo el libro *IEDep.* referido al tenis de mesa. En la América hispana 'lanzar la pelota con efecto' corresponde a 'darle chanfle a la pelota'.

Los aficionados a los deportes de vela saben perfectamente lo que es la voz **spinnaker**, gran vela triangular delantera que se usa para aumentar la velocidad de la embarcación. No conozco sustitutos españoles del término. El *Collins Bil.* lo hispaniza en *espinaquer*; el *Oxford Bil.* «traduce» *spinnaker.*

No debe considerarse calco y sí préstamo el uso sustantivo de **spiritual** para designar un tipo de canto religioso creado y difundido entre los negros de los Estados Unidos. No he hecho estadísticas de su uso en español, pero creo que domina la forma inglesa. Así lo recoge Alfaro, que explica en pormenor en qué consiste y opina que con ese significado el término es intraducible.

Durante varios meses fue popular en España un programa satírico británico titulado **Spitting Image**, es decir, literalmente, 'imagen que escupe' o, más libremente, 'el vivo retrato, la viva imagen'. Esta entrada podría ir al capítulo de calcos plurimembres, pero no veo tal calco, que podría buscarse, sin ir más lejos, en el *DRAE*, s.v. *escupido*, o en M.ª Moliner, s.v. *escupitajo.* La cuestión es que este uso, que el *OED* trata de explicar como variante de *splitting* 'escindir', lo comparte el inglés con el español, el catalán, el italiano, s.v. *sputato*: «Guardalo, è il suo babbo nato e sputato» (Migliorini) y también el francés: *c'est lui tout craché*. No veo claro qué entiende el redactor que se refiere a «Roger Law, el creador de los *Spitting Image*», *El Siglo*, 26-7-93, pág. 67.

Aunque el español dispone de varios vocablos derivados del griego para designar lo relativo al bazo: *esplénico*, *esplenoctomía*, *esplenitis*, hace más de un siglo que la forma hispanizada *esplín* (< ingl. *spleen*, del mismo origen griego) está documentada en España; según Corominas (s.v. *esplénico*), desde principios del s. XIX, sin mayor precisión (yo la tengo anotada en Larra —«Hase apoderado hoy la murria de nosotros [...] ¿Será el famoso spleen?» (*P. Habl.*, carta 9.ª, 1832)— y en la Academia desde 1843, con el significado de 'humor tétrico'). Pero el sabio catalán desconocía, al decirlo, la cita de Iriarte (1750-1791) que nos ofrece M. Seco, s.v. *esplín*, y me permito copiar aquí: «*Es el esplín, señora, una dolencia, / que de Inglaterra dicen que nos vino*». En las citas de A. F. con la grafía inglesa **spleen** se equipara a melancolía y se combina con significativa adjetivación: visionario, avasallante, británico. También se califica de «enfermedad nacional de los ingleses». El diccionario *VOX*, que recoge, como casi todos, la voz *esplín*, da como plural *esplines*.

El *DVUA* registra un ejemplo de la voz **splitting**, tomado de *El País* y explicado por el mismo diario en paréntesis como «sistema que consiste en sumar las rentas del matrimonio, dividir por dos, aplicar la tarifa y volver a multiplicar por dos», definición aceptada por el citado diccionario.

Hace años el término **spoiler** era conocido solamente en la jerga de la aviación para designar el alerón móvil que ayuda, por su resistencia al aire, a frenar el avión. El mismo tipo de función, para mejorar la adherencia del automóvil, es la que tienen hoy los *spoilers* delanteros o traseros de ciertos modelos de coches. El *DVUA* recoge cuatro ejemplos de este uso, todos referidos al automóvil, tomados de otras tantas publicaciones periódicas. En la numerosa comunidad hispánica de la Florida, el término inglés es de uso general, pero también lo tenemos anotado en Venezuela y en la Argentina («'spoilers' de misil», *La Nación*, 12-2-92).

Pese a las repetidas críticas contra su uso, el sustantivo **sponsor** (pl. *sponsors*) y sus derivados llevan camino de quedarse, previamente adaptados a la fonética del español en las grafías *espónsor*, *esponsorizar*, *esponsorizador*, *esponsorización*, etc. (todas registradas en el *DVUA*), que considero formaciones más o menos autóctonas. Adaptación popular poco extendida considero la forma del ejemplo siguiente: «este año se encuentra sin *esponso* (patrocinador)», *YA Domin.*, 28-3-82, pág. 21. La serie *patrocinio* (ingl. *sponsorship)*, *patrocinador*, *patrocinar*, etc., responde perfectamente a las exigencias de la serie inglesa, pero choca con la rutina, por un lado, y la inclinación a lo exótico, por otro. Se alzan voces contra estos usos: «el patrocinio ('esponsorización' dicen los cursis, los publis y los yupis)», J. Campmany, *ABC*, 26-5-94, pág. 27.

Debemos al benemérito Dr. Antonio Fernández, tantas veces citado en estas páginas, un extenso artículo publicado en la revista *Filología Moderna*, núm. 40-41 (1970-71), págs. 93-110, con el título de «**Sport** y deporte, compuestos y derivados», a modo de anticipo de su tesis, leída en 1969, entonces inédita. De los datos recogidos por A. F. en dicho artículo resulta: que en España la voz *sport* aparece por primera vez en 1873. A. F. añade que en francés se documenta 2 años antes, pero se trata de un error, pues según el *Robert. Angl.* es en 1828. Tanto en español como en francés las primeras citas se refieren a deportes hípicos.

También en ambas lenguas deudoras aparecen muy pronto los compuestos *sport(s)man*, *sport(s)woman*: el primero, en francés, en

1823, es decir, antes que la voz *sport;* el segundo en 1875 en Francia y, en España, en 1902. Como ya comentamos en su día (1955), la idea de que *men* era el plural tardó en afianzarse y sospecho que más de uno escribe hoy los *sportsmans* o las *sportswomans*, sin contar los casos de supresión de la *s* de enlace. Como prueba de la confusión ortográfica provocada por estos dos compuestos, reproducimos la lista ofrecida por A. Fernández (*art. cit.*, págs. 97-8): *sportsmen*, 1866; *sportmann*, 1887; *sportsman*, 1891; *sportmen*, 1891; *sportmens*, 1892; *espormen*, 1892; *sportmans*, 1894; *sportman*, 1902; *sportments*, 1907; *sporman*, 1908; *sportmant*, 1913; *sportsmant*, 1918; *sportsmants*, 1918. Para la deportista no hay tanta variedad: *sportwomen*, 1902; *sportwooman*, 1907; *sportswomen*, 1907; *sportswoman*, 1910; *sportwoman*, 1910; *sportivoman*, 1925.

El adjetivo correspondiente, *sportivo*, *esportivo*, adaptado del inglés *sportive*, aparece en 1895, y está bien documentado hasta ir cediendo el puesto, desde 1918, a *deportivo.* Pero *esportivo*, en América, según Alfaro, es todavía «común en los países de la cuenca del Caribe», si bien «Esportivo no vale por deportivo. Se usa generalmente aquel vocablo para designar a la persona que viste con la elegancia llamativa e informal de los deportistas, y también en el sentido de hombre espléndido, obsequioso, dadivoso, rumboso [...]. También [...] con menos frecuencia [...] hombre equitativo, amante del juego limpio, dispuesto a reconocer la victoria del adversario...». No estoy de acuerdo con el lexicógrafo panameño en considerar estas matizaciones como propias de un «anglicismo innecesario y mal formado [que] pertenece solamente al lenguaje vulgar». El uso de *sportivo* en nombre de equipos en Paraguay parece sinónimo de deportivo: Sportivo Torín, Sportivo J. Domingo Ocampos, Sportivo Iteño, Sportivo Liqueño, *ABC Color*, 24-7-94, págs. 74 y 77.

Las otras adaptaciones de *sport* y derivados, en el sentido moderno de 'deporte', al español las rastrea también A. F.: *deporte* en 1894, *deportista* en 1910 y *deportivo*, en su forma femenina, en 1918.

Ya hemos comentado desde 1955 que *deporte*, pese a haber triunfado en casi todos los terrenos en que interviene el afán de competir o de vencer, no ha desplazado a *sport* (o *espor*) en otros contextos: *traje de sport*, *coche de sport*, etc. Un traje de sport no es un traje de deporte. Lope Blanch recoge en México las combinaciones *saco sport*, «en conflicto con *chamarra*»; además de «*traje sport*, *vestido sport*, donde era mayor la presión de *traje deportivo* y de *ropa* o *traje de deporte*». Confirma este uso, fuera de México, Luis Flórez (1967): «Se usa mucho en Colombia —y en casi todo el mundo de habla española— con relación a prendas de vestir: camisa sport, sacos sport, pantalones sport, ropa de sport [...]». También el *Peq. Larousse*, que cita los usos *chaqueta*, *zapatos de sport*, señala su carácter especial, «prenda de vestir cómoda y sencilla». Todo ello prueba que la recomendación del *MEU*: «*Sport*. Mejor 'deporte'», no puede ser tan absoluta, sobre todo en vista de las diferencias observadas por Alfaro (vide supra) entre *esportivo* y *deportivo*. Por otra parte, basta consultar el diccionario de M.ª Moliner, que recomienda el mismo manual, para comprobar que *sport* y *deporte* no son intercambiables. Sobre la interpretación que hace este manual de estilo del término *sport wear* (sic), cf. *Oxford Bil.* s.v. *sportswear* «ropa de deporte, ropa de sport» y aquí, pág. 59. El *LEPaís* recomienda usar la cursiva, y sólo cuando se refiera a la vestimenta. Gregorio Salvador no necesita la cursiva y hace su propia adaptación a la fonética española: «una chaqueta espor» (1994, pág. 12).

A. Fernández concluye el artículo mencionado más arriba con la cita de un híbrido que le había salido a *deporte*: «Un humilde servidor de ustedes, por ejemplo, es todo un *deportman* tranviario» *(art. cit.*, pág. 110).

La voz inglesa **spot**, de gran polisemia en inglés, ha llegado al español por distintos conductos y con varias acepciones. El *DMILE* ha admitido dos: «Proyector pequeño con efectos especiales. Película de corta duración y en general de carácter publicitario». La primera la tengo anotada en ese diccionario, en el de Kühl y en el *Oxford Bil.*; parece una forma abreviada de *spotlight* (de hecho así se «traduce», *spotlight*, en el citado lexicón inglés). La definición de Kühl es precisa: «Lámpara pequeña de iluminación de gran potencia, con una pantalla cerrada y dirigible que se emplea, p. ej., para iluminar objetos en una exposición». La definición segunda requeriría actualización: hoy nadie llamaría películas, aunque se trate de cintas grabadas, a la sucesión de espacios publicitarios con que la TV trata de influir en los posibles compradores de un producto. El *Peq. Espasa* define *spot* como «espacio publicitario en televisión y cine», mientras que *VOX* lo reduce a «espacio publicitario televisivo», definición que se repite en el *DVUA*, ilustrada con abundantes ejemplos y con un añadido insólito: «lugar apropiado para filmar un espacio publicitario televisivo», pero la cita que ilustra esta acepción no implica ni cine ni publicidad, sino solamente el uso de *spot* en su sentido corriente de 'sitio, lugar' o, en la jerga cinematográfica, *location*.

En el mundo del comercio se usa *spot* con valor adjetivo para indicar precios actuales o pagos al contado, pero también cuando se oponen precios del momento a previsiones futuras. He aquí un ejemplo: «La forma más sencilla para [...] cuantificar las expectativas [...] es acudiendo al mercado de futuros Mibor [cf. s.v., pág. 66] y comparando los [futuros] con el tipo actual o *spot* del mercado interbancario (Supl. *Negocios* de *El País*, 9-10-94, pág. 18). Con estos significados comerciales el *MEU* recoge *spot market* («Tradúzcase por mercado al contado») y *spot price* («precio al contado»).

Como calco del ingl. *blind spot* 'escotoma, punto ciego', cf. pág. 605, s.v. *puntos ciegos*.

También ha tenido acceso en el *Diccionario Manual* de la Academia el anglicismo **spray** 'envase de algunos líquidos mezclados con un gas a presión [...]', también recogido en el *Peq. Espasa*, que remite a la forma hispanizada *espréi*, y en *VOX*. El *DVUA* nos ofrece cuatro ejemplos de la prensa periódica con la grafía inglesa. Conocidos los efectos de ciertos «sprays» en relación con la capa de ozono de la atmósfera, se habla de otros, descritos como «amigos del ozono» (ozone friendly?), en *ABC*, 24-2-92, pág. 86.

Kühl registra en Uruguay una acepción, posible en España, en función del uso y referida no al continente, sino al contenido: «Líquido que se aplica en el pelo, mediante un pulverizador, para fijar el peinado», que la autora equipara, en España, a *laca* y *fijador*. Pronunciación: esprái.

Spring, en su significado de 'muelle, resorte', aparece adaptado al español de Panamá, según la encuesta de A. Quilis, en la forma *esprines.* Siendo panameño el Sr. Alfaro, no ha escapado este hecho a su atención, aunque no limita el uso al mundo del automóvil, sino también a los colchones de muelles, que él llama *de resorte espiral.* Se deduce de su comentario que *esprín* no es privativo de Panamá, sino que se extiende a la región del Caribe.

Aunque no ha sido admitido por la Academia más que en su antesala —el *DMILE*—, el anglicismo **sprint** y sus derivados más o menos adaptados a nuestra fonética —esprin(t), (e)sprinter, (e)sprintar, sprintadas, esprintador, etc.— aparecen con frecuencia desigual en diccionarios y prensa periódica. A falta del respaldo académico total, las formas dominantes son las que respetan la grafía inglesa, es decir, *sprint*, *sprinter*. El *DVUA* registra, entre una y otra forma, diez citas y remite, además, a otras siete, todas sin hispanizar. No documenta ninguna con las variantes *esprin(t)*, *esprintar*.

Los primeros usos recogidos por A. F. se refieren a la hípica y al ciclismo. Hoy se utiliza principalmente en carreras ciclistas.

Reciente en España, pero bastante generalizado y descrito en algunos diccionarios —no en los académicos—, es el deporte conocido con la voz inglesa **squash** 'aplastar', definido escuetamente por el *Peq. Larousse* como 'deporte que enfrenta a dos jugadores en un frontón cerrado, y que se juega con raquetas parecidas a las del tenis'. El *DVUA* ofrece una explicación más amplia tomada del diccionario *VOX*, dirigido por el mismo autor, e ilustrada con cinco ejemplos de uso reciente.

También reciente, y recogida por algún diccionario (*Peq. Espasa*, por ejemplo), es la aparición del término inglés que designa a los ocupantes ilegales de una vivienda o terreno, los **squatters**. El verbo *to squat* tiene originariamente el significado de 'agacharse, ponerse en cuclillas', luego *squatter*, a fines del s. XVIII, adquiere el de 'pionero o colono que se instala, con derecho o sin él, en tierras desocupadas para adquirir derechos de propiedad'. En este sentido está documentado el término por A. F. ya en 1893. Estos 'ocupantes ilegales', extendida la costumbre, han dado en llamarse *okupas*, y así los nombran en la prensa diaria y han tenido entrada en el diccionario bilingüe de Oxford. El *Collins Bil.* «hispaniza» el vocablo inglés con una tilde: *squátter*. En el *MEU* se recomienda: «Entrecomíllese, añadiendo entre paréntesis su traducción, *ocupantes ilegales de viviendas*. En algunos países se emplea *okupa* o *posesionario*, vocablos no recogidos por el *DRAE*». La solución propuesta no es un modelo de economía expresiva y es acaso el motivo de que triunfen, incluso en periódicos serios, las formas con *k*: En *ABC* de 8-10-93 se habla de 'okupas' que 'okuparon' (2 veces).

Aparte del *DMILE*, del *Peq. Espasa* y del *Peq. Larousse*, el *DVUA* registra cinco citas modernas de la voz **staff** y remite a otras cuatro. Es, pues, un anglicismo frecuente hoy, no mencionado ni por Alfaro ni por A. Fernández en sus respectivos inventarios. He aquí un ejemplo reciente: «...ya ha quedado configurado el nuevo 'staff' directivo de la fábrica de Linares, que a partir... de diciembre afrontará ...la gestión de la empresa...», *El Mundo*, 9-11-94, pág. 69.

Incluye el diccionario *VOX* como anglicismo la voz **stage** 'fase o etapa de preparación de un deportista o equipo, previa a su participación en una competición'. No creo que el uso inglés del término, relacionado con el teatro, o, en sentido general, con la idea de fase de un proceso, justifique esta filiación. Creo, en cambio, que se trata de un galicismo, en el sentido de 'periodo de preparación o perfeccionamiento de una persona con vistas a su actividad profesional posterior'.

El reciente (¿1965?) anglicismo **stagflation**, de difusión, a mi juicio, restringida, lo explica correctamente M. Sousa como amalgama de *stagnation + inflation*, así como su correspondencia española estanflación *(estancamiento + inflación)*. Así lo explica también, sin indicar el uso de la voz inglesa, Lozano Irueste en su *NDBEE*. Figura también en el *LEPaís* con la advertencia «No debe emplearse».

La voz **stand** aparece en fecha temprana en español. Según A. F. «se ve aplicada, regularmente, desde 1895, al deporte hípico», pero el mismo autor nos da un ejemplo de 1862, referente al cultivo de algodón. Hoy aparece en contextos que tienen que ver con ferias, exposiciones o muestras de productos varios, desde automóviles a libros. Es este uso el censurado por Alfaro cuando dice que «en los tiempos que corren se está haciendo de esta palabreja un uso tan frecuente como innecesario» y propone para los distintos usos, según el caso, *instalaciones*, *exhibiciones*, *puestos*, *gradas*, *gradería* e incluso *tendido.* El *MEU* propone además *caseta* o *pabellón.*

Un derivado de *stand*, el verbo *to* **stand by** 'estar listo, estar alerta, estar preparado', lo registra Alfaro, con la grafía *estambai*, que ya hemos mencionado en su sentido marítimo. Pero en la jerga de la aviación comercial se usa el término *stand by* para referirse a la situación del viajero sin reserva que ha de estar preparado por si no se presentase quien sí la tenía.

Sea cual fuere el origen último de la voz inglesa **standard**, hoy admitida en el *DRAE* con la grafía *estándar*, el hecho es que es el mismo que el del galicismo *estandarte*. Ambos tenían el valor de 'signo distintivo, patrón' que todavía conservan. Los primeros ejemplos españoles los documenta A. F. desde 1929, y aparece, alternando con *patrón*, en el sistema monetario internacional cuando el punto de referencia de éste era el valor del oro o la plata, usándose indistintamente *patrón* o *standard oro (plata)*.

Relativamente reciente pero muy difundido en la prensa más o menos publicitaria es el derivado **standing** ('rank or status, esp. with respect to social, economic, or personal position', *RHD*), traducido de varias maneras por nuestros diccionarios: «Nivel de vida; lujo, bienestar social» (*VOX*); «Situación social que se refleja en signos externos» (*Peq. Espasa*); «Tren de vida. Confort, lujo» (*Peq. Larousse);* «Posición, situación, reputación, categoría» (en las acepciones españolas, *Collins Bil.*); «Representación, categoría, nivel» (M. Seco, *Dicc. Dudas*); «Posición, prestigio» (*Oxford Bil.*). Aunque su significado es teóricamente neutro en inglés y admite algún uso peyorativo —*He had little standing*, *a person of low social standing*—, en España tiende a usarse en sentido positivo, como indican las traducciones de algunos de los diccionarios citados. El *DVUA*, compendio de usos recientes, nos ofrece cuatro ejemplos, únicamente en la combinación *alto standing*, que sin duda es la predominante en España.

Aunque en el caso de la voz inglesa **star** ha triunfado el calco y se prefiere *estrella* o *astro*, según el caso, cuando se habla de artistas de cine más o menos famosos, hay un diminutivo con sufijo francés, *starlet*, adaptado a esta lengua con la terminación tradicional *starlette*. Sobre la forma inglesa o la francesa hemos anotado un doble diminutivo formado con ayuda de sufijo italiano, *starlettina*, que esta lengua parece desconocer. Los críticos de cine rememoran épocas pasadas en que las estrellas dominaban la escena, por encima de los directores, evocando o mencionando el *star system* de entonces. *Star system* está recogido en el *Peq. Larousse* y explicado como «sistema de distribución y producción de ciertos espectáculos (cine, etc.) basado en el prestigio de los intérpretes». El *MEU* registra «*Star.* (jugador) *Estrella*, aunque no en todos los países de habla hispana; también clase de embarcación».

La idea de poner en marcha el motor de un automóvil, centrada en el aparato llamado **starter** en inglés, parece invitar al préstamo del término. Así lo recogen el alemán y el francés y algunos países hispanohablantes (*estárter* en Guatemala y Puerto Rico), sin que los demás se hayan puesto de acuerdo en un sustituto de carácter general. De la encuesta de Quilis se deduce que para 'contacto' y 'sistema de puesta en marcha' la comunidad hispanohablante ofrece las siguientes opciones (algunas abarcan los dos conceptos): *contacto*, *suich* (< *switch)*, *suiche*, *la llave*, *encendido*, *estárter*, *arranque*, *botón de arranque*, *chucho*, *llave de puesta en marcha*, *puesta en marcha*, *marcha*, *arrancador* y *automático*. Puerto Rico ha creado además un verbo: *estartear*.

Este uso automovilístico es casi desconocido en España, pero se explica bien *starter* en *VOX* y en el *Peq. Larousse* de 1994. El manual de estilo de la Agencia EFE (*MEU*) registra *start*: «Tradúzcase por *punto de arranque*, *botón de arranque*, etcétera». Acaso no fuera necesario utilizar el verbo traducir, pues ambos significados son desconocidos en inglés. Cabe admitir confusión con *starting point* y con *starter*, respectivamente, pues a continuación hay una entrada *starter*, referida al mundo deportivo ('juez de salida'), donde se recomienda «hispanícese como *estárter* o tradúzcase por *tacos de salida*», complicando aún más las cosas, pues la entrada siguiente es **starting blocks**, que acertadamente se traduce por *tacos de salida*, también incluido en el *Peq. Larousse*, sin proponer equivalente español.

Es sin duda un anglicismo de origen latino la voz **status**, usada con respecto a personas, en significados muy próximos al de *standing*, ya comentada, pero más afortunada que ésta en el trato académico, que registra *status* en el *DMILE*. El *Peq. Larousse*, tan tolerante con los anglicismos (y latinismos; registra *statu quo*), no la incluye. También figura en el *VOX*: «(voz latina, a través del ingl.)», con indicación de plural invariable.

Salvo en el *Peq. Larousse*, no he encontrado en parte alguna el uso del préstamo **stayer** para designar en ciclismo al corredor de medio fondo tras moto. En este sentido no está recogido en los diccionarios ingleses a mi alcance, pero cabe dentro del valor general del sustantivo *stayer*, que abarca a persona, animal o cosa con capacidad superior de resistencia, generalmente aplicado a caballos.

La voz inglesa **steak** 'bistec, filete, churrasco, bife' aparece embebida en las distintas realizaciones ortográficas del popular *beefsteak* o *bistec*, pero Lope Blanch la registra como anglicismo esporádico en México en su adaptación (?) fonética *steik*.

Presenta Alfaro un instructivo comentario al origen y significado del compuesto inglés **steeple chase** 'carrera de obstáculos', documentado ya por A. F. en 1877 en *El Sport Español* de Cádiz y posteriormente «hasta después de 1930». Hoy apenas se usa; sólo, a veces, con motivo de la «steeple chase» por antonomasia, el *Grand National* de Liverpool. Según el *Peq. Larousse*, el término vale para 'carrera de caballos o pedestre en que se franquean toda clase de obstáculos'.

Bueno es que el *MEU* recomiende la traducción de 'carrera de obstáculos' para este término, pero ello no justifica la orden: «*steeple*: Tradúzcase por *obstáculo*». Pues *steeple* no significa 'obstáculo' sino 'torre (de iglesia)'. Otra cosa es que *steeple chase*, por elipsis, se convierta en *steeple*, a secas. Entonces cabe admitir el significado 'carrera de obstáculos', que siento no tener anotado.

Llama Alfaro a la voz **stencil** «anglicismo predilecto de oficinistas más familiarizados con el mimeógrafo que con su propio idioma» y añade que «el equivalente cabal de *stencil* en español es *estarcido*», aunque no le satisface la definición académica y propone otra. La voz figura en el diccionario de Kühl remitida a *esténcil*, que se define como «*obsol.* Hoja de papel especial [para mimeógrafo]». *Oxford Bil.* la localiza en América del Sur, y da como equivalentes en español 'sténcil, matriz, troquel, cliché' y en España *ciclostil* (vide s.v.). Los nuevos sistemas de reprografía están ya arrinconando el aparato y la palabra. No hará falta redefinir el *estarcido* académico, que, sin embargo, aflora en la definición de *stencil* del *Peq. Larousse*: «Papel perforado, estarcido».

No ha incurrido la Academia en el fácil recurso de atribuir al griego el origen del cultismo *estenografía* (fr. *sténographie* < ingl. **stenography**) y sus derivados *estenógrafo*, *estenografiar*, etc. Corominas señala que el *DRAE* de 1884 ya incluye el término. El diccionario *Robert Angl.*, siempre respetuoso con los inventores y creadores del lenguaje, aunque acudan a otras lenguas para designar sus aportaciones, cita la obra de Samuel Taylor (1786) en cuyo título aparece el nombre del sistema de escritura abreviada inventado por otro inglés, John Willis (1602), que acuñó el nombre, formado por el gr. *stenós* 'estrecho' y *graphy* < gr. *gráphōs*. Es posible que las formas españolas se deban al francés, donde primero usó Voltaire la voz *sténographie* (1771) en la acepción de 'criptografía', mas luego, cuando se tradujo a Taylor en 1792, se impuso el significado actual.

Según A. Fernández, la voz inglesa **step** aparece ya en 1913 en la combinación *one-step*, como nombre de baile. Arniches también la recoge y deforma con la grafía *guan-step (Trevélez*, págs. 153 y 156, 1916). El mismo Arniches menciona en 1914 otro baile, el *two-step* (en *Melquiades*, pág. 53, y en *Trevélez*, pág. 155), todavía más deformado en la «adaptación» *tuesten.* Estos usos se desconocen hoy día, en que ha aparecido, por influjo anglosajón también, un ejercicio conocido como *step* que consiste en «subir y bajar muchas veces de una tarima» (*DVUA*). El diario *El País* añade que está «muy de moda» y que la «tarima es de altura adaptable a la forma física de quien lo practica». He leído algún anuncio de gimnasios en que se ofrece la posibilidad de ejercitarse en tales tarimas.

No comenta Corominas en su diccionario la voz *esterlina*, de vida azarosa y origen germánico, que cruzó el canal de la Mancha en ambos sentidos a lo largo de la historia. Debe de haber testimonios en español de su uso adjetivo antes de 1784 (en francés, ya en 1685). Aparece como adjetivo, *libra esterlina* (< **sterling** *pound*) y *chelines esterlinas* (sic), en la *Gramática inglesa* del dominico Thomas Connelly (Madrid, 1784), dentro del inventario de medidas inglesas, y en modelos de letras de cambio. El *Peq. Larousse* todavía registra hoy (¿influencia de la grafía única francesa?) la forma inglesa *sterling*, que remite a *esterlina*.

Ya hemos comentado la voz **stewardess** 'azafata' (cf. pág. 88, n. 8, y *Sin fronteras...*). La forma masculina *steward* figura en el *Peq. Larousse* descrita como 'mozo que sirve a bordo de los aviones (su femenino es *stewardesse* [sic])'. Aun disculpando la disculpable errata en diccionario de nombre francés —el sufijo originario es *-sse*—, la redacción no es muy afortunada, pues en España este nombre se traduciría 'auxiliar de vuelo' y en la América hispanohablante por 'sobrecargo' o 'aeromozo'. La definición citada excluye los usos marítimos del término, documentados en español, según A. Fernández, ya en 1936 con el significado de 'camarero (de barco)', o del femenino, ya en 1926 («he estado en África del Sur como *stewardess*»). El uso actual, para el tráfico aéreo exclusivamente, sería *air-hostess*, del cual es préstamo *hostess*, usado en Colombia, y calco *aeromoza* (como el francés *hôtesse de l'air*), que alterna con otras soluciones (p. ej. *cabinera*) en Hispanoamérica (cf. *Oxford Bil.*).

El significado de *steward* más extendido en la tradición inglesa es el de 'administrador', al cual se debe su expansión como apellido en formas como *Stewart* o *Stuart*, que nos llegaron al español a través de la dinastía de los *Estuardos*. En un principio, este vocablo tenía, según serios etimólogos, orígenes más humildes (< ant. ingl. *stigweard* = guarda-pocilgas). Buen ejemplo de ennoblecimiento léxico.

También recoge el *Peq. Larousse* el anglicismo **stick** para designar el palo usado por los jugadores de hockey. Pero los ejemplos reunidos por A. F. demuestran que también se aplicaba el término, traducido (bastones, palos curvos) o no, a otros deportes, como el golf y el polo, desde 1920.

La frase inglesa *stick and carrot*, que trata de ilustrar dos procedimientos de estímulo —premio y castigo—, se suele traducir, sin saber el origen, por *el palo y la zanahoria*. Éste es el título de un artículo de L. Contreras en *ABC* el 11-12-91, pág. 28.

El préstamo **stock** es, pese a no haberse hispanizado, uno de los más frecuentes y, en un principio, polisémicos del español. Hoy tiende a condensarse en el concepto general de 'existencias de una mercancía o cosa de valor'.

A. Fernández documenta la palabra ya en 1886 en el compuesto *stock yards*, que él traduce 'mercado de reses para el consumo'. Los ejemplos con que ilustra su artículo prueban la extensión del significado: depósitos de ampollas, anillos de goma, maderas, billetes de banco, pistolas y revólveres, mercancías en general, oro, plata, carbón, material bélico, etc.

Condenado el término por Alfaro a favor de *existencias*, sigue siendo favorecido en algunos países americanos ('400 carros en stock'), pero también en España ('vehículos en *stock*') en alternancia con esta solución seudometafísica o evitándola del todo. En España varía la preferencia según los contextos de situación, pero creo que predomina *existencias*. El *DVUA* registra cinco ejemplos de *stock*, y remite a otros más, pero no recoge los usos de *existencias*, por estar admitida esta palabra en el *DRAE*, 4.ª acep. «pl. Mercancías destinadas a la venta, guardadas en un almacén o tienda».

El anglicismo casi internacional **stop** tiene más de siglo y medio de antigüedad en español, y más de un siglo en el *DRAE* bajo la forma *top*, voz de mando de uso marítimo. También ha tenido entrada en el diccionario académico a través del galicismo *autostop*, que designa lo que en inglés se llama *hitch-hiking*. Pero la señal internacional de tráfico, considerada obligatoria, al parecer, por las autoridades españolas —sólo lo es el contorno de la señal—, se traduce correctamente en la América hispana y así lo han advertido muchos viajeros españoles, con sus equivalentes *alto* o *pare*.

De uso particularmente hispánico y desconocido por los diccionarios de uso ingleses es la voz **stopper**, que registra la señora Kühl en Uruguay con el significado de «en el fútbol, defensor que, cuando los demás jugadores de su equipo atacan, se mantiene a cierta distancia del arco [portería] propio en prevención de un posible contraataque. Pronunciación: estóper».

La voz **store**, usada en inglés americano predominantemente con el valor de 'tienda' y en la expresión *department store* con el de '(grandes) almacenes', aparece en el *Peq. Larousse* con el significado de 'persiana', que pudiera ser una restricción del significado general de 'pertrechos' en la marina o el ejército. En España suele anunciarse en tiendas como artículo de encargo, a gusto del consumidor: «confección de stores», «se hacen stores». Por lo general son de tela o lona y articulados en varillas o láminas. G. Salvador (1994, pág. 117) también usa el término: «Cerró las ventanas, corrió los estores...».

Una variante del uso americano parece ser lo anunciado en un diario de Barcelona como «El megastore de la Virgin» [una compañía], de 2.300 m^2, descrito como «hipermercado cultural», *La Vanguardia*, 29-9-92. Pero este fenómeno no se restringe a Barcelona. Un artículo de J. Berlanga titulado precisamente «Gran lío en el megastore» comienza así: «Últimamente están muy de moda los 'Megastores', que son algo parecido a unos grandes almacenes pasados por un baño de modernidad... donde las nuevas generaciones pueden solazarse con... muchas 'performances'...». El texto está salpicado de anglicismos que acentúan el carácter americano del nuevo invento:

smart drink, *stimulator*, *McDonalds*, *bicmac*, *macpollo*, *ketchup*, *megamix*, etc. (*ABC*, 16-12-94, págs. 18-19).

En España es palabra casi desconocida, pero en algunas partes de la América hispañohablante —México, por un lado, y Venezuela (Rosenblat —1969, pág. 145— menciona «las prendas *strapless*»), por otro— el término **strapless**, para designar 'brassier [sujetador] sin tirantes', parece ser de uso general en ciertos estratos sociales. Así lo registran Lope Blanch, entre los «anglicismos de uso medio», y el *Oxford Bil.* Otra solución, según este diccionario, es 'sin breteles' (Cono Sur).

Hace unos veinte años —1975— apareció de repente en las universidades norteamericanas la moda de correr desnudo en lugares públicos. En Madrid, donde algunas de ellas tenían programas de perfeccionamiento del español, se contagiaron algunos estudiantes —yanquis y españoles— y difundieron la moda y la palabra **streaking**. Hoy parecen ser cosas olvidadas, pero el *Oxford Bil.*, redactado en parte por estudiantes españoles de entonces, recoge como 2.ª acepción de *streak* 'hacer streaking'.

Hace años que la Academia admitió, con la forma *estrés* (< **stress**), uno de los anglicismos más difundidos, primero en medicina, luego en la lengua coloquial. De él se deriva, directamente o a través del francés, el adjetivo *estresante* (fr. *(agent) stressant)*. Pero también existe un verbo *estresar*: «...en los países más ricos, y por tanto más estresados por el entorno...», S. Grisolía, *ABC*, 23-11-94, pág. 3. También tengo anotado *estresores* 'causantes de estrés' en Rof Carballo, *ABC*, 21-1-83, pág. 3.

El adjetivo **stretch** (verbo *to stretch* 'estirar'), según Kühl, se usa en el Uruguay para calificar un tejido elástico y se pronuncia /estrech/.

Derivado del mismo verbo *to stretch* es el sustantivo **stretching**, nombre que se da a un 'ejercicio físico para estirar los músculos del cuerpo' (*DVUA*). Las dos citas que aporta este diccionario explican el ejercicio con mayor detalle.

La primera mención española de las huelgas colectivas, en sentido sindical, cuando no se usaba la palabra huelga —se llamaba suspensión de trabajo— en su acepción laboral ni existían los sindicatos verticales u horizontales, es, según mis notas, de 1869 o antes: «Llaman **strike** al derecho que tienen los obreros... de suspender sus trabajos, y uniones mercantiles [*trade unions* 'sindicatos'] las sociedades que les asisten» (Acuña, pág. 48).

Pero un siglo después llega otra vez la palabra al español, no como curiosidad de extranjero en el Reino Unido, sino como importación de términos deportivos. El libro *IEDep*. recoge en su índice las formas siguientes del verbo *to strike: strike*, *strike-off*, *strike-out*, *stroke*, referentes al béisbol, y el compuesto *stroke scull* 'timonel, patrón'. La larga explicación de *strike*, 'pelota lanzada al bateador entre las axilas y las rodillas', justifica el uso del anglicismo crudo. El derivado verbal *stricke out* (¿errata por *struck out*, *stricken out?)*, así en pág. 451, se «corrige» en pág. 486, escribiendo *strike out*, pensando que el verbo *to strike* no debe llevar *ck*, pero sí es así en pretérito (*struck)* y participio (*struck*, *stricken*). Y éste, el de participio, es el valor de la forma corregida, pues el texto traduce 'eliminado por tres *strikes*'. El *Oxford Bil.* recoge s.v. *strike out* dos equivalencias del béisbol hispanoamericano: *poncharse* y *ponchar*.

El *DVUA* recoge el compuesto **strip-disco** 'discoteca donde se realiza strip-tease', que parece formación autóctona. El texto citado como ejemplo usa la grafía *streap-disco*.

De la misma familia conceptual de *striptease* es el préstamo **stripper**, que el *DVUA* define como 'hombre que se realiza [sic] un strip-tease'. No tiene que ser un hombre; en francés se da como alternativa *effeuilleuse* 'femme pratiquant le strip-tease' (*Lexis*). Desconozco el alcance del término en el mundo hispánico, donde la moda sí parece difundida. Para *stripper* se registra, sin mayor localización, *estriptista* en *Collins Bil.*; *Oxford Bil.*, en cambio, ofrece para el masculino *striptisero* y para el femenino *striptisera* y el coloquialismo mexicano *encueratriz*, que merece aplauso por su originalidad y respeto al español.

Aunque derivado del mismo verbo *to strip*, el sustantivo **stripping** aparece registrado en el *DVUA* con un significado al parecer privativo de la televisión española: «programación de un espacio de televisión a la misma hora durante el periodo de su emisión». Teniendo en cuenta el significado básico de *to strip* en inglés 'quitar ropa, despojar, desnudar', podría entenderse como práctica de quitar la audiencia a otras cadenas de la competencia. El único ejemplo aportado por el *DVUA* no permite confirmar esta conjetura.

El verbo *to strip*, según los diccionarios, significa 'quitar(se) la ropa, desnudar(se), despojar(se)', pero ha llegado al español con el nombre del espectáculo conocido por **striptease**, ya comentado a propósito del *DPFE* (cf. pág. 76) y del «lugar donde se desarrolla [el] espectáculo» (*VOX*). El *MEU* recomienda entrecomillarlo y evitar las grafías *strip-tease*, *strip-tise*, *striptis*. Gregorio Salvador (1994), defensor de las grafías bien hispanizadas, escribe «un estriptis narrado minuciosamente» (pág. 92). En francés han adoptado *strip-tease*, que no es tan grave, y algún diccionario (*Oxford Bil.*) ofrece la forma con guión como traducción de la más ortodoxa *striptease*. El *Collins Bil.* da a escoger entre *estriptise* y *striptease*. Como se ve, no hay mucha unanimidad en los intentos de aclimatación. Por otra parte, puestos a condenar formas aberrantes, en un número de *ABC*, anunciantes y colaboradores parecen haber optado por las grafías *strep-tease* y *streap-tease*.

Otro de los elementos químicos bautizados por Sir H. Davy en 1808, junto a *sodium*, *baryum*, *calcium* y *potassium*, fue el *estroncio* (ingl. **strontium**), latinización de un topónimo escocés, Strontian, aldea en cuyo término fue descubierto.

Existiendo en inglés *strontium* (> fr. *strontium)* no comprendo por qué la Academia hace derivar, con un rodeo, *estroncio* de *estronciana*, entrada donde figura la etimología inglesa (< ingl. *strontian*, tomado del nombre de un pueblo, etc.). En cualquier caso, el nombre del óxido de estroncio definido en el *DRAE* es en inglés *strontia.*

Confirma el valioso *Robert Angl.* la intuición de nuestro laborioso A. Fernández al sospechar que las formas *struggleforliferos* (Rubén Darío) y variantes, desde 1892, fueran adaptaciones de la francesa *struggleforlifeur*, que, según el mencionado diccionario, fue creada por Daudet en 1888. La expresión inglesa **struggle for life**, puesta en circulación por Darwin, de cuyos calcos nos ocupamos en el lugar correspondiente, aparece desde 1889, según A. F., en las grafías *strugle for life* (masc.), *strugle-for-life* (fem.) y la correcta inglesa *struggle f. l.* Más apropiado a la ortografía inglesa es el derivado *struggle for lifer* (1926), calificada hoy de *slang* (familiar, coloquial) por el *NShOED*.

No es hoy muy frecuente, excepto en relación con el mundo hípico, la voz inglesa **stud**, usada en español sola o en el compuesto **studbook**, traducido en el *Oxford Bil.* como 'studbook' y explicado por A. F. como 'registro genealógico de caballos'. A. F. cita un *Stud-Book* español en 1905.

En Uruguay, y casi seguro en Argentina, se registra *stud* con el significado de «1. Establecimiento especializado en la cría de caballos de carrera. 2. Lugar donde se aloja y cuida a los caballos, especialmente los de carreras» (Kühl). Alfaro opina que en ambos significados no es necesario acudir al «exotismo» sino aprovechar las voces españolas *yeguada*, *caballada* o *cría*, por un lado, o bien *establos*, *caballerizas*, *cuadras*, etc.

En el *MEU* se incluye el anglicismo **styling**, propio al parecer del mundo de la moda, que no hemos podido documentar. Propone dicho manual que se traduzca por *línea* o *diseño*, lo cual parece sensato.

La tradición lexicográfica de la Academia dedica dos líneas enteras a explicar el origen greco-latino del adjetivo *estilográfico, -ca*. Suponiendo que no venga directamente del inglés, donde se acuñó el compuesto **stylographic pen**, cabría pensar en el francés como lengua intermediaria, pues el término *plume stylographique* sería posible en esta lengua, aunque se prefiere *stylographe*, reducido a *stylo*.

Aunque la voz **suite** es, sin duda, un galicismo, habría que separar, por ser de distinto origen, su acepción musical de la hotelera, que a veces figuran juntas, p. ej. en M. Seco (*Dicc. Dudas*, desde 1979), copiado literalmente por el *MEU* (no en 1985; sí en 1989; se cita, claro, la obra de Seco en la bibliografía). Como era de esperar, el *Robert Angl.* reconoce, para la acepción de hostelería, la deuda al inglés, desde 1913: «On dit en français appartement». Pero recuérdese que esta voz, en último término, es italianismo tomado del español. Cf. CALCOS, S.V. *apartamento*.

En el Río de la Plata, según *Oxford Bil.*, se usa la palabra **sulky** en dos sentidos: 1. para designar un «carruaje ligero de dos ruedas tirado por un caballo, para carreras al trote» (< ingl. *sulky*); y 2. «una calesa de paseo». En diccionarios españoles lo tengo anotado en el *Peq. Larousse*, que coincide en la descripción y añade «desprovisto de caja», y en el de la Sra. Kühl, para el Uruguay: «carro de dos ruedas, tirado por un caballo, generalmente descubierto, que se emplea para efectuar viajes cortos».

Dos compuestos ingleses de *sun*, **sunglasses** y **sunroof**, no han encontrado en español aceptación general. Para el primero, raro como préstamo crudo, aparte de 'gafas ahumadas', término registrado por algunos diccionarios, o de 'gafas oscuras', se usa en España 'gafas de sol' y en América 'anteojos (lentes) de sol'; para el segundo, en la prensa hispánica influida por el inglés, se usa el préstamo, sin más, pero hay intentos de traducción literal, como en España, por '*techo solar*'. Otras «soluciones» de la publicidad comercial, cuya aceptación desconozco, son *techo corredizo*, *techo (eléctrico) abierto (practicable)*.

Como hemos comentado en otro lugar («La derivación nominal en español actual», *Donaire*, núm. 4, Londres, marzo 1995), aunque hay precedentes en la Reforma alemana, en Herder y en Goethe, es a Nietzsche (*Übermensch*, en *Así habló Zaratustra*, 1883) a quien debemos la popularidad de la voz *superhombre*, sobre todo en su forma inglesa **superman**, conocida por el público infantil y adulto de casi todo el mundo. Tengo anotado su plural, *supermanes*, en *ABC*, 29-6-82, págs. 78-79, y en *El País semanal*, Ocio, 12-8-84, pág. 4. La Academia, siempre prudente con los influjos extrarrománicos, explica que *superhombre* viene de *super-* + *hombre*, como *superyó* de *super-* + *yo*. En los casos de *supermercado*, *superproducción*, acep. 2.ª 'obra cinematográfica', *supervisar*, que en francés se consideran anglicismos, no se consigna la procedencia. Sí, en cambio, se nos dice que *superrealismo* procede del fr. *surréalisme*.

Es difícil calibrar con exactitud, siquiera sea aproximada, la importancia del inglés en la creación y difusión de neologismos derivados con el prefijo **super-**. Entre los más de 160 recogidos por el *DVUA*, es decir, no incluidos en el *DRAE*, son claros algunos de los ya comentados, como *supervisar*, *supermán*, *superproducción*, *superventa*, etc., y otros son de clara estirpe anglosajona, aún sin adaptar, como *superstar* («la prensa 'superstar'», V. de la Serna, *El Mundo*, 8-5-94), *superagente* (del título de una serie de televisión americana), *superfortaleza volante*, *superpotencias*, *supertanque*, *superlight*, *superjumbo*, *superwoman*, etc. Pero resulta difícil adjudicar paternidad a ciertas voces acuñadas modernamente y aceptadas por la comunidad universal sin preguntarse quién fue el primero en utilizarlas o ponerlas en circulación. Tal vez la historia de la ciencia o de la técnica puedan explicar en qué lengua moderna aparecieron los conceptos de *supernova*, *superheterodino*, *supersincrotón*, *superteleobjetivo*, etc. y recibieron estos nombres. Hoy basta con señalar la tendencia a realzar los avances del saber por medio de ese prefijo latino que destaca la superación de lo conocido. El *RHD* recoge, a efectos de ortografía y separación silábica, más de 700 vocablos enumerados a pie de página en columnas de 25 aprox., aparte de los definidos en el cuerpo.

Sobre los puntos cardinales, Corominas nos ofrece una gran lección, con sagacidad y exhibición erudita, s.v. *este*, en su diccionario. Aprovecha la documentación de Wahlgren (1928). Acaso el más favorecido de ellos es precisamente **sur / sud** como primer elemento de compuestos más o menos soldados, todos ellos procedentes de formas inglesas a través del francés. El antiguo inglés, también llamado anglosajón, ofrece la forma *sûð*, escrita luego *south*, como grafía francesa de la *u* larga, que posteriormente diptongó en /*au*/ hasta hoy.

Sobre la alternancia *r* / *d* en compuestos son interesantes las formas *sursudueste*, *güesudueste*, etc. en Colón (1492), sobre todo la primera. Opina M. Seco (*Dicc. Dudas*) que hoy son preferidas las formas en *sud-*: *sudoeste*, *Sudamérica*, *Sudáfrica*, etc., pero el *Robert Angl.* incluye estos derivados entre los calcos del inglés: *sudaméricain*, del ingl. *South America* (fr. *Amérique du Sud)*, lo mismo que *sudafricain*, *sudcoréen*, etc., donde el determinante precede al determinado.

Una voz inglesa de étimo desconocido, **surf** 'rompiente de la ola', se ha difundido por todo el mundo como nombre de un deporte de origen hawaiano, que da lugar a una serie de derivados y compuestos más o menos frecuentes: *surfing*, *surfero*, *windsurf*, *windsurfing*, *windsurfero*, *windsurfista*. No hay intentos serios de adaptación al español de los lexemas básicos.

Sobre **suspense**, cabe discutir si una película *de suspenso*, término preferido en América, es más español que una *de suspense*, como parecen preferir los españoles. El *LEABC* opina que «en castellano correcto debe escribirse *suspenso* o *suspensión*». *Partículas en suspensión* no tolera, por supuesto, la sustitución por *partículas en suspense*, pero una *película de suspensión* resulta difícilmente imaginable.

Salvo en Alfaro, no he encontrado testimonios de la adaptación hispánica de **swamp** 'pantano, marisma, cenagal', que él recoge con la grafía *suampo*, tomada de una descripción topográfica: «Estas tierras están llenas de *suampos*». Añade que Santamaría considera este vocablo hondureñismo, pero otros autores opinan que se da en Centroamérica, sin mayor precisión geográfica.

Aunque el anglicismo **swap** 'trueque, intercambio' sólo lo encontramos registrado en el *Peq. Larousse* entre los diccionarios de uso, con un significado muy restringido —'intercambio de divisas entre dos bancos centrales'—, debe de ser término corriente en el mundo de las finanzas. Lozano (*NDBEE*), entre otras posibles traducciones, usa entrecomillado el préstamo «swap», como alternativa de «crédito recíproco»; explicando *swap arrangement* como 'acuerdo de «swap», de crédito recíproco'.

Informando sobre cierta progresía californiana, algún corresponsal español ha mencionado los *swapping-parties*, en que la materia objeto de intercambio es el marido o la esposa de los participantes. No suelen registrar este uso los diccionarios, pero el valioso *NShOED* nos ofrece un ejemplo: «He and his first wife used to have swapping parties».

A. Fernández registra la voz *sweaters* ya en 1922, pero yerra esta vez cuando afirma que, contra lo dicho por Alfaro, *suéter*, adaptación fonética de **sweater**, no lo encuentra en el *Diccionario Manual*. Es claramente un descuido, pues siendo su obra de 1972 (Depósito legal '73) podría haberlo encontrado en el *DRAE*'70, ya anticipado por M.ª Moliner en 1967. La Academia remite a *jersey* y dice que se usa más en América, observación que se mantiene en 1992, cuando cualquier español puede ver la palabra —*sweater* o *suéter*— en los anuncios de prensa, como señala M. Seco, que condena el plural *suéters*.

Registra el *Peq. Larousse*, sin localizar su uso, el anglicismo **sweepstake** (pron. *suipstek)* 'lotería en que la suerte depende del resultado de una carrera de caballos', definición que parece traducción-adaptación de la de *Lexis*, en fin de cuentas ambos diccionarios son de la misma casa matriz francesa. No tengo otro ejemplo de este uso.

El anglicismo **swing**, de múltiples significados, se usa también en español con varias acepciones. El *DVUA* documenta dos: 'movimiento del jugador de golf al ir a golpear la pelota' y 'conjunto de factores sociológicos, ambientales, sociales y musicales que constituyen la esencia del jazz'. El primero figura en los diccionarios bilingües, aplicado al golf y al boxeo (así lo registra el *DMILE*), como «traducción» del original inglés. El segundo, del que el citado *DVUA* aporta tres ejemplos, está también admitido en el *DMILE*. Fuera del jazz, pero influido por la acepción mencionada, registra el *Oxford Bil.* 'tener swing', en el sentido de 'estar animada' una fiesta. *Collins Bil.* incluye también s.v. *swing*, como voz establecida en español, las dos acepciones ya citadas de música y golf.

En España es casi desconocido el término, pero en América la voz **switch** 'interruptor' está sumamente extendida y adaptada con las grafías *suich*, *suiche*. El *Oxford Bil.* localiza *suiche* en Colombia, y Rosenblat también en Venezuela (IV, 1969, pág. 139). Asimismo lo registra Ycaza en Nicaragua ('pequeño aparato con un botón para apagar y encender las instalaciones eléctricas') y Lope Blanch en México —*suich*—, aunque más en el sentido de 'arranque o puesta en marcha del automóvil' (para el de la luz se usa más el mexicanismo *apagador)*, que es general en la zona del Caribe.

Sobre **table tennis**, véase *ping-pong.* s.v.

El suplemento de la 19.ª edición del *DRAE* (1970) incluye el anglicismo **tabloide** (< ingl. *tabloid*) con la definición de 'periódico de dimensiones menores que las ordinarias, con fotograbados informativos'. Esta voz inglesa era originariamente un nombre registrado que designaba ciertas tabletas medicinales; luego pasó, en sentido figurado, a denominar diarios de información fácilmente asimilable por el público y de medio formato.

Al comentar el *DPFE*, de A. del Hoyo, ya señalábamos que la voz **tabú**, de múltiples acepciones en francés *tabou*, podría tener de modelo la palabra francesa, pero no «el polinesio *tabú*, lo prohibido», ya que tal forma, sin tilde, no se califica de polinesia sino propia de las islas Fiyi, Viti o Fidji (Melanesia). De las *Islas de los Amigos* (hoy *Tonga*), que sí son parte de Polinesia, procede *tapu*, que otros consideran origen del término inglés, uno entre cinco. *Robert Angl.* corrige a Bloch-Wartburg en la datación y grafía del primer testimonio francés (B.-W., 1822: *tabou*; Robert Angl., 1785: *taboo*).

El nombre del metal llamado **talio**, adaptado del griego *thallós* 'rama verde', fue una creación latinizante del inglés. Se conoce la fecha —30-3-1861— y el descubridor, el químico W. Crookes. En Francia se adoptó muy pronto en la forma inglesa, *thallium*, hasta el día de hoy.

En el *DVUA* aparecen dos ejemplos, de periódicos distintos, del compuesto inglés **talk show**, «programa televisivo o radiofónico en el que se entrevista a una o más personas sobre un tema de actualidad». Para *El País semanal* (24-4-94, pág. 26) se trata de un «género televisivo en franco desuso en que un presentador mantiene entrevistas con distintos invitados en varios bloques separados por actuaciones musicales y de variedades». No dispongo de ejemplos propios para confirmarlo o discutirlo.

Tenía que ser un español sometido a la influencia del francés, F. Arrabal, el que, como algún otro, tomara la versión francesa del compuesto *walkie-talkie* (insólito *talky-walky*) para ofrecernos **talki-walkies** en *La torre herida...*, pág. 118. Es un caso de inversión parecido al de *shake-hands* por *handshake* en francés o el de *happy-trigger* por *trigger- happy* (cf. s.v. en CALCOS PLURIMEMBRES).

Igual que el nombre comercial *kleenex* y otros muchos se han popularizado fuera de lo específico, la voz **tampax**, aunque marca registrada que alude a su función de tampón, ha pasado a ser denominación genérica que registran los diccionarios, p. ej. el *Oxford Bil.* Lo tengo anotado en la prensa española: «Al príncipe C. ...lo sorprendieron diciendo 'Hello!' desde el tampax de Camila...», *ABC*, 11-12-93, pág. 19; [en carta ficticia de un marroquí a la Tampax Mini] «Tengo gana (sic) de casar con una Mujer Española... viva Tampax Mini... a favor de Tampax Mini...», *ibid.*, pág. 112. La intención no está clara, pero el uso es evidente.

Que **tándem** sea una voz latina que significa 'a lo largo de' (temporal y espacial) nadie lo discute, pero es más difícil explicar por qué significa también un tiro de dos caballerías y una bicicleta de dos asientos y dos pares de pedales. El *Robert Angl.* nos informa de que en el caso de la bicicleta se trata de una elipsis por *tandem bicycle.* El uso referido a los caballos está atestiguado en inglés en el siglo XVIII. A. Fernández registra el uso como bicicleta ya en 1897, como carruaje de caballos en 1902, y en la acepción eléctrica, 5.ª del *DRAE*, 'condensadores en tándem', en 1933.

El cultismo **taquigrafía**, explicado por Corominas y la Academia a partir del griego, aparece en español ya en 1800, si no antes, en la traducción de la obra de Samuel Taylor mencionada en nuestra entrada *stenography* (vide supra). Esta obra, como queda dicho, fue traducida y adaptada al francés por Bertin en 1792, quien reconoce su deuda: «*...Sténographie inventé par Taylor et adapté a la langue française*». Pero la versión española, debida a J. Álvarez Guerra, se titula: «*Taquigrafía, o método de escribir con la ligereza que se habla*. [...] inventado por S. Taylor [y adaptado al francés] por T. P. Bertin. Madrid, Imprenta Real, 1800».

Ahora bien, la voz *tachygraphy* está documentada en inglés antes de 1650, mientras que en francés *tachygraphie* aparece, según Bloch-Wartburg, en 1721. Corominas da como 1.ª documentación la edición del *DRAE* de 1817, juntamente con *taquígrafo* y *taquigráfico*.

Debo reconocer que el término inglés **target** ('objetivo, blanco') no lo tengo anotado en la jerga televisiva. Parece que es «también llamado *público objetivo*. Es la división de audiencia de una cadena, de un programa, de un periodo horario, según criterios de edad, sexo, situación económica, social y cultural», *El País semanal*, 24-4-94, pág. 26.

El *DRAE* registra dos entradas para la voz **tartán:** la primera se explica como anglicismo llegado a través del francés —el acento agudo lo delata; en inglés es grave— para designar un tipo de «tela de lana con cuadros o listas cruzadas de diferentes colores»; es característica de la falda escocesa. La segunda acepción —material para las pistas de atletismo— es nombre registrado, desconocido en inglés, francés e italiano, que sólo recogen los diccionarios alemanes.

El protagonismo norteamericano en las últimas guerras y la literatura y cine inspirados en él han hecho del término **task force** un problema de adaptación al español de soluciones diversas: 'destacamento especial, fuerza de tareas, equipo operativo, grupo de trabajo'

(Oxford Bil.); 'agrupación temporal de fuerzas a las órdenes de un jefe para una misión determinada' (*LEPaís).* El *MEU* explica que «las *task forces* se dividen en varios [sic] *group forces*». Añade que «se pueden traducir, respectivamente, por *fuerza operativa* y *grupo operativo*».

Recoge el *DRAE* dos voces del mismo origen polinesio, **tatuar**, a través del inglés *to tattoo*, que originó *tatouage* en francés, de donde el esp. **tatuaje**. Corominas da como 1.ª doc. de *tatuar* el *DRAE*'25, pero A. F. anota cinco usos de *tatuaje / tatouage* desde 1885 a 1921.

Es curioso que la palabra **team**, tan asociada a las actividades deportivas, no aparezca mencionada, y eso con significado discutible, hasta 1903, sin más testimonios, según los datos de A. F., que incluye la cita s.v. *golf*: «En la Cámara de los Lores, en Londres, hay dos *teams* o partidos de *golf*».

Pero modernamente es posible encontrar frecuentes testimonios. Alfaro la registra como de uso extendido, pero recomienda un equivalente cabal del castellano para este exotismo, que es *equipo*. Es cuestión de aclimatación, pues *equipo* es voz tomada del francés *équipe*, voz de origen germánico, escandinavo o inglés, de la familia de *ship* 'barco' o *esquife.*

Team figura en varios diccionarios de uso: *DMILE*, *Peq. Larousse*, *VOX*, etc. Según *VOX* es término desusado, pero yo tengo anotados algunos ejemplos modernos: *Wunderteam* para recordar el equipo de fútbol austriaco de entreguerras, *dream team* para el equipo de baloncesto que fue campeón olímpico y sus sucesores. En un texto de Vargas Llosa, referido a equipos de fútbol americano, se habla de un *losing team*, equipo perdedor, un *winning team* y un *superteam* que participó en la *Superbowl* (final entre los campeones de las dos Ligas yanquis, American y National). Más recientes: «el 'dream team' por el control de la Chrysler...», *ABC*, 14-4-95; «...problemas del otrora 'dream team' [F. C. Barcelona]», *ABC*, 9-5-95, pág. 84.

Al comentar el *DPFE* de A. del Hoyo ya mencionamos el sustantivo **teenager** para designar los adolescentes entre thir*teen* (13) y nine*teen* (19) años. La voz se usa ocasionalmente con la grafía inglesa y, a veces, con la adaptación española *tinéyeres*: «los cuarteles/conventos donde las *teenagers* españolas hacían el 'servicio social'», P. Urbano, *El Mundo*,17-9-93, pág. 12; «2 de cada 3 *teenagers* quinceañeros visita el supermercado una o más veces por semana», *El País Domingo*, 19-6-94. En la 2.ª edición del *LEPaís* se consideraba *teenagers* plural de *teen-age*, suponemos que por error, y se recomendaba la cursiva. Un ejemplo de *tinéyeres* lo encontramos en Salvador Tió: «Todos los días los *tinéyeres* (y es mucho mejor palabra que 'adolescentes', que es demasiado refinada, o la madrileña 'pepillitos' [??] que nos suena tan cursi) inventan nuevas voces para hacerse valer...» (*Lengua Mayor*, pág. 45).

Teen, como adjetivo, lo hemos anotado en el libro *Música Moderna*, de F. Márquez: «un público deliciosamente teen», pág. 16.

No hay duda de que el elemento compositivo **tele**- es un helenismo presente en toda una serie de formaciones cultas. De todas las admitidas en el *DRAE*, sólo figura la lengua moderna creadora o difusora del término en los casos de *teleférico*, *teletipo* (ambas del francés) y *teletexto* (inglesa). Mas el propio Corominas, cauto a la hora de atribuir invenciones no documentadas, registra el invento francés del *telégrafo* (*DRAE*, 1817) y la participación definitiva de Bell en el *teléfono*. Igual que con el *telescopio*, existen dudas sobre el origen de estos inventos y sus denominaciones. El casi siempre neutral y objetivo *Robert Angl.* afirma que **telepatía** es un anglicismo y que la voz fue acuñada por el inglés Myers en 1882; también señala que ingl. *telephone* es un año anterior (1835) a fr. *téléphone* (1836). El **teléfono** español podría ser anglicismo, pero los usos del siglo XIX favorecen el origen francés. Tampoco discutimos la paternidad francesa de **teletipo**, según el *DRAE* del fr. *télétype*, marca registrada, cuya forma inglesa *Teletype* es también marca registrada y forma truncada de *teletypewriter*, variedad de máquina de escribir. En cuanto a **telefax**, recogido en el *DRAE* para explicar *fax* y explicado, a su vez, como variante de *telefacsímil*, debe de ser, a mi juicio, un préstamo del alemán (que lo explica como formado por *Tele + Faksimile*, con una *-x* contaminada de Telex).

En la entrada correspondiente al verbo *tender* menciona Corominas el anglicismo **ténder**, incluido ya en el *DRAE* de 1884. No lo advirtió A. F., que señala un uso metafórico de 1896 y otros más, posteriores, incluido uno no recogido por la Academia, de 1967: «un buque *ténder* de apoyo o nodriza». Esta acepción también figura en el *LEPaís*: «*Tender*. En inglés, buque nodriza».

Según Corominas y A. F. la voz **tenis** (ingl. *tennis*) aparece hacia 1900. Antes, desde 1895, la encuentra A. F. en textos castellanos con la grafía inglesa. También figura la forma completa *lawn tennis* en 1902, pero A. F. aporta un texto de 1925 en que se afirma que «El lawn tennis jugábase en 1877 en la Alameda de Osuna, en el Palacio de Liria y en los Campos Elíseos siendo habilísimas raquetistas la duquesa de Huéscar y la marquesa de Casa Torres». Esta voz ha dado motivo para los derivados *tenista* (*DRAE*) y *tenístico* (*VOX*) y el compuesto *tenis de mesa*, para sustituir *pimpón* (véase s.v.).

La voz **terminal**, del lat. *terminalis*, tiene como adjetivo larga tradición en español. Pero como sustantivo, en las acepciones 3.ª, 4.ª y 5.ª del *DRAE*, es relativamente moderna y tomada, directa o indirectamente, del inglés, unas veces como terminal de transporte, en esp. femenino, otras, masculino, en usos de electricidad y de informática. Así figura, como anglicismo, en italiano, francés y alemán.

No creo que se deba a calco directo del inglés, como apunta Pratt, la voz **término**, en el sentido que recoge M.ª Moliner: «Punto extremo de una línea de transportes. Particularmente, estación donde los pasajeros facturan sus equipajes y toman o dejan el autobús que establece la comunicación con el aeródromo. (T., 'terminal')». Hemos copiado la definición para ilustrar su carácter anticuado. Tanto en inglés como en francés se usa el latinismo *terminus*, que es el modelo para el español; M.ª Moliner lo considera «traducción del francés *terminus*, no incluida en el D.R.A.E.» (recuerdo más de un hotel Términus).

El latín clásico *tarmes*, *-itis* origina en la Edad Media la variante *termes*, *-itis*, de donde nos llega, según el *DRAE*, a través del francés, la voz **termita**[2]. Ahora bien, según *Robert Angl.*, en francés está documentada ya en 1797, tomada del inglés *termite*.

Como marca registrada (en otro tiempo), figura la vasija llamada **termo** en los diccionarios, incluido el *DRAE*. Tiene razón Pratt al señalar que en fuentes españolas no se encuentra referencia al ingl. *thermos* ni a su inventor Sir James Dewar. Pero el *Robert Angl.*, que no suele escatimar atribuciones a inventores británicos (vide infra), dice que es voz americana, registrada como *Thermos bottle* y luego reducida a *thermos*. Cabe la posibilidad de que ambos tengan razón: que un inglés fuera el inventor y una compañía americana registrase la marca.

Palabra acuñada por un ingeniero y físico inglés, Rankine, es el compuesto **termodinámica**, cultismo creado en la forma *thermodynamics*, adaptada al francés como *thermodynamique*, de donde acaso proceda directamente la forma española.

Aunque **terrier** lo describe algún diccionario como perro 'de una raza cuyo tipo es el foxterrier', la voz tiene ya hoy la suficiente autonomía para usarse sola y así la registran algunos diccionarios, p. ej. *Peq. Espasa* y *Oxford Bil.* En las primeras menciones del término aparece combinado con *fox-*. Así, en las deformaciones de Arniches (cf. s.v. *fox.*). Pero también registra A. F. *bull-terrier* desde 1916 e incluso un *boy terrier* en 1913. Si la voz hubiera entrado directamente del francés, donde está el étimo primitivo, habría que considerarla un galicismo, pero de hecho, el punto de partida para el español parece ser el *foxterrier*, y ésta es la voz usada también cuando el animal es hembra, y no *terrière*, como en francés, que sería la variante femenina.

Resultaría de difícil incorporación al *DRAE* el anglicismo **test** con semejante grafía. El *DMILE*, más tolerante, lo admite en dos acepciones: «Prueba. Se emplea para medir una o varias funciones psíquicas; [...cierto tipo de exámenes...]. Voz invariable en pl.». No coincide en cuanto al plural el reciente (Nov.'94) *Peq. Espasa*, que da como plural *tests*. La proximidad formal de palabras de distinta raíz, como *testa*, *testar*, *teste*, *testón*, etc., dificulta más aún cualquier intento de aclimatación. Por eso, para traducir el verbo *to test* se evita el verbo *testar*, aunque aparece cuando el contexto deja claro que no es 'hacer testamento' y se crea el neologismo *testear*, usado en el Río de la Plata, con relación a productos de algún riesgo. Ésta es la forma que recoge también el *Peq. Espasa*: «*Testear*. Amér. Someter a un test a alguien». En España hemos anotado también un deverbal referido a personas: «Simulador de vuelo [con] un sistema tutorial que permite el aprendizaje [...] la dificultad es progresiva y hace un continuo testeo de los avances del jugador» (de un anuncio de informática: *Guía de soluciones Apple*). Creo que esta definición no abarca los usos referidos a cosas, como se ve en los ejemplos siguientes: «Los interesados en los cursos han testado mucho el mercado, corrobora C. C.», *El País Negocios*, 6-11-94, pág. 27; «Con XX [nombre del producto] el cólera tiene los segundos contados... Testado», Universidad de Buenos Aires, *Clarín*, 12-3-94. Kühl define *testear* así: «Someter un aparato, un mecanismo o una instalación a una prueba para controlar su estado o funcionamiento. [España *Probar*]». Lo curioso es que la fórmula inglesa hoy dominante para estos productos, cuando tienen algo que ver con la salud, es un parónimo de probar: «clinically proven» sería '(com)probado clínicamente'.

La última edición del *MEU* (1994) añade un comentario a la entrada *testar* que resumimos: «[aparte de 'hacer testamento'] se está utilizando mal con el significado de *examinar*, *controlar*, *probar*, *experimentar*... El inglés *tested*... se ha traducido erróneamente por *testado* y de ahí se ha llegado al 'nuevo' *testar*».

Hay un compuesto, *alcoholtest*, invariable, en *El Mundo*: «[Castilla-La Mancha] reparte 'alcoholtest' [titular] ...a la salida de pubs y discotecas... 3.000 alcoholímetros desechables. Estos 'alcoholtest'...» (7-1-94, pág. 55).

Ya precisaremos más adelante, s.v. **tetramotor** (en CALCOS), que esta voz, que Pratt parece tomar de Alfaro, debe muy poco al inglés, lengua que la desconoce, pues traduce la voz española por 'four-engine plane (aircraft)'.

No hay razón para negar a Pratt el origen inglés del neologismo, admitido por la Academia, **texturizar** 'tratar los hilos de fibras sintéticas para darles buenas propiedades textiles'. El *Peq. Espasa* define el verbo a partir del adjetivo sustantivado *texturizado* 'operación mediante la cual se obtienen hilos de filamentos continuos con la apariencia de mayor volumen'. Tal vez se trate de un procedimiento patentado cuyo inventor o propietario no nos consta.

Ha habido propuestas de adaptar **thriller** al castellano sin que ninguna haya triunfado. Franceses y alemanes incluyen la palabra en sus diccionarios, explicando, sin buscar equivalencia, el significado. También el *Oxford Bil.* lo explica con varios ejemplos: 'novela (o película, etc.) de misterio o de suspenso' (*España* 'de suspense'). En usos adjetivos propone 'emocionante', que es correcto. El *Peq. Espasa* zanja la cuestión explicando que *thriller* es «(voz i.) m. filme policiaco o de suspense». El siguiente ejemplo ilustra bien el uso actual: «un apasionante thriller de misterio», *El Mundo*, 29-7-94, pág. 26.

La respuesta que en los formularios españoles o en encuestas se señala con una cruz se llama en inglés *tick* y la acción de marcarla **to tick** o **ticking** (√), que se señala, como explica Alfaro, con «rasgo en forma de *v* con el palo de la derecha muy prolongado». Esta marca se llama en México *palomita*, y en otros países de América *un visto* o, simplemente, *un tic*. De aquí ha salido el verbo *tiquear*, que alterna con *chequear* cuando se trata de cotejar dos listas o enumeraciones. En el Cono Sur, según *Collins Bil.*, *tiquear* significa 'to punch (tickets)', es decir, 'picar o taladrar un billete'.

El anglicismo **ticket** es uno de los más persistentes en el mundo hispánico, adaptado como *tique*, *tiquete* (*DRAE*), *tiquet*, etc., o usado en inglés. A. F. registra un primer ejemplo, en inglés, de 1931, pero debe de haber testimonios más tempranos en España. En América, según Alfaro, Cuervo (*Apuntaciones críticas...*) tiene anotado *tiquete* desde 1867. El diccionario académico favorece la grafía *tique* y a ella refiere la información sobre *tiquete*, que localiza en América Central y Colombia, donde alterna con la forma apocopada, que es, por lo menos en la pronunciación, la dominante en España.

Una acepción política, la de lista de candidatos electorales, aparece alguna vez en la prensa española: «B. Dole ofrece a C. Powell ser vicepresidente en su 'ticket' presidencial» (titular). En el texto: «Aunque Powell reúne las preferencias de Dole como compañero de *ticket* en su lista están también...», *ABC*, 6-2-95, pág. 35.

En crónicas deportivas referidas al tenis surge hoy el término inglés **tie-break** para designar el juego en que se resuelve un empate (*tie*) entre los contendientes. Esta expresión se suele traducir por 'muerte súbita' (véase CALCOS S.V.) y se aplica también al balonvolea (cf. *IEDep.*). Otras propuestas promovidas por los franceses son *juego decisivo* o *juego dirimente. Desempate*, también propuesto, sería acertado, mas acaso tenga ya excesiva carga semántica para resultar inequívoco.

Es difícil comprender que **tifón**, en el significado de 'huracán en el mar de China', pueda tener por origen el latín *tiphon*, tomado del griego. Una ojeada a los diccionarios de las lenguas occidentales (italiano, francés, inglés, alemán, portugués) parece indicar que, sin excluir las clásicas, que contribuyeron sin duda a la grafía dominante hoy, el punto de partida está en la región geográfica donde se produce el fenómeno; de allí, por distintas vías —portugués, inglés, italiano—, se extendió a las lenguas europeas. El chino de Cantón *tai-fung* parece apropiado para explicar la pronunciación /taifun/, escrito *typhoon* (antes *typhon*), del inglés, de donde, en perfecta transcripción fonética, lo toma el alemán *Taifun*. No coincide con esta explicación el italiano *tifone*, según Migliorini tomado del portugués *tufao*, 'di origine cinese, incrociato con el gr. *Typhón*'. El caso del francés *typhon* no resuelve las cosas: «du grec *tuphón*, tourbillon, par croissement avec l'it. *tifone*. du chin. *t'ai fung*, vent violent, par le port. *tufao* et l'ar. *tufán*, v. 1520». El étimo chino, aceptado por ingleses, alemanes y franceses, no explica satisfactoriamente la *i* del francés, italiano y español y menos la *u* del portugués. La base griega con *y*, tratada en las lenguas romances con distintas vocales (cf. *cibernética*, *gobierno*, *gubernativo*, etc., todas del gr. *kybern-*), y su significado ha influido, sin duda, tanto en la grafía con *ph* como en los derivados con *ti-*. Pese a la proximidad geográfica —y política en el siglo XVI—, la intervención del portugués en la forma española resulta problemática.

La Academia incluye en su edición de 1884 la voz **tílburi**, como señala Corominas, que añade como 1.ª documentación: «h. 1830, Larra (en Pagés)». Efectivamente, la hemos anotado en Larra, en el primer art.º dedicado al drama *Antony*, de A. Dumas, publicado en *El Español* el 23 de junio de 1836. Dice el texto: «[España son tres pueblos]... 3.º Y una clase... privilegiada... que se asombra de verse sola, cien varas delante de las demás; hermoso caballo normando que cree tirar de un tílburi y que encontrándose con un carromato pesado que arrastrar, se alza, rompe los tiros y parte solo». A. F. la documenta varias veces desde 1892 a 1927. Hoy no es más que evocación de tiempos pasados.

Time, aparte de dar lugar a los préstamos *full time*, *part time* y sus respectivos calcos *tiempo completo*, *tiempo parcial*, así como a las adaptaciones *taimer* y *overtain*, ha entrado también —no debe extrañar— con la invasión de los anglicismos y seudoanglicismos en *-ing* (véase s.v.) en su derivado *timing*, de múltiples significados en inglés y uso un tanto caprichoso en español. El ejemplo siguiente coincide con el uso más general del inglés: «un *timing* perfecto: la acción adecuada en el momento adecuado», J. M. Costa, *ABC*, 30-3-94, pág. 93.

Un compuesto de uso frecuente en el mundo de la televisión es *prime time*, que designa el periodo de máxima audiencia. Según el citado glosario televisivo de *El País semanal*, este periodo o 'franja horaria' se sitúa «entre las 20.30 y las 00.00 horas».

La voz inglesa **toast** tiene dos significados principales: 1.º 'tostar, tostada', heredado del latín vulgar y, 2.º, 'brindis'. A. F. registra esta última acepción en un texto de 1839. Alfaro incluye en su diccionario un compuesto, **toastmaster**, sin indicar quién lo usa y cuándo. Propone para su traducción 'maestro de ceremonias' (ingl. *master of ceremonies* o *M. C.)*, usado a veces como calco del inglés, pero de funciones diferentes. *Toast* es el nombre de un tipo de pan que se vende tostado.

Recoge el *DRAE* como anglicismo la voz **tobogán** (< ingl. *toboggan*), de origen amerindio, usada en el Canadá en varias formas por distintas tribus. En español ha prendido bien y adquirido acepciones desconocidas en inglés. A. F. la documenta en su forma inglesa ya en 1914. Alfaro la echaba de menos en el diccionario académico, pero hoy figura con tres acepciones distintas. Aunque la voz registrada en el francés del Canadá —*tabagan*, *tabaganne*— no ha llegado al español, no hay que descartar ésta, donde domina la forma anglocanadiense, como intermediaria, pues en inglés es palabra grave.

Aunque es frecuente en novelas de indios americanos, la voz **tomawak** o **tomahawk**, tomada del algonquino *tamahaac*, según *RHD*, no la registran los diccionarios españoles, excepto el *Peq. Espasa* y el *Peq. Larousse* con la definición 'hacha de guerra de los indios de América del Norte' en el primero y 'hacha de guerra de los pieles rojas' en el segundo. Entre los diccionarios bilingües, el *Collins* registra la voz como traducción del inglés. La voz inglesa es hoy rara, pero su traducción 'hacha de guerra' en las frases *enterrar el hacha* (*to bury the tomahawk (hatchet)*) o *desenterrar el hacha* para significar 'conciliar' o 'romper hostilidades' son usuales y merecerían figurar en los diccionarios. «...Inducir a los chicos y chicas a que saquen el hacha de guerra y se hagan de la 'generación cherokee'...», J. Berlanga, *ABC*, 17-3-95, pág. 21.

El diccionario de V. León, s.v. *tu mach* (< ingl. ***too much***) dice que significa 'demasiado, increíble, inaudito', es decir, la anglificación del galicismo *demasié*, tal vez inservible tras años de recurrencia en estilo familiar.

El monosílabo inglés **top** aparece en diversos contextos y acepciones, no siempre revelando que el original se ha entendido. Ya hemos mencionado el caso del escritor que creía ver en *conferencia cumbre* un calco de *top conference*. Pero también se ha traducido *tope* cuando el original inglés exigía *extremo*, p. ej. [tras mencionar la 'parte superior de una grúa' se celebra] «que no se desprendiera el entero tope de la grúa», J. M.ª Carrascal, *ABC*, 24-7-82, pág. 69. También he anotado en América *salario tope* (< *top salary)* por 'salario máximo'. Hoy esta voz se ha hecho tan frecuente que quienes la usan se curan en salud dejándola en inglés y así tenemos *top quark*, *top secret*, *topless*, *top model(s)*, *models*, *tops*, las *top*, *top quality*, etc. También hemos anotado «los Top -Ten[sic]» para referirse a los diez principales en música pop y rock. Un comentario de V. de la Serna critica el uso del plural invariable en los *topmodel* en vez de *models* «como en inglés» (*El Mundo*, 11-2-94). Pero hoy los plurales invariables son norma casi general, tolerados e incluso admitidos por la Academia en ciertos casos.

Para el sustantivo **tópico**, véase CALCOS S.V.

La voz **tornado**, pese a su origen español (*tronada*), debe figurar como anglicismo en su grafía y significado actual. No es part. de *tornar*. Cf. CALCOS S.V.

Los nombres de los dos partidos políticos dominantes en la Gran Bretaña —**tories** y **whigs**— los documenta A. Fernández en 1865, señalando que se usa preferentemente el plural *torys* y que existe un derivado *torismo* en dicha fecha, con una variante *torysmo* en Cánovas (1890). Pero en este caso, como en otros ya mencionados, el testimonio de Larra remonta el uso de los dos términos unos treinta años (*El Observador*, 1834; *Revista Mensajero*, 1835; *El Español*, 1836). Hoy día sigue usándose el plural *torys*, pero la decadencia del partido liberal y su fusión con otros no dan lugar al uso de *whig*.

La voz **tótem**, recomendada en su día por Alfaro como «indispensable e irremplazable», figura en el *DRAE* como anglicismo desde la edición 16.ª (1939). La etimología última, de donde procede la voz inglesa popularizada en casi todas las lenguas, no es más que una transcripción aproximada de lo que los primeros viajeros creyeron oír. Hoy, las más aceptadas como punto de partida son *nin-totem*, *oto-teman*, voces algonquinas. La citada por el *DRAE*, *dodaim*, es una de otras cuatro mencionadas por el sociólogo francés Durkheim, que se lamentaba de no saber cuál era su ortografía.

La voz inglesa **trade** 'comercio' tiene derivados y compuestos que afloran de vez en cuando en español. *Trade mark* es hoy término internacional para indicar que un producto tiene marca registrada, aunque no proceda de un país de habla inglesa. Nuestros diccionarios recogen los compuestos *trade union* 'sindicato' (*DMILE*) y *trade unions* 'asociaciones obreras que surgieron en el R. U. a partir de la revolución industrial...' (*Peq. Espasa*). El derivado *trading* 'actividad comercial' aparece en este ejemplo del *DVUA*: «[La mayoría de las empresas en China] penetraron en el país comunista mediante fórmulas iniciales de trading» (*El País Negocios*, 11-6-89, pág. 8).

Tráfico. Si nos fiamos de *Robert Angl.*, diccionario muy fiable, fr. *trafic* procede, al parecer, del ingl. *traffic* en la acepción de 'circulación de personas, vehículos, barcos, etc.'. Tal vez en este sentido sea también el español tributario al inglés, a través del francés. Pero la historia de la palabra, desposeída de significado, tiene problemas que Corominas trata de explicar en su largo artículo dedicado a *trasegar*, donde sin decidirse por una etimología concreta, señala, sin hacer hincapié en ello, que «es evidente que [it.] trafficare y cat. trafegar son una misma cosa, pues la correspondencia fonética y semántica es perfecta e irreprochable». Aun temiendo un artículo de Migliorini anunciado para 1956 sobre *trafficare*, no podía prever que dicho lingüista italiano aceptaría esa intuición en su *Vocabolario*, donde para *trafficare* da como etimología «prob. dal catal. trafegar». Dado que el it. *traffico* podría ser origen, como verbo o como deverbal, del inglés *traffic*, que el *NShOED* relaciona con las otras lenguas románicas (esp. y fr.) que lo deben al italiano, habría que pensar que la intuición del etimólogo catalán tuvo su recompensa.

Ya comentamos, al tratar del *DPFE*, s.v. *trial*, la confusión a que se presta su pronunciación con la escrita **trail**, que originariamente significa 'rastro, huellas, etc.' y, como verbo, 'arrastrar'. La confusión se duplica si tenemos en cuenta que el sustantivo con el que se combinan —*trail bike*, *mountain bike*— designa en un caso una motocicleta y en el otro una bicicleta. A diferencia de *trial*, que ha entrado en el diccionario académico, *trail* no se ha aceptado todavía. El *Oxford Bil.* incluye *trail* (pl. *trails*) 'trail bike' en la parte español-inglés; pero *trail bike* lo traduce al español por 'moto de motocross *or* de trial' [sic].

Se ha hecho general en algunos países del mundo hispánico el anglicismo **tráiler** (ingl. *trailer*) para designar la casa remolcada que en otros se denomina *caravana*, *rulot*, *casa rodante*, *cámper* o *remolque* a secas. Pero también se llama así en España, referido al cine, el avance o anticipo de una película de estreno próximo.

Aunque el origen inmediato de la palabra sea probablemente el francés, la voz *entrenamiento* (< fr. *entraînement)* es adaptación del ingl. **training**, menos usado en español que en francés con la grafía inglesa. El *MEU* da tres opciones para evitarlo: *adiestramiento*, *entrenamiento* y *perfeccionamiento.* Corominas (s.v. *traer*) data el verbo *entrenar* (< fr. *entraîner*) hacia 1914, «adaptación del ingl. *to train*». La palabra *tren* en español no tiene que ver con *entrenar* y es, según el mismo Corominas, galicismo de mediados del s. XVII.

Aparte de que figure embebido en la voz *transistor* (vide infra), el término inglés **transfer** puede aparecer independientemente en ejemplos como los reproducidos por el *DVUA*, tomados de la prensa española, con el significado de 'traspaso' (de jugadores entre dos clubes). El *MEU* recomienda: «Entrecomíllese o tradúzcase, cuando se pueda, por *transferencia*».

Para **transistor** (ingl. *transistor*) véase pág. 22.

El mismo tipo de soldadura o aglutinación se da en la voz **transpondedor** (véase s.v. en CALCOS), no admitida todavía por la Academia.

Ya hemos comentado las múltiples grafías —unas diez— con que aparece ingl. *tramway* **'tranvía'** en los datos de A. F. Esta voz, en inglés, significaba y significa literalmente lo que expresa, es decir, una *tramline* 'vía, carril o línea de carriles' así como el recorrido de la misma. El sentido de vehículo de transporte de personas o cosas se lo debemos al francés, pues como coche o tren el nombre inglés es *tram < tramway car, tram car; streetcar o trolley(car)* (Amér.).

Corominas fecha la 1.ª documentación en el *DRAE* de 1869; A. F. encuentra en la *Revista Científica* un ejemplo de 1862, referido a las minas de Riotinto.

En Uruguay, según Kühl, se sigue usando el préstamo inglés, que se pronuncia /trangwái/. También en la Argentina. En ambos países, poco usado.

El verbo inglés *to travel*, del mismo origen que trabajar, figuraba en el *MEU*'89 (5.ª edic.) con dos entradas: **traveller's cheques** (grafía británica de *traveler's checks*) 'cheques de viaje' y **travelling** 'travelín' (término de cine): «como en un 'travelling' cinematográfico, próximo y lejano a la vez», J. Perucho, *ABC*, 18-5-94, pág. 3. En 1994, el *MEU* sólo recoge la adaptación académica *travelín*, señalando que se acentúa así. Ignoro cuál es la pronunciación dominante hoy; siendo probablemente un seudoanglicismo forjado en Francia, como *leasing*, *dancing*, *smoking*, *pressing*, etc., no me extraña el acento agudo, pero el mundo del cine hoy está más familiarizado con el inglés y creo acertado el acento esdrújulo que adopta el reciente y bien documentado *Peq. Espasa* (1994). El *MEU*, *VOX*, *Peq. Larousse* y M. Sousa siguen la propuesta académica.

Aunque de origen afrikaans (verbo *trekken*), es decir, neerlandés de Sudáfrica, la palabra **trekking**, de formación inglesa, se ha popularizado en los últimos años. El *DVUA* nos brinda cinco ejemplos del uso español actual y remite a otros de la prensa española reciente. También documenta una forma **trek**, con el mismo significado: 'amantes del *trek*'. Su definición es, según este diccionario, 'práctica deportiva consistente en recorrer a pie zonas abruptas o deshabitadas'. Una traducción que parece sustituir este anglicismo, muy asentado, es la de *senderismo*, donde el ingrediente semántico de arriesgado se pierde, pues las rutas o senderos están a veces señalizados.

Sin tener relación etimológica con la voz anterior, el término inglés **trial** podría describirse como trekking en motocicleta, «sobre terrenos accidentados, montañosos y con obstáculos preparados para dificultar más el recorrido» (*DRAE*).

El diccionario académico acoge como acepción 3.ª de **trinchera** (< ingl. *trench coat*) 'gabardina de aspecto militar', uso que se hizo popular en la tercera década del siglo. En francés y en italiano se tomó la forma inglesa, en español se adaptó aprovechando que ya existía en la lengua una palabra del mismo origen francés que la voz inglesa. El origen remoto, según Corominas, «es de aquellos 'en que sólo es posible negar' (Diez, *Wb.*, 328)». *Robert Angl.* considera el préstamo «vieilli» en francés como compuesto; «en cambio la forma truncada *trench* pertenece a la jerga de la moda y designa un tipo preciso de impermeable». Figura en el *Larousse du XXème siècle* (1928-33). Zolli registra también la forma truncada en 1933 y la explica como procedente de *trench coat* 'impermeabile con cintura, imitato da quello dell'esercito inglese'. También figura en el Zingarelli en las dos formas. Aunque el italiano posee como galicismos *trincea* y *trincera*, coincidentes fonéticamente con las españolas *trinchea* y *trinchera* (*DRAE*), ninguna de ellas se ha contagiado del valor de 'gabardina, impermeable'.

En el mundo de la droga se ha extendido el anglicismo **trip** 'viaje, excursión', con el significado de 'dosis de LSD' (también llamada *tripi*) o de 'alucinación producida por el LSD u otro alucinógeno' (V. León). J. M. Oliver añade otra acepción: 'dosis y efectos producidos por cualquier droga dura'. Existen derivados: *tripar*, *tripear*, *tripín*.

Recoge Alfaro en su diccionario la voz **trique**, «reproducción impropia de una palabra inglesa» [trick], pero no aporta ningún ejemplo del uso. Es laudable su idea de buscar equivalencia con *truco*, que existe en algunos casos, pero establecer parentesco entre ambas supondría sumergirse en el maremágnum de aguas revueltas que trata de aclarar sin éxito Corominas a lo largo de más de cinco páginas s.v. *trocar*.

La voz inglesa **trolley** llegó a España hace un siglo, según los datos de A. F. con distintas grafías: *trolley*, *troley*, *trole*, la primera en una traducción del francés de 1892. Se discutió si se llamaba así la pértiga o la ruedecilla que toma la corriente eléctrica del cable aéreo. En España no ha triunfado el uso americano que llama *trolley* al tranvía. Así lo registra Kühl en Uruguay (pron. trólei) y lo he visto usar referido a una línea en la frontera de México con California.

Ya hemos comentado, a propósito del vocalismo (cf. *Sin fronteras. Homenaje a M.ª Josefa Canellada*), la adaptación hispánica del **truck** 'camión' americano (en ingl. británico *lorry*). Alfaro lo comenta en las entradas *troc*, *troque* de su diccionario («Este barbarismo ha sido formado por el proceso rudimentario de la reproducción fonética») y añade que en la zona fronteriza de México con los EEUU y en los estados del sudoeste yanqui se usa el femenino *troca*. Barbarismo por barbarismo, «la dicción castiza es *camión*» no es tan castiza, pues está tomada del francés en la 2.ª mitad del siglo XIX. Curiosamente, *truck* en inglés medio está emparentado con *trocar* pero no tiene que ver con el transporte. Si los etimólogos no yerran, en este sentido sería una forma regresiva de *truckle* 'polea, rueda'.

Pero aparte de los usos americanos con una u otra grafía, el *DVUA* ofrece un ejemplo del compuesto **truckstop** 'área de descanso y servicios... para camiones y camioneros'. El texto, pie de foto, dice que es «el primer 'truckstop' que se pone en funcionamiento en España».

En un acto de clausura de los cursos de Santander un ilustre conferenciante utilizó la palabra **truismo**, buena adaptación del inglés *truism* (< *true* 'cierto') a través del italiano. Luego, fiados de su prestigio o huyendo de la equivalencia 'perogrullada', un tanto familiar, que dan los diccionarios bilingües, la han utilizado otros. Buena traducción, si se quiere evitar el uso cotidiano, sería *obviedad*, no registrada en el *DRAE*, pero de uso creciente, o *tópico*, si el contexto lo admite. El *Peq. Larousse* admite la palabra como *truismo*, que define 'verdad muy sencilla y que no tiene alcance ninguno'.

Este anglicismo ha tenido buena acogida en francés —*truisme*— y en italiano —*truismo*— aunque ambas lenguas disponían del término equivalente —en fr. el sust. *lapalissade*; en it. el adj. *lapalissiano*, *-na*—, los dos identificados en sus lenguas respectivas con el anglicismo que comentamos y derivados del nombre del capitán francés La Palice o La Palisse, una especie de Perogrullo galo.

Aunque no es frecuente, tampoco es de extrañar que la primera mención (1911) de la voz inglesa **tub** 'bañera' aparezca en Pérez de Ayala: «...recogió el cortinaje, y, dentro de la alcoba, preparó el *tub*, las toallas, la esponja...», *La pata de la raposa*, Ed. S. Calleja, pág. 23. Aunque en francés está atestiguada mucho antes, dada la formación anglosajona del novelista asturiano no hay que recurrir a nuestros vecinos para explicarla.

De origen distinto al de *tub* es el ingl. **tube** 'tubo', usado para designar el túnel subterráneo por el que discurre el metro londinense. A. F. aporta ejemplos en que aparece la forma inglesa (1916) y la española (1909). También figura *tubo* en el *Diccionario de argot español...*, de V. León, con el mismo significado, propio de marginados, de 'ferrocarril subterráneo'.

La cámara de goma de una rueda llamada en inglés *tube* (< lat. *tubus*) se ha adaptado como **tubo** en algunos países de América, cinco según Quilis. El invento de la cubierta sin cámara, aparecido en 1945-50 (ingl. *tubeless tire*), llegó a España en la década siguiente y se llamaba *tubelés* (*tiubles*, para los cultos). Ignoro su difusión actual. Córdova lo registra: «dicho de un neumático que no tiene tubo o cámara interior» (s.v. *tubeless*).

También se usa *tubo* 'tubo de escape' en la traducción del compuesto inglés *exhaust-pipe* 'tubo de exosto' (Colombia), según Quilis. Otros compuestos con *tubo* son de más difícil filiación. El uso de *tubo* por 'válvula, lámpara de radio', que menciona Alfaro, no lo tengo anotado en España, pero sí lo registra Córdova en el Ecuador (s.v.).

Sólo **tubolux**, por ser marca registrada, delata el origen. Lo registra Kühl en Uruguay y *Oxford Bil.* en el Río de la Plata.

Con el invento del ferrocarril se extendieron por el mundo muchos términos ingleses. Uno de ellos es **túnel** (< ingl. *tunnel* < fr. *tonnel)*. Corominas da 1884 como primera documentación (*DRAE*), pero A. F. registra en 1862 la noticia de la perforación de un túnel en la Sierra de Guadarrama. *Túnel* es también, según el *LHCMéx.*, la palabra preferida para designar en estadios el vomitorio de acceso a las gradas.

Es posible que en relación con los aviones el elemento compositivo **turbo-** sea en ciertos compuestos, como *turbojet* o *turboprop*, indicio de anglicismo. Habría que consultar a las oficinas de patentes para establecer quién los inventó. En algunos casos, como el de *turbofan*, se sabe que la compañía General Electric lo concibió y fabricó, pero en otros casos es difícil fijar la paternidad del invento y averiguar quién acuñó el neologismo. Córdova (*UMA*) registra en el Ecuador *turbofuel, turbojet* y *turboprop* como anglicismos.

De todos los sentidos que posee **turf** en inglés (césped, hierba, tepe) el que ha penetrado más en el mundo hispanohablante es el figurado y general de 'hípica, hipismo, hipódromo', en el Río de la Plata sobre todo, por la afición a las carreras de caballos de sus habitantes. De él se deriva el adj. *turfista* 'relativo al turf' y *turfístico* (adj. Cono Sur, Perú) así como el sust. *turfista* 'aficionado a las carreras'. En España, aunque hoy la afición es menor que en otros tiempos, aparece de vez en cuando la voz *turf;* así, p. ej., en dos citas recientes del *DVUA*: «los jerarcas del turf», «el turf nacional».

Aunque cualquier aficionado español al ciclismo no duda en atribuir al francés el nombre de *tour*, igual que *tournée*, pocos pensarán que **turismo** y **turista** no se deben también al mismo idioma. Sin embargo, en francés la voz *touriste* (< ingl. *tourist*), como *tourisme* (< ingl. *tourism*), se consideran anglicismos; y la voz *touriste*, según *Robert Angl.*, se aplicó primero a los viajeros ingleses, a principios del siglo XIX; *tourisme* es posterior. Ambos términos subrayan el carácter placentero que tenía esta actividad entre los ingleses, cuya educación de *gentlemen* exigía un largo viaje formativo (la *Grand Tour*), de placer y cultura por los países del Continente.

La grafía originaria de *tour*, con *ou*, se mantiene incluso en la forma *tour operadores*, semiespañolizada. Pero A. Zamora (*Hablan*..., pág. 100) opta por «turoperadores».

El cuello alto (o de cisne) de un jersey, llamado también *polera* (en el Río de la Plata < ingl. *polo neck*), se adopta sin más en Puerto Rico con el nombre inglés **turtle neck**, que alterna ventajosamente con otras opciones, *cuello de tortuga* o *cuello alto;* en México, sin embargo, se ha optado claramente por el calco, *cuello de tortuga* (18 votos) frente a *cuello alto* (8).

La prenda conocida en España como *esmoquin* (ingl. *smoking jacket*, hoy *dinner jacket*) se llama en los Estados Unidos **tuxedo**. En zonas y países hispanohablantes influidos por la cultura estadounidense, como Puerto Rico (igualado con *esmoquin)*, se encuentra ocasionalmente este angloamericanismo, en grafía inglesa o en la adaptación *tuxido.*

El río que, en parte, señala la frontera entre Inglaterra y Escocia, llamado **Tweed**, ha influido en el nombre actual de un tejido de lana áspera para chaquetas y otras prendas, fabricado en Escocia y conocido antes como *twill*. Según A. F. se trata en *twill* de una forma de tejido diferente, aunque del mismo material, que él documenta en 1914. Pero *tweed* debe de estar atestiguado antes. En el *DVUA* se nos dan tres ejemplos de 1993, lo que prueba su vitalidad actual. También lo usa F. Nieva: «mucho 'tweed' británico», *ABC*, 17-4-94, pág. 3.

Hacia 1960 se puso de moda en Europa un baile de origen americano llamado **twist**, voz de múltiples significados en que predomina el de 'torcer, girar'. Algunos diccionarios españoles la registran y describen con desigual pormenor: «se caracteriza por su rítmico balanceo» es lo más repetido.

Menos difusión actual tiene el baile conocido en otros tiempos como **two-step**, que A. F. registra por primera vez en 1927, pero que Arniches menciona, con ortografía arnichesca, en 1914 (*Amig. Melq.*) como *tuesten* (2 veces) y en 1916 (*Srta. de Trevélez*) con la misma grafía.

Debo a A. Fernández la pista de un supuesto anglicismo localizado en Cuba y admitido en el diccionario académico. Se trata del ingl. **type-writer**, convertido en *tiperrita* 'mecanógrafa'. Sólo lo he encontrado en el diccionario *VOX* y admito que esté más documentado, ya que el término *tipiadora* para 'máquina de escribir' y 'mecanógrafa' figura en el *DRAE*. *VOX* registra también, como americanismo, el verbo *tipear* 'escribir a máquina' (< ingl. *to type*).

Aunque la sigla inglesa **UFO** (= *unidentified flying object*) se ha «traducido» correctamente por OVNI (objeto volante no identificado), el original inglés impone su forma para los derivados *ufólogo*, *ufología* como equivalentes a *ufologist*, *ufology*. También aparece el adjetivo *ufológico*, *-ca* 'propio o relativo a la ufología' (*DVUA*).

Otras siglas inglesas adoptadas sin buscarles equivalencia y de uso general en España son **UNESCO**, **UNICEF** y **USA**, algo menos la agencia **UPI**; lo fueron en tiempos (final de la 2ª Guerra Mundial) **UNRRA** y a comienzos de la TV española **UHF** (hoy desusada).

El *LEPaís* incluye la voz **underground** 'subterráneo' con la orden: «Tradúzcase por 'marginal' o 'clandestino'». Con valor adjetivo o sustantivo son muchos los grupos sociales que, marginados o no, emplean para sí o para otros este anglicismo; «las profundidades abismales del 'underground'», *ABC*, 29-1-94, pág. 108; «los musicales de talante underground'», *El Mundo Madrid*, 8-5-94, pág. 1; «El lenguaje de la política *underground*», Carmen Olivares, *FM*, noviembre 1972, págs. 139 y ss.; «escritores *underground*, editora *underground*», *El Mundo*, 11-3-94. Cf. aquí CALCOS PLURIMEMBRES S.V. *contracultura* y *economía subterránea*.

Más que sigla habría que considerar acrónimo el verbo **uperizar** / **uperisar**, rechazado en la segunda grafía por galicismo, según el *MEU*, leve defecto de aclimatación si se tiene en cuenta que en conjunto sería un anglicismo híbrido de las dos lenguas, pues según *Robert Angl.* su origen es el verbo angloamericano *to uperize*, contracción de *ultra-* y *pasteurize*, tomado del fr. *pasteuriser*. El dicc. *Lexis* registra *upérisation* y no menciona el inglés; tampoco el *Duden* alemán. Es posible que se trate de un procedimiento patentado y como tal falta en algunos diccionarios ingleses, pero no en el *Webster* de 1966.

El término deportivo **uppercut**, muy usado en la época dorada del boxeo, sigue vivo en México, según Lope Blanch, que lo clasifica como «de uso medio», «pronunciado *opercót*, *opercút* o simplemente *oper* en concurrencia con *gancho*, *gancho alto o a la barbilla*».

El término inglés **vacuum cleaner** 'aspiradora' (literalmente 'limpiador de vacío') no ha tenido repercusión en el mundo hispánico, excepto en comunidades muy sometidas al influjo norteamericano, como se refleja en la encuesta hecha por Gutiérrez (1993) en «El Barrio» (N. York). Las respuestas: *bacun clíner* (5), *vacun clíner* (8), *vacun clina* (4), *aspirador(a)*(3), no permiten, en su diversidad, deducir un uso general de ninguna ni concebir predominio de la labiodental *v* cuando no se percibe el vocalismo de *vacuum* /vækjwəm/. En la encuesta de L. Morales en P. Rico predomina ligeramente *vacuum cleaner* (no se dice la pronunciación) sobre *aspiradora.* Estos resultados echan por tierra las apócrifas y malintencionadas ocurrencias de «vacunar la carpeta» y otros inventos semejantes.

Aunque A. F. no encuentra la grafía **vagón**'carruaje [...] en los ferrocarriles' (< ingl. *wagon*, *waggon*, en fr. *vagon*, *wagon*) hasta 1887, aparece, sin embargo, por influjo francés, ya en la correspondencia de Valera, según mis notas, en 1856, referida a su viaje de Berlín a Varsovia, y en 1857, «en el camino de hierro de Petersburgo a Moscú». En francés han convivido ambas formas, con predominio de la *w*- etimológica, llegada al español en el compuesto híbrido francés *wagon-lit*, luego *voiture-lit*, calcado como *coche cama*, pero hoy *wagon* ha dejado el paso a *voiture*. Tampoco en inglés se usa hoy apenas *wagon* referido al ferrocarril, pero sí para designar ciertos medios de transporte de personas o reparto de mercancías que corresponderían a carromatos, furgonetas, rancheras, rubias, camionetas, etc. Uno de estos vehículos, el *station wagon*, parece haber dejado su nombre en el Río de la Plata y Chile, según el *Oxford Bil.* (no se indica la pronunciación). La encuesta de Quilis *(art. cit.)* precisa más: *station wagon* en Chile, *station* en S. Domingo; *vagoneta* en Bolivia y México. Para Uruguay tenemos el testimonio de Kühl: «vehículo de cuatro ruedas, similar a una carreta, tirado por animales o un tractor que se emplea en el campo...». En España se anuncia un todoterreno de este tipo con el nombre de «*Vitara Wagon 5 puertas*», *El Mundo*, 24-2-95, pág. 17, pero hay otras casas constructoras que ofrecen modelos de *station wagon* con diferentes nombres: Volvo: *station wagon (premium)*, tres tipos; Opel: *Frontera Wagon* (2 tipos); Mitsubischi: *Space Wagon;* Fiat: *Tempra Station Wagon* (4 tipos). Todos figuran en una lista de precios de *El Mundo-Motor*, 28-2-95, págs. 11-12.

En el capítulo 10 del supl. de *ByN* (4-6-95) «Historia del Cine», de Terenci Moix, se dedican cuatro páginas (págs. 192-5) a *La Vampiresa*, a Theda Bara «instauradora 'oficial' del vampirismo» y a *Las primeras vampiresas*. La forma truncada inglesa **vamp** y el calco francés 'mujer fatal' alternan como sinónimos de vampiresa.

Ya hemos comentado (cf. *Sin fronteras*...) la voz **vanity case** 'neceser, polvera' a propósito del vocalismo. El término *vanity* alterna con *polvera* en Puerto Rico, según L. Morales, pero predomina la última. Alfaro ya censura esta expresión, que califica, s. v. *vánitiqueis*, de «frecuente pochismo», cuyo «equivalente castizo... es *neceser*, voz de origen francés».

En la XX edición del *DRAE* (1984) figuraba **vaselina** como voz derivada del inglés *wax* 'cera'. En la última edición se ha rectificado el error a medias —«del al. *Wasser* + gr. *elaión*, aceite»—, pues el hecho es que se trata de una marca registrada en los Estados Unidos, propiedad de la Chesebrough Company, llamada así en recuerdo de quien acuñó el nombre. Aunque la *W-* alemana se pronunciaría como la *v-* del inglés, los diccionarios alemanes respetan la grafía del nombre registrado y escriben *das Vaselin* (neutro) o *die Vaseline* (fem.).

A. Fernández registra el nombre *vaselina* en un anuncio de 1892: «Vaselina blanca, perfumada. Perfumería americana».

La transliteración de una *w-* alemana por *v-* es perfecta (*volframio*, *veimarés*, aunque *weberio*). No lo es tanto la de **vatio** (< ingl. James *Watt*), inconsecuente con la adopción de *güisqui*, de criticada oportunidad. Sobre el modelo de *voltaje* y con el mismo sufijo francés se ha creado *vataje* (*DRAE*), pero tenemos anotado *vatiaje* en Colombia (*El Tiempo*, Santafé).

En España se han usado persianas, que el *DRAE* describe como «especie de celosía, formada de tablillas fijas o movibles, que sirve... para graduar la entrada de luz...». Igual que *persiana* no viene del persa y sí del francés, la voz *(cortina)* **veneciana**, más moderna, parece haber entrado a través del inglés (en Argentina se llama 'persiana americana') *Venetian Blind*, que no es esencialmente diferente. No es término usual entre los persianistas españoles, que prefieren hablar de *gradolux*, nombre comercial, o de *estores* (véase s.v.). El *Oxford Bil.* traduce *Venetian blind* por «persiana veneciana o de lamas, cortina veneciana (Uruguay)», (también en Kühl), aparte de la variante argentina citada.

Sobre **versus**, condenado por anglicismo, vide supra, págs. 78-9.

El elemento compositivo **video-**, usado también como lexema independiente, inicia su difusión en el inglés americano durante la década de los años 30. Franceses, italianos y alemanes están de acuerdo en que como elemento compositivo es un anglicismo, formado con lat. *vide(re)* + *-o* (como *audio-*). Para el sustantivo, usado también en función adjetiva, prefiere *Robert Angl.* la forma verbal latina *video* 'yo veo', que es la etimología adoptada por el *DRAE*. Debe destacarse hoy la difusión de compuestos formados con *video-* como primer elemento, que en español ya son incontables, sin deber nada muchos de ellos a posibles modelos ingleses. En el *DVUA*, que sólo abarca la prensa española de aprox. cinco años, encontramos dos acepciones para *vídeo* (sust.) y 34 formaciones que tienen *video-* como elemento compositivo, unas con un solo ejemplo, otras abundantemente documentadas (*videojuego*, p. ej., con 17 citas reproducidas o mencionadas). En el Uruguay se usa el anglicismo crudo *videotape*, pronunciado a la inglesa /videotéip/. En el Ecuador se reduce a *video* (sic) según Córdova.

La sigla **VIP** (< ingl. *very important person* 'personaje, persona muy importante') se ha difundido mucho en España por la expansión de una cadena de tiendas —los *Vips*— que ofrece comidas y toda clase de artículos (libros, prensa, comestibles, papelería, etc.). Así, en pie de foto de *ABC*: «Las primeras ediciones de ABC se agotaron en los Vips y en otros establecimientos en que se venden periódicos durante la noche», 28-2-95, pág. 6. En esta acepción la *-s* final se propaga al singular: «sólo tienes que acercarte al quiosco [...] a un VIP'S [...] para conseguir un *Touchdown* [nombre de revista, cf. s.v.]», *El Mundo*, 14-4-95, pág. 68. Otros ejemplos: «Era cerca de la una en el establecimiento, un Vips...», Javier Marías, *Mañana...*, pág. 75; «me encontraba en la cola de la caja de un Vips... esa niña del Vips...», Rosa Montero, *El País semanal*, 7-5-95, pág. 8.

En su sentido recto, el de la sigla inglesa, el *LEPaís* recomienda que no se use, pero otros periódicos lo usan sin reservas. El *DVUA* recoge tres ejemplos recientes. Yo añado: «[A. Landa], que es otro de los 'vips' que han venido a apoyar a la selección», *ABC*, 22-6-94, pág. 83. He aquí otro más, de ilustre firma: «...otro juez, éste de juzgado, sí ha apreciado 'culpabilidad' en el vip de turno, en vez de culpa», F. Lázaro, *ABC*, 26-2-95, pág. 3.

A la hora de crear siglas inglesas no están excluidos, por supuesto, los hispanohablantes; otra cosa es que tengan acogida y que sigan las normas del inglés. Un columnista afamado, A. Burgos, titula un artículo «NIPS», explicando el acrónimo como 'nothing important persons' (3 veces), que traduce por 'personas absolutamente nada importantes'. Que yo sepa, no ha tenido seguidores.

Es discutible que pueda considerarse, en rigor, anglicismo el nombre de la lengua artificial, antecedente del esperanto, llamada (**volapuk**, *VOX*) *volapük*, por aglutinación forzada de las palabras inglesas *world* 'mundo' y *speak* 'hablar', lo que significaría 'lengua mundial'.

Una de las más discutibles adaptaciones de una voz inglesa al español es la usada en España para «aclimatar» el ingl. *volley ball* o *balonvolea*. Admitida como **voleibol** (*DRAE*) no representa la pronunciación inglesa salvo en el segundo elemento. En Hispanoamérica, la transcripción *volibol* resulta más coherente con la realidad fonética inglesa. Podría preferirse el calco *balonvolea*, también recogido en el *DRAE*, que remite a *voleibol*, indicando así que ésta es la forma preferible. En la disyuntiva, el *LEPaís* opta por la forma comentada («Voleibol, no balonvolea»), sumándose a la preferencia académica, pero en el *MEU* («Prefiérase balonvolea»), como en *Peq. Espasa* y *VOX* (*voleibol* remite a *balonvolea*), no se acepta el criterio del *DRAE*. En *UMA* encontramos *voley* (habla familiar) y *volibol* / *voleybol*.

A juicio del *Robert Angl.*, por lo regular bien informado, se deben al inglés las dos siguientes formaciones cultas, derivadas del nombre del dios Vulcano: **vulcanizar**, **vulcanización** (*DRAE*) < ingl. *to vulcanize*, *vulcanization* (hacia 1845), 'tratamiento de la goma con azufre y calor para hacerla más resistente y elástica'.

Acudiendo al mismo dios romano en la voz italiana *volcano*, se creó en inglés, en 1886, el cultismo *volcanology*, precedido antes (1858) de la forma latinizante *vulcanology* (> esp. **vulcanología**), que es la que hoy domina. Las adaptaciones francesas en *vulcano-* las rechazan en Francia los científicos y la Academia. El *DRAE*, por su parte, atendiendo al dios *Vulcano* + *logía*, ha optado por la solución latino-inglesa.

El tecnicismo inglés **vúmetro** 'instrumento para medir visualmente la amplitud de la modulación en radio y T.V.', ha tenido entrada en el diccionario *VOX*, como tomado del ingl. *vumeter*, formado a su vez por *vu* 'volumen' + *-metro*. El *RHD* explica, en cambio, que se trata de una sigla, VU (= *volume unit*) + *meter*. Es voz, a mi juicio, desusada fuera del mundo de las emisoras.

En el artículo «Anglicismos en el español de América» (*IEAP*, págs. 66-82) citamos un ejemplo de Carlos Fuentes (México) como mezcla de anglicismos crudos y calcados: «le pidió que ordenara *waffles* con miel de *maple*». No figura **waffle**, sin embargo, en el *LHCMéx.* Sí aparece, en cambio, en Gutiérrez *(Barrio)* con 11 respuestas para *guafol*, frente a 1 para *toast* y 1 para *guafle*; en el Uruguay, definida como 'galleta cuadrada o rectangular, formada por varias capas de masa parecida a la de las obleas, unidas entre sí por cremas o dulces', pron. /gwáfle/. Me confirma el uso general argentino la profesora Kovacci. Pero su difusión en la América hispana debe de ser más general, según el *Oxford Bil.*, puesto que se ha creado el derivado *waflera* (= ingl. *waffle iron*). Otra traducción que ofrece este diccionario, *gofre* (en España), aunque del mismo origen remoto germánico (franco **wafel* o neerl. medio *wafel)*, ha llegado a nuestro país a través del fr. *gaufre* 'panal de miel' (< fr. ant.**wafla*, *walfre*), que según María Moliner —y creo que no se equivoca— sería el origen del verbo español *gofrar* 'estampar en relieve o en hueco' y sus derivados, que figura en el *DRAE* sin indicación de origen. Algunos diccionarios (Cuyás, Velázquez) traducen *waffle* por 'suplicación', fuente de jocosos comentarios en Córdova (*UMA*).

Sobre **walkie-talkie** véase lo dicho sobre *talkie-walkie*. No hay, al parecer, sustituto aceptable para ninguno de los dos: «ya habían empezado a zumbar los *walki-talkies* de los *geos* responsables [en Argel]», *El País Domingo*, 4-6-95, pág. 17.

Walkman es nombre registrado por la compañía japonesa Sony en 1979. Cf. nuestro ejemplo sobre su origen s.v. *-ing*. Según dos citas del *DVUA* tomadas de la revista *Cambio-16*, estos aparatos se llaman «en el lenguaje de la calle» *egoístas*. No he podido comprobarlo.

El anglicismo **walk-over** figura en el *Peq. Larousse* —pron. /wakóver/— como voz inglesa del mundo de la hípica, con dos acepciones distintas: 'carrera en que toma parte un solo caballo. Abandono —*ganar por walkover*— cuando no corre el único contrincante'. Resulta extraño que en el Río de la Plata, donde la afición al *turf* es muy notable, no lo registre el diccionario de Kühl, sobre todo si tenemos en cuenta que en francés e italiano, dos lenguas de clara influencia en la zona, es un anglicismo de diccionario.

La voz inglesa **warrant**, del mismo origen que esp. *garantía*, es hoy usual como término mercantil y la recoge algún diccionario como *VOX* 'documento en el que se hace constar que una persona ha depositado mercancías en un almacén fiscal' (en *UMA* 'certificado de depósito'), acepción ésta menos frecuente en inglés que la de 'orden judicial (de registro, de arresto)', documentada ya en la correspondencia de Gondomar, principios del siglo XVII: «que se juntasse el Consejo y firmasen seis el guarante y mandamiento para prendello».

La expresión inglesa **wash and wear** 'lava y póntelo' para designar las prendas de vestir que no necesitan planchado se usa en Uruguay, según Kühl, y se pronuncia /gwashangwér/. También en Argentina. Hay un eco en el *LHCSCh.* (1 respuesta), con la pronunciación /gwochangwéar/. Es de uso general en el Ecuador (Córdova, s.v.).

Sea por pedantería o por jugar con el equívoco, la sigla **wasp** (= white Anglo-Saxon Protestant), que como palabra significa 'avispa', aparece de vez en cuando en textos españoles que se ocupan de la sociedad americana o de grupos selectos. Se menciona un hotel barcelonés, el «Catalunya Plaza» (sic), con la calificación de «hotel *wasp*», *El País semanal*, 30-1-94, pág. 100. El *LEPaís* la explica, pero dice que «no debe emplearse».

El verbo to **watch** 'vigilar' ha entrado en español por vía oral en casos como *guachar*, *guachiman* (< ingl. *to watch*, *watchman*), etc. *Guachimán*, referido a America (Colombia), aparece en un artículo de J. J. Armas Marcelo: «...'el guachimán', guardia de seguridad y de turismo...», pero el autor es canario y la voz está convenientemente registrada en el *TLEC*, con sus ramificaciones americanas (Chile, Méx., Nicar., Pan., Perú) y Guinea Ecuat. Mas también encontramos el verbo *to watch* —vía escrita— en algún compuesto como en «Nacía así la consideración de la Prensa como 'watchdog', el perro vigilante y ladrador...», A. M.-Alonso, *ABC*, 5-5-95, pág. 3.

La voz inglesa **water** es posible que nos haya llegado como calco en más de una expresión: 'cama de agua' (< *water bed*); 'marca de agua' (< *watermark*) 'filigrana', etc. (véase s.v.). Sin embargo, como préstamo de adaptación variable lo encontramos también en *water-polo* (así en una serie postal española de deportes en otoño de 1995) o *polo acuático*, y en la creación libre chilena *guatero* para lo que en inglés se llama *hot water bottle* (liter. 'botella de agua caliente'), sin contar *Watergate* y sus secuelas (vide supra). Lo que en un principio fue un eufemismo —**water-closet**— para evitar la mención de *retrete*, *excusado* y otros «eufemismos» anteriores, fue a su vez sustituido por otros más recientes, incluso en inglés y francés, lenguas en las que ha dejado paso a *toilet* y *lavabo*, respectivamente, que supongo en trance de relevo o ya relevados. No creo que en español se considere hoy *water*, forma abreviada dominante, un eufemismo, sino palabra vitanda que debe sustituirse por otras más recientes: *inodoro*, *lavabo*, *aseos*, *servicio*, *cuarto de baño*, etc. La Academia lo ha admitido en la forma *váter*, que explica como 'inodoro'. A. F. registra ocho grafías diferentes para la voz inglesa desde 1889, en traducción del francés, sin contar otra —*guatarcoses*—, usada por Benavente buscando efecto cómico en 1902 (*Ob. Comp.*, I, pág. 974). Recientemente, Cela, sin avisar, nos ha sorprendido con una atrevida y sensata adaptación: «Me quedé en el *guaterclos* de caballeros al enterarme de las últimas noticias...», *ABC*, 4-4-95, pág. 11. Ignoro si ha tenido seguidores. Pero él insiste semanas después escribiendo cuatro veces *papel de guáter*, *ABC*, 26-5-95, pág.15 [la cursiva es nuestra]. Pero ya en *Viaje a la Alcarria*, W.C. lo hace rimar con *Ardoz, sol* y *estación.* Debemos, pues, leer *guaterclós.*

Los compuestos **waterballast**, **water-closet**, **water polo**, **waterproof** figuran correctamente en diccionarios españoles, como el *Peq. Larousse* o *Peq. Espasa*, en calidad de anglicismos. Todos ellos existen en francés y no descarto esta lengua como vía de penetración. *Watergate* es nombre propio que ha dado lugar a formaciones más o menos burlescas, de las que nos hemos ocupado (vide s.v. *gate*, pág. 222).

Aparte del calco *fin de semana* —véase s.v.—, el anglicismo crudo **week end** figura en algunos diccionarios (lo usaba ya en 1913 E. d'Ors, según A. H.) y se sigue usando en la prensa. El *DVUA* recoge dos ejemplos, uno de *Época*, otro de *El Sol*. En un mismo escritor aparecen seguidos el calco y el original: «el funcionario sacrificaba... su fin de semana en aras de la importancia de la misión. El señor embajador... también sacrificó su 'week end' y marchó raudo... », J. Campmany, *ABC*, 7-3-95.

El sustantivo inglés **welter** significa 'tumulto, galimatías, maremágnum' y más de un estudiante de inglés se ha preguntado qué tiene eso que ver con una categoría de boxeadores —*welterweight*, entre el peso ligero y el medio, sin llegar a los 67 kilos— y ciertos jinetes de carreras. La explicación está en el verbo *to welt*, que, aparte de otras acepciones, posee la de 'golpear, apalear, fustigar', perfectamente aplicable a un púgil. No conozco sustituto aceptado para este anglicismo. Los diccionarios «traducen» 'peso *welter*, *welter*' o recomiendan «Puede castellanizarse como wélter» (así en el libro *IEDep.*, que recomienda lo mismo para la categoría *superwélter).*

Tampoco parece encontrarse sustituto español para el género de películas conocido normalmente como un **western** y que hace más de medio siglo se llamaban «de vaqueros, de caballos» o simplemente «del Oeste» (para los más anglificados «del Far West»). Rodados muchos de estos filmes en Europa por directores italianos, bastantes en España, son conocidos aquí todavía con el nombre burlesco de *spaghetti westerns*.

El laborioso A. Fernández registra cinco grafías diferentes para **whig** en el siglo XIX, la primera, *Wigs*, en 1865, en contraste con el partido contrincante, los Tories (cf. supra s.v. *tories*).

Dice el *Robert Angl.*, con razón, que la palabra **whisky** es una de las voces inglesas que han dado la vuelta al mundo. Ya nos ocupamos de ella en 1955 y de sus dos grafías: la escocesa, y la irlandesa *whiskey*, también usual en los EEUU. Entre las muchas variantes ortográficas que recoge A. F. la primera es *wisky*, en 1866. Los plurales de cultos y semicultos vacilan hoy entre *whiskies* y *whiskys*, pero también está anotado *uisquises* y, por supuesto, el académico *güisquis*, de dudosa aceptación. Cf. *LEPaís*: «*whisky* (pl. *whiskies)* [en la cuarta edición (mayo 1990): «plural castellanizado, *whiskys*... no *güisqui*»]. Empléese este término y no *güisqui*, pero escrito en cursiva. En... derivados... castellanización...: *güisquería*». (Parece, pues, que se acepta y recomienda *whisky*, pero se rechaza, implícitamente, *whiskería*, más frecuente, a mi juicio, que *güisquería.*) De uso obligado, al parecer, a principios de siglo era la combinación *whisky and soda*, que dura, muy viva, en comedias de sociedad (p. ej. Benavente) hasta la guerra civil. Hoy parece haber dejado paso a otra combinación: *whisky on the rocks* 'whisky con hielo', en anuncios o en la pluma de escritores modernizantes. Pero la locución *on the rocks* significa también en inglés 'en dificultades, en mala situación, en la ruina'. Jugando con la ambigüedad, la continuación de una película titulada *Arthur el soltero de oro* se llamaba «en español» *Arthur 2: on the rocks*.

No vamos a censurar ni aplaudir la grafía adoptada y recomendada por la Academia en su día, cuyo acierto ponen también hoy en duda algunos académicos. Mis notas personales sobre el uso escrito favorecen claramente la grafía inglesa. Acaso el temor de infringir la «corrección» académica sea una de las causas de la difusión de *escocés* (cf. s.v.) como alternativa de *whisky*. Un derivado mixto, procedente de Uruguay, lo recoge Kühl: *whiscacho* 'vaso con whisky'.

Para **white-collar** (cf. *cuello azul*, *-blanco)* no propone el *LEPaís* otra correspondencia en español que la de 'personal administrativo'. A. H. en su *DPFE* traduce 'trabajador no manual'. Aunque es posible que la difusión del término se deba al libro *White Collar*, de W. Mills, en los años 50 y 60, el *RHD* data su aparición en los 20; *blue-collar*, en cambio, veinte años después. El *LEPaís* recomienda no usar ninguno de los dos.

El nombre inglés **wind** aparece en varios compuestos acogidos en español. Creo que el más general es el que designa el deporte conocido como **windsurf(ing)**: «...El *windsurfing* o *surf* a vela, o simplemente, 'plancha vela' es de los deportes....», *Doming. ABC*, 18-7-82, pág. 7; traducido a veces por 'patín (o tabla) de vela'. También, en ciertos países americanos, se ha introducido **wind-shield**, adoptado como *guinchil* (¿no será *güinchil*?, en «El Barrio» *güinxils*) para llamar el parabrisas. Combinado con *wiper* —entrada siguiente— aparece en Panamá el doble compuesto *guinchiguaipen* (sic) 'limpiaparabrisas'.

Aunque en el estudio de L. Morales sobre los anglicismos léxicos de P. Rico no se refleja normalmente la pronunciación, el libro de H. J. Gutiérrez sobre «El Barrio» permite averiguar que la voz **wipers** 'limpiaparabrisas', dominante en la isla, se debe de pronunciar, como en «El Barrio», *guaiper* o *guaipa*. Confirma esta grafía semifonética la encuesta de Quilis (*art. cit.*), donde se registra *guaipers* en P. Rico. Las formas *huaipe* (Perú) y *guaipe* (Chile), ambas en singular, designan el trapo, bayeta o gamuza usado para la limpieza del automóvil. En el Ecuador, *huaipe/guaipe* ha desplazado, según Córdova, a la castellana *hilaza*.

La voz inglesa *wonder* 'maravilla, portento, milagro' no suele aparecer sin traducción en textos españoles, pero un compuesto reciente, la pieza de ropa interior femenina conocida como **wonderbra** (< *wonder* + *bra(ssiere)* 'sujetador, sostén'), sin intento de traducción, ha invadido desde 1994 el mundo de la publicidad y ha suscitado diversos artículos periodísticos salpicados de humor. *El País semanal* de 31-7-94 dedica dos páginas, 67-68, a comentar dicha moda con el título «wonderbra». La voz *wonder* en su forma alemana *Wunder* aparece formando un híbrido, *Wunderteam*, para designar el equipo de fútbol austriaco de entreguerras, muy admirado en los años treinta.

Nota sobre **y-** y **j-** iniciales: Varios anglicismos modernos con *j-* inicial los incluye ya el *DRAE* con la adaptación, no siempre acertada ni aceptada, de *y-*. No nos hemos atrevido a adoptar sólo la ortografía académica, optando por la que nos parecía más frecuente, pero remitiendo en cada caso una a otra. Por eso incluimos aquí *yámper*, *yaz*, *yersey*, *yoquey*, *yute*, *yudo*, *yíp*, *yin*, *yingo*, *yob*, *yóuc*, *yoin*, *yonqui*, *yungla*, remitiendo, en su caso, a la forma comentada en el glosario —*jumper*, *jazz*, *jersey*, *jeans*, *jingo*, *jockey*, *jungla*— o prescindiendo de ella, si no está registrada con *j-*, como *jute*, *job*, *joke*, *joint*, *junkie*.

Sobre **yacuz(z)i**, cf. más arriba s.v. *jacuzzi*. Conforme se va consolidando esta moda, se hace más frecuente la transcripción fonética con *y*, acaso influida por la grafía *Yakuza*, especie de mafia japonesa que dio nombre a una película hace unos veinte años. A. del Hoyo transcribe (1995) acertadamente la marca comercial *Jacuzzi* como *yacuci*, pero me temo que la *z* la haga más exótica y atractiva para los partidarios del hidromasaje.

Yamper, véase *jump(ing)*.

Aunque de origen discutido, **yanqui** (ingl. *yankee*) es claramente un anglicismo. La 17.ª edición del *DRAE* todavía no había admitido el término, empleado en España desde 1865 con su grafía inglesa, adaptado luego, tras muchas vacilaciones, en la grafía *yanqui*. Pese a que M.ª Moliner lo tenía por voz en desuso, se emplea todavía con frecuencia y sin el valor peyorativo que siguen detectando algunos, influidos tardíamente por reliquias de la Guerra de Secesión. El inglés británico todavía conserva esa acepción peyorativa. El *LEPaís* (2.ª edic., 1980), en texto poco afortunado: «*Yanqui* (plural *yanquies)*. No es sinónimo de norteamericano [en inglés no, porque *Northamerican* —el tratado NAFTA implica North American Free Trade Agreement— abarca también México, Canadá y a veces incluso América Central, pero sí como 1.ª acep. de **yankee** 'a native or inhabitant of the United States of America', *RHD*]... No debe emplearse. Tiene matiz despectivo» [en la 4.ª edic. (mayo 1990):«plural yanquis; no yanquies»]. Pero *yanqui* es una buena alternativa, inequívoca, a las opciones farragosas *estadounidense* (Méx. *estadunidense)*, *norteamericano* o, el inexacto *americano*, sin contar el claramente despectivo *gringo*. Valera, que tenía motivos para saberlo, no duda en admitir que «por esta mujer [Catalina Bayard, que se suicidó por él] me hubiera quedado aquí y hubiera renegado de la patria y me hubiera hecho yanqui» (A. Navarro, «Corresp. diplomática», en *Cuadernos. Invest. Lit. Hisp*., Fundación Universitaria Española, núm. 17, pág. 172). Córdova propone, bien razonada, la alternativa *usamericano*.

Es posible que, en comparación con otras épocas, especialmente el 98, *yanqui* y sus derivados —*Yanquilandia* (1915), *yancófobo*, *yanquizante* en A. F.— hayan perdido protagonismo, pero el simple gentilicio, pese a los consejos disuasorios, sigue en vigor, tanto que el propio *RHD* lo incluye en cursiva como voz española de uso admitido: «(Latin America) 'a citizen of the United States'».

Lo grave del caso es el intento, bastante logrado, de crear un plural disparatado *yanquies*, como recomienda el citado libro de estilo [como ya queda dicho, corregido en la 4.ª edic. de mayo de 1990] (otros no, como *LEABC*: «su plural es *yanquis»);* supongo que apoyándose en la grafía de otros plurales ingleses terminados en *-y* *(ladies, penalties, cities*, etc.); mas el plural inglés de *Yankee* es *Yankees*. El *LRVang.* es más categórico: «*Yanqui*. No use este término».

Sabido es que *yard* 'patio' es del mismo origen que *garden* y *jardín*, pero *yard* 'yarda, medida de longitud' es un homónimo de distinta filiación, aunque ambos germánicos. **Yarda**, según Corominas, tiene como 1.ª documentación el *DRAE* de 1884, pero la forma inglesa, *yard*, figura ya en Terreros. Nuestros datos discrepan: *yard* figura como voz inglesa en la *Gramática* de Connelly (1784), traducida sin más por la forma hispanizada '*yarda* o *vara inglesa*' (pág. 84 y tablas de medidas en las págs. 642-3).

Ya comentamos en *S.F.*, a propósito del vocalismo inglés en español, la presencia de la voz española **yat** = **yate**, como equivalente del ingl. *yacht*, en 1784 y los problemas etimológicos y fonéticos que comporta. A. F., con clara intuición, deducía de la presencia de *yate* en el *D. N.* de Domínguez (1848) que «ya debía circular en dicha forma castellanizada mucho antes...». La grafía *yot*, que A. F. documenta una vez, sería más acorde con la pronunciación británica actual, mas no podemos prescindir del testimonio de Connelly, del de Domínguez y de la pronunciación americana, que desautorizan la etimología propuesta en el *DRAE*. En A. F. encontramos, además de la forma inglesa (ya en 1865), una serie de derivados y compuestos: *yachting*, *yachter*, *yacht(s)man(n)*, *yachtmen*, *yachtwoman*, etc.

Yawl, véase *yola*, más abajo.

Yaz (*DRAE*), vide supra s.v. *jazz*.

Yersey. Véase *jersey*.

Yes puede aparecer en su sentido recto combinado con el nombre *man:* **yes-man** significa 'persona sumisa y aduladora que nunca contradice a sus superiores'. No es frecuente en español ni en francés, pero ocasionalmente aparece: «...nuestros gobernantes... se convirtieron en fieles yes-men de sus mentores europeos...», J. Vidal-Beneyto, *El País*, 13-6-94.

La moda musical juvenil de los años sesenta tenía, como índice que dio nombre al estilo y a la generación, el estribillo, probablemente francés, **ye-yé** (< ingl. amer. *yeah- yeah* = *yes-yes*, 'sí-sí'), difundido también en francés, italiano y portugués, pero desconocido en los diccionarios ingleses que traducen *yeyé* por '*trendy, groovy*' (= 'muy moderno, marchoso'). Aunque la moda parece haber pasado, se encuentran todavía usos que aluden a ella o a las gentes que la vivieron. Así, refiriéndose a un entrenador en dificultades: «A Benito Floro podría salvarle el 'yeyeísmo' (= los jugadores de la época yeyé del Real Madrid)», M. Ors, *ABC*, 30-1-94; el mismo año, bajo el titular «Madrid 'ye-ye' [sic]» se nos dice que «[M. M.] creó el equipo 'ye-yé' con el que ganó [...] la sexta Copa de Europa [...] los 'ye- yés' le dieron a [M. M.] larga vida...», *ABC*, 13-12-94, pág. 91. Otro ejemplo, actualizando el término: «hay versiones para todos los gustos: de una muy prepotente de Lola Flores a la neo-yeyé de C. C.», J. M. Ullán, *El País*, 10-2-95, pág. 39.

Yingo. Véase *jingo*.

Yins. Véase *jeans*.

La marca registrada *Jeep*, con una etimología discutida (¿G. P.? ¿Eugene the Jeep?), aparece rara vez escrita **yip**, como la recoge el diccionario de Alfaro. Con la tendencia hispánica a la pronunciación ortográfica, dudo de que se abandone la *j* a favor de la *y*, pero los casos de *jazz*, *junkie*, *jet*, *jockey*, etc. aquí comentados parecen anunciar otra tendencia más afín al original.

No es frecuente, pero el *LEPaís* registra la sigla YIP y su derivado **yippy** (pl. *yippies)* advirtiendo que no debe confundirse con *hippy*, de la cual es formación analógica. La sigla YIP condensa *Youth International Party*, y *yippie* (no *yippy*), según el *RHD*, es «un miembro de un grupo de *'hippies'* radicales y políticamente activos». En el suplemento *País Negocios* del 20-3-94, pág. 22, hemos anotado el derivado *yippismo*.

Yob por *job* 'empleo, ocupación' sólo lo tenemos anotado en Alfaro, s.v: «La inutilidad de este barbarismo queda demostrada con sólo enunciarlo».

Para el nombre *joint*, usado en el lenguaje de la droga con el significado de 'porro, cigarrillo de marihuana', ofrece el diccionario de V. León tres grafías: **yoin**, **yoi** y **yoe**. Ignoro cuál es la más frecuente. La misma voz inglesa *joint* 'adj. conjunto, -ta' *(joint venture*, cf. s.v.) se deja en la grafía inglesa.

Dice el diccionario académico que **yola** viene del danés *yolle*, lengua a la que remiten casi todos los diccionarios, sin mucho convencimiento, pero que no presenta tal palabra *yolle* y sí *Jolle* (*y*- en danés sólo aparece ante consonante). Corominas propone como fuente inmediata el francés *yole* (voz germ., cf. baj. al. med. *jolle*, neerl. *jol*, ingl. *yawl)*, pues así aparece en 1831 en España; pero los franceses, aparte de registrar *yawl* como voz inglesa, recogen *yole* sin precisar si viene del danés *jolle* o del neerl. *jol*. Migliorini, apoyándose en la variante inglesa *yole* propone para el italiano *iole* todo un surtido: «Dal fr. e ingl. *yole* (dal danese-norv. *jolle*)». Kluge, tras examinar fechas de primera documentación, reconoce que el origen es «oscuro», pero se inclina a favor del bajo alemán. De todos modos, sea cual fuere el étimo último de esta palabra, tanto el francés, como el alemán y el italiano (acaso alguno más) registran también, con otro significado, la ortografía inglesa *yawl*. La entrada del diccionario académico, en cuanto a la etimología, podría rezar: (Voz germánica, tomada del fr. *yole* 'embarcación larga y ligera movida a remo'). El *Oxford Bil.* registra también la variante *yol*, que traduce '*yawl*'.

No sólo en los diccionarios de argot y en algunos bilingües aparece el término, tomado del lenguaje de la droga, **yonqui** (ingl. *junkie* 'heroinómano'), que encontramos también en la prensa diaria, asociado con los llamados marginados: «Pasotas y turistas... y algún 'yonqui' en trance», *Domingos ABC*, 28-3-82, pág. 28; «skinheads, yonquis...», *El País*, 9-1-94; «...yonquis, triperos [cf. *trip*. s.v.]...», *El Mundo*, 25-3-94, pág. 89; también aquí ha cundido el plural espurio: *yonkies*, en A. Guzmán, *ABC*, 19-5-94, pág. 22.

Pero *junk*, que es voz popular en los EEUU, no ha limitado su influencia al mundo de la droga, pues en su sentido de 'basura, trastos viejos, chatarra, desechos' penetra en México con el sustantivo **yonque** 'montón de chatarra' (*Oxford Bil.*) y en Puerto Rico con el verbo **yonquear** 'vender el carro [coche] para chatarra' (*Apud* Quilis, *art. cit.*).

Prescindo aquí de los calcos suscitados en español por expresiones despectivas como *junk bonds* 'bonos basura', *junk food* 'comida basura' y algunos más creados espontáneamente por analogía con los citados: *televisión-basura*, *política-basura*, etc., documentados en el *DVUA*.

Yoquey. Véase *jockey*.

El **yoyó** de moda de los años treinta, resucitado pasajeramente hace unos años y olvidado, se suele considerar un nombre registrado en EEUU, pero los propios yanquis, siempre orgullosos de su inventiva, reconocen que la palabra les viene de Oriente; para algunos es voz china, para otros, filipina. En cualquier caso, la etimología inmediata la revela como anglicismo.

No hay duda de que la voz **yudo** (también *judo*, en el *DRAE*) es japonesa, pero la vía de penetración puede haber sido lo mismo el francés que el inglés, aunque en éste está documentada a fines del XIX y en francés no aparece hasta 1931.

Yungla. Véase *jungla*.

Sobre **yuppie**, véase nuestro comentario al *DPFE*, s.v. Tenemos también anotadas formaciones españolas ocasionales de cuya permanencia dudamos: *yugre* (*yuppie* + *progre*): «yuppie... que procede de las filas de lo progre», P. Casals, *ABC*, 26-4-88, pág. 3; *yuperío* (*ABC*, 19-3-94, pág. 23); *yuparra*: «¿Es posible que a la generación yuppie [la haya eclipsado] una gran camada de yuparras o macarras transformados en beautiful people?», J. Berlanga, *ABC*, 24-6-89, pág. 129, en un artículo titulado «Los 'yuparras de marras'»; *yupismo*: «El fenómeno que la lengua inglesa... quiso llamar *yuppismo* [sic], fenómeno que era una versión del chulillo de siempre...», T. Moix, *El País semanal*, 15-5-94, pág. 6; etc.

Dada la historia de la adaptación fonética y semántica de ingl. **zapping** al español con el verbo *zapear* y el sustantivo *zapeo*, parece legítima su inclusión entre los anglicismos hispanizados tanto como entre los calcos semánticos que, por pura casualidad, dan la impresión de parónimos.

De distinto origen, pues se trata de una sigla (ZIP = Zone Improvement Program), es el compuesto **zip-code** 'código postal' registrado por Gutiérrez en «El Barrio», sin otra opción y comprensible porque quien allí vive ha de utilizar el servicio postal de EEUU.

En varios países hispanos se ha divulgado el uso de la voz angloamericana **zipper (zip-fastener)** para designar la 'cremallera'. Alterna *zipper*, usado en algunos países (Amér. Central, México, Venezuela), con *cierre relámpago*, calco del fr. *éclair*, que también se usa en el Río de la Plata y en el Ecuador, donde Córdova lo prefiere como «locución castellana».

Sea voz criolla del Caribe o tomada del África occidental, **zombi**, incluida en el *DRAE*, parece haberse difundido a través del inglés *zombie*. Así lo declaran en general los diccionarios de otras lenguas europeas, que, tras admitir el inglés como origen inmediato, añaden «origen desconocido, criollo, africano, etc.».

Es curioso que la famosa obra de Tennessee Williams *The Glass Menagerie* se haya traducido al español *El zoo de cristal*, pasando así de un galicismo en inglés a un anglicismo en español, pues **zoo** es forma truncada de *zoological garden*, término acuñado en el primer tercio del s. XIX, calcado en alemán como *zoologischer Garten* (hay también *Tiergarten* 'jardín de animales', más pequeño), en francés como *jardin (parc) zoologique*, en italiano como *giardino zoologico* y en español como *parque zoológico*. En todos ellos se ha impuesto la forma abreviada, que en francés se pronunciaba a la inglesa */zu/*.

En el mundo de la fotografía, la voz **zoom**, a veces con preposición *in* o *out*, según los casos, parece haber hecho fortuna cuando se trata de cámaras con teleobjetivo *(zoom-lens)*. Se suele pronunciar con vocal *u*; la *z*, ceceada o seseada, según el hablante.

Capítulo III

CALCOS

La convergencia secular de los mismos modelos culturales sobre las lenguas depositarias de la tradición europea fomenta la presencia simultánea de los mismos medios expresivos en éstas. Lo más frecuente es que básicamente signifiquen lo mismo y contribuyan así al allanamiento de diferencias lingüísticas debidas, en la forma, a la historia distinta de elementos del mismo origen remoto, historia que deja su huella al cabo de los siglos en la fisonomía de palabras y frases, tanto fonética como gráfica. Pero suele también ocurrir en el proceso normal de transculturación que una misma palabra o expresión haya cambiado o evolucionado semánticamente en una lengua y no en otra o haya seguido caminos diversos en ambas, de suerte que los hablantes respectivos crean hallar en la apariencia formal una identidad con lo familiar que invita a conclusiones equivocadas y ha dado lugar a la expresión francesa *faux amis* 'falsos amigos', que implica cierto engaño y algunos se resisten a sustituir por la forma culta, más aséptica, *parónimos*.

En rigor, esta paronimia es, si se quiere, el calco en su estado puro. Coincide la forma y, sin pensarlo más, lo dotamos de «nuestro» significado, que puede ser más fiel al originario, pero no más legítimo, que el término calcado. En las páginas que siguen tendremos ocasión de encontrar muchos y variados ejemplos de este proceso. Si hablamos de «estado puro» es porque en ciertos casos la *forma* es exactamente la misma que en nuestra lengua; no hay que buscar correspondencia formal en el diccionario: *complexión, romance, embargo, oficial*, son, salvo leves toques ortográficos, iguales en inglés a *complexion, romance, embargo* y *official*, que pueden significar algo distinto. Los cuatro ejemplos han tenido acogida en español con su significado inglés; por eso los llamamos **calcos semánticos**, que define el *DRAE*'92 así: «Adopción de un significado extranjero para una palabra ya existente en una lengua». Uno de los ejemplos que ilustran esta definición es precisamente *romance* (ingl. *romance*) con el significado de 'amoríos'. Pero no siempre los dos parónimos conservan tan inalterado aspecto exterior. Al lado de *official* (adj. y sust.) el inglés tiene *officer* (sust.). Ambas palabras admiten a veces la misma traducción española: 'oficial', pero no siempre, lo cual es causa de frecuentes versiones incorrectas. Así, cuando *official* significa 'funcionario' o cuando *officer* significa simplemente 'agente de policía' (vide infra). Los casos más comunes de calco semántico se dan en palabras y expresiones que mantienen la misma estructura etimológica en las dos lenguas, pero la han adaptado a la ortografía y morfología respectivas. Al español *convencional, sobrio, posesivo, promoción, ejecutivo, serio, endosar*, etc., le corresponden las formas inglesas *conventional, sober, possessive, promotion, executive, serious, endorse*, etc.

Pero el tipo más característico y comentado de calco es aquel en que se analizan los elementos de la palabra o expresión originales —sean derivados o compuestos— y se les busca correspondencia en la lengua terminal. El procedimiento es muy antiguo y la lingüística histórica nos ofrece excelentes ejemplos: gr. *sympátheia* > lat. *sympathia, compassio* > al. *Mitleid* (< *mit* 'con' + *leiden* 'padecer'); gr. *euangélion* (lat. tard. *evangelium*) > ingl. ant. *godspell* 'buena noticia'(mod. *gospel*); ingl. *freethinker* > esp. *librepensador*.

A veces, tratándose de prefijos y sufijos de origen latino, el calco en inglés se manifiesta en la adopción de prefijos o sufijos ingleses o románicos con preferencia a otros, más o menos equivalentes, que quedan desplazados. Y esto se repite en español. Es el caso de algunos de los abundantes neologismos en *-al* (*educacional, palacial,* etc.), *-ista* (*manicurista,* Amér. 'manicura'; *ecologista* (acep. 2.ª) 'ecólogo'), u otros, derivados con prefijos ingleses de origen latino o románico (*de-, dis-, des-*) a los que se agrega el de origen germánico *un-*, equiparado a lat. *in-* (*unpredictable, unusual* > *impredecible, inusual*); *contra* equiparado a la forma ingl. *counter*: *contracultura* (*DRAE*'92) (< ingl. *counterculture), contraespionaje, contrainteligencia* (< *counterintelligence); -ize, -ise* = *-izar*: *presurizar* (< ingl. *pressurize*; *-ation* = *-ación*: *constipación* (ingl. *constipation* 'estreñimiento', *destinación* (ingl. *destination* 'destino'). El sufijo *-ship* muestra distintas equivalencias en español: *-sía, cía*: Amér. *membresía, membrecía* (< ingl. *membership*), pero también *-azgo* en *liderazgo* (< ingl. *leadership*); el sufijo *-hood* aparece equiparado a *-idad* en *estadidad* (< *statehood*) en P. Rico (cf. J. V. Boo, *ABC*, 5-11-93); el sufijo *-dom* puede aparecer también en español en la forma *-azgo, -ato*: *stardom* se convierte así en *estrellato* o *estrellazgo,* etc.

Probablemente, el grupo más numeroso de este tipo de calcos lo forman los compuestos o sintagmas nominales que traducen un segmento inglés del discurso, tanto si constituye una sola palabra como si aparece en un conjunto léxico de elementos separados: cf. *directorio telefónico* en México (< ingl. *telephone directory* 'guía de teléfonos'); *hemisferio occidental* (< *Western hemisphere* 'América'); *el beneficio de la duda* (< ingl. *the benefit of doubt* 'presunción de inocencia'); *papeles de identidad* (< ingl. *identity papers* 'documentación'); *reloj de alarma* (< ingl. *alarm clock* 'despertador'); *amor a primera vista* (< ingl. *love at first sight* 'flechazo'); *asilo mental* (< ingl. *mental asylum* 'manicomio'); *marca de agua* (< ingl. *watermark* 'filigrana en el papel'). Hay muchos casos en que el equivalente español es difícil de encontrar, por tratarse de un concepto nuevo en nuestra cultura; *desobediencia civil* (< ingl. *civil disobedience* 'desacato colectivo a la autoridad'); *lavado de cerebro* (< ingl. *brainwashing*); *blanqueo de dinero* (< ingl. *money laundering* 'lavado de dinero'); *dinero negro* (ingl. *black money*); *punto de no retorno* (< ingl. *point of no return*); *rizar el rizo* (< ingl. *looping the loop*); *fuga de cerebros* (< ingl. *brain drain*, liter. 'desagüe, sumidero de talentos'); *terapia ocupacional* (< ingl. *occupational therapy*), etc.

Dentro de este grupo cabe añadir el conjunto de frases o expresiones que como giros, proverbios, símiles o locuciones de distinta raíz cultural irrumpen en nuestra lengua sin tradición ni uso que los justifique: *toros* y *osos* en la bolsa para indicar mercado en alza o en baja, respectivamente (cf. «toros alcistas y osos bajistas en Wall Street», J. Velarde, *Época*, 13-11-89), *burros* y *elefantes* en la política yanqui para referirse al partido demócrata o republicano, *halcones* y *palomas* para designar a belicistas y pacifistas en épocas de conflicto, *compañeros de viaje* (< ingl. *fellow travellers* 'simpatizantes'), *el palo y la zanahoria* para marcar el trato alternante entre castigo y recompensa, *extender alfombra roja a alguien* 'tratarlo como persona importante'. A este grupo pertenecen casos de fraseología como *llorar sobre la leche derramada*, o las versiones modernas de la cita shakespeareana *Misery acquaints a man with strange bedfellows* (*Tempestad*, I, 2), que ya hemos comentado, o *alfombra de pared a pared* 'piso enmoquetado, moqueta', etc. Podrían entrar aquí ciertos giros sintácticos como «*en otras palabras*» (= *es decir*), «diez turistas, *incluyendo seis mujeres*» (= *entre ellos seis mujeres*).

Siendo el español, comparado con el inglés, lengua de superior libertad en la ordenación sintáctica, no es siempre decisivo el juicio superficial ante calcos de construcción al parecer evidentes. Ya hemos comentado más arriba (cf. págs. 46-47) cómo se puede tildar de anglicismo la anteposición del adjetivo superlativo al nombre; por ej., *la más populosa ciudad de Andalucía* en vez de *la ciudad más populosa de Andalucía* tiene precedentes clásicos y la prosa periodística actual nos ofrece abundantes ejemplos de anteposición al nombre que difícilmente podrían achacarse a influjo del inglés: *las antes entreabiertas bajo tarifa puertas del Prado* (L. L. Sancho); del mismo modo, no cabe rechazar como anglicismo el orden *Sudamérica* por *América del Sur* cuando en español se puede optar entre *Tierra Santa* y los *Santos Lugares*. Nuestro comentario a la condena de Alfaro sobre interpolación entre auxiliar *haber* y participio (cf. págs. 81-82 y 630) creemos que prueba hasta qué punto contrasta la conmutabilidad de los elementos oracionales del español con la rigidez sintáctica y anquilosamiento del inglés. Por ello, aunque no son gramaticalmente condenables ciertos usos de la voz pasiva, latentes, pero claramente activados por el inglés, es innegable que su frecuencia —por ello hablamos de **anglicismos de frecuencia**— se debe principalmente al contacto con construcciones inglesas de estructura sintáctica paralela. Quienes, campeones de la pureza idiomática, incurren en estas servidumbres, las defienden arguyendo que son meramente transformaciones de las oraciones activas correspondientes; de esta manera se pueden justificar construcciones insólitas como *el avión fue visto estallar por los campesinos*, alegando que es la pasiva de *al avión lo vieron estallar los campesinos*, o *los demás* [actores] *han ido siendo sucesivamente relevados* como pasiva de *a los actores los han ido relevando sucesivamente.* La difusión de este tipo de oraciones, favorecida por la prosa periodística, influida por noticias de agencia procedentes del inglés, tiene el terreno abonado por el esnobismo involuntario de muchos que, reverenciando la lógica, estiman que la anteposición al verbo del complemento objeto (directo o indirecto) fomenta la redundancia y que en *A Juan lo vieron ayer* o *A Juan le dieron la carta* tenemos un pronombre redundante —es cierto— y por tanto (arguyen) es preferible decir *Juan fue visto ayer* o *A Juan fue dada la carta.*

Pese a la mencionada libertad de los elementos oracionales del español hay restricciones no codificadas en el orden sintáctico de algunos. Ciertos periodistas que se alimentan de fuentes yanquis tienden a usar el adjetivo *entero* antepuesto al nombre en combinaciones como *la entera música moderna, el entero centro comercial, el entero pueblo americano, el entero tercer mundo*, etc. Sin embargo, este uso, viniendo de donde viene, se ha filtrado en algún editorial de diario prestigioso: «*contra una entera clase social española*», sin suscitar ningún comentario. El adjetivo inglés en América es *entire,* que favorece el calco. La fórmula tradicional *the whole day*, aprendida con las primeras lecciones de inglés, no hubiera favorecido **el entero* *día*, aunque no descarto que se haya usado. En las oraciones compuestas, la tendencia a la anteposición del sujeto en inglés se extiende a la oración subordinada, como ya señalábamos hace cuarenta años (*si un conductor eléctrico*... cf. aquí, pág. 90). Lo que entonces eran hechos aislados que extrañaban al lector, hoy parecen haberse generalizado y se toleran e incluso recomiendan alternativas que incurren en este uso hasta hace unos años anómalo en español.

No son estrictamente sintácticos ni pertenecen claramente a la fraseología ciertos giros calcados del inglés que denotan desconocimiento de sus equivalentes castellanos. Cierto político de oratoria atropellada y, teóricamente, buen conocedor del inglés, traduce literalmente la frase inglesa *as simple as that* con un *tan simple como eso*, que no añade claridad ni rotundidad al español *así de sencillo*. Lo malo es que dicho por este personaje invita a la imitación por quienes quieren a toda costa «estar al día».

Sí pertenecen a la sintaxis —y han sido condenados a menudo— ciertos usos anómalos de las preposiciones: *consistir de, de acuerdo a, cerca a, estoy esperando por Juan, buscar por Fulano*, etc., u omisiones como *jugar tenis, jugar a pelota, ganaron cinco dos, abierto nueve a una*.

También caben aquí nexos adverbiales de la oración como los manifiestos en la proliferación de un *como* superfluo en construcciones del tipo *elegir, nombrar, denominar, apodar, calificar (como)*, etc. Así, *lo eligieron como ministro; lo nombraron como alcalde; los «consellers», a los que se denomina como «ministros»; Ben Barek... apodado como «la perla negra»*... etc.

Una variante del uso anglicado de *como* se presenta cuando funciona con el significado de 'en el papel de' o sencillamente 'de', como se decía hace algunos años: Fulano *como* Lincoln, Mengana *como* la hija del rey. Este calco parece que también ha llegado a Italia (*come = nella parte di*): *Redford come Gatsby*. (*Apud* Dardano, en Viereck, *op. cit.*)

Préstamos simples. — Como apuntamos más arriba, el calco puro sería la voz de apariencia española, no registrada en nuestros léxicos, pero identificable como propia, usada por influjo directo del inglés: *privacía, privacidad* (< ingl. *privacy*); *permisibilidad* y *permisividad* (falta en *DRAE*'70; aparece en 1984); *crucial* (no de *crux, crucis*, como dice el *DRAE*; cf. Corominas); *posicionar, posicionamiento* (< ingl. *to position, positioning*, a través del fr. *positionnement*), que faltan en el *DRAE*'84; *abolicionista, abolicionismo* (< ingl. *abolicionist, abolicionism*); *aparcar, parquear, aparcamiento, parqueo* (< ingl. *to park, parking*); *detectar, detector, detección, detective* (< ingl. *detect, detector, detection, detective*). Corominas señala que la primera voz de la familia que entró en castellano es *detector*, que falta todavía en el *DRAE* de 1884, y lamenta la resistencia académica a admitir *detective,* voz usual en todo el mundo hispanohablante. Hoy figura toda la serie en el *DRAE*. El verbo latino *detegere,* de donde proceden todas, ha dejado su huella en *tegumento* y *techo*. Parecido es el caso de *esponsor* (ingl. *sponsor)* y sus derivados, desconocidos antes en español pero de la misma familia (lat. *spondere* 'prometer') que *esponsales* y *esposos*. Antes de 1984 el *DRAE* registraba varios derivados cultos de lat. *computare* (> esp. 'contar'), sin relación con la informática; por eso deben citarse aquí como calcos *computador, computadorizar, computarizar* (todos en el *DRAE*); *computación* 'cómputo' ya existía en sus páginas, y la acepción 2.ª, 'informática', hay que considerarla calco semántico del inglés. Común a todos ellos es su ausencia, al entrar en español, en el diccionario académico y la presencia frecuente de otras voces de la misma familia léxica, no siempre detectables.

Puede añadirse aquí *hamburguesería; experticia* 'dictamen de experto, peritaje' (Caracas) (< ingl. *expertise*); *ego* 'amor propio' (ingl. *ego); aplicante* 'solicitante' (*aplicar* entra dentro de los calcos semánticos); *iodina* (< ingl. *iodine* 'yodo'): «...la iodina causará 24.000 anormalidades de tiroides...» (J. M.ª Carrascal, *ABC*, 19-5-86); *locación* 'escenario donde se rueda una película': «Película filmada en las siguientes locaciones...» (texto del final de un filme mexicano emitido por RTVE, 30-4-89).

Son bastante más numerosos los **calcos semánticos**. Éstos no afectan más que al significado, de origen inglés, que ha cobrado una palabra ya inventariada como española. Entran en este grupo un sinfín de voces españolas, parónimas de otras inglesas, que por diversas razones se admiten con una nueva acepción sin buscarles equivalente o sencillamente porque el equivalente no existe o no se conoce. Antes hemos enumerado *complexión, romance, embargo, oficial, convencional, ejecutivo, endosar, posesivo, promoción, serio* y *sobrio*, algunas de ellas ya tratadas en nuestra revisión de anglicismos discutidos. *Complexión*, debido a ignorancia, aparece en la frase *complexión muy ligera,* advertida por un lector avisado, para traducir *very light complexion*, es decir, 'tez muy clara' (vide infra). *Computación* (ingl. *computation*, vide supra) debe considerarse calco del inglés. *Romance*, como calco del inglés, figura ya en el *DRAE* (acep.7.ª 'relación amorosa pasajera'). *Embargo*, aunque viejo hispanismo en inglés (fines s. XVI), figura hoy en la acep. 5.ª (no en *DRAE*'47) 'prohibición de comercio, etc.' con un sentido muy alejado del que era usual en español ('embargar los bienes'). *Convencional*, en el sentido de 'usual, corriente, habitual' (*VOX*), que todavía no recoge el *DRAE*, referido a las armas significaba (ingl. *conventional*) 'tradicional', en oposición a 'atómico'. *Ejecutivo*, en su acepción 7.ª (*DRAE*'84) es calco del ingl. *executive*. *Endosar*, en el sentido de 'respaldar, apoyar', se filtra a menudo en noticias de prensa como traducción (mala) de *to endorse* («algunos funcionarios se negaron a endosar las modalidades de asalto...», J. M.ª Carrascal, *ABC*, 26-11-85; «(los EEUU) pueden contar con la comprensión de sus aliados..., comprensión, pero no endoso, y menos aún cooperación...», el mismo, *ibíd.*, 12-4-86). *Posesivo*, en gramática, es igual a ingl. *possessive,* de engañosa grafía para los alumnos, mas dicho de personas significa 'dominante, absorbente'. Este uso aparece entre quienes saben inglés, pero no demasiado. *Promoción* (ingl. *promotion)* se nos presenta como doble calco del inglés: con valor sociológico equivale a 'ascenso' (militar, institucional o empresarial). En sentido comercial da lugar al verbo *promocionar* (ingl. *to promotion),* admitido por la

Academia en 1984. *Serio*, en lugar de *grave,* lo hemos censurado hace años, con apoyo casi general, pero sin repercusión sobre las autoridades sanitarias que advierten sobre el uso del tabaco: «fumar perjudica seriamente la salud».

El caso de *sobrio* creo que merece punto y aparte. En nuestro discurso de ingreso en la Academia (pág. 51) ya advertíamos síntomas del calco a partir del ingl. *sober*, usado como antónimo de *drunk, intoxicated.* En español, buscando la antonimia, los traductores literales empezaron a usar *sobrio* con el valor de 'no ebrio', sin darse cuenta de que *sobrio*, en español, se considera cualidad, buena o mala, permanente y se construye con el verbo *ser*. He repasado el fichero de la Academia, y entre las 145 cédulas no he encontrado ninguna que autorice, como es habitual, la nueva acepción 3.ª de la entrada *sobrio*, *-bria*, 'Dícese del que no está borracho'. La explicación está en el *DMILE*, que dispone del mismo fichero pero sigue criterios menos rígidos para incluir una nueva voz en sus páginas. La nueva acepción ha «ascendido» sin más espera, como lo prueba su definición, en que la norma aceptada y observada por los redactores de la XXI.ª edición hubiera exigido «Dícese de quien...», para tranquilidad de las feministas. Dada la popularidad que está alcanzando esta edición del *DRAE*, gracias a su versión económica, me temo que el desaguisado sea ya irremediable, porque, aun sin «autoridades» del fichero, las cédulas o papeletas posibles de *estar sobrio(a)* se encontrarían sin dificultad en traducciones del inglés, obras que por lo regular no son objeto de despojo por nuestros lexicógrafos. Repasando el citado fichero me he encontrado con dos citas que, con la nueva acepción, acabarán perdiendo su valor para sus lectores. Una es de Blasco Ibáñez: «...sintió con más fuerza la embriaguez que le dominaba, una embriaguez de sobrio, con la sorpresa fulminante de la novedad...»; la segunda es de Gerardo Diego: «...mis necesidades de embriaguez: la embriaguez —entendámonos, queridos amigos— de un sobrio». La *sobriedad*, como se ve, era en español cualidad permanente del *ser*, ahora es una de las posibilidades del *estar*. Nos tememos que con traducciones así algún día se pueda decir: **He trabajado mucho, soy fatigado.*

Trataremos a continuación de ofrecer, en orden alfabético, un muestrario de los numerosos calcos semánticos observables en palabras simples sometidas al influjo semántico del inglés:

Calcos unimembres

La definición académica de **abolicionismo** y **abolicionista** (ingl. *abolitionism, abolitionist)* apunta al movimiento americano a favor de la abolición de la esclavitud. Si la fecha dada por Corominas para *abolicionista* (1831) es correcta, resultaría un calco relativamente temprano, probablemente llegado del francés, donde *abolitionniste* aparece en 1826 (*abolitionnisme*, 1836).

En la última edición del *DRAE* (1992), s.v. **abortar** se añade a la acepción 2.ª 'fig. Fracasar, malograrse una empresa o un proyecto' la extensión «Ú. t. c. tr. La policía *abortó* el intento de fuga», que parece reflejar el uso transitivo inglés de *to abort* 'hacer fracasar, interrumpir, suspender', frecuente en la jerga de la aviación y la astronáutica (*abortar* un despegue, un lanzamiento, etc.) y en el lenguaje de las relaciones humanas, con respecto al embarazo.

De la misma manera, el término **abortista**, que admite por primera vez el *DRAE* en la misma edición, parece calco casi literal del derivado inglés *abortionist*, documentado en inglés americano hacia 1870-75. No registran *avortist* los diccionarios franceses pero sí *abortista* los italianos. Por razones sociopolíticas y religiosas no se concibe que el movimiento abortista surgiera en Italia o España.

La palabra *abuse*, en inglés significa a veces 'abuso', pero muy a menudo también 'insultos, improperios'. Como verbo también significa **'abusar'**, pero no es éste el significado que tendría en inglés la frase «Gadafi [...] eligió a los [EEUU] y ha estado abusándolos [= insultándolos] de palabra, amenazándolos [...]», M. Blanco Tobío, *ABC*, 27-3-86, pág. 23.

El anglicismo **adventista** (< ingl. *adventist*) figuraba ya en el *DRAE*'70. Si, como afirman sus prosélitos, es una secta de muchos seguidores, el término, infrecuente, habrá de difundirse.

Agresivo no figura todavía en el *DRAE* con la acepción inglesa de 'audaz, dinámico, emprendedor' que registra, p. ej., el diccionario *VOX* como anglicismo. Existe incluso un grupo de música *pop* español llamado *Ejecutivos Agresivos*. El fascículo correspondiente del *DHLE* (1967) no registraba todavía ningún ejemplo de este uso, ni figura tampoco en el *Peq. Espasa* o el *DMILE*. Ofrecemos un anuncio costarricense: «Buscamos hombres creativos... con... capacidad para asimilar agresivos planes de mercadeo [ingl. *marketing*]... hacer que sus hombres de ventas [< ingl. *salesmen*] sean cada vez más efectivos y agresivos» (*La Nación,* San Juan, dic. 1985).

Alegadamente lo hemos encontrado como calco de *allegedly*, adverbio inglés que equivaldría en el texto a 'según se dice': «Doris D. alegadamente intentó meter a un amante...» (*ABC*, 3-11-88).

Amarillo, en la acepción inglesa de 'sensacionalista' (*prensa amarilla*), es un calco del ingl. *yellow press*. También hay un derivado, *amarillismo*: «máximos exponentes del amarillismo televisivo», *El País semanal,* 27-2-94, así como *amarillismos:* «La libertad de Prensa ha amparado, en ocasiones, abusos, 'amarillismos', intoxicaciones...», Alej. M.-Alonso, *ABC*, 5-4-95, pág. 3. De acuerdo con el *DHLE*, este uso está ya documentado en Pardo Bazán en 1901 y, según cita de 1981, se debe al «protagonista de unas tiras cómicas llamado Yellow Kid» (?); calco del mismo origen es la acepción 'que defiende los intereses de la patronal. Dicho de sindicato o trabajador', documentada en España ya en 1911. Ambos usos figuran en el *NShOED* como aparecidos en inglés a mediados del s. XIX; este mismo diccionario nos informa también de que *yellow pages (páginas amarillas)* es nombre registrado de un suplemento de guía telefónica impreso en papel de dicho color. Aunque el adjetivo inglés no es usual en español, a veces aparece en las dos lenguas: así, en *ABC*, 15-2-94, un columnista habla de la «prensa amarilla londinense» en la pág. 20, mientras que otro, en la 21, cita «un periódico *yellow*».

Se presta a discusión bizantina el uso actual de la voz **América** y sus derivados nominales y verbales *americano, americanizar, americanismo.* Aunque el nombre oficial del país es el que corresponde a las siglas USA, que en su versión española EEUU oculta la *A* de América, porque de hecho hay otros Estados Unidos en América (México, Venezuela, Brasil), será difícil desterrar del uso general, no sólo inglés, la idea de que cuando decimos *americano* no queremos decir otra cosa que lo que, prescindiendo de sutilezas semánticas, se puede llamar *yanqui* sin ofender a nadie, por mucho que se empeñen en considerar la palabra vitanda y ofensiva, no más que la costumbre hispanoamericana en calificar de gallegos a todos los españoles. *Yanqui* se define en el *RHD* como 'natural o vecino de los Estados Unidos' en su 1.ª acepción y, en la 2.ª, 'natural o vecino de Nueva Inglaterra'. Quizá convenga recordar que Nueva Inglaterra es una de las zonas de mayor prestigio histórico y cultural.

Dejémoslo ahí. Ya advertimos nuestra «reluctancia» a abordar una cuestión de incierta e insatisfactoria solución, cuando se sostiene el derecho de que los habitantes de una aldea, una comarca, una región o un país son los dueños del nombre escogido por ellos, que los niños en la escuela cantan como patria. Lo malo en este caso es que el nombre no lo escogieron, se lo dieron escogido y se apropiaron de él.

En la edición de 1970, la entrada **analista**[2] del *DRAE* recogía dos acepciones relacionadas con la medicina y la matemática; en la de 1984 se añadieron dos acepciones más, una procedente del psicoanálisis y otra de la informática. La última (1992), ante la invasión actual de analistas de toda especie, trata de abarcarlos a todos y da algunos ejemplos: *analista político, financiero, militar*. Es difícil determinar con exactitud cuáles de estas acepciones proceden del francés, del inglés o del alemán. El caso de *(psico)analista* no puede desligarse de su origen freudiano, pero no todos los demás son tan claros. En todo caso, la mencionada invasión se debe en gran parte a la profusión de analistas, expertos y observadores con que nos ilustran las agencias de prensa, la mayoría de habla inglesa, a diario.

Se llama en inglés *operating theatre (room)* a lo que en España llamamos *quirófano* o *sala de operaciones*. Pero nuestro diccionario registra s.v. *anfiteatro anatómico* el 'lugar destinado a la disección de los cadáveres'. Siendo también «teatro» el primero, no es extraño que en algunos textos se llame **anfiteatro** al quirófano. En mis notas no está claro que siempre se trate de cadáveres y no de enfermos en trance operatorio.

Ansia, ansioso han invadido hace años las malas traducciones: «Tenía ansias de, vamos a decir, limpiarme» [= estaba deseando...], *Doming. ABC*, 2-10-86; «Estoy ansioso por ver a mi esposa», *Diario Las Américas*, Miami, 24-1-92; «...Tanto ella [la Sra. de Clinton] como su marido estaban ansiosos por aclarar todas las dudas que ha suscitado el asunto [Whitewater]», *ABC*, 24-4-94. Este uso se contagia también al verbo *ansiar*, como en el ejemplo siguiente de un gran escritor influido por el inglés: «están ansiando que me vaya» (S. de Madariaga, *Novelas...*, 1980, pág. 22). *Ansia* es 'congoja, angustia, náusea' y *ansioso* 'que tiene ansia o deseo vehemente...' (*DRAE*). Es exagerado decir que un lector está «ansioso de pasar a la página siguiente» (*ABC Cultural*, 2-6-95, pág. 7). De la equiparación periodística entre ambas fórmulas es prueba el siguiente ejemplo: «Estamos ansiosos por jugar» [titular]; «ya estamos todos deseando jugar, ansiosos de saltar al césped» [en el texto], *ABC*, 17-6-94, pág. 66.

La edición de 1947 del *DRAE* no recoge aún la palabra **apartamento**, que sí figura, en cambio, en la de 1970 con la acepción que antes era 3.ª en *apartamiento*. En la entrada de ésta se remitía a *apartamento.* Ello explica la vacilación en el uso de ambas formas, resuelto en España a favor del neologismo de origen extranjero. Alfaro la considera «archianglicismo» (< ingl. *apartment*), pero admite, citando autoridades lexicográficas, el origen francés. Remontándonos más habría que indicar que la voz francesa *appartement* procede del italiano *appartamento*, voz que se considera un hispanismo, atestiguado en esta lengua en 1538, según Paolo Zolli, con la grafía *apartamento*. También la considera hispanismo Migliorini («Dallo spagn. *apartamiento*, der. di *apartarse*). Sea como fuere, hoy *apartamento* es voz firmemente consolidada en español e incluso se permite alguna formación léxica: *aparthotel, apartahotel, apartosuites,* tipo de soldadura no desconocido en inglés (cf. *NShOED*: *apartotel, aparthotel;* no en el *RHD*). Hay que decir que en algunos países hispanoamericanos (México, Chile, Argentina, etc.) el término preferido es *departamento*, y que ambas voces designan viviendas a veces muy espaciosas. Comentamos con más pormenor esta voz en *ABC*, 19-7-95, pág. 3.

Aplicar traduce *to apply* en el sentido de 'solicitar'. Como consecuencia, *aplicación* adquiere el valor de 'solicitud', especialmente en la América hispana. En el *Diario de Caracas*, anunciando un programa de becas, se nos informa de que hay que atenerse a un plazo de entrega de los *formularios de aplicación* (= 'solicitudes, impresos de solicitud'). **Aplicación** figura en el inventario de Colombia con el significado de 'solicitud' (Haensch, '93). En Costa Rica, en oferta de empleo se indica a los aspirantes que escriban en el sobre el nombre del puesto *aplicado* [solicitado]. Pero también en España se ha filtrado ese uso: «Los aplicantes [solicitantes] deberán tener entre 30 y 40 años» (en crónica de Londres), *Diario-16*, 6-4-90, pág. 17.

Área no hace falta documentarla. Aparece en toda clase de acepciones sustituyendo a 'especialidad, sector, zona, terreno', etc. *Área de desastre* suele aparecer en noticias por 'zona catastrófica'. Las competencias de los concejales madrileños se distribuyen por áreas: *Área de Personal, concejal del Área* (*ABC*, 15-2-94). Las disciplinas universitarias están encuadradas en áreas: *área de humanidades, área de matemáticas,* etc. En Salamanca, el Departamento de Filología Moderna tiene su *Área de Alemán*. Las acepciones 5.ª y 6.ª del *DRAE* permiten incluir en este concepto, desde 1984, esferas o materias antes abarcadas por usos metafóricos de terreno o campo.

Aunque casi todos los manuales de inglés advierten al alumno del riesgo de confundir *army* con **armada**, palabra que también existe en inglés para designar la Armada por antonomasia, la de Felipe II, sigue siendo frecuente el calco referido, del que incluso ha sido víctima, al parecer, el redactor del artículo *raglán* (*DRAE*) con la etimología «(De Lord Raglan, almirante de la armada inglesa en Crimea)». Convertida *army* en 'armada', parece explicable que quien, según datos de enciclopedia, era «Commander in Chief of the British army in the Crimean war» o «Commandant en chef de l'armée anglaise pendant la guerre de Crimée» haya que convertirlo en almirante. Durante la conmemoración del desembarco aliado en Normandía en junio de 1994, la prensa española ofreció gráficos que ilustraban la posición de los ejércitos contendientes, y aunque llegaron por barco, no era aceptable referirse a ellos como primera, segunda o tercera armadas. En noticia de la Agencia Ansa, leo en *El Mercurio* de Chile: «El Decimocuarto cuerpo de la armada rusa comenzó hoy a retirarse de Moldavia» (Santiago, 5-2-95, pág. A. 13).

Uno de los calcos más combatidos (cf. *El Brocense, ABC*, 24-7-82) y resistentes a la sustitución es el de **audiencia**, palabra clave en la valoración comercial de los programas televisivos. Hoy ya nadie intenta buscarle alternativa. El *DRAE* incluye una acepción

7.ª en que se extiende el término a «Conjunto de personas que... atienden... un programa de radio o de televisión», acepción ésta que tiende a confundirse con la concurrencia de un acto público —«la audiencia aplaudió al orador», condenado por el *LRVang.*— y a veces con la difusión de un periódico. *El País* (26-6-94, pág. 14), criticado por un lector por usar *audiencia* referida a medios escritos, promete estudiarlo, pues recuerda que, en inglés, *audience* (medios audiovisuales) y *readership* (m. escritos) no se confunden. Pero *audience* = *readership* según el *NShOED*. Mas son tan frecuentes en la prensa y televisión las noticias, reales o ficticias, de vistas, procesos y pleitos norteamericanos que el término *hearing,* usado a menudo en plural con el sentido de *examen de testigos, vista* y también *audiencia,* desorienta al oyente o al lector en frases como «ayer comenzaron las audiencias en el caso XX con gran expectación».

Avance (< ingl. *advancement)* aparece a menudo en contextos donde solíamos leer 'progreso'. Así, al elegir a un español (de nacimiento) presidente de la *American Association for the Advancement of Science,* parte de la prensa española tradujo 'para el avance de la(s) ciencia(s)', aunque en el texto se anunciaba que el elegido pensaba impulsar el progreso de las ciencias en Hispanoamérica.

Balance en el sentido de 'saldo' o 'equilibrio' ha sido ya condenado por filólogos y libros de estilo, tanto en su forma nominal como en su derivado verbal (cf., p. ej., *MEU*, s.v.). He aquí un ejemplo de rótulo en TV: «Pekín y Bonn defienden balance militar europeo» (TVE, 8-10-84). También en mecánica del automóvil: «Con la compra de más de dos cauchos [cubiertas], montura y balanceo por sólo un bolívar» (anuncio en Caracas). El verbo *balancear* también recibe el influjo del inglés: «dieta balanceada» (*San Francisco*, Calif.).

Baloncesto, balonmano, balompié, balonvolea, véase *basketball, handball, fútbol, voleibol.*

En la edición de 1947 no figura **bloque** en ninguna de sus actuales (1992) ocho acepciones. En la señalada hoy como sexta: 'Manzana de casas' se trata de un calco del ingl. *block* 'manzana, lado de una manzana, cuadra (*DRAE*, acep. 28.ª)'.

Creo que tiene razón J. M. Lope-Blanch (1979, pág. 188) cuando opina que **bola**, en la acepción de 'pelota' en el béisbol, es un anglicismo, favorecido, a su juicio, por la pronunciación inglesa de *ball*.

El verbo **cabildear** está registrado hace muchos años en el léxico académico con el significado de 'Gestionar con actividad y maña para ganar voluntades en un cuerpo colegiado o corporación'. Incluye también el *DRAE* los sustantivos *cabildeo* y *cabildero*. Rara vez son exactamente sinónimas dos palabras extraídas de inventarios léxicos de otra lengua, menos aún si sus señas de identidad son tan divergentes como ingl. *lobby, lobbyist* y los mencionados derivados de *cabildo*. Sin embargo, en varios países americanos, singularmente en México, se ha pensado que valía la pena correr el riesgo de la inexactitud de fondo si así se prescindía de préstamos innecesarios. Porque las actividades descritas por nuestro *DRAE* no parecen abarcar conductas tan reguladas por ley como las observadas por los «lobbistas» (ingl. *lobbyists)* yanquis que sirven de referencia. Un largo comentario mexicano a este sistema, tras contratar su Gobierno los servicios de dos equipos de cabildeo que defendieran la aprobación del Tratado de Libre Comercio, cuestiona la licitud de un «proceso político» calificado a la vez de «corrupto y necesario». Pero en lo que nos interesa, hay que destacar que entre *cabilderos* (usado 13 veces) y *cabildeo* (usado 10) no aparece una sola vez 'grupo de presión', que sustituiría a *lobby* (usado una vez), pero sí, como en España, «tráfico de influencias», que correspondería en inglés a *lobbyism, lobbying*.

Hemos advertido en la Florida algún uso de **calificar**, que es calco del ingl. *to qualify* 'reunir las condiciones exigidas'. Sin vivir en la Florida, el gran escritor hispano-peruano Vargas Llosa, elogiando a García Hortelano, escribe: «Entre todos los letraheridos que me ha tocado frecuentar, él es el único que califica [para ir al cielo]», *El País*, 17-5-92.

Entre los muchos compuestos de *water* que han llegado calcados al español, uno de los más recientes es el de *water bed* **'cama de agua'** que aparece en anuncios de prensa. Ejemplo: «camas de agua, colchas patchwork...», *El País*, 13-4-94, pág. 14.

Sobre **campus**, como anglicismo crudo, cf. pág. 148. La flexión del plural en inglés exige normalmente *campuses*. En esto no lo ha seguido el español: nuestra primera anotación en plural es: «*campus* universitarios», M. B. Tobío, *ABC*, 8-1-66.

To capture no sólo posee, como el español **capturar**, el componente semántico de 'aprehender a un delincuente' o bien 'a alguien o algo que ofrezca resistencia'. A menudo significa únicamente 'conseguir, apoderarse'. Así, cabe suponer que «Aun en el Reino Unido existen... dificultades para capturar capital doméstico...» (*ABC Cultural*, 24-9-93) es una frase influida por el inglés *to capture domestic capital.*

Siendo el francés lengua tan afín por su origen latino, toda coincidencia formal en los neologismos tiende a atribuirse al común origen. Por ello, la serie de profesiones designadas como hombre de ciencia, hombre de letras, hombre de negocios, hombre de estado, etc., parecen calcadas de sus correspondientes francesas *homme de science*, *homme de lettres, homme d'affaires, homme d'état*, etc. Pero modernamente, lo que llamábamos hombre de ciencia —galicismo o no— ha dado paso al adjetivo sustantivado **científico** (los científicos de la universidad de Yale) o a un neologismo extendido por la América hispana, **cientista** (< ingl. *scientist*). En una lista de colaboradores del diario chileno *La Época*, figuran doce nombres clasificados como *cientistas políticos*, dos como *cientistas sociales*, y uno, de nombre alemán, como *politólogo* (*VOX*: 'especialista en ciencia política'. En España, Rof Carballo usa *cientista* como adjetivo: «los sabios [del cerebro] no se han dejado arrastrar por la euforia cientista», y aparece también como calco el derivado *scientism*: «el tema de la secularización... tan vinculado al cientismo», J. L. Pinillos, «*Saber/Leer*», enero'88, págs. 8-9.

Un uso ya secular de la voz *circuit* en inglés referida al mundo del espectáculo equivale a la 'gira' o *tournée* de que se hablaba hace ya más de medio siglo. Hoy se suele traducir por **circuito**. Puede también significar una actividad repetida en la que intervienen regularmente las mismas personas: *cocktail circuit, lecture circuit* 'itinerario regular de conferenciantes'. Los siguientes ejemplos, tomados de una entrevista entre Judit Polgar, gran figura del ajedrez, y R. Montero, desarrollada en inglés, hacen pensar en *chess-circuit* como modelo: «¿No le resulta muy duro ser la única mujer del circuito?». —«Soy la única chica que está en el circuito de ajedrez». —«Ya me he acostumbrado a ser la única mujer del circuito», *El País semanal*, 25-12-94, págs. 42-43. También en el tenis hay circuitos: «Estoril abre la campaña europea del circuito ATP sobre arcilla», *ABC*, 2-4-95, pág. 106; «A. S. Vicario no tiene el mejor golpe de derecha del circuito... 10 años en el circuito» (en el titular y tres ejemplos), *El País Domingo*, 12-2-95, pág. 20. No parece frecuente en contextos políticos, como en el siguiente ejemplo, traducido del inglés: «Chr. T. W., elegida (gobernadora)... en 1993, ha sido uno de los elementos más llamativos del circuito de la campaña electoral el pasado otoño...», *El Mundo,* 31-3-95, pág. 24.

Circunvalar es una solución de circunstancias para traducir el verbo inglés *to circumvent*, que entre otras acepciones tiene esa, etimológica, de cercar una ciudad, pero que en un ejemplo recogido significa 'burlar, sortear' (una ley) (*ABC*, 22-7-85, pág. 44).

En su edición de 1970 el *DRAE* recogía seis acepciones de **código**; en 1992, nueve, y además, aparte, *código de barras* y *código postal*, sin contar las más recientes relacionadas con la biología (*código genético*), todavía no incluidas. Nuestro servicio de Correos y la Administración pública han tomado cariño al término y figura en toda clase de impresos. *Cifra* o *clave* no parecen gozar del favor de la gente. Según el *Robert Angl.*, en Francia *décoder*, tomado del ingl. *to decode*, ha desplazado a *déchiffrer* en el uso general.

No ha llegado a España, pero sí ha penetrado en algunos países de habla española el término **comercial** (ingl. *commercial*), aplicado en radio y televisión a los anuncios publicitarios: «...cuando uno de nuestros copywriters [= creativos] escribe un comercial para el jabón XX...», F. del Paso, *Palinuro*, pág. 261.

Compacto es voz que recogió el *DRAE* hace casi dos siglos en el sentido 'de textura apretada y poco porosa'. Como anglicismo ha entrado hace años referido a automóviles de tamaño menor que los corrientes en EEUU y, recientemente (1992), con cuatro nuevas acepciones en que predomina la idea de 'condensado, pequeño', p. ej. *disco compacto*, designado comercialmente con las siglas de su nombre inglés: C. D. (*compact disc*).

Complexión (cf. más arriba, págs. 484 y 490). Otro ejemplo más reciente: «Nadie se traga que M. Jackson sea... normal cuando utiliza una enfermedad cutánea para explicar su complexión [= su tez]», *El País semanal*, 27-2-94.

Compromiso, 'transacción, avenencia, arreglo entre dos partes en litigio', es para algunos rasgo característico de la cultura y la política anglosajona. Alfaro condena el término cuando significa transacción, avenencia, arreglo, etc., condena que repite el *MEU*, pero con la novedad de que es un galicismo. Podría serlo. La palabra es antigua en ambas lenguas en la acepción 4.ª del *DRAE* 'convenio entre litigantes...', pero el significado de 'término medio entre dos soluciones divergentes' parece inglés.

Concreto, en vez de *hormigón,* es calco normal en Hispanoamérica que ya hemos señalado hace años. Sigue siendo raro en España, pero hemos anotado un derivado, *concreteras*, en Guatemala, por 'hormigoneras', también llamadas *revolvedoras* (Amér., *Collins*) y *mezcladoras* (calco parcial, el nombre inglés es *concrete-mixer*).

Rechaza Alfaro en su diccionario el verbo **conducir**, por anglicismo, cuando se trata de dirigir una orquesta. Sin negar que lo sea, creemos que es una opción más de *dirigir* —como llevar, guiar, etc. Más grave nos parece llamar **conductor** al director, y sobre todo, por lo equívoco, al revisor o cobrador de trenes u otros medios de transporte, como en México. En el *LHCMéx.*, *revisor* y *conductor* alternan con *boletero* y *revisor,* y referidos a coche-cama o pullman, con *porter* o *portero*. Córdova registra *(tour) conductor* por 'guía turístico' en el Ecuador (*UMA*, s.v.).

Para los habitantes de las ciudades-dormitorio, que se desplazan diariamente al trabajo en la gran ciudad, tenía el inglés británico el término *season-ticket holder* 'abonado de temporada' que se oponía en los manuales al equivalente americano *commuter*. Hoy el término americano ha penetrado en las Islas Británicas y creo que desplaza en el uso a la variante insular. También parece que se ha propagado a España en una acepción nueva del verbo **conmutar**. El ejemplo siguiente, dado el contexto, parece confirmar mi sospecha: «...La actual tecnología del transporte ha convertido [comarcas medievales de comercio] en... sistemas urbanos diarios (sic), donde la gente... conmuta cotidianamente de casa al trabajo sin necesidad de [...] las grandes ciudades...», L. Racionero, *ABC*, 1-8-92, pág. 3.

Este uso de *conmutar* es claramente un angloamericanismo. No veo posible que el viajero que lo practique, el *commuter*, explicado en algún diccionario con la perífrasis 'persona que viaja diariamente una distancia considerable entre su lugar de residencia y el de trabajo', se convierta, al pasar al español, en **conmutador,* voz que, por otra parte, se usa en Colombia con el significado del inglés *switchboard* 'centralita' y que Haensch ('93) enumera entre los calcos.

Constipación (ingl. *constipation* 'estreñimiento'), aunque figura ya en el *Dicc. Aut.* con un sentido algo próximo («Cerramiento de los poros que impide la insensible transpiración») y se mantiene en el léxico académico (*constipación de vientre*) como término de Patología, es desusado hoy en España y su empleo daría lugar a equívocos. En América, en comunidades sometidas a la influencia del inglés, es más frecuente. Cf. este anuncio de Guatemala: «Laxante que previene la constipación» (*Prensa Libre*, 9-11-89). En el *LHCMéx.* alterna, en minoría, con *estreñimiento.*

Consultoría (también *consultora*) es un neologismo creado recientemente para traducir ingl. *consulting firm, consulting partners*, anglicismos que siguen vivos en anuncios (Consulting Inmobiliario S. L.; Recursos Humanos Consulting, etc.) y en la lengua hablada: «tienen un *consultin*». En una oferta de empleo (febrero 1988): «P. W. ...para desarrollar sus actividades de la división de consultoría informática y software en España, desea incorporar un General Manager...». También aparece sustantivado el término *consultora* para designar la oficina o empresa que ejerce estas funciones. Es difícil predecir cuál de las tres se impondrá.

Debe citarse aquí, con el respaldo de Corominas, la entrada del nombre **corporación**, acaso a través del francés, donde sólo se usaba hablando de instituciones inglesas. Figura en el *DRAE* desde 1843 hasta hoy, naturalmente derivado del lat. *corporatio, -onis,* pero todavía no en el sentido condenado por Alfaro de 'compañía anónima' que hemos comentado más arriba.

En el *DRAE*'70 se registra el adj. **creativo, va** como voz anticuada, = 'capaz de crear alguna cosa', pero en 1984 se añade, como 1.ª acepción, 'que posee o estimula la capacidad de creación, invención, etc.', concepto reforzado en la misma edición por el sustantivo abstracto **creatividad** (< ingl. *creativity*), definido como 'facultad de crear'. En francés *créativité,* también tomado del inglés, es de importación reciente (1965), según *Lexis.* Pero en español, el *DRAE*'92 añade una acepción nueva, que parece ausente en inglés y francés: «m. y f. Profesional encargado de la concepción de una campaña publicitaria». Ejemplos: «...La frase, acuñada por los avispados creativos de una agencia de publicidad...», *El Mundo,* 29-4-94; «...todos los creativos publicitarios han tenido... la idea» [sobre el mundial de fútbol], *ABC*, 19-5-94, pág. 140, ejemplos que coinciden con el uso mexicano: «...nuestra directora creativa...», F. del Paso, *Palinuro*, pág. 281. Cf. aquí s.v. *comercial.*

Crédito, generalmente en plural, ha entrado en español por dos vías: 1.ª la educativa, como término de medida de asistencia y competencia académica que se refleja en el expediente del alumno, según requisitos variables; y 2.ª el mundo del espectáculo (cine, teatro, TV, etc.), donde, en el programa o en la pantalla figura la participación de los distintos individuos o colectivos que han intervenido en una obra: «los créditos [de un programa de TV] pasaron muy deprisa y se nos privó... del nombre del autor» (*ABC*, 30-4-89).

En su aspecto más inocente, la voz *crime* en inglés puede referirse a un acto de negligencia considerado nocivo para el bien público («deemed injurious to the public welfare»). Una biblioteca universitaria de Pensilvania me impuso una multa por el «*crime*» de no devolver en su día un libro prestado. Sin ser jurisperito, sospecho que el campo semántico de *crime* en inglés es infinitamente más extenso que el de **crimen** en español (*DRAE*: 'delito grave'). Pero poco a poco se ha ido instalando en la prensa —traducida y original— el término *crimen* en el significado de delito y delincuencia o, con valor adjetivo, en el de delictivo: crimen organizado, crimen juvenil, ola de crímenes, etc. Incluso se ha traducido la frase *Crime doesn't pay* casi literalmente como «el crimen no paga nunca» (*ABC*, 31-12-86), es decir, 'el delito no es rentable'. Otro ejemplo, peruano: «Ningún tipo de crimen paga» (Bryce Echenique).

Aparte de sus usos como navío de guerra, **crucero**, en su acepción 7.ª, designa también 'un viaje de recreo en barco, con distintas escalas', pero no el barco en que se realiza, llamado en inglés *cruise liner, cruise ship.* A esta acepción del inglés corresponde el accidente mencionado en la noticia de *ABC*, 2.ª quincena, 7-89: «...después de que un crucero soviético chocase con un témpano de hielo» (era un trasatlántico con ancianos excursionistas alemanes que al fin se salvaron).

Según el *Robert Angl.*, varios verbos y nombres derivados de lat. *qualis* y *quantus* son acuñaciones del inglés. Tal es el caso de **cualificación, cualificado, cualificar, cuantificación, cuantificar, cuantificador** (ingl. *qualification, qualified, qualify, quantification, quantify, quantifier*). La serie derivada de *qualis* en sus usos deportivos se extendió primero en las carreras de caballos, después pasó a otros deportes. Luego, alternando con los derivados de *calificar* (del bajo lat. *qualificare*, según el *DRAE*) se confunde con éstos (*cualificado* = *calificado*, *DRAE*, según la alternancia *cualidad / calidad*, que tienden a confundirse). En el verbo *to disqualify*, del mismo origen, el español ha optado por *descalificar, descalificado.*

Los derivados de *quantus*, si se refieren a la Lógica, son anglicismos; en cambio, si tienen que ver con la Física, germanismos: así, ingl. *quantify* y *quantification* son términos creados por el filósofo escocés Sir William Hamilton hacia 1840 y el verbo correspondiente sería la acepción 3.ª del *DRAE* (s.v. *cuantificar*); pero *cuantificar*, en su 2.ª acepción, 'Introducir los principios de la mecánica cuántica...', tiene más que ver con Max Planck y su teoría.

La acepción 18 del verbo **cubrir**, incorporada a la última edición del *DRAE*, es sin duda un calco del inglés en el sentido de 'encargarse de informar sobre un acontecimiento (*to cover a story, a conference*) o un conjunto de actividades (*the Gulf war, the peace talks*)': «...Un [periodista] veterano del *Washington Post* que cubrió la Casa Blanca...», *El Mundo*, 25-3-94.

Cuerpo, en el significado de 'cadáver' (en ingl. *body* y *corpse*), figuraba ya en el *Dicc. Aut.*, mas llevaba en español, con esa acepción, una existencia recoleta en frases hechas como «de cuerpo presente». Ya hemos comentado en otro lugar cómo cierta moda de hace unos años —¿pervive?— favorecía el uso de *cuerpo* como vocativo (= tronco, amigo), pero repito que me parece una falsa interpretación acústica del inglés *buddy* 'amigo', que funciona igual y en el mismo registro, con vocal semejante a *body* 'cuerpo', al menos para el oído del hispanohablante. En la acepción de cadáver es hoy frecuente en noticias de prensa.

En la XX edición del *DRAE* (1984) hay tres entradas —**curricular, currículo** y *curriculum vitae*— que no figuraban en la precedente. La última, en el significado de 'autobiografía de una persona', creemos que no debe nada al inglés, como tampoco la adaptación hispánica de la misma, pero sí, como denunciaba Alfaro en su día, *curricular*, a la vez que su derivado *extracurricular*, en el significado de 'relativo al programa o plan de estudios'.

Dago (< esp. Diego), que A. Hoyo anota en Borges, es, sin duda, un término peyorativo aplicado primero a lo español pero también al portugués e italiano, desde el s. XIX.

Pese a Alfaro y a la renuencia académica, el verbo **debitar** (< ingl. *to debit*) se ha impuesto en el uso bancario y figura en algún diccionario como anglicismo (*VOX*: 'adeudar o cargar en cuenta').

Debutante es voz admitida en la XX edición del *DRAE* como mero participio activo del verbo *debutar* y hubiera desaparecido en la XXI (1992), por no añadir matiz especial al verbo, de no haberse extendido, primero en la América hispanohablante y luego en España, el anglicismo que designa a la joven (en España también al joven) presentada en sociedad en un baile benéfico. En Francia, según *Robert Angl.*, *débutante* (o *deb*) se documenta en 1930 y designa una «jeune fille de la haute société qui fait son entrée dans le monde». La Academia lo registra como femenino, pero el *ABC* del 14-2-94, en sus págs. 127-8, bajo el título «El vals de los debutantes» da cuenta de la fiesta englobando a chicos y chicas en el mismo nombre.

En inglés, el adverbio *definitely* se usa a menudo y no significa, por lo regular, **definitivamente** sino 'categóricamente, decididamente, claramente' y raras veces 'de modo definitivo'. Es término corriente. Hay otro adverbio, *definitively* 'en definitiva', de uso más restringido. Los siguientes ejemplos prueban que se han confundido ambos: «un espectáculo definitivamente [= claramente] tan interesante como meritorio»; «Visita a un Berlín oriental, definitivamente distinto, a pesar del muro, ahora abierto», *Época*, 1-1-90, pág. 93.

Ya hemos comentado (véase INTRODUCCIÓN, esp. nota 14) la tortuosa trayectoria de fr. *délicatesse,* a través del al. *Delikatessen* y del ingl. (1.ª mención en Benavente, 1927) *delicatessen* hasta llegar, con las dos grafías, a los comercios españoles. Pero aparte de estos usos, que habría que considerar préstamos, tenemos algunos casos de calco semántico en que a la palabra **delicadezas** se le confiere el significado de 'exquisiteces' o 'golosinas' que adquirió en alemán y heredó el inglés: «...(langostinos, jamón de Jabugo, boquerones)... la inmensa mayoría de los hispanos no tienen dinero para esas delicadezas...», «...los 'chuños' —patatas congeladas en nieve— alcanzan categoría de delicadeza en Bolivia...» (*ABC*, 11-12-88).

Como tipo especial de tienda de estos productos muestra *delicatessen* vacilación en el género: «su primer *delicatessen*», «...es un auténtico *delicatessen* neoyorquino...» (*Estilo*, Supl. dominical de *El País,* 30-4-89); «...en una delicatessen compró un sandwich... otra excursión a la delicatessen para comprar más...» (del libro *Gasolina* —acción en N. York—, de Quim Monzó, trad. del catalán, Anagrama, Barcelona, 1984).

Se usa en México —ignoro si en otros países— la voz **denominación** como calco del ingl. *denomination* 'valor (facial) de un billete': «...billetes de baja denominación...», *Excelsior,* Méx., 30-10-86. También de México es el ejemplo de «los billetes de más alta denominación», *El Universal,* Méx., 12-10-92

El verbo **deteriorar** (lat. tardío *deteriorare*), según Corominas, está ya atestiguado en Covarrubias y se ha usado como transitivo. Tiene, pues, razón Alfaro cuando condena su uso intransitivo, en vez de 'empeorar, degenerar, etc.', y también cuando se aplica a cosas inmateriales («anglicismo notorio y frecuente»). Esto parece remediarlo el uso pronominal que registra la Academia. Ejemplo: 'la situación de Oriente Medio se ha deteriorado últimamente'. También es hoy usual en España el deverbal *deterioro* aplicado a cosas inmateriales: «[los interinos en huelga denuncian] un grave deterioro de la calidad de la enseñanza» (*ABC*, 13-4-94). El ejemplo de Alfaro «las relaciones... *han deteriorado...*» creo que sería insólito en España.

El término anatómico **distal**, tomado del ingl. *distal,* no figura en el *DRAE* en 1947 y sí en 1970, como derivado del lat. *distare;* en 1992 se rectifica la etimología. Aunque *proximal* es también un anglicismo (cf. *Lexis*) no se le asignó ninguna etimología, ni siquiera del latín.

Existe en español un verbo **disturbar** que difícilmente, sin influjo del inglés *to disturb*, que conoce cualquier cliente de hotel, podría usarse en un contexto como el siguiente: «...no hay [en los satélites]... la menor señal de haber sido disturbados...» (*ABC*, 22-7-85).

Pese a la condena general del uso de **doméstico**, sobre todo en aviación comercial, por *nacional*, resulta difícil extirparlo: «fórmulas para fabricar bombas domésticas [= caseras]»; «...la explosión... que ha estallado a Reagan... dejándole incapacitado doméstica e internacionalmente...» (J. M.ª Carrascal, *ABC*, 31-12-86); «...la política exterior... los asuntos domésticos fueron preteridos...» (M. B. Tobío, *ABC*, 17-7-82). En un anuncio de Aeroméxico, nov. 1989, en una revista española: «Volamos... desde México, D. F., a 35 destinos domésticos y 5 destinos U.S.A.». Para otro ejemplo de este calco, cf. más arriba, s.v. *capturar*.

La acepción 2.ª de **durmiente** ('madero horizontal...'), como señala Corominas, tiene vieja tradición en castellano, pero la 3.ª, registrada como americanismo, 'traviesa de ferrocarril', es un calco de ingl. británico *sleeper,* que significa lo mismo (en EEUU, *tie),* pero, pese a la proximidad geográfica, usual en México, donde en la encuesta del *LHCMéx*. a la consulta *traviesa* del cuestionario todos los consultados, sin excepción, responden *durmiente.*

Efectivos (< ingl. *effective* 'a member of the armed forces...'), identificado con *tropas*, se usa a veces en el sentido de 'combatientes, soldados'. Este uso individualizado de dos palabras que en español tienen carácter colectivo ya ha sido condenado, desde Alfaro (cf. más abajo, s.v. *tropas*), acertadamente como anglicismo. El ejemplo que citamos se debe a la pluma de un ilustre escritor que se refiere a «...más de cien efectivos del ejército...», *ABC*, 3-11-88, pág. 93.

La voz **elevador**, por 'ascensor' (ingl. *elevator*), está muy extendida en el mundo hispánico por influjo del inglés americano (el término británico es *lift*). Por eso es más frecuente en zonas o comunidades próximas a EEUU: «fue en el elevador de la Secretaría de Educación [México]» (*Cambio-16*, 9-2-87). C. Fuentes (*C. H.*, pág. 24) usa el término *elevadorista*.

Según el *DRAE*, la voz **empleador**, por 'patrono', se usa más en América, pero la tenemos anotada también en diarios y revistas españoles, así, en un editorial de *ABC*, 19-12-87, pág. 15, en *El País Domingo*, 19-7-87, pág. 90: «muchachas que cuentan cómo han sido violadas y pegadas por sus empleadores».

Se usa en España entre los motociclistas la palabra **enduro**, cuyo significado exacto no he podido averiguar. Pero también aparece en las páginas de deporte mexicanas, y mi primera reacción fue la de considerarla una adaptación de la voz inglesa *endurance* 'aguante, resistencia', usada en las combinaciones *endurance test, endurance race* 'prueba, carrera de resistencia'. Lo curioso es que *enduro* figure en el *RHD* como posible seudohispanismo o seudoitalianismo para designar una carrera de resistencia para automóviles y a veces motocicletas. *Enduro* es el nombre de una fábrica de conservas —real o ficticia— en *El Astillero*, de J. C. Onetti, lo cual podría apoyar —dada la presencia italiana en el Río de la Plata— la tesis del italianismo; pero no creo que sea necesario acudir al italiano, puesto que el español, s.v. *endurar*, da pie, a través de acepciones como *endurecer* 'robustecer los cuerpos, hacerlos más aptos para el trabajo y la fatiga' o la 2.ª 'sufrir, tolerar', para excluir el italiano, donde no encuentro verbo parecido. Mas consultando el Zingarelli parece que queda zanjada la cuestión, pues s.v. *endurista* encontramos «chi pratica l'enduro», y s.v. *enduro* «(vc. ingl. d'America, probl. dallo spagn. *endurar,* resistere», con el significado de 'specialità del fuoristrada motociclistico [...]' o 'motocicletta usata per tale specialità'.

El verbo **envolver** (ingl. *to involve*), por 'implicar, mezclar', etc., ya lo hemos comentado (cf. pág. 52); más ejemplos: «un mecanismo... que debe decidir sobre las cuestiones envueltas...», J. M.ª Carrascal, *ABC*, 6-4-82; «...un periodista ha pedido al juzgado una lista de todos los documentos envueltos... [= ¿relativos al caso?]», J. M.ª Carrascal, *ABC*, 7-4-82, pág. 64; «...todas las partes envueltas [= ¿implicadas?] deben haber aceptado el plan...», el mismo, *ibíd.*, 8-7-82, pág. 17.

Dado que la famosa bebida británica llamada *whisky* o *whiskey* sufre por todo el mundo frecuentes adulteraciones, se extendió en EEUU la costumbre de destacar lo genuino llamándolo *scotch whisky*, reducido en el habla coloquial a *scotch.* Esta costumbre ha llegado a España, donde los atentos a los últimos vaivenes de la moda «se decantan por el **escocés**»: «Escocés on the rocks... Esta temporada el escocés se toma de un trago...» (se alude a la bebida y al tartán o tartan, tela escocesa), *ByN*, 21-10-93, pág. 88. Otro ejemplo, mexicano: «...variedad de botellas y vasos... escogió una de escocés y uno de cristal de Bohemia...» (C. Fuentes, *A. Cruz,* pág. 210).

Dos calcos abiertamente condenados por el *MEU* son **especulaciones** y **especular.** Para el primero propone los sustitutos 'cábalas, cálculos, presunciones, rumores', etc. Para el verbo, 'conjeturar, calcular', etc. Tiene razón.

Comenta Pratt acertadamente la penetración de *Establishment* en la vida española, a veces escrito *Stablishment*, para que parezca más inglés o calcado en un *Establecimiento* que se presta a bromas y confusiones. Tengo anotado un ejemplo de S. de Madariaga: «jefe de los servicios secretos del **establecimiento**» (*Novelas*..., 1980, pág. 47). Mientras la traducción del parónimo no se consolide, el préstamo crudo inglés tiene asegurada larga vida: «Hace año y medio [*El Siglo*] acuñó el término 'sindicato del crimen', aplicado a ciertos periodistas díscolos que molestan al 'establishment'...» (V. de la Serna, *El Mundo*, 21-1-94). Debe decirse que no hay tal «acuñación», sólo metáfora intencionada de *crime syndicate,* aplicado antes al 'crimen organizado'.

Algunos libros de estilo (*MEU*, *LEABC*) condenan, con razón, el uso de **estimar** y **estimación** en vez de *calcular* y *cálculo.* Pero hay un uso americano no incluido en el rechazo, que es el de **estimado** («estimados gratis») por 'presupuesto', que suele aparecer en la prensa hispana de Florida y California. El prof. Marcos Marín usa *estimación, -ones* en el *Boletín* de la Fundación Juan March, núm. 239 (abril 1994).

Evidencia, por 'prueba', en procesos judiciales, es uno de los calcos más conspicuos y censurados. Mas también aparece en otros contextos: «...Mientras no se encontró evidencia de crímenes de guerra...» (*ABC*, 17-2-88, traducción de *The Times*, de Londres); «...los periódicos y la opinión pública ya le han declarado culpable. Y es que las evidencias son contundentes...» (*El País Domingo*, 17-4-94).

En la edición de 1970 aparece en el *DRAE*, como venezonalismo, la voz **experticia**, que tiene todas las trazas de ser un calco del ingl. *expertise,* con el significado de 'prueba pericial'. También la recoge, como americanismo, sin mayor localización, el *Collins Bil.*, que traduce 'expertise'. Sin embargo, el mismo diccionario, en su 2.ª parte, s.v. *expertise*, la equipara a 'pericia, conocimientos técnicos, habilidad'. Corrobora el uso americano la inclusión de un verbo *expertizar* —mas no *experticia*— en el diccionario *Oxford Bil.*, que traduce el sustantivo *expertise* por 'pericia'.

Uno de los parónimos más susceptibles de error es *facilities* 'instalaciones', empleado con frecuencia en la industria y los servicios. El uso de **facilidades** en estos contextos se presta a comentarios jocosos. El núm. 5 de *Glosas*, pág. 7, comenta este uso.

Aunque todos los hinchas, forofos y partidarios de figuras populares o equipos son más o menos **fanáticos**, este anglicismo, reducido generalmente a *fans,* se aplica sobre todo, en España, a los seguidores de ídolos o grupos musicales. En México, referido a los deportes, es el término preferido, según la encuesta del *LHCMéx.*, frente a 'partidarios, aficionados, porristas', etc., aunque el conjunto de todos ellos, la hinchada, se llame la *porra* y excluya toda opción.

No es raro encontrar en noticias de procedencia inglesa o en traducciones el adjetivo **fatal** en el sentido de 'mortal'. Así, durante un maratón de N.York se nos dice que «hubo tres infartos; dos de ellos fueron fatales» (ABCNews, 7-11-94).

Si no hay sólidos argumentos en contra, opino que derivar **fax** de *telefax*, y esta formación de *telefacsímil*, como hace el diccionario académico, es apurar los recursos de una hipótesis aceptable para no aceptar la etimología obvia, que es ingl. *fax*, como alternativa no patentada del nombre registrado del invento, *telecopier*, definido como 'a device used in facsimile transmission...' y aceptado, sin más, por el francés en la forma *télécopieur.* Este medio de comunicación ha entrado con fuerza en la vida española e incluso ha dado lugar a *faxmanía* («el despegar del fax», TVE, 24-11-89; «la pasión de los noventa, FAXMANÍA», *ByN*, 7-1-90); *faxear* (J. Cerón, con un plural *faces* (sic), *ABC*, 2-10-89). Creo que *telefax* sólo se usó en los primeros tiempos: así, A. Burgos, *ByN*, 13-8-89, pág. 130.

Sobre los recientes usos anglicados de **filibusterismo** en política, he aquí un ejemplo: «R. ha calificado de 'filibusterismo parlamentario' la demora en la entrega de estos informes» [sobre gastos en «atenciones» en TVE]; «B. [un ministro] dice que los populares ejercen el filibusterismo parlamentario» (*El Mundo*, 25-2-94). Otro ejemplo reciente: «Fracasa una operación de 'filibusterismo' en la Junta Municipal de Centro» (titular a dos páginas de *ABC*, 8-11-94, págs. 72-3).

El *filibusterismo* aludido en la acepción 2.ª de *filibustero* en el *DRAE* como desusado, aparece en el reciente artículo de Ana Navarro (1993) sobre la correspondencia diplomática de Juan Valera: en la que éste, pidiendo más dotación para el Consulado de Nueva Orleans, arguye que «el filibusterismo, no discutidor, pero sí militante, es más activo y cuenta con más hombres de acción que en el Norte (Nueva York)». También se ocupa de impedir alguna «expedición filibustera» contra Cuba.

Sin necesidad de ser filósofos, los españoles sensatos lamentan la degradación del noble vocablo **filosofía** para designar criterios de política comercial, puntos de vista o simples actitudes que determinan una conducta individual o colectiva: «Valdano explicará su filosofía al Madrid» (titular de *El País*, 17-4-94; en el texto: «explicarles... el proyecto futbolístico que ha diseñado para el Real Madrid»). El *MEU* califica estos usos de «pedantería» y tiene razón.

En el sentido de 'concluir, terminar, acabar', el verbo **finalizar**, que tan justamente condena el profesor Lázaro por su frecuencia, es sin duda un anglicismo acuñado en Australia, como señala el *Robert Angl.*, pero en español se ha perdido el matiz inglés —y francés— de 'bien acabado, bien rematado', que posee este verbo en dichas lenguas.

Sin embargo, como recuerda oportunamente el mismo profesor, el verbo lleva más de doscientos años en nuestra lengua («lo teníamos medio olvidado».). En efecto, *finalizar* figura en el *DRAE*'1780 con dos entradas, una para el uso transitivo y otra para el pronominal.

Ya hemos mencionado más arriba el discutido origen —¿francés o italiano? — de *finanzas*. Habría que considerar calco del inglés el verbo **financiar**, como propone Alfaro, en las acepciones de 'costear, sufragar, invertir en'. Pero la etimología académica (< fr. *financer*) no debe descartarse.

La acepción 4.ª de la voz **foro** aparece por primera vez en la edición XX del *DRAE* (1984) y designa una 'reunión para discutir asuntos de interés actual ante un auditorio que a veces interviene en la discusión', que, a mi juicio, es la versión hispana de 'asamblea, lugar o programa de TV, etc. para discutir asuntos de interés general' (*RHD*). En España, el campo semántico del término parece haberse afianzado. Así, aparte del *Foro Universal del Tigre*, establecido por once países asiáticos según noticias de prensa de marzo de 1994, la Universidad Complutense anuncia, dentro del *Foro Nacional VII Centenario*, varias 'mesas redondas' sobre *Los intereses exteriores de España*, con moderadores y prevista participación del público asistente.

Antes que en España, hemos anotado este uso en Hispanoamérica, por ej. para designar una reunión de «técnicos superiores en turismo»... «es el título del foro» (*El Universal*, Caracas, 5-4-81).

El *DRAE* registra la voz **franquicia** con el sentido de 'exención que se concede a una persona...', pero hoy, como calco del ingl. *franchise* se emplea con el significado de 'licencia o concesión de derechos de venta o explotación de un producto o una actividad otorgada por una empresa a una persona o grupo de personas en una zona o territorio determinados'. Para el poseedor de esta licencia o franquicia se ha creado el neologismo *licenciatario*, como revela el siguiente anuncio de la cadena McDonald: «McD. busca futuros licenciatarios. Sea Vd. licenciatario de Mc.D. en España...» (*ABC*, 16/17-6-88).

Pero a *franquicia*, como calco del inglés, parece que se le augura en España gran porvenir. Una página de *El País semanal* (invierno 1993-94, no tengo la fecha) firmada por Isabel Perancho, explica las posibilidades de este sistema comercial: «La franquicia es un método de colaboración entre un empresario franquiciador (empresa matriz) y otros empresarios que se denominan franquiciados».

En el núm. 1 de la revista *ABC / Nuevo trabajo* (6-3-94) se dedican dos páginas a la *franquicia*, descrita como «fórmula comercial en plena expansión en España». En ellas se dice que hay en España «más de doscientas cuarenta cadenas de franquicias» y casi «veinticuatro mil establecimientos». Se afirma también que «la franquicia aterrizó en nuestro país hace más de treinta años». El término *franquicia* abarca también al establecimiento que la posee («A. y M. han abierto diecisiete franquicias en Madrid»). Existe incluso una Asociación Española de Franquiciadores (A.E.F.).

Merece la pena mencionar aquí la voz «francesa» *franchising*, acuñada sobre el modelo inglés *franchise*, que comentamos, pero con el significado de 'contrato de importación que exime de ciertos impuestos al exportador' (*Robert Angl.*). Pero también nuestros vecinos han adoptado las prácticas comerciales descritas más arriba y usan *franchiseur* para el «franquiciador» y *franchisé* para el «franquiciado». Este seudoanglicismo *franchising* ha cruzado el Atlántico y en *El Observador*, de Montevideo, se le dedican dos artículos con ese título (el 2.º de 15-2-95, pág. V; la voz se repite 8 veces), pero también figura *franquicia* (6 veces), *franquiciante* (7) y *franquiciado* (11).

No es tampoco nueva en español la voz **fraude**, pero sí el uso, calcado del inglés *fraud*, cuando se aplica a la persona que lo comete. A veces corresponde a lo que en mejor español se llamaría 'impostor' o 'farsante'. Así en los ejemplos: «Si Ramoncín hubiera sido un fraude...» (R. Montero), o también: «un roquero famoso y millonario, pero que en realidad es un fraude» [tiene un 'negro' —acep. 16— que le hace todo]; «Menotti va a resultar un fraude que aún vive del cuento de haber sido campeón del mundo...», *ABC*, 29-8-87, pág. 84. Conscientes de esta polisemia, los ingleses «inventaron» hace unos años el derivado *fraudster* —yo lo anoté en el diario *The Guardian* (5-11-84)— aplicado sólo a personas. De él ya nos ocupamos en su día.

De **gabinete** como préstamo léxico nos hemos ocupado más arriba (s.v. *cabina*, pág. 145). Pero es calco semántico del inglés —directo o a través del francés— cuando significa 'conjunto de ministros' (ingl. *cabinet*, por *Cabinet Council*). En la América hispanohablante hemos anotado repetidas veces su uso para designar los armarios, especialmente los de cocina (ingl. *kitchen cabinet*).

Del doble significado del término **galón** también nos hemos ocupado antes (cf. pág. 221). Aquí procede señalar que, como medida de capacidad, es un anglicismo relativamente reciente (*DRAE* 1884), procedente, en su último origen rastreable, también del francés, igual que *galón* 'cinta de adorno'. Un pasaje de Carlos Fuentes ilustra la confusión de los 10 «galones» del sombrero: «el sombrero galoneado metido hasta las cejas» (C. Fuentes, *A. Cruz*, pág. 108).

Aunque la Gramática **generativa** es relativamente reciente, la XX edición del *DRAE* (1984) incluye el término s.v. *gramática g.* (< ingl. *generative grammar*).

La última edición del *DRAE* registra una segunda acepción de **gorila** 'guardaespaldas', atestiguada en el inglés americano hace más de un siglo, más bien en la variante de 'matón corpulento a sueldo': «XXX, jefe del PRI en Tijuana, fue el que [contrató] a los 'gorilas' encargados de proteger a Colosio...», *ABC*, 5-4-94. *VOX* también la incluye, extendida a 'hombre grande y fuerte'.

No se le escapa a Alfaro que la actual profusión de usos de **gratificar** y sus derivados tiene antecedentes en español, donde la acepción 2.ª del verbo 'dar gusto, complacer' se califica de 'poco usada'. Tanto es así que un adjetivo de moda entre anglomaniáticos es **gratificante**, no incluido todavía en nuestro léxico oficial. Hay 'lecturas gratificantes', 'experiencias gratificantes' y 'espectáculos gratificantes'.

Se funden en la voz **habilidad**, cuya primera acepción en el *DRAE* admite muchas posibilidades («Capacidad y disposición para una cosa»), conceptos ingleses de varia procedencia. En el mundo de la enseñanza aparece a menudo como «traducción» casi literal de *ability,* donde predomina la idea de capacidad o competencia, pero otras veces corresponde, sobre todo en plural, a la palabra inglesa *skill,* en la que prevalece la noción de destreza, física o intelectual. En ciertos casos parece más apropiado hablar de aptitudes. De todos modos, *ability* es un concepto que debe abordarse con cautela. Los siguientes ejemplos son americanos: «...hora de que EEUU muestre respeto a las habilidades de su vecino [México]... para resolver algunos de sus propios problemas...»; «Muchos padres no tienen la habilidad de entender inglés, tenemos que darle la información en español...» (San Francisco); «Marcadas habilidades organizacionales son requeridas...» (Miami). En J. A. Marina (1993) encontramos: «Es desconcertante que siendo capaces de tales habilidades, los chimpancés [...] no hayan aprendido a hablar [...]. Carecen de la habilidad para controlar sus propias actividades mentales [...]. El niño es un genio lingüístico, y su habilidad para aprender es tan prodigiosa que Chomsky, Fodor...» (*Teoría...*, págs. 60-61).

El cultismo **hemisferio**, que los diccionarios definen, cuando se trata del oriental frente al occidental, con reminiscencias precopernicanas, no ofrece dudas cuando, como aprendimos en la escuela, opone *boreal* a *austral*, pero deja perplejos a los lectores que, no acostumbrados al uso angloamericano, se encuentran con que *hemisferio occidental* (< ingl. *Western Hemisphere*), o *hemisferio* a secas, significa en la prosa periodística traducida del inglés lo que siempre habíamos llamado *América*, término que tiende a imponerse como denominación única de los Estados Unidos de América: « ...los americanos [= los yanquis] siguen teniendo mucho músculo [= poder, influencia] dentro del hemisferio...» (J. M.ª Carrascal, *ABC*, 29-5-82); «Todo lo que [los EE.UU.] tenían que decirle [sic] a sus compañeros de hemisferio» (M. B. Tobío, *ABC*, 1-12-87); «México contará con una reserva [de petróleo]... la más grande del Hemisferio Occidental...» (C. Fuentes, *C. H.*, pág. 221). También en Caracas: «Nuestras repúblicas hermanas del hemisferio» (*El Universal,* 5-4-81). Y en Chile: «las reservas chilenas son muy altas, su tasa de ahorro es la más elevada del hemisferio» [sumario de la noticia]; en el texto: «la más elevada del continente» (*El Mercurio*, 5-2-95, pag. C3).

El *Diario Las Américas*, de Miami, fundado en 1953, tiene como lema «Por la Libertad, la Cultura y la Solidaridad hemisférica».

Del latín tardío *hæreticus* proceden en español 'hereje' y 'herético', aquél sustantivo y éste adjetivo. En inglés *heretic* desempeña ambas funciones. Por eso la frase «Los heréticos estaban encima nuestro», posesivo aparte, revela en **heréticos** ser un calco del inglés.

Héroe, por 'protagonista', es uno de los calcos más criticados del inglés, últimamente acompañado por su contrafigura, el *villano*, antes llamado 'el malo'. Pese a la polisemia de **heroína**, en conflicto con la droga del mismo nombre, ambos vocablos parecen gozar de buena salud.

Aunque hemos leído críticas vertidas sobre el uso de **homólogo** cuando dos ministros o autoridades de la misma titulación se tratan, juntos o a distancia, la última edición del *DRAE* registra como primera acepción 'persona que ejerce un cargo igual al de otra, en ámbitos distintos'. Se ha dicho y escrito que esto era un anglicismo, pero los diccionarios ingleses a mi alcance no registran este uso referido a personas y los bilingües dan como equivalente de *homólogo* en inglés 'counterpart, opposite number, equivalent'. Sí aparece, en cambio, alguna vez, el calco *contraparte* (< ingl. *counterpart*).

Parece ya imposible restaurar en **honestidad** el sentido dominante en otros tiempos que lo acercaba a *castidad* y no a *probidad*, como denunciaba Alfaro que estaba ocurriendo «en el último medio siglo». Hoy, transcurrido otro medio desde la primera versión de su estudio, la Academia no ha visto motivo para modificar fundamentalmente las acepciones que ya figuraban entonces en el *DRAE*'47. Habría que interpretar el uso denunciado como un mero desplazamiento semántico de una palabra polisémica, en el adjetivo, desde el usual «decente, casto, decoroso» hasta el posible, pero insólito, 'probo, honrado, recto, íntegro', hoy dominante, sin descartar el influjo del ingl. *honest* ni del francés *honnête,* ambos con el valor dominante de 'honrado, íntegro'.

Es, sin duda, anglicismo el uso del adverbio **honestamente** en la frase: «...Honestamente, estoy un poco sorprendido...» (= a decir verdad).

También calco del inglés es el uso de **honrar** en el significado de 'hacer honor a, cumplir, aceptar' (una promesa, una firma, un cheque): «Washington honrará los acuerdos adquiridos...», *ABC*, 19-5-82; «Supongamos... que España llega a 1997 ó 1999 honrando todos los criterios de convergencia previstos en el Tratado» (entrevista a un Comisario europeo, *ABC Análisis*, 1-11-93, pág.14). Un ejemplo de Puerto Rico ilustra este uso de *honrar* en «anuncios comerciales». El articulista se queja de la frase «Honramos sus tarjetas de crédito» y pregunta: «¿Cómo lo hacen? ¿Le entregarán un pergamino?... Lo que quieren decir es 'we honor your credit cards'» (*La Claridad,* P. Rico, 17-1-1986). Debo este dato a Consuelo Trébol, alumna de doctorado (1993-94). Sólo para confirmar que este uso está calcado del inglés reproducimos las declaraciones de un personaje angloparlante de Gibraltar tras la guerra de las Malvinas: «...sabíamos que Inglaterra había honrado en las Falkland un compromiso que yo siempre creí que no lo honrarían también en Gibraltar [sic]. Muchos habían dudado de que lo honraría aquí si llegaba el momento...», *YA*, 1-8-82.

Uno de los calcos semánticos más combatidos, por innecesario, es el uso del verbo **ignorar** por 'no hacer caso, desoír, desatender, prescindir de', etc. El gran hispanista inglés Anthony Gooch ya señalaba en 1970 la superfluidad de este calco y la riqueza de sustitutos de que disponía el español, y eso sin conocer o tener en cuenta la gran aportación mexicana del verbo *ningunear*, hoy extendida a otros países y admitida en el *DRAE* en 1992. Una solución no imitada del malogrado J. L. Martín Descalzo cabría añadir aquí: «Hugo Betti escribió una frase... [los hombres ni se aman ni se odian]... La verdad es que los hombres nos desimportamos los unos a los otros...» (*Domingos de ABC*, 26-8-84).

No he anotado en España, pero sí en la prensa ultramarina, el uso anglicado de **imperativo** por 'imprescindible, esencial' como en la frase: «Es imperativo mantener la serenidad» *(Diario de Caracas*, 17-5-93).

El anglicismo **implemento** lo acoge por primera vez la Academia en el suplemento del *DRAE*'70, con el valor de 'Utensilio. Úsase más. en pl.' (*VOX* añade la acepción lingüística de 'complemento directo'). La última edición del *DRAE* (1992) incluye, además, como propio de la informática, el verbo nuevo **implementar**, que se usa también en sentido general con el valor de 'activar' (*VOX*) o de 'puesta en vigor': «La implementación de un convenio» (*Diario de Caracas*, 17-5-93).

El uso de la abreviatura **inc.** que acompaña a ciertas empresas mercantiles o corporaciones, no pasa en español de ser parte del nombre de la compañía, generalmente con sede en el extranjero, pero con filiales o sucursales en el mundo hispánico. Tal parece ser el caso de la *Editorial Plaza Mayor. Inc*. de Puerto Rico, que publicó, impreso en Madrid, el libro *Lengua Mayor*, de Salvador Tió, en 1991.

Sin embargo, el verbo inglés *to incorporate*, en la jerga del espectáculo equivale a 'encarnar, desempeñar el papel de', etc. Por ello el uso de **incorporar** en esa acepción hay que considerarlo calco del verbo inglés citado: «en las otras películas incorporaba a mujeres fuertes»; «...a mis veintitantos años ya incorporaba mujeres mayores que yo»; «...J. Cotten incorporaba al marido...» (M. Torres, en entrevista con Bette Davis, *El País semanal,* 4-10-87). Sin ser traducción del inglés, hemos anotado también el uso libre de dicho calco en «Una mujer policía [...] atrapada [por] las redes de los narcotraficantes [...] y acusada de asesinato, soberbiamente incorporada por la [...] desaprovechada Th. R.», *ABC*, 29-11-94, pág. 149.

Existe en español el verbo **infatuar** con el significado de 'volver a uno fatuo, engreírlo', pero el adjetivo inglés *infatuated* y el sustantivo *infatuation* apuntan más bien a la situación de quien está encaprichado por una idea o chiflado por una persona. Un ejemplo que tengo anotado —precisamente por su significado inglés— admite, sin haberlo advertido en su brevedad, la interpretación 'engreído', pero puedo asegurar que el significado en el texto era 'encaprichado'. Helo aquí: «adorno de infatuado mecenas», *ABC*, 5-4-90. De F. Ayala tengo 3 ejemplos: «damisela... tan infatuada», pág. 108; «una infatuación amorosa», pág. 167; «a no estar yo demasiado infatuado», pág. 245 (*Fondo del vaso*).

Aunque no frecuente, en artículos de divulgación de la prensa diaria aparece la palabra **ingesta**, de la misma familia que *ingestión*, usada en inglés como plural desde principios del siglo XVIII, pero empleada en español en singular con el significado de 'conjunto de sustancias ingeridas', p. ej.: «El alcoholismo no depende de la ingesta de cantidades abusivas sino [de] la dependencia...» (*ABC*, 3-12-87). «...S. no consideró necesario moderar la ingesta de alcohol...» (*ABC*, 16-4-94).

El neologismo **inhabitual** 'insólito', todavía ausente en el *DRAE*, parece otra alternativa del omnipresente 'inusual' (< ingl. *unusual*) que citamos más abajo. Cf. «Tan inhabitual como la imagen de un García Márquez... que me sonreía desde el periódico...», *ABC. Liter.*, 9-5-87.

En general, sólo los diccionarios bilingües tradicionales —*Cuyás, Velázquez, Williams*— traducen el ingl. *insanity* por el latinismo *insania,* que figura en el diccionario académico desde el siglo XVIII (en *Aut.*: «lo mismo que locura. Es voz latina»); Corominas no lo incluye entre los derivados de *sano*; los bilingües modernos —*Larousse, Collins, Oxford*— omiten dicho latinismo y «traducen» 'demencia, locura, insensatez', etc. Sin embargo, creo que debido al inglés, y para evitar el calco directo **insanidad**, que tengo registrado («alarde de insanidad», J. M. Massip, *ABC*, 20-2-69), ha vuelto a cobrar vida *insania*, que en rigor fue reanimada por su parónimo inglés. El siguiente ejemplo creo que confirma lo dicho: «...la 'insanity', la insania, locura... como quiera llamarse... el fiscal debería haber probado... que [J. H.] estaba sano [al disparar contra Reagan]...», *ABC*, 24-6-82, pág. 76. Para *insano*, el *DRAE* se limita a repetir lo que ya decía el de *Aut.* «loco, demente» como primera acepción, pero en el uso actual domina claramente la segunda, «perjudicial para la salud».

No veo razón para considerar anglicismo el adjetivo **intratable**, frecuente en la prosa deportiva. El *MEU* y el *LEABC* lo condenan cuando se usa en el sentido de 'imbatible, invencible, etc.', pero el diario madrileño no coincide con su manual de estilo: «C. L. sigue intratable en el salto de longitud» (titular de *ABC*, 27-7-90, pág. 73); «Rominger se mostró intratable y le aventajó en 7 minutos» (*ibíd.*, 29-9-94, pág. 90). Si el modelo fuera el ingl. *intractable,* no encuentro en la voz inglesa ninguna acepción que justifique como anglicismo el uso español.

El verbo **introducir** (< ingl. *to introduce*) por 'presentar a una persona' se filtra a veces en gentes sometidas al influjo del inglés. Dice una actriz española, tras su paso por Hollywood: «El primer día nos conocimos sin el director. Nadie nos introdujo. Yo creo que nos estaban poniendo a prueba...», *El País semanal*, 30-10-94, pág. 26.

La difusión del adjetivo **inusual** (< ingl. *unusual*), que sustituye a *desusado, insólito, inusitado,* etc., se puede atestiguar sin esfuerzo, pero la Academia todavía no le ha dado entrada. El *LEABC* recomienda evitarlo y sustituirlo por los adjetivos enumerados o por *inédito* o *raro.* La América hispanohablante no se libra de esta moda. Tengo ejemplos de *La Nación,* de Buenos Aires.

No ha entrado todavía en el *DRAE* la voz **investigativo, -va** (< ingl. *investigative*), usada generalmente para calificar un tipo de periodismo (*investigative reporting*) caracterizado por la búsqueda y denuncia de acciones punibles de interés público. Aunque la expresión es angloamericana, falta en el siempre bien documentado *RHD*, pero sí figura en el reciente (1993) *NShOED.* En España tenemos anotado *erudición investigativa* en un texto de I. Carrión (Londres), en *ABC*, 19-1-82. Otros ejemplos: *reporterismo investigativo, periodista de investigación*, en V. de la Serna, *El Mundo Comunicación,* 29-10-93. También hay otras variantes: «...el país [EEUU] del mejor reporterismo de investigación...», J. M. Fernández, *El Mundo*, 23-3-94; «... [TVE-1] anuncia... ampliación de «Informe Semanal» con la incorporación del periodismo investigativo...», L. Apostúa, *ABC*, 6-4-94.

Hasta 1984 la Academia añadía a su definición de **letal** la coletilla «Úsase más en poesía». Pero desde hace años la voz inglesa *lethal* se ha filtrado en el uso español, desplazando a *mortal* o *mortífero* y convirtiéndose así en lo que llamamos un anglicismo de frecuencia, antes desusado.

Ignoro la difusión en la lengua hablada del calco **levantamiento de cara**, traducción literal del término *face lift(ing)* usado en la cirugía estética con algunas variantes, según los casos. Lo tengo anotado en la prensa mexicana y californiana. Sobre *lifting*, como préstamo, véase más arriba, s.v.

Igual que en español la voz **lírico, ca** ha pasado de significar ‘perteneciente o relativo a la lira’ a la acepción 6.ª del *DRAE* ‘Dícese de las obras de teatro total o principalmente musicales’, en inglés, por un proceso semejante, la voz *lyrics* significa hoy la ‘letra de una canción': «[a los aliados al avanzar] les gustaban sus compases [de la canción Lilí Marlen] y su lírica (= *lyrics*) traducida al inglés», *ABC*, 26-7-86.

Registra el *DRAE* el término **locación** en dos acepciones jurídicas: a) 'arrendamiento' y b) *locación* y *conducción* 'contrato de arrendamiento'. Pero en la jerga cinematográfica inglesa, *location* significa 'lugar del rodaje, exteriores' de una película. Así, en la información ofrecida sobre la cinta proyectada: «Película filmada en las siguientes locaciones...», TVE, 30-4-89. No me parece un acierto el intento de «aclimatar» este calco con la voz *localización*, ya aceptada para otros menesteres: «las diferentes localizaciones donde se rueda la película», *Cambio-16*, 27-2-95, pág. 82. Es posible que arraigue.

Es tan frecuente en América el uso de **lote** por 'solar', que hemos dejado de anotarlo. Creo, sin embargo, digno de mención el derivado **lotificación** en anuncios de Guatemala. Los contextos en que aparece hacen pensar en 'parcelamiento, urbanización' o, acaso, como dicen en México, 'fraccionamiento', voz que debería incluir el *DRAE*. El *Collins Bil.* lo explica como 'housing estate', que en español es 'urbanización'.

Según Corominas, **magneto**, en la forma *magnete* 'imán', está ya atestiguado en el *Alexandre*, pero con este significado y la forma *magneto* no creo que haya aparecido hasta el siglo XX. *Magneto,* como femenino («abreviación de máquina magnetoeléctrica»), la hemos comentado, por el género, en 1952. También hemos comentado el uso anglicado de *magneto* por 'imán' en un purista. Pero con el género masculino en el valor de 'imán' sólo lo tengo anotado en F. del Paso: «los magnetos gigantes», *Palinuro*, pág. 39.

El adjetivo inglés *mandatory* 'obligatorio, requerido', tomado del latín tardío *mandatorius*, alterna con *compulsory* para expresar lo que designan las voces equivalentes españolas, que podrían suplirlo bien en la frase «los que proponen 'test' **mandatorios**...», J. M.ª Carrascal, *ABC*, 3-6-87. No tengo más ejemplos de este uso, que acaso apunte a alguna sutileza legal que no se me alcanza.

Poco tiene que ver con el inglés el uso de **manejar** cuando el objeto es un automóvil. Mas cuando se emplea, como sucede en ciertas partes de la América hispanohablante, en frases como p. ej.: «...taqui-meca para manejar una oficina pequeña...», hay que atribuirlo al influjo de *to manage,* verbo comodín que se aprovecha para cualquier actividad imprecisa.

Ya en nuestro comentario al *DPFE*, s.v. *rimmel*, mencionábamos *mascara* como alternativa en francés. También en inglés se usa *mascara*, con acento grave, con exclusión de *rimmel,* que aparece, sin embargo, en los diccionarios bilingües con una sola *m* para «explicar» en español la voz inglesa *mascara. Collins Bil.* da también, como traducción, esp. **máscara**. Dudo de que *máscara* se use comúnmente en español como alternativa de *rímel*, pero ya está penetrando en anuncios como nombre comercial de productos de belleza: *Naturally Glossy Mascara,* explicado como 'Máscara de pestañas de aspecto muy natural que da cuerpo a las pestañas y no se corre', anuncio en *El País,* 5-2-95, pág. 9.

Menos explicable (cf. infra, s.v. *medio de comunicación*) me parece la necesidad de importar del inglés, con torpe adaptación, el verbo *to mass-produce* 'producir en serie', con el neologismo **masproducir** [¿se ha interpretado como 'producir más'?] en la frase «...para evitar que el Gobierno 'masproduzca' arquitectos en serie, peritos de morralla...», M. Oriol, *ABC*, 1-2-94, pág. 58.

Mayoría (absoluta, relativa) en sentido parlamentario (cf. *Robert Angl.*) sería, como en francés, un anglicismo, aunque la voz esté ya documentada en español, según Corominas, en el s. XVIII.

En la edición de 1992, el *DRAE* incluye, s.v. *medio*, entre *medio ambiente* y *medio de proporción*, el término **medio de comunicación** 'órgano destinado a la información pública'. Con esto parece zanjada la situación creada por la irrupción del que llamábamos anglo-latinismo *mass-media* en 1971, que dio lugar a vacilaciones como *la mass-media, las mass-medias* y malentendidos de gente culta como los de traducirlo por *masa media* y por *hombre masa,* explicables por el confusionismo creado a raíz de la llegada de este término globalizador al mundo —hay que decirlo— de los medios de comunicación.

No es extraño que, en vista de las circunstancias (cf. infra, s.v. *miembro*), el español no hubiera creado término apropiado para designar la 'condición de miembro' (en ingl. *membership*, traducida como 'calidad de miembro, militancia', y otras «soluciones» más o menos afortunadas). La necesidad debe de haber sido más urgente en la América hispana, pues allí se ha acuñado el calco parcial **membrecía**, tan aceptable como *ciudadanía, cofradía,* etc. No lo han aprovechado los diccionarios bilingües *Collins* y *Larousse* al explicar qué es *membership*, pero sí incluye el *Collins Bil.* desde la 2.ª edic. (1988) la voz *membresía*, como mexicanismo. También como mexicanismo la recoge el diccionario bilingüe *Langenscheidt* (1990) con la forma *membrecía*, que yo tengo también anotada en Cuba. En España aparece alguna vez vinculada a grupos de procedencia extranjera: «En España hay unos 400 miembros [de la *Familia del Amor*, antes *Niños de Dios*]. ...Un pequeño porcentaje de la membresía son extranjeros...» (*ABC*, 16-8-81, pág. 18).

No cabe entre las acepciones de **memorial** registradas en el *DRAE* la de 'monumento conmemorativo'. Cf. «Aquí... está el memorial de los poetas. Tres cabezas de bronce...», *ABC*, 22-8-87, pág. 3.

Aunque **mensaje** y **mensajero**, como recuerda Corominas, están documentados ya en el *Cantar de Mio Cid*, el *DRAE* de 1780 explica ambos a partir de *recado*, que era hasta hace algunos años la forma dominante en España para una comunicación verbal o envío de menor importancia (cf. «Desde que el 'recadero' pasó a llamarse 'mensajero' el negocio del transporte de paquetes...»). Javier Marías, con fina percepción del matiz, pone en boca de uno de sus personajes la advertencia «Dile a E. que es incorrecto decir 'mensaje'; hay que decir 'recado'; bueno, no es hombre de letras...» (*Mañana*..., pág. 83). En francés y en inglés este significado estaba contenido en *message*, voz que ha revitalizado el viejo galicismo del *Cantar*, pero adjudicándole otras acepciones (3.ª en el *DRAE*'70, 7.ª en el *DRAE*'92). El *mensaje de la Corona*, que recoge el *DRAE*'70, se considera un anglicismo en francés.

Un viejo latinismo del inglés, *market* (< lat. *mercatus*), aparte del ya consolidado *supermercado* (< *supermarket*), ha dado lugar en español al innecesario préstamo crudo *marketing*, que en España se trata de sustituir por **mercadotecnia** («departamento de mercadotecnia», *El País sem.*, 17-4-94, pág. 62), y a la adaptación hispanoamericana **mercadeo**, más acorde con el genio de la lengua.

No todos los usos actuales de la voz **miembro** pueden considerarse extensiones normales de las acepciones que registraba el *Diccionario de Autoridades*. La palabra es antigua, como señala Corominas, pero en conceptos como *miembro del Parlamento, miembro de una corporación, sociedad, partido,* etc., sin que ello implique calco del inglés, cabe atribuir su frecuencia a expresiones paralelas de dicha lengua. El propio diccionario académico, que enumeraba sus «individuos» desde la edición de 1780 como «académicos de número», emplea desde la XX edición (1984) la palabra *miembros*.

Aunque próximos en el diccionario y con componentes semánticos comunes (*DRAE*: *mórbido* 'que padece enfermedad o la ocasiona'; *morboso* 'que causa enfermedad'), **mórbido** y **morboso** mantienen en el uso corriente las distancias y no suelen confundirse. Ahora bien, el inglés no posee el parónimo exacto de *morboso* y un buen diccionario bilingüe como el *Collins*'92 da para *morbid* las siguientes equivalencias españolas: 'insano, malsano, enfermizo, patológico, (*Med.*) mórbido...' y alguna más. No es extraño, pues, que encontremos en textos influidos por el inglés usos de *mórbido* que invitan a la corrección: [Sobre J. Seifert, premio Nobel, amante de los cementerios] «...en esta inclinación no había nada mórbido...» (texto de Monika Zgustova, *El País semanal,* 30-12-84); «Una mórbida curiosidad» (titular de *El País,* 26-4-87).

En inglés *muscle* **'músculo'** se usa también en sentido figurado con el significado de 'fuerza, influencia'. Las dos frases siguientes indican que lo que suena extraño en español, si lo traducimos literalmente al inglés, resulta familiar en esta lengua:... «es un *'test' de fuerza* [= *un pulso*] del Gobierno y los sindicatos que necesitan, al parecer, *medir sus músculos* a costa del público...», I. Carrión, *ABC*, 28-1-82; «...los americanos siguen teniendo mucho músculo [= mucha influencia] dentro del hemisferio...», J. M.ª Carrascal, *ABC*, 29-5-82.

En casi toda América, según Quilis (82), se usa **neutro** (< ingl. *neutral*) en el mundo del automóvil para designar lo que en España y algunos países americanos se llama *punto muerto.* Quilis añade *neutral* para Costa Rica y Panamá; en México alternan *neutral* y *punto muerto*, según su encuesta.

Pese al convencimiento general de que **nominar** y **nominación** son calcos innecesarios del inglés, cada año, con motivo de los premios cinematográficos de Hollywood, o cada cuatro años, con motivo de las elecciones presidenciales en EEUU se nos impone un uso contra el que nada vale la lógica (*nominar* significa 'dar nombre a una persona o cosa') ni las varias recomendaciones sensatas de sustitución: «Dígase: *proponer, presentar, seleccionar, proclamar candidato*». (*MEU*). El diccionario *VOX* registra este uso, con los equivalentes del *MEU* y señala que «es anglicismo».

Ninguna de las dos acepciones que registra el *DRAE* para **obituario** ('Libro parroquial... partidas de defunción...'. 2 'Registro de las fundaciones...') abarca la más frecuente, primero en América, ahora en España, de «nota(s) necrológica(s)», p. ej. en *El Mundo*, 11-3-94. Podrían aducirse muchos ejemplos del español de América. El modelo inglés es la palabra *obituary*.

La definición académica de **obsoleto** apenas ha cambiado en doscientos años, excepto por el hecho de que este término ha dejado de ser *obsoleto* y anticuado, como señalaba la edición de 1780. Es casi patético el empeño de algunos manuales de estilo, que invocan la autoridad de la Academia, en rechazar la posibilidad de su empleo con el valor de 'antiguo'. Ahora bien, tanto en 1780 como en 1992, el *DRAE* nos da para *obsoleto*, como equivalente, 'anticuado', ya como 1.ª, ya como 2.ª acepción, y *anticuado*, según el mismo diccionario, significa 'propio de otra época', mientras que *antiguo* puede significar 'anticuado' (8.ª acepción) o simplemente 'que existió o sucedió en tiempo remoto'. Por si hubiera dudas, repetimos la entrada del *Dicc. Aut.* «*obsoleto*. Antiquado, ò yá no usado» (con cita de Quevedo: «phrases y palabras *obsolétas*)». Discusiones aparte, parece claro que la causa del rechazo de *obsoleto* y su familia (hoy de tres miembros) es su frecuencia en traducciones del inglés. *Obsolescente* y *obsolescencia* —ya admitidos— están pidiendo la compañía del verbo *obsolescer,* del que teóricamente proceden, que tiene como autoridad la insigne figura del que fue director de la Academia don Dámaso Alonso (cf. prólogo de nuestra obra *El español de hoy*, 4.ª edic., pág. 12).

Si **obstrucción** (*DRAE*, 2.ª acep.) es la «táctica... [para] impedir o retardar los acuerdos», que puede degenerar en *obstruccionismo,* esta acepción, probablemente tomada del francés, es un anglicismo indirecto, usado primero en relación con el Parlamento inglés.

Es **oficial** (ingl. *official, officer*) una de las palabras españolas que más estragos ha sufrido por influjo directo o indirecto del inglés. En primer lugar, en su acepción de 'funcionario', alternando a veces con otro calco del inglés, *servidor público* (México) (< ingl. *public- (civil-) servant);* en segundo lugar, en el terreno militar, abarcando todos los grados en que en España se integran generales, jefes y oficiales; en tercero, como mala traducción de ingl. *officer* 'agente de policía'. En el primer caso, ya los diccionarios dan como equivalencia 'funcionario', pero hay casos en que es aceptable la traducción 'oficial'; en el segundo, valga el ejemplo siguiente: «Perecen dos oficiales de la OTAN al rescatar del mar a siete niños» (titular). En el texto se nos dice que eran un general británico y un teniente coronel danés. La confusión del tercer caso se observa cuando en fotografías se describen como «oficiales» a simples agentes de tráfico. Alfaro da ejemplos abundantes de los dos primeros casos. El tercero, frecuente hoy en películas de ambiente norteamericano, acaso no lo era tanto en su época.

El inglés *opposite,* significa, además de '**opuesto**, contrario', como preposición 'en frente de'. Dado que *in front of* significa en español generalmente 'delante de', no son raras las confusiones. Cuando un cronista escribe desde EEUU «...oficina ...situada en el bloque opuesto al del accidente...» (J. M.ª Carrascal, *ABC*, 24-7-82) debemos entender 'en la manzana de enfrente'.

El verbo **pagar** presenta a veces, como calco del inglés, el significado 'ser rentable' —el crimen no paga—, que ya hemos comentado. El reportaje sobre la indigencia de ciertos artistas en París, aludiendo a la frase citada, en el suplemento *Babelia* de *El País*, de 22-4-95, pág. 24, se titula «El arte no paga» y concluye: «El arte, como el crimen, no paga».

En el mundo universitario y congresual, las ponencias, artículos o comunicaciones se denominan en inglés, antes de publicarse, *papers*

'papeles', pero también después de publicados. He aquí un ejemplo: «El... informe aparecido en la revista GEO bajo el título de 'Energía'... Este papel del ingeniero muniqués F. F. es recortable...», *ABC*, 2-3-88.

Registra el *Peq. Larousse* (1994) el calco **paquete** (ingl. *package)* en informática, con el valor de 'conjunto de programas o de datos', también recogido por Aguado (1993) (paquete de *software*, programas; paquete de aplicación). Falta en los demás diccionarios españoles, excepto en el *DVUA*, que recoge, en cambio, otras dos acepciones inglesas: 'conjunto de acciones, decisiones, disposiciones, etc. tomadas con una finalidad concreta' y 'oferta turística global que incluye transporte y estancia' (de la primera, un ejemplo reciente: «Clinton ...anunció un paquete de 50.000 millones de dólares en créditos y garantías de créditos a México», *El País*, 5-2-95, pág. 44). Cf. PRÉSTAMOS, S.V. *package*.

En el golf se ha extendido el anglicismo **par** con el significado de 'número de golpes máximo de que dispone un jugador para meter la pelota en un hoyo' (*VOX*). En la clasificación de jugadores aparece en la expresión «xx golpes bajo par».

En 1984, la XX edición del *DRAE* recogía s.v. **permisividad** dos acepciones: «1. Condición de permisivo; 2. *Fís*. En el campo eléctrico, cociente de dividir la inducción por la intensidad». Esta entrada repite la incluida por primera vez en el suplemento de la edición XIX (1970). Aunque *permisivo* figura ya en el *Dicc. Aut.* («*permissivo.* Lo que incluye la facultád ó licencia de hacer alguna cosa»), este derivado parece acuñación española sobre el término físico inglés *permittivity*, del cual calca el francés el neologismo *permittivité*, incluido en la *Gran Enciclopedia Larousse* en 1963.

Cuando, también por el influjo del inglés, penetró en el uso español el concepto designado por *permissiveness* «tolerancia excesiva» se le abrió entrada por la misma puerta. En inglés y en francés, ambos conceptos y grafías figuran separados, mientras que en español, por las circunstancias señaladas, aparecen juntos.

Aunque el sustantivo *pillaje,* como voz militar, tiene el significado de 'robo, despojo, saqueo hecho por los soldados en país enemigo' (*DRAE*), el verbo **pillar** no se usa en el sentido de 'saquear' como en «matando y pillando al margen de la ley», *ABC*, 9-10-87, pág. 116. Por eso hay que considerar esta acepción del verbo *pillar* calco del ingl. *pillage*, voz que funciona lo mismo como verbo ('saquear') que como sustantivo ('pillaje'). También en Juan Goytisolo, *Cuaderno de Sarajevo* (1993): «Los chetniks actúan como robots... asesinan, pillan e incendian...», pág. 49; «270 aldeas pilladas, destruidas...», pág. 121.

En uno de los dardos lanzados por el profesor Lázaro contra los depredadores del lenguaje comenta cómo, con motivo de una huelga general, periodistas y aficionados hablaban de personas, y no de grupos, que «activaban» —valga la paradoja— el paro. Y el profesor tenía toda la razón desde el punto de vista del español, pues **piquete** —tal era el título de su artículo— no aparece en el *DRAE* en su sentido reivindicativo hasta 1984, en las acepciones 5.ª y 6.ª, y hereda del único *piquete* colectivo —el de 'grupo poco numeroso de soldados'— el valor plural que el comentarista echa de menos, tomado probablemente del francés, como acaso el de huelguistas (< fr. *piquet de grève*). Pero los piquetes que, sin necesidad de huelga, exhiben pancartas de protesta o apoyo con determinadas consignas, como vemos en fotos o películas de la vida yanqui, son también los componentes del grupo y éste es el uso que se ha extendido al español. El *RHD* s.v. *picket*, acep. 2.ª y 3.ª, lo describe como 'a person...', y sólo la 4.ª como 'a soldier or detachment of soldiers...'. Creo que los piquetes no huelguísticos ni militares son calco semántico del inglés, así como la referencia a un individuo del grupo y no al grupo. Alfaro hace un análisis sensato de la cuestión, defiende la incorporación a nuestra lengua de *piquete* en la acepción inglesa, incluso de *piquetear* y *piqueteo,* y propone, «conforme a la morfología de nuestra lengua», que los componentes del grupo se llamen *piqueteros.*

Lo que solemos llamar *pirómano* en español aparece a veces por influjo del inglés *pyromaniac* en la forma seudoespañola **piromaniaco.** Así, por ejemplo, en «incendiados por grupos de piromaniacos», *Prensa Libre* (Guatemala), 9-11-89.

La voz **planta,** en su significado inglés de 'fábrica' ya la comentamos en nuestro primer artículo sobre el anglicismo (1955). También Alfaro, en su día, hizo comentarios oportunos sobre el uso hispanoamericano del término, y se felicitaba de que la Academia hubiera «dispuesto atinadamente añadir la indicada acepción [la de 'establecimiento destinado a la producción de energía eléctrica']... en la próxima edición del Diccionario...». En efecto, la Academia incluyó en el Suplemento de la XIX edición (1970), como americanismo, la definición que hoy figura en la acepción 1.ª de la entrada *planta.*

Ahora bien, esta acepción, que corresponde al significado inglés de *power plant* o *power house,* también traducida, cuando es pequeña, por 'grupo electrógeno', no recoge el significado general de 'fábrica' que registran otros diccionarios españoles: *Peq. Larousse:* «Fábrica, instalación»; *VOX*: «Complejo o instalación industrial»; M.ª Moliner: «(anglicismo, no incluido en el *DRAE*). Establecimiento industrial».

El verbo **poder**, que representa en español, junto con *saber*, diversas funciones modales de otros verbos ingleses como *can / could, may / might,* etc., fue respuesta en algunas de las primeras gramáticas de inglés a la falta de un subjuntivo en inglés (veáse en el cap. SINTAXIS, s.v.). Todavía hoy hay traductores precipitados que, desconociendo estas correspondencias, nos inundan con profusión de calcos de *may* o *might* que tendrían exacta equivalencia, sin acudir a *puede, podía, podría*, en una lengua como la nuestra que tiene subjuntivos siempre disponibles. Sobre *poder* por 'saber' (él puede nadar, hablar inglés, escribir a máquina), cf. Lorenzo'91, pág. 74.

Hasta 1970, la entrada **polución** del diccionario académico sólo registraba la acepción 'efusión del semen', procedente, al parecer, del latín eclesiástico *pollutio, -onis*. Pero en el suplemento de esa misma edición aparecen tres acepciones más, una de las cuales no causará al lector actual tanta sorpresa como la citada. Es la 3.ª: 'Hablando del agua, del aire, etc., impurificación, contaminación'. Extraño es que al mismo tiempo apareciera, cuando la acepción 1.ª estaba ya en decadencia, una acepción 2.ª 'acto carnal deshonesto', reducida hoy en la edición de 1992 a 'acto carnal'. La definición actual de la acepción 3.ª (calco semántico del ingl. *pollution*) la admitiría cualquier ecologista: «Contaminación intensa y dañina del agua o del aire, producida por los residuos de procesos industriales o biológicos».

Ya hemos mencionado (pág. 490) el calco **posesivo** 'autoritario, dominante'. Hay un ejemplo de B. Berasátegui en *ABC*. Aquí añado otro, de un programa de Antena-3 TV: «[una joven viuda] vive ahora con su madre, una mujer maniática y posesiva que pretende retenerla para no pasar sus últimos años en soledad», *El Mundo*, 17-4-95, pág. 79.

En la edición de 1947 el *DRAE* recogía sólo una acepción del sustantivo **potencial**, la 7.ª de la edición última (1992). Antes de ésta ya había incorporado la 6.ª, 'Energía eléctrica acumulada...'. Pero es ahora totalmente nueva la 5.ª, 'Fuerza o poder disponibles de determinado orden'. *Potencial militar, económico, industrial,* etc. (se podría haber añadido *potencial humano)*, que se ha convertido en expresión de moda que sustituye a potencia, posibilidades, fuerza latente, etc. Ejemplos de un solo número de *ABC*: «una pregunta que tiene el potencial de una carga de goma dos» (3-3-94); «Hay potencial para sacar al Atlético de esta situación» *(ibíd.*, pág. 97); «su potencial [de un equipo] puede que sea mayor que el nuestro» (*ibíd.* pág. 99).

Sin entrar en el origen de las dos acepciones científicas de probable vigencia internacional, creo que la última acepción del sustantivo, así como el adjetivo, idéntico, son calcos semánticos de la acepción dominante en inglés: *possibility* y *possible* («la potencial devaluación de la peseta»). Cf. el siguiente anuncio de Miami: «Potencial de seis figuras de ganancia», es decir, 'posibilidad de ganar una cantidad de seis cifras' (las que algunos prefieren llamar dígitos).

No dispongo de datos para rastrear el origen del verbo **potenciar**, tan de moda como las dos voces anteriores, pero la forma adoptada apunta sin duda a su parónimo inglés *to potentiate*. El francés, por su parte, ha acudido a un modelo insólito, *to potentialize*, ausente en los diccionarios usuales, para acuñar un verbo *potentialiser*, usado en farmacia y medicina, pero también en sentido figurado, como nuestro *potenciar*.

El verbo inglés *to preserve* en el sentido de 'conservar' ha dejado huellas en el español de América, como denunció Alfaro en su día. Su adjetivo *preservative*, calcado al pie de la letra no hubiera admitido fácilmente, al menos en el español peninsular, por su posible ambigüedad con el calco del francés *preservativo* (< fr. *préservatif*), el significado de *conservante* (*DRAE*'92) que ha adoptado en América en su forma **preservante**, y que debemos atribuir, con los antecedentes de Alfaro, al inglés.

Dudo de que del adjetivo *presumible* 'que se puede presumir' se pueda inferir sin más el valor actual de **presumiblemente**, usado a menudo hoy con el significado del ingl. *presumably* 'probablemente'. La Academia, con su habitual prudencia, todavía no lo ha incluido en su repertorio oficial.

Presura es vocablo que figura en el *DRAE* con tres acepciones principales, 'opresión', 'prisa' y 'ahínco'. Mas por influjo del inglés yo lo he oído aplicar a la tensión arterial, llamada también *presión (sanguínea)* (< ingl. *blood pressure*). El síntoma *presión alta* por 'hipertensión' parece bastante extendido en la América hispana.

También por influjo del inglés ha entrado en la XX edición del *DRAE* (1984) el verbo **presurizar** (ingl. *pressurize*), referido a las cabinas de avión comercial de pasajeros. También tengo anotado *despresurizar,* que se explica solo.

Aunque sin dar ejemplos documentados de su empleo, Alfaro comenta el uso de **privacía**, oído a «muchas personas», como calco literal de ingl. *privacy,* que en España, por lo que veo, se prefiere adaptar en la variante **privacidad**. Así la usa Camilo J. Cela en *ABC*, 20-2-94. Antes la tengo anotada en un artículo del prof. Tierno Galván, *Hoja del Lunes*, 4-1-82, citado en el editorial de *ABC* de 5-1-82.

Tienen marcada resonancia inglesa las acepciones 3.ª y 4.ª, ambas tecnológicas, del verbo **procesar** en el *DRAE*'92. La 3.ª ya figuraba en la edición anterior. También ha entrado en la última el sustantivo *procesador* (< ingl. *processor*), tomado de la jerga informática. La familia léxica de *processing* en esta jerga es muy numerosa, según Aguado, y habría que incluir, como mínimo, el término *proceso de datos* (< ingl. *data processing)*.

Otros usos de *to process*, ajenos a la informática, pueden dar lugar a curiosas ambigüedades. En el periódico *Diario las Américas*, de Miami, que por lo general exhibe una prosa limpia de anglicismos, al comentar la llegada de una oleada de refugiados cubanos a la Florida decía que «2.500 de estos refugiados han sido procesados allí» (en Cayo Hueso), 30-6-80. En la seca prosa administrativa otros hubieran preferido «despachados».

No entiendo por qué incluye Alfaro en su diccionario la voz **propaganda** para indicar que en inglés «ha adquirido cierto sentido peyorativo» pero sin citar un solo ejemplo español que justifique el posible anglicismo. No niego que en determinados contextos políticos —nazis o comunistas— se interprete a veces negativamente el término, pero, desde que se creó la «congregación de cardenales nominada *De propaganda fide*» (*DRAE*, 1.ª acepción), no creo que desde el punto de vista católico haya perdido su valor positivo. El abuso de la palabra alemana *Propaganda* durante el nazismo y su alternancia con *publicidad* en español acaso le hayan conferido un descrédito que los diccionarios españoles todavía no registran.

Tiene, en cambio, razón Alfaro cuando condena los usos anglicados de **prospecto** en vez de 'perspectiva, posibilidad, expectativa', etc., detectados y ejemplificados en su obra. Creo que estos usos —evidentes calcos semánticos— son especialmente hispanoamericanos, p. ej.: «las industrias [...] enfrentan malos prospectos para 1993», *El diario / La prensa*, N. York, 9-2-93, pág. 26. Lo mismo cabe decir de sus apostillas a *prospectivo* («No existe esta voz en castellano»). El *DRAE*'84 lo incluye como anglicismo: «(Del ingl. *prospective* y éste del lat. *prospectus*)». También incluye el verbo **prospectar** «(Del lat. *prospectus*, de *prospicere*, mirar, examinar, a través del ingl. *to prospect*)».

La XXI edición suprime para *prospectivo*, *-va* el intermediario inglés, y deriva directamente el adjetivo del verbo latino. En cambio, la etimología mencionada del verbo *prospectar* se deja intacta.

Critica también Alfaro en su diccionario algunos calcos semánticos del ingl. *provocative* cuando al esp. **provocativo** se le adjudica el significado de 'estimulante, sugerente, inspirador', etc. En este caso la Academia ha preferido aceptar el uso y desde 1970 añade a la definición el verbo *estimular*.

No comprendemos la entrada de **psicoanálisis** en el diccionario de Alfaro, pues su autor no aventura siquiera la sospecha de que el descubrimiento de Freud haya entrado en español a través del inglés.

El adjetivo inglés *chemical* 'químico' tiene un uso sustantivo en plural que significa 'productos químicos'. Pero el traductor apresurado pensó en su momento que se podía hacer lo mismo en español y tradujo **químicos**, alternando con sustancias químicas, o sin alternancia: «Algunos químicos utilizados fueron echados en tierra [contaminando el agua]». Hay ejemplos de Miami, México y California. También en Chile: «Algunos ácidos y otros químicos importados» (se refiere a la droga), *Las últimas noticias,* Santiago, 8-2-95, pág. 2.

La entrada **rampante** tenía dos acepciones en la XX edición del *DRAE* (1984); en la última (1992), se consignan cinco, dos de las cuales, la 3.ª y la 4.ª, reflejan el valor inglés del término (*unchecked, unrestrained* 'imparable, irrefrenable'), en la 3.ª aplicado a los trepadores, personas ambiciosas sin escrúpulos.

Aunque el latín *ratio, -onis* está doblemente representado en español con *razón* y *ración*, los economistas han decidido aprovechar el nominativo **ratio** para designar tantas cosas que el diccionario de Lozano Irueste necesita dos columnas de apretada tipografía para dar cuenta de todos los usos y combinaciones que juzga útiles. Aunque en su primera parte —Inglés/Español— se dan como términos equivalentes, según los casos, *razón, relación, coeficiente, proporción*, etc... y también «ratio», en la segunda parte —Español/Inglés—, s.v. *ratio,* ofrece otras tantas expresiones y combinaciones en que el español *ratio* es el componente principal. No sabemos si atribuir a errata —es errata, me asegura el autor— la asignación del género masculino al neologismo, o pensar que, siendo fiel notario del uso general —que opta abrumadoramente por el masculino—, ha señalado el dominante, aunque aportando ejemplos que parecen favorecer el femenino. Mis notas corroboran el género masculino registrado en su diccionario: «el ratio [4 veces]... cociente entre el valor del mercado y el de sus activos...», L. I. Parada, *ABC*, 23-11-90, pág. 73; «...ratios especializados...», *ABC*, 3-12-87; «este error no afectaría a los ratios económicos españoles...», *El Mundo,* 1-11-91, pág. 17; «el ratio, los ratios», *El Siglo*, 22-2-93, pág. 77; «...por encima de los ratios medios de ocupación [de] los ferrocarriles británicos (89 viajeros por tren) y suizos...», nota de RENFE, 7-11-92. El *DVUA* recoge cinco citas de la prensa: en 4 es masculino; en 1 femenino.

El diccionario comentado de Guadalupe Aguado, atento a neologismos más discutibles en proceso de aclimatación, no incluye la voz **ratón** (< ingl. *mouse*), hoy de uso general en el mundo de los ordenadores, omisión que yo comento en el prólogo de la obra. El *DVUA* nos brinda dos ejemplos de su empleo en la revista *ByN.*

En la edición de 1970 (Suplemento) aparece por primera vez el término **refrigerador** (< ingl. *refrigerator)* como sustantivo en el significado de 'nevera, armario con refrigeración eléctrica o química para guardar alimentos'. En el *DRAE*'92 se ha cambiado «armario» por «electrodoméstico». En el mundo hispano de América aparece también, como alternativa, *refrigeradora.*

Sobre el préstamo crudo *royalty,* cf. supra, pág. 379. Los intentos de aclimatación han favorecido la adopción de un calco, **regalía**, descendiente, como la voz inglesa, del latín *regalis*. Ya comentaba Alfaro la insuficiencia de las definiciones académicas para abarcar lo que, en su 4.ª acepción, no especificaba el *DRAE*, y que hemos visto comentar, s.v. *royalty*, en Valera. Alfaro propone «derechos de autor» y explica otros usos del inglés. En la XXI edición del *DRAE* parece haberse tenido en cuenta su opinión y se añade una acepción «7. *Econ*. Participación en los ingresos o cantidad fija que se paga al propietario de un derecho a cambio del permiso para ejercerlo». Ignoro el ámbito real de vigencia del préstamo y del calco. Los diccionarios bilingües registran ambas equivalencias, indicando *Collins* que *regalías* es americano.

Reluctancia es un anglicismo en el que han incurrido a menudo los sometidos al influjo del inglés. Como término relacionado con la electricidad es también un anglicismo, pero precisamente por su matiz científico nadie objetaba a su uso; sí, en cambio, cuando se usaba en el campo semántico de la *renuencia* (lo hecho a regañadientes, de mala gana, con actitud reacia), y ello pese a que *reluctante* figuraba en el diccionario con el significado de «reacio, opuesto». En 1993 fue aprobada su inclusión con el significado de 'renuencia'.

Una ágil y desenvuelta cronista, capaz en su inocencia de sacar a la luz a diario las nefandas connotaciones de un confidente llamado *Deep Throat* en inglés, acuña —o acaso toma del latín o del inglés, donde es verbo raro— un nuevo verbo **reluctar** (¿reluchar? < lat. *reluctari*) para decir que «Con el abucheo a su persona [la del ministro Boyer] los catalanes reluctaban la 'agresión' del Gobierno contra el 'honorable' Pujol» (P. Urbano, *ABC*, 6-6-84).

Parecida reluctancia mostraba la Academia a la admisión de **reportar**, de uso general en la América hispana, con el significado de 'informar', como también usan *reporte* con el valor de 'informe'. Como acepción 7.ª ha entrado en la última edición, con protestas de los que no objetaban al uso de *reportaje, reporte, reportear, reportero, reporteril, reporterismo* y otros términos de la misma familia usuales desde hace más de un siglo en distintos grados de adaptación. Pero el verbo *reportar* 'informar' también se usa en España; de ahí su condena por algún manual de estilo.

El anglicismo **reversa** (< ingl. *reverse*, 'marcha atrás') debe de estar tan generalizado en América que el *Collins Bil.* lo registra ya como equivalente «español» de *reverse.* Quilis (*art. cit.*) lo localiza en México, Panamá y Sto. Domingo —no en Uruguay, como revela Kühl (93)— y da como variantes *reverso* en Colombia y *riversa* en P. Rico. Pero Haensch no recoge esa variante colombiana; sólo *reversa*. En España es voz desconocida.

En su acepción 5.ª del *DRAE* 'publicación periódica...', la palabra **revista**, para Corominas, es un calco del fr. *revue*; pero *revue*, según el *Robert Angl.*, es un anglicismo (< ingl. *review*). En último término, *review,* como cientos de palabras, procede del francés ant. *reveue* 'revisión'.

Un anglicismo de moda entre los redactores de periódicos es **revival**, que en esta forma debe figurar entre los préstamos simples (vide supra, s.v.). Pero existen intentos de adaptación más o menos calcada del modelo inglés, algunos de rancio abolengo, mas ambiguos, como 'renacimiento, renovación', etc. El calco más literal y, a mi juicio, bien pensado es **reavivamiento**, usado por persona que echaba de menos su equivalencia española, el entonces gobernador de Puerto Rico Hernández Colón (*ABC*, 24-5-87). No excluyo como solución el escueto infinitivo —el *revivir*— que recuerdo haber leído, pero no tengo anotado. Sí anoté, en cambio, una sola vez, un nuevo verbo. Hablando de un *revival* del Real Madrid, dice el cronista que Fulano «acaba de revivarlo [a un famoso] con su frase...», *ABC*, 8-1-94, pág. 75.

El adjetivo **rojo** es de contornos semánticos imprecisos y su entrada en el diccionario nos ofrece una variada muestra de usos metafóricos. La acepción 6.ª 'radical, revolucionario' no es modelo de precisión ni abarca todos los usos políticos. Se ha calcado, sin fortuna, el eslogan inglés «better red than dead» (o alemán «besser rot als tot»), que son fórmulas rimadas, traducidas literalmente con un «mejor rojo que muerto», donde al perderse la rima se pierde también su expresividad. Pero hay un uso bancario que creo de difusión universal y expresa el saldo negativo de una cuenta, ya con la frase «estar en números rojos» o «tener la cuenta bancaria en rojo», que registran los diccionarios bilingües (*Collins*, *Larousse*, *Oxford*) para traducir *to be in the red* 'estar en deuda' o *to be out of the red* 'salir de deudas'. El ejemplo «El presupuesto... tiene un saldo rojo» procede de Guatemala, pero podrían encontrarse muchos parecidos; así, en el titular de *ABC*, 19-6-94, pág. 85, «El Vaticano abandona por fin los números rojos» [desde 1970, por primera vez sin déficit] y como atestiguan los diccionarios bilingües citados. Sobre la expresión *alfombra roja* véase infra CALCOS PLURIMEMBRES.

El adjetivo **sabático** (lat. *sabbaticus*) referido al «séptimo año, en que los hebreos dejaban descansar sus tierras, viñas y olivares» (*DRAE*, 2.ª acep.) tiene larga historia en español. En la edición de 1984 aparece, probablemente por influjo norteamericano —incluido Canadá—, la acepción 3.ª «año de licencia con sueldo que algunas universidades conceden a su personal docente y administrativo...». Ignoro si la definición, con la salvedad de «algunas universidades», es rigurosamente cierta, pues he oído decir al personal administrativo que a ellos no les alcanza, pero el hecho es que la costumbre apenas se conocía en Europa a mediados de siglo. Según el *Robert Angl.*, el término *año sabático* en el sentido americano se documenta en francés desde 1948. En España, aunque menos disfrutado, es hoy de uso corriente.

Aunque la retribución de servicios prestados parece tener en algunas lenguas cierta inestabilidad léxica, hay una clara tendencia a destacar entre sí las novedades y distinción que conlleva el tipo de actividad remunerada: jornal, haberes, honorarios, sueldo, paga, salario, estipendio, etc. **Salario**, según el *DRAE*, es «en especial, cantidad de dinero con que se retribuye a los trabajadores manuales». El diccionario *VOX* añade «a obreros manuales... que cobran por jornadas o semanas, mientras el *sueldo* suele valorarse por mensualidades». Ahora bien, *salary,* en inglés —y no se olvide que nuestros economistas tienen una formación más o menos profunda de base idiomática inglesa—, es 'una compensación fija pagada periódicamente a alguien por un trabajo o servicio continuado'. Dadas estas circunstancias, no es descabellado atribuir al inglés el invento del *salario mínimo* (ingl. *minimum wage)* ni ver también influjo de la misma lengua en el uso de *salario* para designar el sueldo mensual de jueces y magistrados. Los magistrados del Tribunal Supremo pedían de salario, según la TVE (15-6-88), 400.000 ptas. al mes.

Ya ha sido objeto de más de un comentario el uso del calco **santuario** (< ingl. *sanctuary*) para designar lo que en español sería 'asilo, refugio'. Ejemplo: «Un acuerdo de España con México... [titular]... encaminado a poner fin al *santuario etarra* del que goza la organización terrorista en ese país americano [sumario]», *El País*, 24-5-95. El titular va precedido de una línea que dice: «200 miembros de ETA gozan de asilo político». Parece que con sintaxis distinta lo expresaría el giro 'acogerse a sagrado', mas domina en *sagrado* el valor adjetivo y los traductores se resisten a utilizarlo, olvidando además la acep. 11.ª del *DRAE* 'cualquier recurso o sitio que asegura de un peligro'. La explicación, no muy clara, de *acogerse a sagrado*, disuade de su utilización a quien consulta el lexicón. Otra opción, 'acogerse al derecho de asilo', no coincide tampoco en la sintaxis con las construcciones inglesas *to seek (find, take) sanctuary* 'buscar, encontrar refugio'. No facilita las cosas el añadido de registro (*in church*) de algún diccionario. El más acertado, a mi juicio, es el *Collins Bil.* (s.v.) *sanctuary: to seek sanctuary* = 'acogerse a sagrado'. No obstante, la nota eclesiástica parece mantenerse más en *sagrado* que en *santuario.* ¿O es sólo la atracción del parónimo?

En el boxeo se llama **segundos** a los 'ayudantes o consejeros de un púgil'. La frase *¡Segundos fuera!* pronunciada por el árbitro de la pelea equivale a «¡Despejen, el combate (asalto) va a empezar!». Una obra teatral estrenada en Madrid el 29 de noviembre de 1994 así se titulaba, adaptación de otra inglesa. Su traductor, en antecrítica de *ABC*, animaba al posible espectador con un «Dispóngase a sentarse en su silla de *ring*... Y ahora ¡Segundos fuera!».

Llamar **semántica** a una mera cuestión de significado («Dejemos la semántica y vayamos al grano») es una exageración, pero traducir ingl. *semantics* por **semánticas**, es peor, es ignorancia: así en «Las semánticas de Yaser Arafat» (título de art.º en *ABC*, 15-12-88).

El verbo inglés *to sentence* tiene desde la Edad Media no sólo el significado de **sentenciar**, emitir dictamen en una causa, sino el de condenar a un castigo. No es extraño, pues, que partiendo de una fuente inglesa un corresponsal español mande a su periódico la noticia de que «XXX ha sido sentenciado a pena vitalicia de prisión», es decir , «ha sido condenado a cadena perpetua» (en ingl. probablemente «XXX has got a life sentence»).

El cuento del autor inglés Horacio Walpole titulado *Los tres príncipes de Serendip* —nombre árabe de Ceilán— (1754) dio lugar al sustantivo *serendipity* 'facultad de descubrir por accidente cosas agradables'. En español se ha calcado esta creación inglesa con distintas adaptaciones: *serendipismo* (*Collins Bil.*) o *serependismo* (*ibíd.*, ¿errata?). Falta en los demás diccionarios bilingües a mi alcance, excepto el *Oxford Bil.*, que prefiere *serendipia* 'don de descubrir cosas sin proponérselo'. Rafael Alvarado, en un artículo titulado «El efecto Serendip» usa cinco veces **serendipitismo** y una *antiserendipitismo* (*ABC*, 5-4-88, pág. 3).

Mi ejemplar del *Webster's Collegiate Dictionary* (1947), adquirido ese mismo año al llegar a Filadelfia, no registraba todavía la acepción de *serial* —sí otras referidas a las publicaciones por entregas—, recogida como neologismo por el *Peq. Larousse* s.v. **serial** en 1964 —«novela radiofónica que se da por episodios»— que me ilustró un amigo contándome cómo una señora a las once de la mañana decía que «was enjoying her serial» ('estaba disfrutando de su serial') con gran asombro de quien la escuchaba, que entendió *cereal*, voz totalmente homófona que abarca las diversas variedades de maíz, trigo, avena, etc. que suelen tomar de desayuno los estadounidenses, pero no a las once. En 1967 también lo recoge María Moliner señalando «no incluido en el *DRAE*». El diccionario académico no recoge el sustantivo hasta la edición de 1984, cuando ya el uso se ha extendido a la televisión, y lo define como 'Obra radiofónica o televisiva que se difunde en emisiones sucesivas'. Con valor adjetivo, *serial* ha llegado a nosotros en calcos libres como *asesinatos en serie* (programa de Tele 5, 29-6-94); vide supra s.v. *serial killer*, págs. 387-88.

Hablando de enfermedades, las que suscitan mayor preocupación en pacientes y médicos se suelen designar en inglés con los adjetivos *serious* y *severe (seriously ill, severe illness)* que alternan con *grave,* por lo regular traducidos como **serio** y **severo.** Ya hemos comentado cómo el primero —en el adverbio *seriamente*— aparece a menudo donde el español corriente esperaría *grave.* El uso de *severo* también lo han condenado algunos libros de estilo, como el de *ABC*: «No debe aplicarse este adjetivo a cosas: 'sufrió una *severa* derrota'. Dígase importante, fuerte, grave, serio...». He aquí un ejemplo mexicano: «Los encharcamientos más severos se registraron...» (*El Universal*, 12-11-92); otro, español: «tras sufrir un severo infarto, ahora camina con dos *by-pass*» (*El País,* 22-5-94, pág. 20).

Merece citarse aquí un uso de *severo* en traducción, que considero un acierto, atribuido al profesor y alcalde de Madrid E. Tierno Galván, tratando de respetar la ambigüedad deliberada de la famosa comedia de Oscar Wilde *The Importance of Being Earnest,* cuyo título, oído, admite las dos traducciones con que se conoce en español: *La importancia de llamarse Ernesto / de ser serio*. La solución de Tierno —*La importancia de ser Severo*— mantiene, hablada, la ambigüedad del original.

Tiene razón Alfaro al denunciar la invasión del terreno de *sencillo* por usos anglicados de **simple**. Ya hemos comentado esta anomalía en frases hechas *(tan simple como eso = así de sencillo*). No hemos anotado en España *costumbres simples*, pero sí hemos leído **simplicidad** cuando esperábamos leer *sencillez.*

Es un alarde de erudición el de Corominas s.v. *sosa,* que considera catalanismo. Emparentada, sin duda, con *soda*, italianismo, menciona como derivado, entre otros, **sodio**, calco del lat. científico *sodium*, acuñado por el inglés Davy en 1807. Ahora bien, **soda**, como bebida (ingl. *soda(water)*), en la 2.ª acep. del *DRAE*, extendida en la expresión *whisky and soda*, debe considerarse también un calco del inglés. En tal caso, cabe calificar *sodio* de préstamo hispanizado y *soda* de calco.

Parece cosa admitida que la voz inglesa *soldier* **'soldado**, militar' es el origen de la española *sorche / sorchi.* (véase PRÉSTAMOS, S.V. *sorche*, págs. 410-11). Pero en *soldier,* aparte de las acepciones 'el que sirve en la milicia' o 'esforzado o diestro en la milicia' y otras que comparte con el español *soldado,* predomina hoy el valor de 'militar', para el cual no tiene el inglés más que la voz *military*, como colectivo (= los militares). No es extraño, pues, que *soldado* aparezca en español creando al menos perplejidad en frases como «el soldado de mayor rango entre los responsables era un comandante», noticia de EFE (*YA*, 7-10-81), es decir, 'el militar de mayor graduación...'.

Dentro del sistema secular de alternancia de partidos en el gobierno británico, es normal hoy que el partido deseoso de tomar el relevo, el de la oposición, tenga dispuesto el equipo futuro de gobierno con el nombre de *Shadow Cabinet*, es decir, 'Gabinete en la sombra', en el que sus miembros aparecen como *Shadow Foreign Secretary, Shadow Chancellor*, etc. Referido a la política británica no sería su traducción al español otra cosa que mera explicación de una costumbre exótica. Pero más de una vez he visto aplicar la expresión *en la* **sombra** a alguna figura destacada del partido expectante en España. No quiero descartar la posible intención irónica de este uso, ni creo que la tenga la expresión «presupuesto sombra» atribuida al ministro Maravall (*ABC*, 21-10-86), que podría significar —el contexto no lo aclara— 'presupuesto en potencia'. Es claro, sin embargo, el modelo inglés en el titular: «Rutskói anuncia que formará un ‘Gabinete en la sombra’». En el texto se nos dice: «La oposición... para combatir al presidente... Yeltsin... anunció que dará a conocer un Gabinete en la sombra», *El País,* 29-5-94, pág. 3. En su edición de 1980, el *LEPaís* incluye la entrada *shadow cabinet:* «gabinete fantasma o en la sombra; la directiva del partido en la oposición en el Reino Unido. No debe utilizarse en un texto noticioso...». Otros ejemplos: «Los socialistas se opondrán con un ‘gobierno en la sombra’»; «una... reunión de su ‘gobierno en la sombra’» (*ABC*, 26-6-95, pág. 58).

El verbo **soportar** sólo tiene dos acepciones en el *DRAE*’92: «1. tr. Sostener o llevar sobre sí una carga o peso. 2. fig. Sufrir, tolerar». Pero su deverbativo *soporte* añade la idea de apoyo, que parece invitar al uso, cada vez más frecuente, de *soportar* con el significado del ingl. *to support* ‘apoyar, mantener, respaldar, subvencionar, sostener’, sin el componente de ‘aguantar, tolerar, sufrir’ que tiene el verbo español. La versión española de una organización británica de investigación que abarca las ciencias físicas y la ingeniería es que «soporta principalmente a la investigación química, física y matemática...», *ABC Cultural,* 7-9-93, pág. 55. En cuanto al sustantivo, son aceptables, aunque suenan anglicados, los ejemplos siguientes: «en soporte del Proyecto Genoma Humano», *ABC*, 11-1-94; «[los hermanos Menéndez, acusados de asesinato en California] reciben también soporte de numerosas personas...», M. Torres, *El País semanal*, 1-5-94, pág. 4. Si en el último no estuviera el inglés *support* por medio, la periodista hubiera escrito probablemente *apoyo, adhesión*, etc., pues las personas no suelen «recibir soporte». *Soporte*, por cierto, no abarca tampoco otros usos recientes, de distinto origen, como *soporte lógico, soporte físico, soporte magnético*, etc., algunos de ellos claros galicismos, otros anglicismos indirectos. En español sería inaceptable «*los *soportadores* del Betis»; en francés, incluso con la ortografía inglesa, lo recoge *Lexis.*

Suspicious, en inglés, lo entiende un principiante como 'suspicaz', voz de perfil semántico borroso para el estudiante español, pero acertado en algunos casos; luego descubre que también es traducible por 'sospechoso, que levanta sospechas', aunque el texto que tiene delante no siempre se entiende así, y finalmente concluye que *suspicaz* es algo así como 'desconfiado' y resuelve el misterio. A ese perfil semántico borroso parece obedecer la frase: «...los nacionalistas siempre le han mirado [a Luis Vives] con suspección», B. Porcel, *ABC*, 18-11-83. Pero hay muchos traductores, semiprofesionales o de ocasión, que no han superado la última barrera: «Y todos me miraron sospechosamente», cita de una traducción calificada de «perfecta» por el crítico, en *ABC*, *Sábado Cultural*, 5-10-85; «La decisión de XX de proteger la identidad de XX consiguió, además, que los sospechosos lo fueran aún más», *El País,* 24-8-86. Aquí pude conocer la fuente inglesa del texto, la revista *Time*, 18-8-86, donde se dice «made the suspicious more so» (= hizo más desconfiados a los que ya lo eran).

Taller, como traducción del ingl. *workshop*, originariamente en compuestos como *theater workshop, opera workshop,* goza de extraordinaria popularidad para toda clase de actividades que no encajaban en la vieja definición (hasta 1984) de «escuela o seminario de ciencias, donde concurren muchos a la común enseñanza», ampliada en 1992 a «escuela o seminario de ciencias o de artes», que no abarca todavía los *talleres de oración, talleres de debate* y otras actividades no clasificables como ciencias o artes. Ejemplos recientes: «...programa estructurado en sesiones taller [para alumnos de Ciencias Empresariales]...», *Nuevo Trabajo-ABC*, 20-3-94; «... Inglés... Taller de la Naturaleza (Cazorla)», *ibídem.* En el programa del XXIII Congreso Internacional de Psicología Aplicada se anuncia un *Workshop* que se explica como «Este taller está destinado a quienes prefieran discutir en español... los temas presentados...». Mis primeras notas de este uso son del diario mexicano *Excelsior* (1969): «el taller n.º 1 de la Escuela de Danza; el taller n.º 2 de la misma» (24-8-69, pág. 31-A).

Aunque el ingl. **tank** se considera un préstamo total o parcial del portugués, relacionado con esp. *estancar* y *estanco,* el *tanque* de guerra es un préstamo del inglés y el *tanque de nafta* (Uruguay) es un calco del ingl. *tank* 'depósito de gasolina'. El mismo origen inglés tiene el verbo *tanquear* 'repostar', registrado por Haensch en Colombia.

La voz *timer*, referida al automóvil, ya comentada, corresponde en español al término *distribuidor* (de encendido), pero recientemente se ha incorporado al uso español el sustantivo **temporizador**, como calco de *timing device,* ya admitido en el *DRAE*'92.

El adjetivo *terrific,* en inglés, como alguna expresión equivalente y ponderativa del español —*de miedo*—, ha adquirido el valor positivo de 'muy bueno, extraordinario' que en la forma **terrorífico** nos ha llegado en frases como «le habían dicho que [el campo de golf] era terrorífico», *ABC*, 28-4-89, pág. 92.

No comprendo por qué figura **tetramotor** en el diccionario de Alfaro. Él no aporta testimonio del uso inglés del término y yo tampoco lo encuentro en los lexicones a mi alcance (falta en el *NShOED*, que recoge más de 100 derivados con el prefijo *tetra-*, donde sí encuentro *trimotor*, como en el *Webster* y *RHD*). La palabra no es desusada en el español contemporáneo, aunque la Academia no la haya admitido en el *DRAE* (sí en *DMILE*). Figura en el *Peq. Larousse, DUE, VOX* y en los diccionarios bilingües español-inglés de *Collins, Larousse* y *Willliams,* sin que la forma inglesa dé una pista sobre el posible anglicismo, pues *tetramotor* se traduce al inglés como 'four-engined (plane, aircraft)'. La presencia de *tetrarreactor,* traducido como 'four-engined jet plane' (*Collins Bil.*), creemos que descarta el posible influjo inglés en estas formaciones.

El término **tiburón**, aplicado a cierto tipo de especuladores de bolsa, lo tenía yo anotado desde hace años: «...los 'tiburones' del mercado bursátil están de moda... Se trata de inversores que [comprando acciones] llegan a dominar una sociedad... Todos son tributarios al inglés... Por ejemplo en el uso de la palabra 'tiburón'», *ABC*, 19-10-87, pág. 51. Fiado de quien, sin duda, poseía mayor competencia que yo en este terreno, entendí que se trataba de un calco de la voz inglesa *shark* que, aparte de su sentido recto referido a los escualos, significa, referido a los humanos, 'estafador, pirata', etc. Pero una separata de Josefa Gómez de Enterría me informa, apoyada en la autoridad del economista R. Tamames, de que el modelo inglés es *raider* 'invasor, asaltante, corsario', etc., y, además, en el mundo de los negocios, 'persona que adquiere el control de una compañía comprando acciones en secreto o actuando por poderes'. La fuente es indiscutible, mas no descarto que la traducción castellana haya tenido presentes los significados mencionados de *shark*.

En la acepción de 'asunto, tema' **tópico** ya lo denunciaba Alfaro. No me parece de uso frecuente en España en la lengua escrita. El *MEU* lo condena como anglicismo.

Ya hemos comentado (pág. 452) el caso de **tornado**, voz que figura en los diccionarios ingleses como hispanismo (< esp. *tronada*, ya en *Dicc. Autorid.*), pero que en su deformación inglesa, acaso influida por el verbo *to turn* 'girar', aparece en nuestros diccionarios como «*Huracán* en el golfo de Guinea». Desde 1970, por lo menos, figura en lugar de ésta la definición «Viento impetuoso giratorio, huracán». La explicación de Corominas, correcta, —«ingl. *tornado* (1556) < esp. *tronada*, que recientemente se ha empleado en cast.»— no se ha tenido en cuenta. El *DRAE*'92 hace derivar *tornado* de *tornar*(!!).

Al lado de un sustantivo regular *transponedor*, de *transponer*, ha entrado en el uso español, y algún diccionario (*VOX*, *Collins Bil.*) lo registra, el anglicismo **transpondedor** (< ingl. *transponder*, soldadura de *trans*mitter + res*ponder*) 'repetidor... que transmite señales...

cuando recibe una pregunta adecuada'. He aquí un ejemplo de la prensa: «Esta programación utilizará... el transpondedor (repetidor)... del fracasado canal 10...» (*El País*, 16-4-89). También en *ABC*: «...transpondedores...», 15-1-94; «El cambio de transpondedor dificulta la recepción de la MTV» (titular), 1-10-94, pág. 123.

El verbo inglés *to trace* significa, entre otras cosas, **trazar**, cuando se trata de una línea, pero también 'rastrear, seguir una pista, localizar, remontarse', etc. Es calco semántico del inglés su uso en la frase «para que... no pudiera trazarse tu salida de México», C. Fuentes, *C.H.*, pág. 156.

Ya critica, con razón, Alfaro el uso anglizante de **tropas** detrás de un número: «*siete mil tropas* rebeldes». No es frecuente en España, me imagino que por tener un competidor muy vivo, justamente condenado por Lázaro: *efectivos*, si no calcado, acaso motivado por ingl. *troops,* pues algún diccionario bilingüe equipara, correctamente, los dos plurales: «*efectivos (Mil*, etc.) = *forces*, *troops*». Vide supra, s.v. *efectivos*, pág. 510.

Los cambios de uniforme y un menor protagonismo de lo militar acaso sean causa de que la voz inglesa **tunic** 'guerrera' sea desconocida por traductores y por escritores no españoles: «...sacó un cigarrillo... del bolsillo de su **túnica** [es un capitán]...» (trad. de *La chica del tambor*, de John Le Carré, por A.B.V., 1.ª edic., 1983, pág. 380); «...alisándolo [el saco] como si aún vistiera túnica de campaña...» (C. Fuentes, 1962, 5 veces, 1 vez *guerreras*).

La voz inglesa *turn* tiene, como nombre y como verbo, una considerable carga semántica, entre cuyos usos algunos parecen coincidir con el **turno** español, de suerte que algún calco literal, como el programa de televisión *Su turno,* acaso inspirado en algún modelo de procedencia anglosajona, vivió en las pantallas la duración semanal prevista sin levantar críticas. Probablemente, los traductores pensaron que la expresión natural «A usted le toca» no poseía la elegancia de lo no cotidiano. No resulta tan aceptable la traducción de *in his(her) turn* (= a su vez) por 'en su turno' y menos todavía cuando no se trata siquiera de traducción, sino de información nacional: [Hablando de una huelga, se oponen los empresarios (CEOE) al partido gobernante diciendo] «...En su turno, el PSOE denuncia...» (*YA*, 20-6-85).

Tras asistir a una verdadera invasión de términos universitarios anglosajones en los últimos decenios (*departamento, créditos, campus, postgrado,* etc.), no nos extraña que la Academia haya admitido en 1992 dos nuevas acepciones de **tutor**, en su función didáctica, y una segunda para **tutoría** 'cargo de tutor', antes ausentes y que cabe atribuir a la tradición universitaria anglosajona. De la misma raíz latina es otro anglicismo de la América hispana, *tuición,* denunciado por Alfaro cuando significa 'enseñanza', pero no con el significado académico y jurídico de 'acción o efecto de guardar o defender'. F. Lázaro anota y condena la «invención» *tutorazgo*, en vez de *tutoría* o *tutela*, para designar la actividad del tutor (*ABC*, 26-11-90, pág. 3).

Aunque etimológicamente ingl. *usher* y esp. **ujier** procedan del francés *huissier* y compartan significados semejantes, la acepción dominante en inglés es la de 'acomodador' con un derivado insólito *usherette,* para la 'acomodadora', uso éste desconocido en el *ujier* español. Por ello hay que considerar calco del inglés «los ujieres del Festival», en V. Llosa, *El País semanal*, 16-3-86.

En la historia del sindicalismo español habría que investigar el papel que desempeñó el *trade unionism* inglés, normalmente mencionado en español, sin traducir, *trade(s) unions,* llamadas en español en 1869 **uniones** o *asociaciones mercantiles* (sociedades que asisten a los obreros en suspensión de trabajo; *strike*, cf. s.v.), Acuña, *Inglaterra y los ingleses,* pág. 48. Acaso el primer sindicato socialista (U.G.T.) deba el nombre a los modelos ingleses. En algunos países americanos **Unión** y **unionados** sustituyen a *Sindicato* y *sindicados.*

Cf. L. Morales (1991), pág. 142. En el periódico neoyorquino *El Diario/La Prensa* leemos: «...préstamos a cinco administradores y cinco obreros unionados...», 9-2-93, pág. 5.

Alguna vez hemos anotado **Union Jack** para designar la bandera británica, masculino o femenino, según capricho. He aquí un ejemplo: «la bandera crucífera de la 'Union Jack' ondeaba orgullosa», V. M. Reviriego, *ABC*, 20-5-94. Otro, «La Union Jack podría desaparecer de la bandera australiana», *ABC*, 21-11-94, pág. 36, y otros 3 usos como femenino.

El término **unisex** (< ingl. *unisex*), muy extendido en zonas urbanas o turísticas españolas (moda unisex, peluquerías unisex, etc.), ha tenido ya entrada en algún diccionario como *DMILE, VOX, Collins Bil.*, etc.

Una de las propiedades del sufijo inglés *-ite* es la de ayudar a la formación de derivados que implican la pertenencia o adhesión de una persona a un lugar, grupo o líder, con clara diferenciación de derivados en *-ist*: *socialite* frente a *Socialist, laborite* frente a *Laborist*. De uno de ellos, *urbanite* 'residente de una ciudad', se ha tomado en español **urbanita**, como en el ejemplo: «Un partido así [entre 2 grandes equipos] es la venganza de los pobres urbanitas contra la crisis», *ABC*, 9-1-94. Otros ejemplos: «La de Silos es una comunidad muy joven, urbanita y titulada... 36 hombres que han dejado atrás su ciudad...», *El País semanal,* 17-4-94, pág. 71; «...el alma... maleable del urbanita... acabó más rígida que la del hombre de pueblo...», L. Castro, *ABC*, 18-6-95, pág. 28.

Han aparecido en España casos de **urgir** con el significado de 'instar, encarecer, solicitar con empeño', etc., censurados por Alfaro como calcos de *to urge.* El *MEU* cita varios ejemplos de este solecismo: «Los vecinos urgen al Ayuntamiento para que se instalen semáforos»; «El Congreso urgirá del Gobierno la remisión de una ley sobre...».

Uno de los subterfugios para evitar la impropiedad de llamar *América* a los Estados Unidos de América, aparte de las siglas españolas EEUU, consiste en usar las inglesas **USA**, acrónimo en función adjetiva o sustantiva: *el comercio USA, la política USA, USA invierte, USA apoya*, etc. Recordaba haber leído, pero no anotado, dos derivados del acrónimo, *usanos* y *usacos,* el segundo despectivo, pero viene en mi ayuda el documentado libro de Félix Rodríguez (1991), donde figuran, aparte de los dos mencionados, *usanio, Usaquía* y *Usamericanos* (págs. 182, 189, 191, 193, 198-9 y 246). El término *usaco* aparece en el título de una obra de C. M. Ydígoras de 1968, y es encubiertamente irónico. *Usamericano* es el término adoptado por Córdova, *passim*, en su libro *UMA*.

Dispone el español de una familia léxica derivada de *verano* —diez entradas en el *DRAE*— referida a animales y personas, que se mueven o cambian de lugar en verano, estación preferida para las vacaciones, pero no ha creado la lengua un término para designar a quien disfruta del descanso en otra estación, acaso porque la época estival no sea la apropiada. Del ingl. *vacationist* se ha tomado en Venezuela —tal vez en más países— el neologismo **vacacionista** (*El Nacional,* Caracas, 31-8-86). Ello explica el verbo *vacacionar,* que hemos anotado en la prensa americana de lengua española, por ejemplo en el anuncio: «Vacacionar en grande», *ibíd.*, pág. A-23.

Algunos de los usos censurados por el *MEU* sobre el verbo **valorar** tienen resonancias inglesas del verbo *to value,* pero otros parecen aportaciones del periodismo y de la política nacionales: *valorar algo* por 'estimar algo', *valorar positivamente* por 'estimar satisfactorio'.

No creo que **valorizar**, comentado por Alfaro, deba directamente nada al inglés; sí, en cambio, que una vez admitido haya incorporado alguna acepción de *to value* 'considerar importante' y de *to appreciate* 'adquirir mayor valor una cosa'.

El uso de **valuable** y **valuación**, que Alfaro incluye como anglicismos, no lo hemos registrado en nuestras notas. Alfaro, por su parte, da sólo un ejemplo del primero y ninguno del segundo. Pero no dudo de su testimonio, pues tengo anotado *invaluable* 'inestimable' en México: «El talento de nuestros genios es invaluable» (F. del Paso, pág. 261).

El ingl. *vamp* (< *vampire* < al. *Vampir* < serbocroata *vàmpir*) designaba en películas del cine mudo a la «mujer que explota, arruina y degrada a los hombres que seduce». Así la toman las lenguas europeas (cf. fr., it., al., esp.). Pero ya M.ª Moliner recoge en 1967 **vampiresa**, **vampi**: «traducción del ingl. vamp». En mayo de 1995, con motivo del estreno de la película *La última seducción*, se describe a la protagonista: «Maquiavélica, despia[da]da y sexy son calificativos insuficientes... Sólo remitirla a las sinuosas vamps del cine negro es hacerle justicia» (*El País semanal*, 7-5-95, pág. 32). Otros diarios y revistas resucitaron para la ocasión la alternativa francesa *femme fatale* con su equivalente español.

Hay que decir que el término no estaba totalmente anticuado. El diccionario de Víctor León recoge dos entradas: *vampi* = *vampiresa*. Ésta se define como «Mujer ostentosa de su belleza, atractiva y seductora».

Aunque en inglés existe la voz *vicinity*, parónimo de **vecindad**, los usos de ésta que hoy aparecen en noticias de prensa son realmente calcos del ingl. amer. *neighborhood* 'zona, barrio de una ciudad'. Alfaro opina que *neighborhood* corresponde al esp. *vecindario,* voz que según el diccionario académico y el uso general es 'conjunto, padrón de vecinos' o '*vecindad,* calidad de vecino'. «Vecindarios enteros siguen en ruinas [en Florida]», versión española de ABCNews, *Canal* +, 15-4-93.

El hecho de que los diccionarios bilingües equiparen ingl. *vegetables* a 'verduras, hortalizas, legumbres' indica hasta qué punto los campos semánticos de los **vegetales** (así se traduce a veces) son distintos en una y otra lengua. Cuando el cliente en los EEUU pide en un restaurante los *vegetables* que ofrece la carta se encuentra con que ninguna de las tres opciones del diccionario abarca zanahorias, boniatos, repollo, alubias, nabos, tomates, patatas, etc., que es lo que un diccionario americano como el *RHD* da como ejemplos de la primera acepción de *vegetables*. No es extraño que un gran escritor diga que en un lugar de éstos comió vegetales (V. Llosa, *El País semanal,* 16-3-86, pág. 30). También advertimos este uso en el periodista J. M.ª Carrascal: «El número de *salat-bat* [sic, entendemos *salad bars*, neologismo aparecido en la década de 1970], de bar de ensaladas, ha crecido tanto [a costa] de las hamburgueserías que éstas han tenido que incluir vegetales en su oferta», *ABC*, 8-9-93, pág. 16.

Ya hemos comentado en un artículo (*BRAE*, cuad. CCXLVII, pág. 193) el ambiguo titular periodístico «Cómo se vende un presidente», que reproduce en español una acepción comercial de **vender**, patente en frases como «El amor vende» [= tiene clientela, público], *ABC*, 13-12-93; «Yo trato de vender a todos los partidos nuestra alternativa» [= persuadirles de que voten nuestro programa], *El País semanal*, 23-3-86; «nos manchamos de sangre... pero la sangre vende», *Domin. ABC,* 4-7-82. Este uso está hoy tan instalado entre algunos periodistas que se considera correcto español; dice uno de ellos: «*If it bleeds, it leads,* traducido libremente al castellano sería algo así como 'la sangre vende'», A. Rojo, *El Mundo*, 8-5-94.

No ha tenido suerte Alfaro con su condena de los usos anglicados del adjetivo **versátil** («anglicismo peligroso»), tan persistentes que la Academia lo aprobó con el valor de 'polifacético, de muchas aptitudes o aplicaciones' [no recuerdo la redacción definitiva]. Naturalmente, esta ampliación del significado repercute en el abstracto correspondiente, *versatilidad*.

El significado de **villano** en español no tuvo nunca connotaciones lisonjeras. La dicotomía adoptada por los críticos de cine ha convertido al *malo* y al *bueno* de la terminología popular en el *villano* y el *héroe* de su jerga, mas también puede convivir lo antiguo con lo moderno: «Una simple historia de buenos y malos donde los villanos siempre reciben su merecido», *El Mundo*, 20-2-95, pág. 78. En inglés los modelos son *the villain and the hero.* Un artículo de *El Mundo*, de 9-5-94, llevaba por título «Héroes y villanos».

El caso de **zapear** y **zapeo**, voces aprobadas recientemente por la Academia española, merece comentario. Aunque dentro, por la forma, del grupo de calcos favorecidos por la paronimia, no debe nada, como en los demás casos, al común origen latino o románico de la voz deudora ni de la acreedora. A dos o tres académicos —ignoro quién fue el primero— se les ocurrió consultar en el *DRAE* el verbo *zapear*, como posible sustituto del anglicismo crudo *zapping,* al que no ha conseguido desplazar todavía. Un joven y ya consagrado escritor, Javier Marías, atento a las novedades del lenguaje cotidiano, lo incorpora en una reciente novela (*Mañana...*, 1994): «Estaba viendo otra [película] en otro canal, pero al zapear vi que la estaban poniendo también...». Creo que, sin esfuerzo, se podrían encontrar muchos más ejemplos de *zapear* en esta acepción. El *DVUA* sólo registra **zapar** 'hacer zapping', pero aporta cinco ejemplos de *zapping* y menciona otras nueve citas. Hay otros intentos de sustitución en la América hispana, pendientes del informe de las academias respectivas.

Calcos plurimembres

El profesor de Bonn, luego de Múnich, Werner Betz, en su obra *Deutsch und Lateinisch* (Bonn, 1949); en la revista *Der Deutschunterricht* (1951/2); en su prólogo a la 13.ª edición del popular *Woher?,* de

Ernst Wasserzieher (Bonn, 1952), y, finalmente, en las entradas correspondientes a los derivados de *Lehn-*: *Lehnwort, Lehnprägung, Lehnbildung, Lehnbedeutung, Lehnformung, Lehnschöpfung, Lehnübersetzung, Lehnübertragung*, de su revisión (1976) del *Deutsches Wörterbuch* de H. Paul, estudió a fondo y ofreció ejemplos que muestran la complejidad del fenómeno de la aparición de elementos extranjeros en una lengua. El término *calco,* en español, en sentido estricto, correspondería a *Lehnübersetzung*, es decir, la traducción de una expresión extranjera palabra por palabra (*Glied-für-Glied Übersetzung*; en francés, *traduction mot à mot*).

Pero hay variantes. Algunos calcos traducen literalmente la expresión extranjera; otros lo hacen por aproximación; otros la toman como modelo y, sin atenerse a la literalidad, crean una nueva, motivada por el modelo, pero que no puede considerarse estrictamente traducción literal. Para el ingl. *iron curtain* tenemos en español *telón de hierro*, que nadie usa, excepto S. de Madariaga, gran conocedor del inglés, pero alejado del uso corriente de España (*telón de acero*) y de parte de Hispanoamérica *(cortina de hierro*). En rigor, sólo la solución de Madariaga (*Novelas de nuestro tiempo,* Madrid, Espasa, 1980, págs. 18 y 46) es aceptable como 'traducción literal'. Cuando el *crosswords* (*puzzle*), invención inglesa, se difunde en EEUU y en otros países europeos y americanos, se prescinde del sustantivo y se traduce *palabras cruzadas, mots croisés, Kreuzworträtsel, parole incrociate* o *cruciverba* («neologismo pseudolatino» según Migliorini). Sólo el alemán analiza, uno a uno, todos los componentes del nombre inglés y los traduce. Las demás lenguas se limitan a traducir *crosswords*, que tiene función adjetiva, e incluso crean derivados latinizantes para designar a los aficionados a este juego: fr. *cruciverbiste,* ingl. *cruciverbalist.* Si no me equivoco, el español es el que da más sensación de originalidad, con el híbrido greco-latino *crucigrama*, firmemente afianzado en la lengua, y su normal secuela *crucigramista* y *crucigramero.*

Estos dos ejemplos —en las páginas siguientes vamos a ver más— ilustran las ramificaciones que una novedad léxica —una metáfora política, el nombre de un juego de palabras— induce en la lengua extranjera que la quiere adoptar y que, precisamente por su novedad, no dispone del apropiado recipiente para acomodarla. Calco literal es la voz alemana y sintácticamente perfecta, pero también es un calco el híbrido español, tan legítimo desde el punto de vista de su origen como la mezcla de elementos germánicos y latinos en inglés y alemán; *cross* y *Kreuz* son préstamos antiguos del lat. *crux, crucis*, el cual, como se ve, está presente en todas las voces citadas.

En las páginas que siguen, que trataremos de hacer lo más coherentes posible con el orden alfabético del calco español —primer elemento—, las observaciones sobre la naturaleza de éste, si no son obvias, se harán en cada caso particular.

El elemento compositivo **aero-**, antes sólo referido a 'aire', se explica en la edición de 1992 añadiendo que «forma muchos neologismos relacionados con la aviación». Por descuido del redactor se ha incluido en los ejemplos uno inmediato en el diccionario, *aerobio*, que poco tiene que ver con los aviones.

Sin querer rectificar el origen de la voz **aerobús**, admitida en el *DRAE*'92, como procedente del inglés o francés, debe consignarse que según el *Robert Angl.* la palabra procede del inglés americano, donde su invento, adoptado por un consorcio europeo al que pertenece España, designa un avión comercial, el *Airbus*, que hace la competencia a los modelos americanos.

También ha tenido entrada en el *DRAE*'92 la voz **aeroclub**, que siendo un compuesto de dos elementos ya instalados en el diccionario, cabría considerar calco del francés, pese al segundo componente inglés (cf. *autostop*). La voz *aeroclub* yo la suponía desusada, pero en noticias de prensa aparece de vez en cuando si un Real Aeroclub, sus directivos o socios protagonizan algo. En ingl. *flying club*.

Aerolínea figuraba ya en el *DRAE*'84 con el significado de «Organización o compañía de transporte aéreo». La última edición rectifica la etimología (*aero-* + *línea*) y reconoce el calco inglés (ingl. *airline).* Aun antes de esta rectificación, muchos hispanohablantes, salvo los argentinos, consideraban que el calco, que también lo es, era más aceptable con la sintaxis románica, *líneas aéreas*, y así se subtitula la compañía estatal española. Pero *aerolíneas*, sin referencia a una compañía determinada, se usa frecuentemente en la prensa. Admitido el término en 1984 huelga aquí toda documentación.

Una variante de esta forma es **aerovía** (cf. *Oxford Bil.* s.v. *airway*). También, como hemos señalado, **aeromoza**, en la América hispana, es calco del ingl. *air hostess,* otra variante de *stewardess* (cf. *s.v.*).

Del término **aire acondicionado** venimos hablando desde 1966, cuando ya estaba bien difundido en España. Cf. aquí pág. 101. No hace falta repetir que la mala traducción es un acierto, pues al convertirse *condicionado por el aire,* que es lo que dice en inglés, referido a un local público o privado, en adjetivo calificativo de aire, ya no tenemos en cuenta el local sino el aire que se nos brinda. Este calco entraría en el grupo denominado por W. Betz *Lehnübertragung*, que su autor incluye como adaptación parcial y libre del modelo extranjero en una lista con los calcos literales (*Lehnübersetzungen*).

A partir del título del libro de Marshall McLuhan-Q. Fiore *War and Peace in the Global Village* (1969) la expresión **aldea global** ha hecho fortuna en todo el mundo. Los diccionarios españoles no la registran y en el único en que aparece, como 'aldea *mundial*' (< ingl. *global village*), es en el *Oxford Bil.* Pero el uso en la prensa es fácil de comprobar: «Ante sus... garras [del terrorismo] el mundo aparece... como una 'aldea global', donde todos sus habitantes... pueden convertirse en blanco de un enemigo...» (traducc. del italiano), *El*

Mundo, 28-4-95, pág. 4; «En la cultura de la aldea global, que decía McLuhan, el Estado nacional se ha quedado pequeño y obsoleto...», L. González Seara, *ABC*, 20-5-95, pág. 3; «La aldea global, que eso será el mundo en el siglo XXI... la aldea global del olimpismo no quiere que se jubile...» [2 usos más], M. Ors, *ibíd.*, pág. 85. Mi primera anotación data de 1985, en lo que parece antetítulo general de una serie, en la que figura como primera contribución el artículo de S. Alcoba, «El español, provincia del inglés». La serie se titula «La lengua española entre la provincia y la aldea global» (v. Bibliografía).

Alfileres de seguridad es, como ya hemos señalado (cf. págs. 336-37), calco del ingl. *safety pins*, llamados generalmente en España *imperdibles*. Lo hemos anotado en escritores mexicanos como Carlos Fuentes y Fernando del Paso, pero sospechamos que, más que literario, debe de ser un término de uso común, por su naturaleza, en la vida cotidiana. En Uruguay y Argentina (en general en el Cono Sur) se usa *alfiler de gancho,* que no resulta un calco tan literal.

Desde Paraguay hasta Nueva York tenemos anotado el calco **alfombra** (o **carpeta) de pared a pared**, p. ejemplo en *El espectador* (Bogotá), 22-7-89, que corresponde al ingl. *wall-to-wall carpeting* 'moqueta, enmoquetado'. También, como solución, sobre el modelo *enmoquetado*, en Venezuela, *encarpetado* o, simplemente, *alfombrado*. En España no he detectado este uso. Cuando Julián Marías, en 1955, tiene que referirse a este tipo de alfombrado, emplea la expresión «alfombras 'de pared a pared'», que remite a un *wall to wall rugs,* hoy poco frecuente en la lengua escrita.

En oportuna nota de los autores de la encuesta, en el *LHCMéx.*, s.v. *alfombra* (núm. 1268), se advierte que «la *alfombra* del *DRAE* se llama en México *tapete»* y que «la *alfombra* cubre todo el piso». Se deduce, pues, que alfombra = moqueta. De paso se nos advierte s.v. *tapete* (núm. 1270) que el nombre preferido es *carpeta*, sobre cualquier mesa, y *mantel*, sobre la del comedor.

En anuncios de tratamientos de belleza suele aparecer la frase de «casi milagrosas cremas **antiedad**», que trasladadas al lenguaje originario se revelan como «miracle time super anti-age». Como el «centro médico» (vide infra) lleva el nombre de J. Aston, cabe suponer que quien acuñó *anti-age* pensaba en inglés.

Se han abatido tantas calamidades sobre los Estados Unidos en los últimos tiempos —tornados, inundaciones, terremotos, etc.— que el término inglés *disaster area* ha aparecido a menudo calcado como **área de desastre**, calificación administrativa que, como su equivalente española *zona catastrófica,* facilita la recuperación de los damnificados. Un ejemplo: «El gobernador ha declarado [...] área de desastre...», J. M.ª Carrascal, *ABC*, 28-3-89, pág. 49.

También suele aparecer, para designar el área de influencia de una gran ciudad, la expresión **área metropolitana** (ingl. *metropolitan area)*: «El área metropolitana está declarada en estado de alerta», *El Diario de Caracas,* 17-5-93, portada.

En carta de Zenobia Camprubí a una amiga sobre Ezra Pound, citada por R. Gullón, de 5-3-48, se usa el término **asilo de locos** (ingl. *lunatic asylum*), que en carta posterior se denomina *sanatorio*. No es un caso aislado y me figuro que, igual que en *sanatorio*, se trata de un eufemismo, no muy logrado, para evitar el descarnado *manicomio*. Por eso se corrige en la segunda mención. Pero el inglés, que posee también otras opciones, usa también *mental hospital*, traducido a veces como *asilo mental* u *hospital mental*: «Ismo Smith [pintor catalán en N.York] murió en un asilo mental en 1972», J. M.ª Carrascal, *ABC*,13-10-87.

La expresión inglesa *emergency landing* o *forced landing* se ha traducido al español por **'aterrizaje de emergencia'**, que al parecer se emplea en América. El *MEU* condena este calco y recomienda *ate-*

rrizaje forzoso, que es también, probablemente, calco del francés *atterrissage forcé* o de la segunda alternativa inglesa. Por lo regular, los vigilantes del idioma prefieren los calcos románicos.

El elemento compositivo **auto-**, cuando significa 'por sí mismo' corresponde muchas veces al ingl. *self,* que puede funcionar como prefijo, sufijo o voz independiente. Estando a menudo el francés por medio, no sería extraño que algunas de las formaciones en que *auto-* corresponde a un *self-* inglés hubieran pasado antes por el tamiz del francés. *Self-government* se usó largos años como préstamo crudo, pero hoy ha cedido el paso a *autogobierno*. El *self-made man* pierde su aureola si se convierte en 'hombre hecho a sí mismo'. *Self-service* entró directamente como *autoservicio*, aunque se mantenía, para subrayar lo exótico, el nombre inglés. El francés optó en este caso por la solución *service libre. Autoencendido* y *autoinducción* parecen tomados del francés *autoallumage* y *auto-induction* (también *self-induction*). Uno no puede evitar, cuando lee *autocompasión, autopropulsión, autocontrol, autoconsciente*, etc., pensar en los posibles modelos ingleses *self-pity, self-propulsion, self-control, self-conscious,* etc. Por cierto, una frase mal traducida en que *self-conscious* se convertía en 'autoconsciente', cuando claramente significaba 'vergonzoso, que tiene vergüenza' (aplicado a niños), me dio la pista hace muchos años sobre las fuentes americanas utilizadas por el autor de un libro de historia literaria.

Más de un manual de estilo (*MEU*, *LEABC*) rechaza, con razón, el calco *autodefensa* (ingl. *selfdefense*) por anglicismo, recomendando en su lugar *defensa propia*.

A fines de febrero de 1995, durante la llamada «conferencia del G-7» (los 7 países más ricos) en Bruselas, se trató de regular el uso futuro de las **autopistas de la información** o **comunicación** (< ingl. *information highways* —abreviado *info highways*—, también llamadas *superhighways*), término todavía ausente en los diccionarios y que tiene que ver con la red de información compartida por socios o abonados de distintos países. El uso es todavía vacilante. *El País* de 26-2-95 dedica dos crónicas al asunto, donde se usan indistintamente *información* y *comunicación* y también, por supuesto, *telecomunicación*. En *El Mundo Comunic.* de 3-3-95, pág. 4, bajo el titular «Demasiados obstáculos en la 'autopista'» se emplean *autopista de la información* y *autopista informática* (dos veces), que confirman lo dicho.

Sólo en el diccionario de Alfaro he visto el calco **barreminas** (< *minesweeper*), que es, evidentemente, traducción literal del inglés, pero no más aceptable que la forma usual en España *dragaminas*, ya que *dragar*, como hemos visto, es directa o indirectamente un anglicismo. En cuanto al compuesto, desconocido en francés, sí presenta en italiano estructura y forma equivalentes, *dragamine*, fem. inv. Sería entonces un italianismo.

Pese al ostracismo a que tienen condenado algunos lexicógrafos el calco **balompié** (< ingl. *football*), el término, al cabo de casi un siglo, sigue vivo en España y América, forma parte del nombre de dos clubes importantes españoles, el Betis y el Albacete, y ha originado el adjetivo *balompédico* y alguno más. En Chile, el *LHCSCh.* registra 13 respuestas para *fútbol* y 5 para *balompié*.

Pero el modelo *balompié* ha resultado calco de referencia para otros deportes: *baloncesto, balonmano* (< al. *Handball), balonvolea,* que alternan con los préstamos adaptados *básquetbol, basketbol, vol(e)ibol.* El caso de *béisbol* no sigue la misma pauta. La pelota, en este deporte, no es comparable a un balón, y aunque se lee alguna vez *pelota base,* calco no muy afortunado, la Academia admitió en 1970, como proponía Alfaro, la grafía *béisbol.* Creo que la popularidad de este deporte en los países del Caribe ha contribuido a la difusión de su rica terminología. La falta de respuestas en el *LHCSCh.* a muchos de estos términos confirma, como si se hubiera hecho en España, la mayor presencia de este deporte en los países caribeños y limítrofes.

Ya hemos mencionado en su lugar (cf. pág. 485) la expresión el **beneficio de la duda**, calcada del inglés *the benefit of doubt*, con su equivalencia castellana y latina en el mundo jurídico. Añadimos aquí dos ejemplos de distinta procedencia: «los lectores no quieren tener que aplicar el beneficio de la duda [a lo que leen en este diario]», *El País*, 17-7-94; «Beneficio de la duda para Santer tras... elección», *ABC*, el mismo día, pág. 35.

Hacia 1992 empezó a difundirse en España un deporte ciclista conocido primero con su nombre inglés *Mountain Bike* y también como **bicicleta de montaña**. A veces aparecen juntos los dos nombres: «[Madrid] acoge el Campeonato del Mundo de Mountain Bike» (titular); en el texto: «bicicleta de montaña (Mountain Bike)», *ABC*, 14-4-94.

La última edición del diccionario académico recoge, como acepción 6.ª, s.v. **blanquear**, la siguiente definición: 'Ajustar a la legalidad fiscal el dinero procedente de negocios delictivos o injustificables'. Esta nueva acepción, junto con la entrada *dinero negro* (s.v. *dinero*), constituyen la versión española de la práctica delictiva conocida en inglés como *laundering black money,* es decir, '**blanqueo de dinero negro**'. También se usa el calco más literal *lavado de dinero:* «culpable de evasión de impuestos y lavado de dinero...», *ABC*, 26-5-95, pág. 127 [ingl. *launder* < fr. *lavandere* < lat. *lavandarius* 'lavandero'].

Bomba de tiempo es traducción cómoda del ingl. *time bomb*, que es un viejo invento europeo, pero no anglosajón, que solía llamarse *bomba de relojería* (así en el *DRAE*) y ahora describen como provista de *temporizador*. *Bomba de tiempo* es término que hemos anotado en escritores mexicanos como Carlos Fuentes y F. del Paso, pero también en alguna noticia española de prensa: «La deuda latinoamericana. Una bomba de tiempo» (titular de un artículo de H. Kissinger en *El País Domingo*, 7-6-87, pág. 6).

No cabe duda de que el compuesto inglés *horsepower* **'caballo de vapor'** es el origen del calco libre francés *cheval-vapeur*, del que procede, en traducción literal, la expresión española *caballo de vapor*, explicada ya en 1886, según A. F., como «caballo-vapor es la fuerza capaz de levantar 75 kilogramos [son 75,9] a la altura de un metro en un segundo». Ahora bien, aunque de esta traducción se ha extraido la sigla C.V. como alternativa de la más extendida H.P., que presupone *power* 'fuerza, potencia' y no *steam* 'vapor', el hecho es que hoy C.V. casi se ha extinguido, pues no se ve correlación con *caballo de fuerza*, que es la expresión dominante. De hecho, aunque son sinónimos para el común de las gentes, se trata de dos unidades distintas; para distinguirlas, H.P. se asocia con *caballo de fuerza (o vapor)* inglés (= *British horsepower*) y C.V. con *caballo de vapor decimal* (= *metric horse power*). Curiosamente, pese a la influencia del francés, fue calco del inglés el primer uso que tenemos documentado: «catorce barcos de vapor, de doscientos cincuenta caballos de fuerza cada uno» (J. Valera, carta de S. Petersburgo, 26-1-1857). Hoy se evita la confusión, gracias al contexto, usando simplemente caballos, como ya en 1907: «un automóvil de sesenta caballos», A. F. s.v. *automóvil.*

No está muy claro en inglés el significado general que cabe atribuir al compuesto jocoso *egghead* —'intelectual' en los diccionarios bilingües—, traducido literalmente como **cabeza de huevo**, sin que esta adaptación, salvo por el contexto, revele el carácter, con frecuencia despectivo, del término, que sólo en *RHD* —la expresión es americana— hemos visto matizado con el añadido «often disparaging» ('a menudo desdeñoso'). En el siguiente ejemplo se observa ese carácter, tal como lo capta un culto escritor: «En las tenaces molleras de los 'cabeza de huevo' de la derecha», L. López Sancho, *ABC*, 26-4-87, pág. 38. En italiano (cf. Zolli, s.v. *testa d'uovo* «...calco su *egghead*»), se añade al valor de 'intelectual' que le adjudican los diccionarios la aclaración: «le cui idee politiche o economiche mancano spesso di contenuto pratico». Cierto es también que en determinados círculos españoles la voz *intelectual* no ha gozado siempre de simpatías. El carácter peyorativo está favorecido en francés, donde la expresión *tête d'œuf* 'cabeza de huevo' significaba en sentido figurado 'imbécil' y tiñe así, irónicamente, el préstamo semántico del inglés.

Traducción libre del inglés *skinhead* (*skin* 'piel' + *head* 'cabeza') es en los últimos tiempos el compuesto metafórico **cabeza rapada**, que aflora constantemente en la prensa alternando con el modelo inglés, que es además el preferido por los militantes y adeptos que embadurnan las paredes madrileñas. Parece que lo único claro sobre estos movimientos de jóvenes urbanos es que se trata siempre de grupos violentos y extremistas que a menudo se enfrentan entre sí desde posiciones opuestas, como revela la siguiente noticia: «una banda de *skins* independentistas radicales se enfrenta violentamente en Rosas (Gerona) con otro grupo de *cabezas rapadas* neonazis al finalizar un concierto de rock» (*DVUA*); el uso del inglés o del español no implica diferencias de ideario, pues con frecuencia aparecen ambas formas juntas: «un grupo de *Skin heads* (cabezas rapadas)». En un reportaje del diario *ABC* (10-4-94) sobre las llamadas «tribus urbanas» —¿< ingl. *urban guerrillas*?— ésta parece ser la de mayor protagonismo léxico (*skin-heads,* 6 veces; *skins*, 6; cabezas rapadas, 4). No era así cinco años antes, cuando una crónica de *El País,* 20-8-89, decía de «los skin-heads, un clan no muy abundante, pero sí ruidoso» que proyectado sobre un plano de Madrid revelaba una presencia territorial muy exigua, comparado con los *heavies*, los *mods*, los *rockers* y los *punks*. Pero hoy hay subgrupos que apenas se podrían identificar, ni siquiera por sus propios miembros: *skin-sharp* 'antirracista'; *skin-red* 'de izquierdas'.

El término **Cámara de compensación** es el elegido por el *MEU* para traducir *clearing house*. Otros usos de *clearing house* 'centro de información sobre clientela' no están documentados. Véase, sin embargo, s.v. *clearing* en el inventario de préstamos.

Ni el calco **Casa de los Comunes**, que Alfaro llama «trasplante literal» de *House of Commons* 'Cámara de los Comunes', ni el de

Casa de los Lores (ingl. *House of Lords)* los he anotado en España ni en textos americanos, pero es muy probable que haya ejemplos de este uso. Por cierto, al mencionar la composición de esta última incurre Alfaro, por descuido, en otros dos calcos: «los señores temporales y espirituales del reino» (< ingl. *the Lords spiritual* 'los prelados', *the Lords temporal* 'la nobleza').

Aparece el verbo *cazar* en cuatro combinaciones: **caza de brujas** < ingl. *witch-hunt(ing)*, expresión popularizada a raíz de los juicios promovidos por el senador McCarthy (vide supra, pág. 281); **cazatalentos**, nombre de la persona capaz de descubrir las personas idóneas, especialmente directivas, para la prosperidad de una empresa. El inglés dispone de tres nombres para designar esta persona; *headhunter*, usado ya el siglo pasado en sentido literal, es decir, 'cazador de cabezas', y modernamente en el comercio y la industria; y *talent scout* o *talent spotter*, acuñado en la tercera década de este siglo, empleado primero en el mundo del espectáculo y de los deportes y hoy a veces intercambiable con *headhunter*. Creo que el calco español procede de una fusión de ambas, *hunter* 'cazador' y *talent* 'talento'. *Headhunter*, que según algunos sería el modelo para el español, es, como decimos, 'cazador de cabezas'. La edición de 1979 del diccionario *Collins* da todavía como acepción 1.ª de *headhunting* la práctica de 'quitar y conservar la cabeza de los enemigos muertos', y, como 2.ª, en el uso coloquial americano 'la destrucción o neutralización del adversario político'. En la novela de David Lodge *Nice Work* (1988), de ambiente industrial y universitario, aparece la frase «scouting for talent», que confirma nuestra hipótesis. El alemán ha creado un compuesto, *Talentsuche* 'búsqueda de talentos' (*suchen* = ingl. *to seek* 'buscar'), que coincide con la solución española. El italiano usa, sin más, el préstamo crudo *talent scout* (cf. Zolli, s.v.). Una tercera combinación sería la película y serie televisiva de cierto éxito *Los* **cazafantasmas** (ingl. *The Ghost busters* = 'los arrestafantasmas'), que parece seguir la misma pauta. Finalmente, parece calco del inglés *fighter-bomber* el compuesto español, referido a la aviación militar, **cazabombardero**, que aparece con harta frecuencia en las noticias bélicas que transmiten las agencias.

En la XX edición del *DRAE* (1984) figuran por primera vez (s.v. *centro*) las combinaciones **centro comercial, centro editorial, centro industrial** (2 veces, aceps. 15.ª y 17.ª), etc. (falta **centro médico**), algunas motivadas por la profusión norteamericana de formaciones con *center.* Calco claro es el de *Centro Médico,* título de una serie televisiva, que se aplica a instituciones y hospitales clínicos. *Centro comercial* puede ser la traducción del francés *centre commercial,* adaptación del ingl. *shopping center,* términos ambos que entran, sin gran precisión, en el campo semántico de lo que, como calco del francés, se llaman *grandes superficies*, y también *supermercados*, *hipermercados*, *zocos*, etc., hoy favorecidas por la sociedad de consumo.

La expresión **cese del fuego** (< ingl. *cease-fire*) cuando la prensa da noticia a diario de las hostilidades más o menos interrumpidas en todo el mundo, se ha hecho hoy habitual. Ya Alfaro criticaba la expresión *cese de la guerra,* en una traducción del inglés. Hoy no puede ser calco exclusivo de la América hispana, con la variante *cesación del fuego*, que anotamos en 1981 en Venezuela, pues alterna con *alto el fuego, alto al fuego* en periódicos de Chile y Uruguay y probablemente en más países, ya que se trata de noticias suministradas por agencias internacionales. *Alto el fuego* figura en el *DRAE*, y aunque algunos prefieren sustituirla por *tregua,* voz gótica de noble ascendencia, las definiciones de ambas no dan pie para distingos muy rigurosos.

Parece hoy perdida la batalla contra el torpe calco **ciencia ficción**, reforzado por creaciones autóctonas como *política ficción, crisis ficción, historia ficción, arqueología-ficción (El País,* 8-9-85), etc., que prueban la vitalidad del neologismo. Ya he mencionado (E. Lorenzo, *EOL*, 1980) mi propuesta, hecha ante periodistas en julio de

1969, de usar *ficción científica* como alternativa preferible. Acaso un redactor de *El País* estuvo presente en el acto o leyó mi propuesta en el volumen publicado por la Escuela Oficial de Periodismo el mismo año; el caso es que, durante años, el citado diario parecía haber llegado a la misma solución y tuvo anatemizado el crudo y anómalo calco literal; hoy alternan las dos soluciones. En el periódico *ABC*, que no suele coincidir en ciertas decisiones con *El País,* se ha filtrado alguna vez la opción que recomendamos. La Academia, en 1984, admitió *ciencia ficción* (s.v. *ciencia*) con el valor de 'Género de obras literarias o cinematográficas, cuyo contenido se basa en hipotéticos logros científicos y técnicos del futuro'. No se menciona el inglés, lo cual hace aún más extraña la insólita formación.

El término **ciudad jardín** figura ya en el *DRAE*'70 con la definición «Barrio o parte de una ciudad en que una porción de cada solar ha de reservarse para jardín». Este carácter de ordenanza municipal se ha perdido en el *DRAE*'92, donde se dice «Conjunto urbano compuesto de casas unifamiliares, provista cada una de jardín». Parece ser un calco del inglés *garden city,* que según A. Room, en el *Dictionary of Britain* (Oxford University Press, 1987) es «A town laid out with carefully planned parks, gardens and open spaces [...] near to an industrial *city*». La primera, según esta fuente, se construyó en 1903 al norte de Londres. En España las aspiraciones, como se ve, fueron más modestas. Ignoro cuáles son las *ciudades jardín* españolas, pero conozco varias. En Viña del Mar (Chile) se cita una Ciudad Jardín importante y es posible que haya más en el mundo hispánico. También existe hoy en España un popular grupo musical de elogiosas críticas llamado *Ciudad Jardín.*

El término **club de campo** es sin duda un calco directo del compuesto inglés *country club.* Pero el transplante de este concepto al mundo hispánico ha causado algún trastorno en el significado. Según el *NShOED*, *country club* es 'un club de deportes y vida social *in a rural district*' (la cursiva es nuestra). Pero acaso el Club de Campo de

Madrid, sociedad selecta de carácter excluyente, ya que no «exclusivo» en su sentido inglés, con actividades sociales y deportivas, conserve el valor primitivo del inglés, pues al fundarse sí podía considerarse zona rural su emplazamiento. Hoy no es más que un nombre propio. Sin embargo, los numerosos *clubes de campo* (o simplemente *countries*) de la Argentina (más de ochenta en el Gran Buenos Aires, según el diario *Clarín* de Buenos Aires, 11-6-94) son más bien urbanizaciones o condominios con posibilidades de actividades deportivas o vida social en ocasiones en las llamadas *fortalezas suburbanas*, «reconocidas por su imponente volumetría». No es extraño que la otra orilla del Río de la Plata se haya contagiado: en Montevideo anotamos: «Pádel.- Torneo Top Ten 95 de Paddle Country Club», *El Observador*, 15-2-95, pág. 7.

Un diccionario solvente sitúa en la guerra civil española la invención del llamado **cóctel Molotov**, botella llena de un líquido inflamable para combatir los tanques. Sería, como la *quinta columna* y la *guerra de guerrillas*, una contribución más al vocabulario bélico, pero en este caso se desconoce el inventor. Fueron muchos los combatientes no españoles que intervinieron. Quien lo inventara tuvo un imitador en la guerra siguiente, la mundial de 1939-45, que en consonancia con su repercusión global creó el *Molotov bread basket* 'panera Molotov' (contenedor de un potente explosivo y de bombas incendiarias).

Falta en el *Collins Bil.* pero figura en el *Oxford Bil.* el acrónimo reciente (1960-65, según *RHD*) *sitcom*, reducción de la expresión *situation comedy*, acuñada en 1945-50 y traducida, según los casos, por 'comedia o **comedia de situación**'. Los redactores del *Oxford Bil.*, conscientes tal vez de la imprecisión del calco español, añaden, entre paréntesis: «(*acerca de situaciones de la vida diaria*)». Un cronista de televisión, ignoro con qué fundamento, identifica este género con el sainete: «Hace algunos años, las televisiones españolas habían abandonado por completo un género que los americanos llaman la 'sit-com', y que nosotros llamamos sainete», L. Apostúa, *ABC*, 31-12-94, pág. 119.

En la 2.ª edición de su diccionario, A. H., reflejando, al parecer, la opinión de *El País* (1991), opina que «la trad. '*comedia de situación*' es servil, mero calco del ingl. y se debe evitar». Creo que la interpretación del término como 'comedia de lugar', acaso porque *situación* esté emparentado con *sitio* y *situar*, es errónea. Lo único que se repite, según la definición del *RHD*, son los personajes a través de episodios sucesivos. En cualquier caso, basta repasar este capítulo nuestro y el precedente para comprobar que casi siempre nos las habemos con una «traducción servil, mero calco del inglés», de la que pocos están libres. La más reciente información sobre *situation comedy* la encontramos en el ya citado *Oxford Bil.* (1994).

Aunque los buenos diccionarios ingleses registran un verbo *to suicide,* transitivo e intransitivo, su uso es tan insólito que lo explican con la frase '*to commit suicide*' (= '**cometer suicidio**'). En español, si hubiera que explicar ésta, la remitiríamos al verbo *suicidarse.* La prisa de un corresponsal o de algún traductor acuciado por el tiempo les hacen decir que «un adolescente cometió suicidio» (véase *ABC*, 15-6-82).

El primer intento de adaptar el fenómeno culinario conocido como *fast food* en inglés lo tengo anotado hace años designando los locales donde se sirve: «restaurantes rápidos» (*El País*, 31-7-82). También anoté *fast food,* masculino, en *Los domingos de ABC,* 30-12-84, pág. 30. Luego parece haber triunfado el calco literal **comida rápida**, que alterna con nombres más específicos como *hamburguesería*, *pizzería* o la pintoresca versión puertorriqueña «come y vete» (*comivete* en Tió, *op. cit.*, pág. 74).

La actitud española hacia el *fast food* varía, desde quien lo equipara a lo despreciable —«la comida basura o *fast food*», Rosa G., *El País semanal*, 2-4-95, pág. 85— hasta los publicitarios de esta moda: «Hemos reconvertido el *fast food* a nuestros gustos», dice el director de «una cadena de comida rápida española» de «ocho restaurantes para competir con las... hamburgueserías», *El País Negocios*, 9-4-95, pág. 9. Estos dos ejemplos prueban la coexistencia del préstamo inglés con el calco correspondiente o deformado (*comida basura*).

Cuando Shakespeare, en *La Tempestad*, pone en boca de un bufón la frase «Misery acquaints a man with strange bedfellows» no podía imaginar el éxito con que a través de una paráfrasis del periodismo, donde *misery* se sustituye por *politics,* iba a ser prestigiada en la prensa española por un político al que le cayó la gloria de su invención: «Dice don Manuel Fraga que la política hace extraños **compañeros de cama** y seguramente es verdad», J. Campmany, *ABC*, 2-11-84, pág. 17; «Fraga lo dijo... cuando manifestó aquello de que la política hace extraños compañeros de cama», L. Contreras, *ABC*, 28-3-86. Meses después la frase encuentra jocosa interpretación en un dibujo de Mingote: [Esposa sorprende a esposo en cama con señora]: «Pero tú estabas satisfecha de que fuera diputado y ya deberías saber que, según Fraga, la política hace extraños compañeros de cama», *ABC*, 3-8-86, pág. 14. Yo comenté el hecho en varios periódicos, incluido *ABC*, en noviembre del mismo año y la atribución a Fraga parece haber remitido, pero no del todo.

En el *DMILE* (1989) se incluyen por primera vez los términos **contracultura** y *contracultural*, también admitidos en la última edición del *DRAE*. Ambos se venían usando hacía tiempo en español como calcos del ingl. *counterculture* y su adjetivo. *Contracultura* lo tengo anotado yo desde hace más de veinte años en un artículo de Carmen Olivares sobre «El Lenguaje de la política *underground*» (*Filología Moderna*, núms. 46-47, nov. 72-febr. 73): «MOM (Men our Masters), divertida organización de contra-contracultura», pág. 147. El siguiente ejemplo tiene el mismo origen pero menos resonancias anglosajonas: [En un municipio andaluz] «... Se ha creado una contracultura y eso hace que la gente viva sin estímulo, en permanente precariedad y... dependencia de quien gobierna», M. Torres, *El País,* 29-5-94, pág. 22. Más erudita es la cita siguiente: «esta nueva cultura llamada por los 'hipies' [sic] contracultura y por Steiner post-cultura», L. Racionero, art.º «Post-cultura», *ABC*, 13-11-93, pág. 3.

Sí es claro anglicismo el uso de **corte marcial** en vez de *consejo de guerra*, como en la noticia «Una corte marcial revolucionaria condena a su delator a muerte...», *Diario-16*, 9-3-87. En ABCNews (13 y 20-10-95) hemos anotado *corte marcial* referido a un marino.

Aunque Alfaro lo incluye en su diccionario de anglicismos, el término **Corte Suprema** en su valor de *Tribunal Supremo* podría ser, como el propio autor reconoce, calco del inglés *Supreme Court* o del francés *Cour Suprème*.

La combinación de **cosa** con un adjetivo en frases como *la misma cosa, la única cosa, la mejor cosa, la siguiente cosa*, etc. (< ingl. *the same thing, the only thing, the best thing, the following thing*), podría deberse en algún caso a calco del francés (cf. *la même chose*), pero se encuentra más a menudo en traducciones del inglés. Huelga decir que aquí el español dispone de una economía de medios que supera a ambas lenguas: *lo mismo, lo único, lo mejor, lo siguiente*, etc.

Acaso no haya un equivalente exacto en español para expresar el concepto que en inglés abarca las actividades delictivas de los que, según los casos, se denominan *the Mob, criminal gang, Mafia*, etc. El término general es *organized crime*, que podría ser en español 'delincuencia organizada', pero que se ha calcado literalmente como **crimen organizado**, solución que ya tenía el camino expedito tras extenderse el uso de *crimen* 'delito grave' a una acepción 2.ª, 'acción indebida o reprensible', admitida en el *DRAE*'84, definición que, así formulada, puede incluir la mitad de los actos humanos.

La expresión inglesa *melting pot* 'crisol' se usa en sentido figurado para destacar la política o el resultado de integrar en una sola nación todos los inmigrantes de distinta procedencia que forman los EEUU, llamados por eso 'crisol de inmigrantes de muy distinto origen' (J. Goytisolo, *apud.* A. Hoyo), 'crisol de culturas diversas', etc. Julián Marías prefiere (*EUE*, 1956, págs. 254 y 267) la traducción literal de *melting pot*, pensando acaso en un lector de prensa que no sabe exactamente qué significa *crisol*, sobre todo en sentido figurado: «la fonética inglesa es el verdadero **'crisol de fusión'**» (pág. 254); «¿Cómo han sido los Estados Unidos el *melting pot,* el crisol de fusión de tantos hombres de distintas razas, religiones, lenguas, costumbres?» (pág. 267). Un periodista español no se molesta en comprobar que *melting pot* significa precisamente 'crisol' y escribe que «los españoles somos un revoltijo de etnias... llamamos a eso '**crisol de razas**'; los americanos, más pragmáticos, lo llaman 'melting pot', algo así como la olla de las mezclas [!!]», L. Apostúa, *ABC*, 19-6-94, pág. 156. Más atrevida, acaso intencionada, es la identificación de F. J. Losantos: «En este inmenso fracaso que es el 'melting pot', la olla podrida de las razas», *ABC*, 8-10-95, pág. 22.

Otra opción para el término beisbolístico *home run*, aparte de su adaptación fonética *jonron*, es la traducción libre **cuadrangular** o *vuela cerca(s)*, propuesta por Ycaza y mencionada en la *GP-IED*. Esta guía ofrece además *cuatro esquinas*, con referencia a las bases del recorrido.

En México y Puerto Rico, por lo menos, el cuello de prendas de punto como el jersey o el suéter llamado en inglés americano *turtle neck* se calca como **cuello de tortuga.** En el *LHCMéx.*, núm. 841, hay 18 respuestas para *cuello de tortuga* y 8 para *cuello alto.* Para el anglicismo crudo, cf. en PRÉSTAMOS S.V. *turtle neck.*

El acto de contar a la inversa una serie numérica, como es habitual en los lanzamientos de cohetes, se llama en inglés *countdown* «cuenta abajo», que se ha calcado libremente en **cuenta atrás**, expresión admitida en el *DRAE*'92 con la explicación: «En astronáutica, lectura en sentido inverso de las unidades de tiempo (minutos y segundos) que preceden al lanzamiento de un cohete».

Aunque Derecho Civil, para cualquier estudiante o licenciado en Leyes, es un término inequívoco, y así consta en el *DRAE*, **derechos civiles** no es propiamente su plural y sí calco de la expresión americana *civil rights,* referida a la igualdad de derechos entre negros y blancos alcanzada a mediados de este siglo y explicada en el *RHD* como «the rights to full legal, social and economic equality extended to blacks». Así lo recuerda M. Blanco Tobío: «La lucha por los derechos civiles [en EEUU] que se reinició tan tarde como [sic] 1952 en Montgomery (Alabama)». Sin prisas, el excelente prosista hubiera escrito «que no se reanudó hasta 1952». M. Delibes (1966) también usa «derechos civiles» (pág. 194). El italiano calca *diritti civili* (Zolli).

Pese a que el anuncio de una compañía aérea yanqui se inicia con la frase «lo único que no sabemos decir en español es *jet lag*», esta expresión ya estaba traducida en 1988 en la 2.ª edic. del *Collins Bil.* por 'desfase debido a un largo viaje en avión' y en la 3.ª (1992) por 'jet lag, **desfase horario**'. El *Oxford Bil.* (1994) nos da 'jet lag, desfase horario' con explicación.

Desobediencia civil (< ingl. *civil disobedience*) es un término que ha entrado en el *DRAE*'92 debido a su difusión entre los defensores españoles de los derechos civiles (< ingl. *civil rights*). Mis notas datan sólo de 1985 (*El País semanal*, 8-12-85) y de algún bando del alcalde Tierno Galván, pero es posible que haya testimonios anteriores no anotados por ser una expresión que podría haber sido acuñada en español o cualquier lengua románica. De hecho, se toma como punto de partida el ensayo del mismo título del naturalista americano H. D. Thoreau publicado en 1848.

El gas que hace más de cincuenta años describían los manuales escolares como *anhídrido carbónico* es exactamente el mismo que en la actualidad, por influjo del inglés (*carbon dioxide*), o acaso por acuerdo internacional, se llama **dióxido de carbono**, nombre que sólo recogían el *Peq. Espasa*, con amplia descripción, pero sin identificarlo con el anhídrido carbónico, y M.ª Moliner, que remite al antiguo término escolar. Algún aprendiz de inglés, de los que escriben *drive-inn* (sic) y *cheese kake* (sic), no acepta ninguna de las alternativas y prefiere *carbón dióxido* (sic), que es «traducción» más literal pero inaceptable (*El País semanal*, 4-11-84). Falta *dióxido de carbono* en el *DMILE*, pero ha entrado en el *DRAE*'92, remitiendo a *anhídrido carbónico.* El *RHD* registra s.v. *carbon dioxide*, como sinónimos, *carbonic-acid gas* y *carbonic anhydride.*

En varios países de América cuyo servicio telefónico se debía en sus comienzos o en su desarrollo a la tecnología yanqui se usa hoy, sin alternativa, el término **directorio telefónico** (ingl. *telephone directory*) para lo que en España, sin mejor derecho, llamamos *guía de teléfonos.*

El consumo de estupefacientes, convertido en plaga universal, llegó a España acompañado de su correspondiente terminología inglesa: **drogadicto, drogadicción, drogas duras, drogas blandas** (ingl. *drug addict, drug addiction, hard drugs, soft drugs)* y dio origen a otros de formación autóctona como *drogota, drogata, drogodependencia, drogodependiente*, ya admitidos en el *DRAE*'92.

Sobre el préstamo crudo *drugstore*, tomado del inglés americano, cf. pág. 196. Julián Marías dedica un capítulo de su libro *EUE* a comentarlo (pág. 247).

Una fórmula frecuente en los procesos legales anglosajones es *beyond all reasonable doubt* cuando se trata de un hecho perfectamente comprobado, que un diccionario bilingüe como *Collins* traduce por 'más allá de toda duda', pero que también podría ser, según los casos, 'con toda certeza, sin lugar a dudas, sin el menor resquicio de error', etc. Otras veces significa sencillamente 'posibilidad, sospecha'. *Más allá de la duda*, título de una película de Fritz Lang en América, parece traducir como el diccionario; **duda razonable**, con el valor inglés —'duda justificada, motivos de duda'—, aparece en textos de Blanco Tobío, Alejandro M. Alonso, etc. La frase «Ante la duda razonable de que esa plaza fue[se] creada para que la desempeñe una... persona» puede entenderse como 'sospecha o posibilidad'. A fines de junio de 1994 se anunciaba en España una serie televisiva titulada *Dudas razonables* cuyo título inglés era, efectivamente, *Reasonable Doubts*.

El fenómeno llamado por los italianos *economia sommersa*, descubierto por políticos y periodistas hacia 1975, según la revista *Newsweek* (30-6-86), recibe generalmente en España su nombre italiano, traducido —*economía sumergida*—, pero hay otras alternativas de distinto origen. El novelista y académico M. Vargas Llosa prefiere el término *economía informal*, «llamada en otras partes economía negra o escondida» (*ABC*, 10-1-87). La revista *Cambio-16* dedicó un reportaje al tema el 20-10-86 con el calco italiano como título y opción dominante, pero entreverada de sinónimos de cosecha propia o calcados del inglés: *economía oculta, economía subterránea, trabajo clandestino, trabajo negro, economía irregular*, etc. El artículo de *Newsweek* aludido más arriba se titula *Black Economy* y es la *cover story* o 'reportaje destacado' (en la portada) de la fecha mencionada. Ahora bien, las opciones **economía negra** (cf. *mercado negro, dinero negro, trabajo negro*, etc.) y **economía subterránea** son calcos del ingl. *black economy* y *underground economy*. *Economía negra* lo tenemos registrado en Caracas por las mismas fechas: «Venezuela ha entrado en la economía negra./ Informe completo sobre la economía negra, que amenaza al Fisco y al Comercio», revista *Número*, de *El Nacional*, Caracas, 31-8-86. Pero aparte de *informal economy*, que aparece en Vargas Llosa en su versión española, sin poder atribuir primacía temporal a ninguna, las dos lenguas disponen de una serie de sustitutos de las expresiones citadas que no deben nada a otras lenguas. En español: *empleo oculto, economía paralela,* *actividades no declaradas, economía topo,* etc. En inglés, para no enumerar todas, el término tradicional *moonlighting* 'trabajo a la luz de la luna, pluriempleo' sería buen testimonio de creación original (cf. más arriba pág. 55).

Sólo entre un grupo selecto de escritores ha penetrado el uso de un procedimiento empírico de investigación llamado expresivamente en inglés *trial and error,* y vertido al español con su traducción literal —**ensayo y error**—, que parece generalmente aceptada por los conocedores o practicantes de esta técnica. El *Collins Bil.* explica la frase inglesa «by a system of trial and error» con dos opciones: 'por un sistema de tanteo, por un procedimiento empírico'. La primera, a mi juicio, es perfectamente admisible, por su brevedad (*sistema* se puede suprimir). Otra cosa es que la comunidad investigadora la acepte, pues el uso de *ensayo y error* me parece muy difundido entre las buenas plumas. He aquí un ejemplo de prestigio, que prudentemente se flanquea entre comillas: «la conducta de los seres humanos... ¿puede ser explicada... mediante las pautas «vida quisitiva» y «ensayo y error»? Yo pienso que no», P. Laín, *Cuerpo y Alma*, pág. 333.

En el inventario puertorriqueño de López Morales (1991) se registran tres respuestas a favor del calco español **entrega especial** frente a diez para el anglicismo crudo *special delivery* (no se indica pronunciación). Haensch registra en Colombia *(carta de) entrega inmediata* como calco de *special delivery.*

Aunque el modelo inglés del término, en el darwinismo, es *missing link,* y así aparece alguna vez entre antropólogos, su calco libre al español, el **eslabón perdido**, es un acierto que debe poco al francés, intermediario en la difusión de las teorías de Darwin y su escuela, pues esta lengua usa *chaînon manquant* o *maillon qui manque à la chaîne* (*Robert Angl.*). El término no lo encuentro en diccionarios españoles, excepto en los bilingües (*Cuyás*, *Collins*, *Oxford*, *Williams*; no en *La-*

rousse, ni *Velázquez*), traducido por 'eslabón perdido'. El de Williams añade 'hombre-mono'. En septiembre de 1994, con motivo de ciertos descubrimientos de fósiles humanoides en África se habló en la prensa española del *eslabón perdido,* término que a juicio de algunos biólogos apenas se usaba ya, y menos aún su equivalente inglés, el famoso *missing link.* Yo recordaba, sin embargo, haberlo leído en páginas de un ilustre escritor y antropólogo, Pedro Laín, sin poder localizar el texto, pues en los últimos años ha sacado a la luz libros que abarcan graves problemas humanos con honda penetración. Sabido es que la búsqueda de ese *eslabón perdido* parece haber remitido en los últimos tiempos —y así lo advierte Laín—, pero debe recordarse que «La necesidad de encontrar restos fósiles del *missing link* o eslabón perdido entre los simios y el hombre [...] fue extraordinariamente viva entre los paladines del evolucionismo biológico». Todavía usa otra vez Laín el término a propósito del *pithecanthropus,* pero ello implica que no es un «tema de nuestro tiempo»: «restos fósiles del *missing link* o 'eslabón perdido'», *El cuerpo humano*, 1989, pág. 61. Aun así, sigo pensando que la expresión tiene suficiente entidad histórica como para mencionarla cuando venga al caso.

En la prensa española se ha difundido desde hace años la expresión **espaldas mojadas** (ingl. *wet backs*) para designar a los inmigrantes indocumentados que atraviesan, a nado o por otros medios, la frontera entre México y los Estados Unidos. La prensa mexicana los llama *los mojados* y a los guías que les ayudan a cruzar los límites *polleros* o *pasamojados* (*El Universal,* México, 12-11-92). Posteriormente, el término se ha extendido en España a los inmigrantes ilegales que arriesgan la vida cruzando el Estrecho de Gibraltar desde África: «Los espaldas mojadas» (titular de *ABC*, 12-5-91, pág. 57) se refiere a marroquíes ahogados al intentar cruzar el Estrecho; «El Estrecho, una fosa común para los 'espaldas mojadas' marroquíes» (titular de *ABC,* 24-3-94, pág. 83). A. H. incluye en su diccionario la voz *wet back,* documentada en R. J. Sender (1961), referida a los campesinos mexicanos que entran clandestinamente en EEUU.

La expresión inglesa *skeleton in the closet (cupboard)* significa un 'secreto vergonzoso o motivo de escándalo' que implica a una persona, familia o grupo. Se ha traducido al español como **'esqueleto en el armario'** en más de una ocasión, pero dudo de que los lectores —aparece en la prensa— entiendan bien la alusión: «El mendocismo tiene, como el felipismo, muchos esqueletos en su armario», *El Mundo Comunic.*, 24-2-95, pág. 8. Una variante menos osificada aparece en un texto de J. Campmany: «todos los políticos son iguales, ...todos tienen su muerto en el armario» (*ABC,* 28-2-95, pág. 19). También aparece en C. J. Cela: «Todos los blancos tenemos un muerto en el armario...», *ABC*, 25-4-95, pág. 15.

No sólo en zonas hispánicas sometidas a intensa influencia anglosajona, sino en Colombia, por lo regular más inmune a ella, se registra el uso de **estación de policía** (ingl. *police station*) por 'oficina de policía, comisaría'. Así la registra Haensch (*art. cit.*) y aparece, entre varias respuestas —cuartel/jefatura de policía, comandancia, delegación—, en el *LHCMéx.*

Aunque no coincida totalmente con la expresión inglesa que lo motiva, **estado de bienestar** (< ingl. *Welfare State*) se ha impuesto como fórmula semipolítica aceptada en español para designar lo que en otros tiempos —consúltense diccionarios bilingües— se conocía como beneficencia, estado benéfico, auxilio social, etc. La Academia ha tratado de precisar bien la adaptación española y aprobó el 16 de febrero de 1995 la siguiente definición: «Estado de bienestar. Sistema social de organización en el que se procura compensar las deficiencias e injusticias de la economía de mercado con redistribuciones de renta y prestaciones sociales otorgadas a los menos favorecidos». Se olvida aquí —y así lo hice constar— que el bienestar es una aspiración más que una política, como lo revela la definición inglesa (*ShOED*, 1993): *welfare state* «(a country practising) a system whereby the State provides services, grants, allowances, pensions, etc., to protect the health and well-being [bienestar] of citizens, esp. those in need». A mi intervención se replicó —así consta en acta— que «la beneficencia supone una ayuda gratuita en tanto que el 'Estado de bienestar' se fundamenta sobre la justicia social». Mi impresión personal es que muchos españoles se resisten a aceptar la voz *beneficencia* por sus connotaciones residuales con la caridad pública, de la misma manera que *caridad* no goza del mismo favor que el término más aséptico *solidaridad.* Ejemplo de esta preferencia: *Concierto Música Solidaria... ritmos latinos con mensajes solidarios... viernes ...Cripta* (de una hoja parroquial). Para nuestro propósito, basta con dejar constancia del evidente calco y de la evolución de la sensibilidad.

También hemos mencionado en su día la novedad parlamentaria conocida como discurso o debate sobre el «**estado de la nación**», que, sin gran esfuerzo, podemos considerar calco del discurso anual, previsto por la Constitución de los EEUU, que pronuncia en enero su presidente con el nombre de *State of the Union message* (o *address).* Dudo de que muchos lectores de *YA* percibieran la ironía de Augusto Assía al comentar el «debate sobre el *Estado de la Nación*, en el que nuestra superficial imitación de todo lo inglés encuentra nuevo resorte» (17-10-85).

Sobre el neologismo inglés *state of the art* (= 'lo más avanzado, lo más reciente'), ausente todavía hace 10 ó 15 años de los diccionarios ingleses y traducido literalmente como **estado del arte**, ya hemos hecho algún comentario. He aquí un ejemplo de un prestigioso investigador español en cuya prosa se filtran a veces anglicismos: «...Los jóvenes corren el peligro de ignorar todo [lo almacenado en las computadoras]... Es importante conocer no sólo el 'estado del arte' sino... su desarrollo...», *ABC*, 26-3-86, pág. 3. Cf. también, del mismo año, en Puerto Rico comentando un programa de TV: «Una muestra del estado del arte en ese momento...» (se trata del filme *The war of the worlds*, que ganó en su día un Óscar por sus efectos especiales), *El nuevo día*, San Juan, 15-10-86. El siguiente ejemplo parece indicar que el término está ya suficientemente consolidado como para aparecer en un editorial de *ABC*: «... [El Consejo de Seguridad] ya no es representativo del 'estado de las artes', como se podría decir con la expresión inglesa tan en boga», *ABC*, 27-9-92, pág. 23.

M. Sousa incluye este término en su cuadro de «anglicismos frecuentes» s.v. *state of art* (sic), disuadiendo de su traducción literal 'estado del arte'. Sin embargo, su propuesta ('puesta al día') no es tampoco aceptable. Tras figurar más de una docena de años en los diccionarios, todavía en mayo de 1995, los traductores de ABCNews subtitulan en español: «el nuevo aeropuerto 'estado del arte' [el de Denver, Colorado]», *Canal* +, 13-5-95.

Aunque en el mundo de las comunicaciones es hoy término usual, acuñado en inglés hace treinta años, la expresión **fibra óptica** (ingl. *optical fiber* [*fibre*]) falta todavía en varios diccionarios españoles. La incluyen el *Peq. Espasa* (1994) y el *Peq. Larousse*, del mismo año.

No es calco del inglés la expresión *semana inglesa*, que se traduce al inglés como 'five-day week'. Sí lo es, y literal, el **fin de semana** (ingl. *weekend)*. A. F. documenta la forma inglesa en 1927 y el calco en 1931: «El fin de semana (weekend de los ingleses)». Existe también el adjetivo *finisemanal,* Andrés Berlanga, *La gaznápira,* Madrid, 1988.

Un **final feliz** es la traducción literal de lo que franceses y españoles creen que se dice en inglés *happy end,* acostumbrados a ver películas de origen anglosajón que terminan con la despedida «The End», y así lo escriben a menudo. El propio *Robert Angl.* declara que es una errónea adaptación al francés del americanismo *happy ending*, perteneciente a la jerga del cine, aunque también aparece en otros contextos: «A la espera de un *happy end* en la huelga de cines» (titular), *ABC*, 20-12-93, pág. 99; «cabezas fraudulentas sin 'happy end'», L. A. Cuenca, *ABC*, 8-10-94, pág. 82; «las [...] páginas finales funcionan irónicamente como un 'happy end' convencional...», F. Lázaro, *ABC Cultural,* 2-6-95, pág. 7.

El excelente diccionario bilingüe de Lozano Irueste ofrece un buen muestrario de opciones para traducir el término inglés *cash flow*: **flujo de efectivo, flujo de dinero, flujo de fondos,** etc. Algunos manuales de estilo recomiendan 'liquidez, efectivo, fondos generados, etc.' o, si no, dejar el término inglés «en cursiva» o «entre comillas». En la prensa de Chile (*El Mercurio, La Últimas Noticias*, Santiago) hemos anotado lo que es calco más literal: **flujo** o **flujos de caja.**

Hoy se destaca en el hábito de los dominicos el sayal blanco, pero también forma parte de él la capa negra, que dio lugar a que en ciertos países, entre ellos Inglaterra, fueran conocidos como **frailes negros** (ingl. *Blackfriars*). Aunque etimológicamente la voz *fraile* viene de lat. *frater* 'hermano', no es acertado referirse al famoso puente de Blackfriars, nombre también de una calle londinense, así: «...suicidado bajo el puente londinense de los Hermanos Negros...», J. Arias, *El País,* 21-8-82.

La voz inglesa *free-lance* figura con esta grafía como voz española en el *Oxford Bil.*, «traducido» al inglés como 'freelance' y precediendo a *free shop* (Arg.) y *freezer* (Amér. Lat.). Dado el carácter especial de esta actividad, que el *Collins Bil.* explica como adj. 'independiente, autónomo... de libre dedicación' y sust. 'periodista independiente... informador(a) por libre...', no es extraño que la idea militar de **francotirador**, 'combatiente que no pertenece al ejército regular' (*DMILE*), 'galicismo por *guerrillero*' (*Peq. Larousse*), haya penetrado en el préstamo inglés; y así, en el *Collins Bil.* encontramos s.v. *francotirador* 'freelance' y viceversa, s.v. *freelance* 'francotirador'. Pero el término normal para el francotirador militar es en inglés *sniper*, cuyo equivalente inequívoco sería en España 'paco', que *Collins Bil.* traduce acertadamente por 'sniper, sharpshooter'. Del uso periodístico se hace también eco el *MEU*, que recomienda: «Dígase *informador por libre*». El *DVUA* da una definición más general: «Persona que trabaja por su cuenta y riesgo y vende los resultados de su actividad», que ilustra con un ejemplo: «[M. B.], la guapa free-lance del programa *Rockambole...*». Con uso adjetivo hemos anotado: «del malvivir de las traducciones *free lance...*», Dolores Soler-Espiauba, *El oro y el moro*, Aguaclara, Alicante, 1994, pág. 10. No es frecuente en inglés el derivado *freelancer,* que tenemos anotado en español en plural: «free lancers», F. M. Ruiz, *ABC*, 3-5-82, pág. 31.

Fuente de soda (ingl. *soda fountain*) es término casi desconocido en España pero muy frecuente en la publicidad de algunos países de la América hispana, alternando a veces con *cafetería*. En la encuesta de L. Morales domina *cafetería* (10 respuestas) sobre *fuente de soda* (4) y *fonda* (2). Haensch define el término en Colombia como 'establecimiento... donde se expenden refrescos y bebidas alcohólicas'. El diccionario *Collins Bil.* señala, en cambio, que es un 'bar de bebidas no alcohólicas'. Mas esto vale para el uso angloamericano de *soda fountain*. Dudamos de que las restricciones de la ley seca se hayan propagado con la palabra. En México, según el *LHCMéx*. s.v. *cafetería* (núm. 338), que alterna con *fuente de sodas* (sic), los informantes no se muestran de acuerdo en el significado y diferencias de ambas palabras, bastante igualadas en la respuesta primera: *cafetería* (15 veces), *fuente de sodas* (11); parecen reservar esta última para la barra de la cafetería, donde se come o se sirven helados y refrescos.

En Centroamérica la expresión se reduce a *soda* y designa una cafetería de empresa. Así, en anuncios de Costa Rica se ofrece a los posibles empleados, entre otros alicientes, «soda subvencionada», «soda comedor subvencionada» (*La Nación*, San José, diciembre 1986). Este uso lo registra también el *Oxford Bil.* s.v. *soda*, «(AmC.) (cafeteria) 'coffee bar'».

Resulta demasiado literal, pero no han encontrado expresión mejor quienes lo dicen, llamar **fuera de la ley** (< ingl. *outlaw)* al que los diccionarios, con buen acuerdo, llaman 'proscrito o forajido' [*forajido*, con su valor etimológico (< *fora exido* 'salido fuera'), es buena solución, pero *proscrito* subraya el matiz legal del término]: «El último fuera de la ley del Oeste», T. Cuesta, *Los Domingos de ABC*, 4-7-82. El 26 de junio de 1994 se anuncia en los programas de TV la película «El fuera de la ley» (1976), pero un año después, el 17 de junio de 1995, se anuncia con el título de «El último forajido» otra filmada en 1993, llamada en inglés «The last outlaw». Julián Marías, en los años cincuenta (1956) usa el término en inglés *(EUE*, pág. 272): «al *outlaw,* al que está 'fuera de la ley'; más exactamente, al que no reconoce la sociedad general».

En la edición de 1947 la única fuerza militar que recogía el diccionario académico era la *fuerza pública,* aunque también registraba el uso en plural del sustantivo (acep. 15.ª, 'Gente de guerra y demás aprestos militares'). En 1970 se incluyen en el suplemento *fuerzas de choque,* pero ya María Moliner había recogido, antes, **fuerza(s) armada(s)** y **fuerzas navales** 'marina de guerra', aunque no **fuerza(s) aérea(s)**, pues el término usual entonces, calcado del alemán, era *arma aérea* (< al. *Luftwaffe*), también llamada Ejército del Aire. Hasta 1992 no entra en el *DRAE fuerza aérea*, término que los españoles suelen ver en los aviones dependientes del antiguo Ministerio (hoy Ejército) del Aire. En Colombia registra Haensch **fuerza de tarea** (ingl. *task force*). No hace falta investigar mucho para averiguar que detrás de estas novedades de la terminología militar se esconden usos ingleses como *Air Force(s), Armed Forces, Naval forces,* etc. Ajeno a la milicia es el uso de **fuerza laboral** como calco del ingl. *labour force*, alternando con *mano de obra* (así, p. ej., en *Collins Bil.*).

No es literal, pero sí acertado y admitido de manera general, el calco libre **fuga de cerebros**, más gráfico y expresivo que *brain-*

drain (liter. 'desagüe de cerebros'), su modelo inglés. Algunos diccionarios bilingües (*Larousse, Collins)* así lo registran. También lo hemos anotado en la escritora Luisa Castro, *ABC*, 30-12-91, pág. 3.

En la concepción moderna norteamericana del hogar desempeña un papel importante, como muestran tan a menudo sus películas, la cocina y sus accesorios, englobados con frecuencia en el término general *appliances,* que a veces corresponde a nuestros *electrodomésticos.* Aparte del calco *cocineta* (< ingl. *kitchenette*), ya citado, debe mencionarse el de **gabinetes de cocina** (< *kitchen cabinets*), que aparece en los anuncios de la prensa hispánica en EEUU.

Un escritor español aficionado al tabaco criticó en cierto diario la advertencia norteamericana emanada del **general Surgeon** sobre los peligros del fumar. La redacción del periódico, velando por el buen nombre del escritor, alegó error de composición para rectificar lo escrito a favor de *general Surgeon.* Como por los caprichos del inglés, en este caso el adjetivo, de tradición francesa —como *Attorney General*, *Postmaster General*, etc. —, no precede al nombre, invité a mis alumnos, si querían lucirse, a corregir lo «corregido». No se atrevieron, y tuvo que ser un angloparlante de Murcia el que rectificara.

Aquello que cuando Pío Baroja publicó *La ciudad de la niebla* (1909) se llamaba en inglés la *smart set* —y así lo escribía el autor— era más o menos lo que hoy los españoles llaman **gente guapa**, traducción aproximada de la expresión inglesa *beautiful people*, confundida a menudo con la *jet-set* (también masculino), la *jet-society* o la *cafe-society* (dudo de que alguien pueda distinguir con cierta precisión la diferencia). El *RHD* data el término *beautiful people* de 1965-70 y lo define como «gente rica y famosa, a menudo miembros de la *jet set...*». Sería ocioso reunir las citas, en las que predomina el término inglés, ya completo, ya reducido al adjetivo —la *beautiful*—, ya mutilado, en su adaptación fonética española la *biuti,* por escritores que rechazan de plano los anglicismos. Sí merece la pena mencionar el hecho de que, si bien predomina el singular femenino en castellano (en ingl. *people* es plural), hay quien para referirse a un hombre de esa «gente» usa el masculino: «...que Tierno... haya triturado al brioso 'beautiful people' A. Garrigues...», P. Urbano, *ABC*, 10-5-83, frente a «la *beautiful people*» de la misma autora en *Tiempo*, 7/13-5-84. Como adjetivo lo encontramos en «...el Gobierno, en especial la rama biuti, aprovechara para colocar a sus amigos...», *ABC*, 11-2-93.

Guardameta fue el calco primero de ingl. *goalkeeper*. Otras opciones quedan mencionadas más arriba (págs. 225-26) s.v. *gol*.

Suele usarse en contraste la pareja **halcones y palomas** (ingl. *hawks and doves)* para oponer belicistas y pacifistas, mas también puede aparecer aislado uno de los dos términos, quedando implícito el otro: «El partido de la guerra y su principal *halcón*... Pavel Grachov...»; «los *halcones* del Kremlin...», *La Época* (Chile), 8-2-95, pág. 6 (noticia de EFE).

Al calco **hemisferio occidental** (ingl. *Western Hemisphere*) por América, ya nos hemos referido en págs. 519-20. Cabe añadir que en el boletín (octubre, 1994) que reparte la Agencia EFE, se censuran ciertos usos del español de Miami, donde aparecen *hemisferio* y *hemisférico*, con el significado de 'América' y 'relativo a América', respectivamente, usos que por otra parte habíamos denunciado ya en octubre de 1989, recogidos por la propia agencia en el volumen *El idioma español en las agencias de prensa*; compiladores: Pedro García Domínguez, Alberto Gómez Font, Fundación Germán Sánchez Ruipérez, 1990, págs. 65-82. Destaca el citado boletín, cuyo contenido se difunde además como teletexto de la cadena Telemadrid, que ningún diccionario registra estos significados, lo cual, en sí, no descalificaría a los usuarios, pues los diccionarios ingleses también se demoran a la hora de admitir neologismos, pero no tienen razón en este caso, pues ya la 2.ª edición del *RHD* (1987) incluye s.v. *Western Hemisphere* la acepción comentada. Nótese que algunos de nuestros ejemplos españoles, citados más arriba s.v. *hemisferio*, son anteriores a este año. Mencionamos el uso en la 2.ª edic. de *EEH* (1971), pág. 80.

El neologismo **hidroala**, usado para designar un tipo de transbordador explotado por la Cia. Mediterránea, es, si no me equivoco, calco de la voz inglesa *hydrofoil*. Es la equiparación que hace el *Collins Bil.*; *hydrofoil* a veces aparece en la prensa española con esta grafía. Cf. más arriba pág. 245, s.v. *hovercraft*.

Hombre fuerte (< ingl. *strongman*) es una expresión equívoca que varía entre el valor de 'forzudo' y el de 'mandamás, dictador': «Trujillo fue el hombre fuerte de la República Dominicana varios años»; «El general haitiano Raúl Cedras, hombre fuerte del país, recibe a *ABC* en su despacho...», *ABC*, 12-8-94, pág. 29.

El anglicismo *self-made man* (véase s.v.) se ha tratado de adaptar en traducción literal, como en el ejemplo siguiente: «Hijo de un teniente coronel republicano, es el clásico ejemplo de un **hombre hecho a sí mismo** [...]», *ABC*, 21-12-94, pág. 24.

En inglés americano *long distance call* (en inglés británico *trunk call)* es en la jerga telefónica una llamada interurbana o internacional, también denominada conferencia. Aunque el servicio telefónico español estuvo al principio influido por la técnica norteamericana, la expresión *(llamada de)* **larga distancia** es más propia de los países americanos.

Aunque la sigla LP (pron. elepé, cf. s.v. *long play*) se ha impuesto como dominante sobre una posible LD (**larga duración**), es frecuente esta adaptación como compuesto masculino (cf. *un relaciones públicas*). Así tenemos: «XX tiene un bien ganado prestigio que comenzó a forjar con su primer larga duración», *Metrópoli,* 31-3-/6-4-95, pág. 29.

La moderna expresión inglesa *brainwashing* (mediados del s. xx) se reproduce normalmente en español acudiendo al calco **lavado de cerebro**, solución acaso más fiel, por lo literal, que la creación autóctona *comecocos,* admitida en algunos diccionarios (*DMILE*, V. León, *VOX*), pero vagamente definida en ciertos casos ('persona o cosa alienante'). *VOX* intenta acercarse más al uso actual respetando el adjetivo pero añadiendo a 'persona' y 'cosa', los sustantivos 'institución' y 'doctrina', que lo hacen equiparable al *lavado de cerebro* comentado. Muy acertadamente, el *Collins Bil.* de 1992 nos da una explicación que no tiene desperdicio: «*comecocos*, nm. invar. a) (*manía*) obsession, mania; (*pasatiempo*) idle pastime, absorbing but pointless activity; (*lavacerebros*) brainwashing enthusiasm. b) (*preocupación*) nagging worry». El *Diccionario Oxford*, bilingüe, que por cortesía de la editorial pude consultar en pruebas, recoge además de *brainwashing, softsoaping* 'engatusar, dar jabón, halagar'.

Alternando con *dry cleaning*, o simultáneamente, se usa en España la expresión **lavado** o **limpieza en seco**. Ycaza (*art. cit.*) equipara *dry cleaning* a *lavandería,* lo que no sería normal en España. En zonas de mayor influencia yanqui, *lavandería* es calco del ingl. *laundry,* anglicismo que también aparece junto con *lavandería* en alguna tienda de Madrid; la especializada en este tipo de limpieza en seco se llama todavía en España *tintorería* o simplemente *tinte:* «llevar la ropa al tinte». Cf. más arriba, en EXPLICACIÓN (pág. 56), s.v. *pressing*.

El proverbio inglés *it's no good crying over spilt milk,* que los buenos diccionarios equiparan al español *a lo hecho pecho* o *agua pasada no mueve molino,* aparece calcado más de una vez con la traducción literal «No llores por la **leche derramada**», así en un programa televisivo del 29-12-85. En otros ejemplos se «traduce» *over* por 'sobre'.

Puede aparecer tres veces en un anuncio a toda página, impreso en distintos cuerpos, el neologismo **liposucción**; sin embargo, no ha tenido entrada en ninguno de los diccionarios españoles a mi alcance. Sólo lo encuentro, junto con *lipoaspiración,* en el diccionario bilingüe de Oxford. La correspondiente forma inglesa, *liposuction,* es también un neologismo, pero dado el origen de las técnicas y publicidad de la cirugía estética, no es aventurado asignarle origen inglés a este término. No obstante, faltaba todavía en el monumental *OED* combinado (1989), que incluye los 4 últimos suplementos. No aparece tampoco en el *Petit Robert* (1993) ni en los diccionarios italianos. Falta también en el *Duden Univ. Wb.* (1989). Si los lexicógrafos de Oxford no la incluyen en los 20 volúmenes de 1989 y aparece en el *NShOED* (1993) y en el *Oxford Bil.* de 1994, debemos considerar la indicación cronológica L20 (= Late Twentieth Century = después de 1970) como muy vaga. Debido a ello no excluimos que otras formaciones derivadas con el elemento compositivo *lipo-* 'grasa', como *lipoescultura, microlipoescultura* (3 veces en un anuncio, *ABC*, 5-7-94) sean autóctonas. Este prefijoide, *lipo-*, tanto en su valor citado 'grasa', como en el tomado del griego *leipo* 'faltar' (*lipotimia, lipograma,* etc.) no figura en el *DRAE*, sí en *VOX*.

Aunque el término completo en inglés es *living room,* el español desprende, como tantas veces, el sustantivo, y usa *living* a secas o traduce 'cuarto de estar'. En el Cono Sur basta consultar los anuncios de venta o alquiler de viviendas para encontrarse la fórmula **living-comedor**, que registra el *Oxford Bil.,* híbrido que parece fundir el *living room* con el *dining room* del inglés.

Si bien el término preferido hoy por algunos diccionarios ingleses es *struggle for existence,* alternando a veces con *struggle for life,* la expresión española, consagrada por la famosa trilogía de Pío Baroja (1904) **La lucha por la vida**, es la que, en caso de referirnos a Darwin, quien la escogió, predominaría hoy. No excluimos, teniendo en cuenta la fecha, que Baroja la tomara del calco francés *la lutte pour la vie.*

El término **manzana de Adán** 'nuez' figura, desde hace varias ediciones, en el *DRAE* como americanismo, primero restringido a Chile, ahora con la indicación *Amér.*, sin mayor localización. Aunque para Chile se podría aducir influjo migratorio alemán (*Adamsapfel*), su presencia en otros países del continente hace pensar en el modelo inglés *Adam's apple*.

Recientemente, y también como calco (del inglés americano *Big Apple*), se ha usado de forma ocasional en español, referida a Nueva York, la expresión «la Gran **Manzana**»: «En 1989 murieron en la Gran Manzana 1.905 personas, víctimas de la violencia...», *El País*, 9-10-90, pág. 20; «Una película [...] convierte en compota la Gran Manzana neoyorquina» (titular de *ABC*, 12-10-94, pág. 105); en el texto: «su estreno en Nueva York ha dejado completamente pelada la Gran Manzana» (*ibíd.*). Otro texto identifica la Gran Manzana con la isla de Manhattan: «Esperando un 'big one' [terremoto] en la Gran Manzana» (titular); en el texto: «un seísmo con un epicentro próximo a N. York, tendría funestas consecuencias... especialmente para Manhattan, la 'Gran Manzana'...» (*ABC Cultural*, 15-3-95, pág. 49). Ignoro, después de leer el reportaje de V. A. en *ABC*, 11-1-95, páginas 60-61, por qué el titular a dos páginas reza: «Distrito Centro [de Madrid]: el gusano de la delincuencia devora la gran manzana». Sin duda su redactor ha tenido presente el modelo neoyorquino.

Todos los modernos diccionarios bilingües registran para *watermark* la equivalencia 'filigrana'. Sólo a pereza o pedantería se debe su traducción literal —**marca de agua**— cuando se trata de papel (podría admitirse si se tratara del nivel alcanzado por las aguas). He aquí un ejemplo: «[Los billetes falsos] tienen un tacto distinto, dibujos más difusos en la marca de agua, así como el color...», *ABC*, 29-11-90, pág. 90.

El aparato electrónico utilizado para facilitar el ritmo cardiaco se ha denominado en español **marcapaso(s)** y así figura en el *DRAE*'84, como calco libre del ingl. *pacemaker*, nombre acuñado el siglo pasado para designar al corredor que, efectivamente, hacía marcar el paso a otro. El *DRAE*'92 añade otra acepción, fisiológica, que también posee *pacemaker* en inglés.

Cuando comenté en nota (*EEH*, 2.ª ed., 1971) la llegada del anglolatinismo *mass-media* no podía sospechar que el calco que se había de imponer para evitar «la mass-media» y «las mass medias» era el rebuscado **'medios de comunicación social'** como alternativa de otros igualmente ampulosos —'medios de difusión pública', 'medios de comunicación masiva'— (en A. del Hoyo). La definición del *DVUA* riza el rizo en cuanto prolijidad (*mass media* 'Conjunto de los medios de difusión masiva de información o de cultura') para explicar los dos ejemplos de uso de la expresión inglesa en masculino y plural: los *mass media* (*El Sol*), los 'mass media' (*El Mundo*). Si el contexto lo tolera, a veces basta decir *los medios*.

Mensáfono es voz que incluye el *DRAE*, sin explicar su origen, para designar lo que en inglés se llama *pager* o *beeper* y que en el argot médico hospitalario se conoce por el nombre de *busca* (*personas*), también usado para otras actividades sociales menos honestas. La Academia ha admitido tanto *busca* como *buscapersonas* en el *DRAE*'92, que remiten a *mensáfono*. Sin saber el origen de todas ellas, parece acertado pensar que *busca* es una creación espontánea de la lengua, que debería privar sobre lo que parece un híbrido de laboratorio. *ABC*, 8-11-95, usa dos veces *buscapersonas* referido a un hospital (pág. 85).

En el vocabulario deportivo (tenis y balonvolea) se ha popularizado el término inglés *tie-breaker* en la variante *tie-break* (rara vez *sudden* death): la forma más difundida y literal, mas no la más acertada, es **muerte súbita**, que otros prefieren traducir por *juego decisivo* (calco del francés *jeu decisif*, que a su vez lo tomó del inglés americano *tie-break*), *desempate* o *juego dirimente* (*IEDep.*, pág. 448). Si *tie-breaker* literalmente significa 'ruptura o rompedor de empate', la solución *desempate* (rápido) sería la más indicada. Pero claro, *desempate* es voz muy usual y *muerte súbita* contiene morbo como valor añadido. Además, es un caso en que «sabemos o conocemos que existe una pequeña variación sobre el término que convierte la adecuación al castellano en inadecuada» (A. Martínez Roig, *IEDep.*, págs. 280-81). De hecho, en ingl. amer. *tiebreaker* es «un sistema de deshacer un empate en juegos de reglamento declarando un vencedor mediante una breve prueba extra como en el tenis o el fútbol (*soccer*)» (*RHD*). En España, aparte de al tenis y al balonvolea, se ha aplicado también al golf, pero nunca al fútbol. En el Ecuador, Córdova registra *muerte súbita* como calco de *sudden death* referido al tenis.

El neologismo **multimedia**, adaptado literalmente del ingl. *multimedia*, podría figurar como un préstamo más o como una creación espontánea del español, según el modelo de compuestos cultos —así los llama Corominas— tales como *multicolor, multifloro, multípara, multiforme, multimillonario*, etc. Pero algunos de los conceptos así designados no parecen de formación autóctona y por la fecha de su aparición en inglés confieren a sus posibles creadores nacionalidad angloparlante: *multimillonario* (ingl. amer. 1855-60), *multicolor* (adj. 1840-50 < *multicolored*), *multilateral* (1690-1700), etc. No creo que haya duda en cuanto a los neologismos *multimedia* (adj. inv.), *multiuso* (adj. inv. < ingl. *multipurpose*, 1930-35), *multifario* y *multígrafo*, estos dos últimos comentados por Alfaro, que defiende el primero, usado por M. Pelayo; el segundo es marca registrada. Es posible que *multicopista* y *multicopiar* sean calcos del francés *polycopiste* y *polycopier*, con cambio del primer elemento. En cualquier caso, si se trata de neologismos formados a partir de las lenguas clásicas debe tenerse siempre en cuenta la fecha de primera aparición, así como el nuevo significado.

En su forma latinizante, *media* (no medios), el término es invariable: «un trabajo multimedia» (*El País*, 6-1-95); «El año multimedia» (*ABC Cult.*, 26-5-95); «Enciclopedia Multimedia» (Edit. Planeta DeAgostini), títulos multimedia, etc. *Zeta Multimedia* es nombre de empresa. Usado el término en plural parece considerarse incorrecto y se escribe entrecomillado: «'Multimedias' de gran calidad en castellano», *El País Babelia*, 27-5-95, pág. 20. Y así, el mismo diario, en editorial del día siguiente habla de «el mundo de las comunicaciones y los multimedia», 28-5-95, pág. 10. [Este editorial lo reprodujo íntegramente el periódico *ABC* el día siguiente.]

El término *shock wave*, usado en inglés en sentido literal como 'onda expansiva' y en sentido figurado como 'perturbación, conmoción', se ha traducido literalmente como **onda de choque** (también 'onda-choque'): «ondas-choque» (titular y texto), explicadas como «ondas de choque de alta energía», *ABC*, 15-6-82, pág. 54.

La adaptación del anglicismo *touroperator* ha dado lugar a posiciones encontradas y varias soluciones. El *MEU* propone **operador turístico**, que la Academia patrocina. M. Sousa menciona también *empresa turística*, recomendado por *La Vanguardia*, y sugiere *contratista de viajes*, que es una traducción acertada, pero acaso tardía. A pesar de su morfología hay tendencia a usar 'operador' referido a la empresa, no a las personas que la dirigen, como prueba el siguiente ejemplo: «la fusión de dos touroperadores [sic, dos veces] alemanes... esta fusión convertiría al touroperador resultante en 'un monopolio'...», *ABC*, 12-1-95, pág. 39.

La denominación de ciertos países en inglés como *underdeveloped countries* suscitó en español el calco **países subdesarrollados**. Ambas expresiones fueron recibidas como denigrantes por los países así descritos y sustituidas en inglés por la más prometedora *developing countries*, traducida al español por 'países en (vías de) desarrollo'. El valor subyacente de *desarrollar* en estas frases —«Progresar, crecer económica, social, cultural o políticamente las comunidades humanas»— no lo registra la Academia (acep. 7.ª, fig.) hasta 1992, tomado literalmente del *DMILE*. Según Rosenblat (1969, IV, págs. 140-41), «el término lo acuñó Josué de Castro; antes se hablaba de *países atrasados*; después, de *semicoloniales*». Es posible, pero la «acuñación», insistimos, es un calco del inglés, como sus equivalencias alemana, francesa, italiana, etc. (al. *unterentwickelte Länder*, fr. *pays sous-développés*, it. *paesi sottosviluppati*). Un nuevo eufemismo para atenuar «en desarrollo» es llamar a estos países *emergentes*. No sé si tendrá imitadores.

Para **palabras cruzadas**, véase más arriba págs. 560-61.

Sobre el uso metafórico de *el* **palo y la zanahoria** (ingl. *stick and carrot*), cf. pág. 486.

Más de una vez hemos anotado la expresión **papeles de identidad** como calco del ingl. *identity papers* (*card*). Aunque en España el término oficial es *documento nacional de identidad*, que sustituye a la antigua *cédula personal* (*cédula de vecindad* o *de identidad* en América), hoy el uso dominante parece ser *carné* o *tarjeta de identidad*. Usado en inglés en plural corresponde al esp. *documentación*, que puede abarcar otros «papeles». He aquí un ejemplo: «...milicianos que paran coches, ...ordenando a los conductores y pasajeros presentar papeles de identidad...», *El País Domingo*, 23-2-86, página 18.

La expresión «*de* **pared a pared**» forma pareja con la *de persona a persona*, que comentamos más abajo. Se usa como complemento de alfombra —a veces *carpeta*— en algunos países hispánicos, y en las comunidades hispanohablantes de los EEUU como calco del ingl. *wall to wall carpeting*, que corresponde exactamente al español *enmoquetado* (vide supra, s.v. *alfombra*).

En las pruebas automovilistas suele hablarse de **parrilla de salida** (en el Cono Sur **parrilla de largada**) a lo que en inglés se llama *star-*

ting grid. Pero *grill* (véase s.v.) se ha traducido también por 'parrilla' en tiempos y muestra en Sudamérica una adaptación *grilla* que hemos anotado en la prensa argentina: «grilla de partida» en relación con la *pole position*, que traducen «posición de privilegio». *Parrilla de salida*, en su acepción deportiva, entró en el *DRAE* en 1992.

Sobre **patata (papa) caliente** y otros calcos escribí en *ABC* (15-6-84, pág. 3). Uno de sus más asiduos y cultos colaboradores discrepó diciendo que *patata caliente* no era anglicismo sino una «imagen o metáfora afortunada». Hube de explicarle que en inglés estaba documentada hacía un siglo como *hot potato*.

Ya en nuestro discurso de ingreso (1981) comentábamos el calco inglés del alemán *wishful thinking* (< al. *Wunschdenken*), al que nos hemos referido más de una vez. Los españoles lo consideran expresión inglesa y la citan a veces al traducirla: «... el 'wiskful thincking' [sic], el **pensar volitivo**, nada tiene que ver con la reflexión...» (F. Chueca, *ABC*, 29-11-81); otros han traducido **'pensar desiderativo'**, que es correcto, pero no prende y se mantiene la expresión inglesa en los medios cultos. La solución más castiza, pero menos intelectualizada, sería 'hacerse ilusiones'.

La metáfora inglesa *low profile* (= perfil bajo), usada con el verbo *to keep* u otros, sirve para designar la actitud de quien desea pasar inadvertido o en segundo plano y también las actividades que no deben llamar la atención. El calco español **perfil bajo** no es muy afortunado y, puestos a calcar, sería preferible *inconspicuo* (= ingl. *inconspicuous*), tan legítimo como *conspicuo* (*DRAE*). He aquí unos ejemplos: «...parece como si [A.P.], deliberadamente, hubiese adoptado un perfil bajo...», Alej. M. Alonso, *ABC*, 14-9-87, pág.17; «[la Fundación ONCE] hacia la opinión pública... había adoptado un perfil bajo de información ['no salir en los papeles']», *Expansión*, 7-3-91, pág. 9; «...una campaña electoral en fase de 'perfil bajo'...», J. Campmany, *ABC*, 4-6-94.

Creo que 'un discreto segundo plano' (J. M. G. Escudero, *YA*, 21-7-81, pág. 6) expresa, sin forzar la traducción literal, aproximadamente lo mismo.

El invento culinario *hot dog* ha tenido resonancia universal pero ha creado cierto caos léxico. Parece que la traducción literal, consagrada por los diccionarios, de **perro** (o **perrito**) **caliente** es la más difundida, pero hay variantes bien consolidadas, desde *hot dog*, usado como alternativa en muchas partes, hasta *frankfurta* en «el Barrio» (Gutiérrez) o *frankfrúter* en el Uruguay, que alterna a su vez con *pancho*, documentado en el Cono Sur. Para complicar más las cosas, el nombre abarca unas veces sólo la salchicha, otras incluye también el pan que la cubre.

En conferencias interurbanas o internacionales las compañías telefónicas han creado un servicio llamado en inglés *person-to-person call* en el que sólo se computa el tiempo en que los interlocutores están en comunicación. En español se ha calcado la expresión con la fórmula «de **persona a persona**», que recogen los diccionarios bilingües y aparece en España en la publicidad de alguna empresa. Cf. más arriba s.v. de *pared a pared*.

No es costumbre rigurosamente respetada en los títulos de las obras —sean literarias, musicales o cinematográficas— hacer traducción literal de los originales. Menos debería serlo cuando la literalidad revele ignorancia del significado intentado por el autor. Por eso, pese a las dificultades de registro exacto que entraña el título *The Skin of Our Teeth*, obra teatral de Thornton Wilder, donde se juega con el giro idiomático *by the skin of one's teeth* (= 'por el canto de un duro', 'por un pelo'), la traducción literal resulta inaceptable, a menos que los espectadores de la obra reciban en el programa o de palabra una explicación de lo que quiere decir «*La* **piel de los dientes**», título con el que fue representada en España. Con ese nombre figura en un titular de *ABC*; en el texto, L.

L. Sancho recuerda que «La comedia es 'La piel de los dientes', escrita en 1942 y premio Pulitzer de aquel año».

Varias lenguas europeas (fr. *peau rouge*, al. *Rothaut*, neerl. *roodhuid*, it. *pelli-*, *pellerossa*) han calcado, como el esp. **piel roja**, el término inglés *redskin* para designar primero a ciertas tribus indígenas de América del Norte y, luego, a los indios en general de los EEUU y del Canadá.

M. Sousa registra **plataforma electoral**, cuyos antecedentes hemos anotado en Valera, para el significado 'programa electoral'.

Igual que los españoles calcamos del francés, que a su vez la había tomado del inglés (*stylographic pen*), la **pluma estilográfica** [< *plume stylographique*, hoy reducida a *stylographe* (< ingl. *stylograph*) o *stylo*], varios países americanos prefieren la versión moderna del *stylograph* llamada también **pluma fuente** (< ingl. *fountain pen*) que recogen algunos diccionarios, también conocida en el Cono Sur como *lapicera fuente*. En la encuesta de L. Morales (P. Rico) *pluma fuente* alterna, curiosamente, con *bolígrafo* (!!) en la proporción de 10:1. Hoy *stylograph* designa en inglés 'una pluma en que el extremo termina en un tubo fino y no en puntos', algo así como un bolígrafo sin bola.

Aunque su función no es la misma, la palabra *caballón*, que tiene más sentidos de los registrados en el *DRAE*, creo que sería una buena traducción para los impedimentos que invitan al automovilista a reducir la velocidad y que son conocidos en los diccionarios como **policía acostado**, *guardia acostado, policía muerto, banda de frenado* (*Collins Bil.*), *badén, guardia tumbado* (*Oxford Bil.* = speed bump, sleeping policeman), *lomo de burro, tope, seta*, etc. Rosenblat (1969, IV, pág. 138) dice: «se llama, desde hace un par de años, *policía acostado* (antes se llamaba *burro*)». Aunque *badén* significa prácticamente lo contrario ('zanja, cauce'), la señal ondulada de tráfico que lo advierte facilita la confusión, pues quien la ve piensa tanto en la depresión como en el lomo. No me extrañaría que en vista del caos terminológico y favorecido por los diccionarios se fuera imponiendo *badén* en el doble uso, pues ésta es la palabra que suscita dicha señal.

Una de las expresiones de moda en el inglés de los últimos años es la de «politically correct», calcada en español con el término **políticamente correcto**. El primero en hacérmelo notar fue el profesor Colin Smith, en carta de 5 de diciembre de 1992, a la que adjuntaba unos comentarios divertidos sobre la nueva manía, que me permito copiar: «... con sigla, PC. Es invención americana: eufemismos de todo tipo, invenciones, rodeos, todo para evitar y hasta abolir la posible ofensa de carácter racial, sexual o de cualquier otro tipo. Claro, en este país [Reino Unido] más sensato, gran parte de esto (o todo, pues ya tenemos leyes sobre la ofensa racista o sexual) se toma a chunga, como será el caso sin duda en España...». Pues sí, parece que en España, salvo excepciones, se está tomando a broma el fenómeno. Un trabajo de elección libre y «políticamente correcto», de doctorado, redactado por la profesora Ana Gómez-Tabanera, comenta con ironía tres artículos en español de Soledad Gallego-Díaz, Isabel Ferrer y Gianni Riotta, publicados entre abril de 1992 y enero de 1994, así como *The Handbook of Non-Sexist Writing* (1989), de Casey Miller y Kate Smith, con mención oportuna de *The Official Politically Correct Dictionary and Handbook*, de H. Beard y Ch. Cerf, «escrito en clave de humor». Nuestro colega británico tuvo la atención de adjuntar una larga y jugosa reseña de este diccionario, publicada en un *Sunday Times* (*London*) de octubre de 1992, en que con típico humor inglés se descarta la nueva moda con el argumento de que «no es ya políticamente correcto ser políticamente correcto», sino *culturally sensitive* (culturalmente sensible), con abundantes ejemplos de los tabúes, más o menos ficticios, reinantes: no se debe decir loco, sino «emocionalmente diferente», etc. Tenemos en España también ejemplos de sobra para ilustrar la extensión de este uso y podríamos citar antecedentes de esta tendencia al eufemismo generalizado, que condena términos creados por la lengua como *judiada, mujer pública, ciego, viejo, negro, pobre*, etc. Los hablantes ennoblecen y envilecen, a capricho, las palabras, como en un famoso ejemplo, aplicado a Catalina de Rusia por Lord Byron: *Queen of queans* 'reina de rameras' (*Don Juan*, 96), expresión que usada hoy sería *politically incorrect*. F. Savater (1993, pág. 24) simplifica la expresión: «...comunitarismos del tipo *Political Correct* (sic) en los Estados Unidos...». También tenemos anotado *políticamente incorrecto* (2 veces) en *El País*, 20-11-94, pág.38.

Ningún diccionario académico registra ni como préstamo ni como calco el nombre del deporte conocido por *waterpolo* o **polo acuático** que figura en *VOX, Peq. Espasa, Peq. Larousse* y *Collins Bil.* como equivalente del compuesto inglés. Creemos que la causa de esta omisión del nombre de un deporte en que los españoles han alcanzado meritorios puestos internacionales acaso sea el comentario (s.v. *polo*) de Corominas, que dice así: «*Water-polo*, usual en España por lo menos desde h. 1915, sin haberse ensayado traducirlo al español» (y en nota: «*Polo natante* sería posible; el calco literal *polo acuático* sería equívoco»). Pero en el diario *Granma* (La Habana, 12-1-89), apoyado en la autoridad de los diccionarios citados, o quizá por otras razones, hemos anotado *polo acuático*. Creo, sin embargo, que éste no debe de ser un ejemplo aislado. Según el reciente volumen *IEDep.*, pág. 465, «...*polo acuático* [...] es como se denomina este deporte en algunos países de Hispanoamérica».

No por equívoco, sino porque *water* es voz familiar en español y *polo* suena a autóctona, creo que predomina hoy en España el término inglés, documentado en España años antes (1905 y 1911) que la fecha dada por Corominas, según A. F. En los campeonatos del mundo de 1994, en que España fue finalista, la prensa usó, casi exclusivamente, la expresión inglesa. Cf., además, s.v. *water*.

Posición privilegiada. Cf. más arriba, s.v. *parrilla de salida*.

Dudo de que haya muchos consultantes de los diccionarios bilingües que queden satisfechos tras buscar qué significa *acid test* en inglés si reciben por respuesta 'prueba de fuego, prueba decisiva'. No es extraño, pues, que algunos opten por la traducción literal **prueba ácida**, expresión que me temo ver difundida y confundida con esa *prueba de fuego* cuyo significado exacto se me escapa. Sin embargo, esos mismos diccionarios que parecen desorientarnos, si se miran bien, nos dan la solución por otros caminos. Así, cuando leemos en el *DRAE*, s.v. *tornasol*, acepción 3.ª, «*Quím.* Materia colorante... que sirve... para reconocer los ácidos...» y averiguamos que *papel de tornasol* es en inglés *litmus paper*, volviendo al diccionario encontraremos que *litmus paper* aparece acompañado por *litmus test*, expresión que se nos traduce como «prueba de tornasol, (*fig.*) prueba de fuego».

Pese a la censura de algunos, la locución adverbial **a punta de pistola** (< ingl. *at gunpoint*) se ha hecho corriente en el uso actual español, apoyada o reforzada por fórmulas analógicas como *a punta de navaja, a punta de cuchillo, a punta de bala*, etc., que ya recogen los diccionarios bilingües. Quien usa, y abusa, de estas soluciones, parece quedar satisfecho del calco. Mas gentes menos literales rechazan la literalidad y opinan que «pistola en mano» u otra opción evitaría la innecesaria servidumbre, que Lázaro Carreter, con ironía, comenta así: «...mientras, pistola en mano —ahora se dice cómicamente a punta de pistola— tiene tumbado al personal de un banco...», *ABC*, 21-2-86, pág. 31.

Algo parecido a lo dicho sobre *prueba ácida* se puede decir del calco **punto de no retorno** (< ingl. *point of no return*), aceptado sin más por *Collins Bil.*, que suele buscar soluciones más libres, como la que encuentra el *Oxford Bil.*: «*we've reached the point of no return*» = «ya no nos podemos echar atrás». Acaso opciones como «ya no cabe marcha atrás, hay que seguir hasta el fin» nos librarían del mimetismo. Incurren en este uso —caprichos de la moda— el novelista paraguayo Roa Bastos (*ABC*, 1-3-93, pág. 3), y el propio diario *ABC* en un editorial, en contra de sus propias recomendaciones —que considero injustificadas— de «eliminar construcciones... de *no + sustantivo*» (*LEABC*, pág. 116, s.v. *no apoyo*) como «La serie [de vocaciones]... ha llegado a su punto de no retorno...», 14-12-93, pág. 21. También «incurre» en falta el prof. Rodríguez Adrados en el mismo diario: «Pero pasado un punto límite de no retorno... se crean nuevos sistemas [de lengua]», *ABC*, 2-9-94, pág. 3. Aunque no creo que tenga los escrúpulos contra el *no + sustantivo* que aquejan a los puristas, una nieta de Franco declara que «...hace tiempo que J. M. [su marido] y yo llegamos a un punto sin retorno y se produjo la ruptura», *El Mundo*, 9-9-94, pág. 67. No es mala solución.

El helenismo *escotoma* lo define el *DRAE* como 'zona circunscrita de pérdida de visión'. Añade que *escotoma negativo* es 'el que el sujeto no percibe'. Pero en un texto de J. L. Pinillos se identifican 'escotomas' con 'puntos ciegos': «saben [dos médicos]... hasta dónde llegan y cuáles son sus **puntos ciegos**, sus escotomas epistemológicos [las terapias contemporáneas]», *ABC*, *Sábado Cultural*, 23-8-86, pág. V. Es éste un uso de la Psicología que en inglés, s.v. *scotoma*, se define así: «*Psych*. A mental blind spot, inability to understand or perceive certain matters». También aparece *punto ciego* en la acepción de 'laguna de conocimiento' en la traducción española del libro satírico *The Complete Yes Minister*, de J. Lynn y A. Jay, Barcelona, 1986, pág. 76: «Luego W. reveló otro punto ciego».

Tal vez uno de los calcos literales más citados y acertados es el del compuesto inglés *skyscraper* '**rascacielos**'. Según las datos aportados por el laborioso Antonio Fernández, la primera mención de la voz inglesa se registra en 1894 y su traducción no llegó a prosperar. He aquí el texto: «[hablando de las grandes construcciones levantadas en Chicago] que por su altura desmesurada han merecido el nombre de *skyscrapers*, raspadores de cielo». Según el mismo autor, la palabra *rascacielos* no aparece hasta 1915.

La técnica de crear mediante un programa de ordenador una imagen o escenario que percibimos como real ha recibido recientemente el nombre de *virtual reality*, que todavía faltaba en la edición del *RHD* de 1987 y en el *Collins Bil.* de 1992. Aparece definida en el *NShOED* de 1993 y traducida al español literalmente en el *Oxford Bil.* de 1994 como **realidad virtual**, expresión generalizada al extenderse también la técnica así designada, que ya ha llegado a la televisión privada. El 1-7-94 se habla del invento en estos términos: «...una cosa nueva... todo es una gran alucinación, un videojuego, un espejismo... Puede que ya todo sea virtual», J. Berlanga, *ABC*, págs. 24-5. La incorporación de esta novedad a la televisión se anuncia así: «La 'realidad virtual' elimina los decorados... de Antena 3 TV (titular) —Desde ayer la cadena aplica esa técnica a los espacios meteorológicos— Un enorme estudio acristalado, grandes columnas, mesas, pantallas de T.V. ...nada es real. Todo es producto de un ordenador... Es la realidad virtual», *ABC*, 13-11-94, pág. 155. Del filósofo y ensayista J. A. Marina (*Teoría...*, 1993), es el pasaje siguiente: «los [inventos] modernísimos, como la realidad virtual diseñada por ordenadores, nos permitirán discernir [...] ambas líneas [...]. El 'experimentador' de una realidad virtual recibirá la información sensible necesaria para [...] creerse dentro del mundo simulado [y] tendrá que acudir a medios indirectos para darse cuenta de que está bajo el influjo de una alucinación tecnificada», pág. 42.

Cabe incluir aquí como anglicismo (??) la expresión inglesa más difundida en 1993-94, la (el) **reality show**, término que designa un tipo de programas televisivos centrados en la desgracia de una o varias personas que la airean ante el público. Mis amigos angloparlantes declaran no conocerla como propia.

Una de las formaciones más interesantes en este fenómeno de transculturación que son los anglicismos es el calco violento **un relaciones públicas** —«nefasto relaciones públicas de sí mismo», M.

Halcón, *ABC Sábado*, 2-5-81, pág. VIII—, término tan frecuente, en singular y plural, para hombre o mujer, que eximo al lector de más ejemplos probatorios. Lo más curioso del caso es que la discordancia gramatical la ha creado el español, pues en inglés no cabe decir **a public relations*, sino *a public relations man*, o *the public relations staff*. M. Sousa, que admite *relaciones públicas*, como actividad, propone *relacionista* para la persona que se ocupa de ellas. Creo poder afirmar que este uso híbrido de singular y plural es exclusivamente español, y no recuerdo haberlo encontrado en la prensa americana de lengua española. Sí he anotado, en cambio, en la prensa uruguaya, un ejemplo que parece dar la razón a M. Sousa: «Luis V. Garagorri, activo relacionista público...», *La Mañana*, 15-2-95, pág. 10. También en un anuncio de *La Nación* (Costa Rica) se solicitan personas de «excelente presentación, mucha facilidad de palabra y buenos(as) relacionistas públicos» [hay una errata en que la última palabra pierde la *l*). La coincidencia del Uruguay con Costa Rica me hace pensar que esta adaptación debe de estar más extendida. [Sí, corrigiendo pruebas encuentro *relacionistas* (*públicos*) en *La Estrella de Panamá*, 12-1-96, pág. 2.]

Ignoro si está escrito con intención irónica, pero el uso del anglicismo **reloj de alarma** (< ingl. *alarm clock*) por 'despertador' no parece corresponder a la prosa castiza de su autor: «Hay quien se despierta cuando el reloj de alarma», J. Berlanga, *ABC*, 7-9-89, pág. 109.

Si, en inglés, *to rest* significa 'descansar, reposar', y *head* significa 'cabeza', no parece aventurado suponer que **reposacabezas**, *passim*, sea un calco del ingl. *headrest*.

El término despectivo **república bananera**, referido primero, en los años treinta, a los países del Caribe, traduce, sin duda, la expresión *banana republic*, con la que se designaba a aquellas que, entre otros productos, suministraban plátanos al mercado yanqui. Prescindo de documentar el uso, pues ya figura en el *DRAE*, aceps. 3.ª y 4.ª.

Sobre la forma inglesa de **rizar el rizo** (ingl. *looping the loop*), ya se ha tratado más arriba, s.v. *looping.* Debe consignarse aquí que esta frase ha tenido entrada en el *DRAE* como *hacer el rizo* y *rizar el rizo*, admitidas ya en 1947, o acaso antes, pero en 1984 se añade la acepción 2.ª 'apurar victoriosamente las máximas dificultades...' y en 1992 la 3.ª 'fig. Complicar algo más de lo necesario'. Esta extensión de significados, desconocida en inglés, la registran ya los modernos diccionarios bilingües.

Una 'peluquería de señoras' se llamaba en inglés, al principio, *hairdresser's*, término que en Gran Bretaña servía también para 'barbería'. Pero a principios de siglo pareció más elegante en los Estados Unidos el nombre de *beauty salon* o *beauty parlor*. Estos dos términos, en inglés, los usa F. Ayala (*Fondo*.... págs. 102 y 110). Ambos, traducidos como **salón de belleza**, desde México a Chile, alternan con *peluquería* (*de señoras*), *salón* (México) o el préstamo crudo del inglés en Puerto Rico *beauty parlor* (10 respuestas; *salón de belleza*, 4). La Academia, sin localización, ha incluido *salón de belleza* en la última edición (1992) de su diccionario.

En el parlamentarismo anglosajón se llama *second reading* (**segunda lectura**) a la fase, una de tres, en que un proyecto de ley (*bill*) se presenta en una legislatura; en la Gran Bretaña para aprobar sus principios generales, en los EEUU para discutir los informes de las comisiones. Se ve que esta práctica ha sido imitada en algunos países hispánicos, como revelan estos ejemplos de Guatemala: (nótese que el verbo *pasó* por 'aprobó' es también calco del ingl. *to pass a bill*) «El Congreso de la República pasó en segunda lectura el proyecto de decreto...», *Prensa Libre* (Guat.), 9-11-89, pág. 2; la noticia se repite en pág. 28: «Segunda lectura en el Congreso de la República...».

La combinación *second thoughts* del inglés, registrada en muchos diccionarios bilingües s.v. *thought*, pero en los monolingües preferentemente s.v. *second*, ha sido causa de que aparezcan traducciones literales —**segundos pensamientos**— en español, que difícilmente puede entender el lector. Véanse dos ejemplos: «...nunca tuve segundos pensamientos a este respecto...» (de una entrevista al bailarín Nureyev, traducida en TVE, 4-7-86) = nunca tuve reservas(?); «...algo que, como dicen en Washington, les produce 'segundos pensamientos'...» (= ¿les hace dudar?), M. Blanco Tobío, *ABC*, 4-8-88, pág. 13. *Second thought* significa, por lo general, 'reserva sobre un acuerdo o decisión previa', y la locución adverbial *on second thoughts* suele traducirse correctamente —y los diccionarios bilingües coinciden en este punto— por 'pensándolo bien'; mas no parece ser éste el caso de los ejemplos citados.

En la prensa mexicana, y sospecho que el uso se ha extendido a otros países hispánicos, he anotado el término **servidores públicos** (ingl. *public servants*) para designar a los que en España y fuera de ella se llaman funcionarios. Así, p. ej., en *El Universal* (Méx.), 12-11-92, pág. 6; también *passim* en *Excelsior* y el *Heraldo de México* (Oct. 1986).

Ha dado la Academia su asentimiento, primero en el *DMILE* y luego en el *DRAE*'92, al calco **sombra de ojos**, tomado del ingl. *eyeshadow*. El diccionario académico define «Producto cosmético de diversos colores que se aplica sobre los párpados». No ha tenido igual suerte el anglicismo *eyeliner*, escrito también *eye-liner* en España y calcado como *delineador* (*de ojos*). Los verbos *delinearse* (o *pintarse*) *los ojos*, alternando con «pintarse la raya» en México, indican que no hay acuerdo sobre el uso común. En España predomina el uso de *pintarse* (*hacerse*) *la raya* según me aseguran las enteradas.

Lo normal, cuando se habla de los estados más representativos de lo que en inglés se llama *Deep South* (= Sudeste de los EEUU = Georgia, Carolina del Sur, Alabama, Misisipí y Luisiana), es traducir el término por **Sur profundo** (así, por ej., en el *LEPaís*, s.v. *Deep*

South: «en inglés 'el *Sur Profundo*'»), rara vez con la inversión de la cita siguiente: «Sólo me falta ser un alcohólico blasfemo y [...] para parecer un personaje del hondo sur» (M. Vicent, *El País*).

Ya hemos comentado más arriba (cf. pág. 175, n. 1) la difusión de *terapia* a costa de otras opciones aceptadas en nuestra lengua. El neologismo **terapia ocupacional** revela en sus dos componentes su origen anglosajón, es decir, *occupational therapy*.

También hemos señalado en otro lugar («Anglicismos en la Academia», Lorenzo '93) como ejemplo de adaptación de voces extranjeras el caso de «*full time* pronunciado *fultaim*». El ejemplo elegido por la Academia para ilustrar el acuerdo tomado en 1993 parece acertado, pues los intentos de aclimatación del nuevo concepto laboral no han sido, ya queda dicho, demasiado afortunados. De los datos que nos facilita López Morales sobre Puerto Rico se deduce una total ausencia de unanimidad en las respuestas a lo que en inglés es, sin más, *full time* o *part time*. He aquí los resultados; para el primero: trabajo (empleo) *a* **tiempo completo** 6, full time 3, tiempo completo 1, trabajo a tiempo total 1, trabajo 1, pleno empleo 1; para el segundo: trabajo a tiempo total (sic)1, part time 6, chivo 4, trabajo a jornada parcial 1, chivito 1, trabajo a tiempo parcial 1. Sobre las soluciones españolas *dedicación plena*, *dedicación exclusiva*, etc., ya hemos mostrado nuestro escepticismo. La opción «a tiempo completo» sólo la hemos anotado en Vargas Llosa: «agente a tiempo completo», *ABC*, 9-4-83, pág. 3.

No encuentro el término *all-terrain vehicle* en los diccionarios británicos y sí en el *RHD*, por lo que deduzco que *vehículo* **todoterreno**, que falta en los diccionarios españoles, debe de ser calco del compuesto americano. Es expresión de uso frecuente y de flexión vacilante. Cf. «vehículos todoterreno, dos todoterreno» (*ABC*), «ventas de todo terrenos españoles, un todo terreno» (*El Mundo*), «los todo terreno que... utiliza la Benemérita; a los guardas se les ha dotado... con todoterrenos y rifles modernos» (*ABC*). El *Collins Bil.*, como tantas veces, se adelanta a los lexicógrafos españoles e incluye *todoterreno* en su edición de 1992 (no en 1988), con la traducción 'jeep (type of), Land Rover, all-purpose vehicle...' y otros usos adjetivos y figurados, pero no el que parecería obvio —'all-terrain vehicle'—, que también figura en su lugar correspondiente (Inglés-Español) traducido precisamente por 'vehículo todo terreno' (sic). En Colombia se ha resuelto mejor, pues se ha aprovechado la voz *campero*, incluida como acepción 11.ª («*Col.* Automóvil de todo terreno») en el *DRAE*'92.

No es de extrañar que, dada su actualidad como voz de moda entre gente acomodada, se use en sentido figurado como adjetivo referido a personas: «...Los directivos son todoterreno...», *El País Negocios*, 20-3-94, pág. 22; «25 años de actriz todoterreno», *El País semanal*, 12-11-95.

Aunque los dos componentes de la expresión **tráfico de influencias** (¿ingl. *influence peddling*?) están sazonados con sustancias extranjeras —*tráfico* 'comercio, trasiego' es italo-catalán; *tráfico* 'circulación de vehículos', francés o inglés; *influencia* es clásico, pero *influenciar* es un galicismo—, no estoy seguro de que, pese a las apariencias, la frase *influence peddling*, que figura en los diccionarios, sea responsable directa de la española. Sospecho, sin embargo, que la falta de un equivalente español de *cabildeo* y *cabildear*, ya mencionados como mexicanismos para *lobby, lobbying* 'presionar, cabildear para conseguir algo', ha facilitado la extensión del significado directo para abarcar ambos conceptos e incluso justificar la acepción única que encuentro en un diccionario español (*VOX*) de 'uso o aprovechamiento indebido de los conocimientos o informaciones obtenidos en el desempeño de un cargo público', definición que más parece corresponder a la expresión inglesa, a veces asomada a la prensa española, *insider trading*. El uso de este término en el diario *El Mundo* (28-2-92) se refiere a la carta del entonces Gobernador del Banco de España en que éste niega haber facilitado «información confidencial» a la empresa Ibercorp. Es decir, corresponde aproximadamente a lo que *VOX* define como *tráfico de influencias*. El número de *ABC* de 6-7-94 publica una columna con el título *Insider Trading*, «firmado» en dibujo —omitieron el nombre del autor— por su colaborador habitual Lorenzo Contreras, donde, sin embargo, se evita esa expresión y se prefiere «información privilegiada». Creo que en este caso —información privilegiada— la información se usa en provecho inmediato propio; en el tráfico de influencias se hace valer, no sólo la información, sino la amistad, autoridad o valimiento con otra persona en beneficio de un tercero que ha de «agradecer» la intercesión. Hay otro ejemplo en que aparecen mezclados los dos conceptos, lo que explica que ambos «se contaminen» mutuamente: «[en el Parlamento todos coinciden en que] M. Rubio utilizó información privilegiada y tráfico de influencias en beneficio propio...». Habrá que esperar hasta ver en qué sentido se decantan uno y otro término.

Creo que el término **turoperadores** (ingl. *tour operators*), por su sintaxis, es una mala adaptación del inglés; pero la solución propuesta por algunos académicos bien intencionados, *operadores turísticos* (véase s.v.), tropieza con la inercia o la indiferencia de los interesados. En anuncios y noticias de prensa, así como en publicidad exterior —fachadas, autobuses, etc.— sigue apareciendo *t(o)ur operadores*.

Los neologismos de aviación **ultraligero** y **ultraliviano** (< ingl. *ultralight*) se usan en España y América respectivamente. Pero también aparece *ultralight* en inglés como intensificativo de la serie de productos *light* lanzados por la publicidad de ciertas comidas y bebidas.

Es tan literal la correspondencia de **unidad de cuidados intensivos** con su equivalente inglés *intensive care unit* que nos inclinamos a pensar que se trata de un calco de los usos hospitalarios anglosajones. La llamada *unidad de vigilancia intensiva* o U.V.I. es, me dicen, algo distinto, pero la coincidencia en el término de *unidad(unit)* e *intensivo(intensive)* me hace pensar en el mismo origen.

Las referencias astronómicas al santoral católico cambian si se trata del hemisferio norte o del hemisferio sur y, por supuesto, no son generales en todo el mundo hispanohablante. Por ello no es extraño que Carlos Fuentes, refiriéndose al veranillo de San Martín / San Miguel o de San Juan escriba: «...septiembre era el mejor mes, fines de septiembre y principios de octubre. El verano indio...» (*A. Cruz*, pág. 211). Este **verano indio** (ingl. *Indian summer*) también lo he encontrado en otros textos menos literarios.

En 1966 señalábamos como calco el uso de **viaje redondo** para designar lo que en inglés se llama *round trip* y en español actual *viaje de ida y vuelta.* Pero la cuestión es más complicada, pues la Academia ya recogía, en su edición de 1852, s.v. *redondo*, dicha expresión, que define como «el directo de un puerto a otro, y la vuelta directa de éste al de salida. Dícese con más propiedad cuando ha sido feliz y sin tocar en puertos intermedios». Desde la edición de 1899 hasta hoy se dice: «El efectuado yendo directamente de un punto a otro y volviendo al primero. 2. fig. Completo y fácil resultado de un negocio emprendido». (de 1915 a hoy, puerto > punto). Esta última acepción ha sido aprovechada en el anuncio de una compañía de «ferries» inglesa para promocionar el servicio Bilbao-Portsmouth con la coletilla «Para que su viaje resulte redondo» (*El País*, 12-6-94). Sin embargo, el hecho de que los diccionarios bilingües ofrezcan, aparte del normal 'ida y vuelta', alternativas tales como *viaje redondo* o *viaje circular* (*Larousse*) y que en el primer caso se localice el uso en América (*Collins*) o México (*Oxford*) hace pensar que se trata de un calco del inglés americano. En Gran Bretaña se usa también *return ticket* para el billete de ida y vuelta.

Los aficionados a la música ya maduros acaso recuerden una marca de discos de gramófono llamada en inglés *His Master's Voice* y traducida al español literalmente como *La* **voz de su amo**, nombre también de una compañía filial o asociada con la americana. Aunque tanto la forma inglesa, por ser nombre comercial, como la española suelen faltar en los diccionarios, monolingües y bilingües, hay un uso metafórico que recoge el *DMILE*: 'persona que repite o defiende servilmente las opiniones o ideas de otro que tiene ascendiente sobre él [sic]'. Un ejemplo: «M. S., directora del Instituto de la Mujer, ha marginado a más de 1.000 ONG [Organizaciones No Gubernamentales] en beneficio de 19 asociaciones afines que actúan como la voz de su amo», *ABC*, 5-3-95, pág. 23. Pero la frase, como se ve, no queda restringida al inventario académico y puede encontrarse la misma definición, al pie de la letra, en el *Diccionario de argot...* de V. León.

Capítulo IV

SINTAXIS

Ya Chris Pratt, en su día, advirtió que una de las novedades de mi planteamiento del anglicismo consistía en señalar algunos rasgos sintácticos del español actual cuyo origen podría estar en la sintaxis inglesa. Como desde antiguo la gramática histórica española, a falta de estudios y de datos suficientes, ha soslayado los planteamientos sintácticos (exceptúo los trabajos de Keniston y Lapesa), es difícil afirmar que tal o cual uso se desvía, por influencia del inglés (o de otra lengua) de la «norma establecida». No hay que olvidar tampoco que la flexibilidad del español en cuanto al orden de palabras o la fluctuación en el uso aceptado de las preposiciones, sin olvidar las licencias poéticas que refuerzan ciertos usos anómalos, todo ello contribuye a tomar con cautela cualquier afirmación que pretenda descalificar un uso determinado como anglicismo. Debe entrar aquí en consideración, a mi juicio, un factor cuya subjetividad no niego: la frecuencia. Por citar el caso mejor estudiado, gracias a la tesis de John N. Green, el del uso de la pasiva española con el verbo *ser* como auxiliar, vemos, con ayuda de sus estadísticas, que lo que en la prosa tradicional de todo tipo, teatro, novela, obras científicas originales, puede tomarse como una posible alternativa de expresión, con raíces seculares en español, alcanza en las noticias periodísticas, en especial si son de fuente inglesa, tal densidad de uso que no puede negarse la interferencia de la lengua original en el texto que se nos presenta. Este fenómeno, que en el plano léxico hemos llamado ya *anglicismo de frecuencia,* admite, entre quienes lo defienden, toda clase de disculpas, pero prescinde de las ricas posibilidades matizadas y expresivas de que dispone nuestra lengua, y favorece el empobrecimiento que tan justamente lamentan quienes de veras admiran la riqueza significativa del español. Cito sólo aquí, como ejemplo, la ambigüedad y polisemia de la noticia *La ciudad fue inundada* (< *the town was flooded*) frente a las opciones *quedó, resultó, se vio, acabó, estuvo*, etc., *inundada.* Así, por ejemplo, en la carta que un ilustre profesor enviaba al diario *ABC* comentando un acto de clausura académica veraniega: «*Fui sorprendido* al encontrar un nutrido auditorio...», donde hubiéramos esperado un *quedé sorprendido*, pues *fui* + participio tiende a asociarse, como *fue inundada*, con un agente implícito o explícito. En algún ejemplo de los que siguen se puede comprobar que, aceptado tácitamente el confusionismo producido por estas alternativas, no siempre aprovechadas, aparecen también estas opciones cuando el verbo *ser* debería ser el normalmente preferido (vide infra, ejemplo núm. 21).

Este sincretismo, este abandono de instrumentos eficaces depurados tras siglos de historia en el idioma, se ha hecho tan habitual para el traductor o redactor apremiado de tiempo, que su exclusividad apenas llama la atención del lector moderno, poco propenso a contrastar la prosa periodística de batalla con la de los maestros del estilo. Ello explica que en trabajos de clase, que ya he decidido no encargar, la búsqueda de ejemplos que revelaran la existencia de un modelo sintáctico inglés en las noticias españolas resultó abrumadoramente negativa, pues ha sido tan intensa y extensa la penetración de las fórmulas de *ser* + participio, que los alumnos investigadores, tan sometidos a la prosa inglesa como a la española, consideraban perfectamente normal esa frecuencia, sin percibir la ausencia de otras opciones de nuestra lengua que hubieran matizado, mejorándola, la prosa periodística.

Es precisamente esa flexibilidad del español, que aprovecha múltiples soluciones y ordenaciones sintácticas, la que hace tolerables muchas construcciones no censurables ni condenables por infracción de reglas o normas jamás establecidas, pero sí por la frecuencia y exclusividad con que desplazan e incluso arrinconan fórmulas de expresividad y eficacia demostradas, no sólo en el plano de la prosa informativa corriente, sino en el más castizo y característico de los recursos expresivos conocidos como modismos, giros, locuciones adverbiales, de cuestionable equivalencia en inglés. Ya comentábamos hace cuarenta años la expansión de cierto tipo de compuestos como *Conferencia Club, Pen Colección, plexiglás*, etc. Omitíamos, por obvios, casos como *Fútbol Club Barcelona, Racing Club, Athletic Club* (entonces en proceso no cuajado de hispanización), *Pepe's bar, camping gas, Aero Club, cineclub, Real Automóvil Club*, etc. Hoy habría que añadir muchas formaciones más: *Bocata House, Bocata World, Stop Modas* (nombres de tiendas), *drogadicto, narcotraficante, Fútbol Asociación* (en *FIFA*), *aerolíneas, malnutrición*, el grupo español *Occidental Hoteles*, etc. No debe extrañar, por tanto, que los otrora populares *Viajes Meliá* hayan cedido el paso a *Halcón Viajes* en las oficinas de la empresa sucesora. Lo mismo vale para explicar *Viajes Barceló* convertidos en *Barceló Viajes*. En esto de los viajes, *tours* es hoy palabra de moda para el transporte de personas: *López Tours, Segotours* (de Segovia), etc.

Preposiciones

Se ha exagerado mucho el influjo del inglés en el uso actual de las preposiciones españolas. El régimen de ciertos verbos tolera, para bien de la lengua, opciones diversas que enriquecen la capacidad expresiva de nuestro idioma. El manual de la Agencia EFE (*MEU*, 1994) enumera, con gran acierto, las posibilidades de régimen prepositivo de «vocablos especialmente frecuentes» (pág. 62 y ss.). Ahí vemos, sin esforzarnos, cómo ciertos verbos —*hacer, salir, hablar, colocar*, etc.— admiten cuatro o cinco preposiciones; otros, como *estar*, hasta once. Resulta, pues, por lo menos imprudente desautorizar ciertas construcciones por su coincidencia con las inglesas, sin pensar que las posibilidades del español todavía están claramente faltas de inventario y codificación. Esa misma agencia es objeto de censura por uso de preposiciones en una noticia norteamericana: «conferencias por 60.000 dólares cada una» (< ingl. «for 60.000 dollars a pop»), que el crítico (J. Garrido, *Id. e Inf.*, 1994, pág. 344) preferiría ver traducida «a sesenta mil dólares la aparición». Antes de los Juegos Olímpicos respectivos, hubo series de televisión tituladas *Camino a Cálgari* (Canadá) y *Camino a Seúl*. Se trataba sin duda de calcos sintácticos sobre el modelo inglés *The road to Calgary* y *The road to Seoul*. Del mismo origen es el uso, tan frecuente y habitual que ya nadie lo condena (sí lo hacía en 1980 el manual de estilo de RTVE), del verbo *viajar* con la preposición *a*: *viajó a París, viajó a Italia*; dicho manual recomienda: «Dígase *viajar por, trasladarse a, partir hacia,* etc.». También lo es «Es peligroso volar *bajo esas condiciones*» (ABC News, 1-12-94) cuando hubiera bastado traducir *en esas condiciones*. Lo mismo vale para «El Gobierno de Malaui puso ayer *bajo arresto* al ex presidente del país». Implícita o explícitamente algunos manuales de estilo rechazan por anglicismos ciertos usos de *bajo*, como los citados, así como las locuciones *bajo cubierta* (< ingl. *under cover* = *so capa*); no creo que se deba al inglés la construcción *bajo el punto de vista*, pues la preposición usada es la misma que en español (*from* = *desde*): *from the point of view, from the standpoint*. Acaso tampoco, como hemos apuntado (cf. pág. 52), debería tomarse como anglicismo *en base a*, condenado ya en 1985 por el *MEU* («No usar nunca este giro prepositivo, que es un crudo anglicismo tecnocrático»). La edición última (1994) es menos tajante, pues lo rechaza como «probable anglicismo». El *LRVang.*, como el reciente *LEABC*, también lo rechazan. Consultando el *Collins Bil.*, las dos equivalencias que se nos ofrecen para *en base a* son 'with regard to, with a view to'; no obstante, el *Oxford Bil.* ofrece, para *on the basis of*, aparte de *sobre la base de*, también *en base a*. No se puede descartar la influencia inglesa. En los primeros encuentros con el inglés el estudiante español tiende a identificar, engañado por la forma, la locución prepositiva *in front of* con la española *enfrente de*. Y esta identificación perdura en algunos casos en que, contra toda evidencia, se traduce así: «Mecano [grupo musical], millonario de ventas, *frente a* un graffiti» (pie de foto del grupo *delante de* un cartel gigantesco con tres artistas famosos), *Época*, 7-3-88, pág. 119.

Pero sería equivocado condenar el título del famoso *Viaje a la Alcarria*, de Cela, invocando el modelo cervantino de *Viaje del Parnaso*. A la misma tendencia obedecen los usos prepositivos «*la llave al paraíso*» (*Diario de Caracas*, 17-5-93, pág. 47) por *la llave del paraíso* o *en esta manera* (< *(in) this way*) por *de esta manera*. Otras veces el calco del inglés se refleja en la omisión o presencia anómala de ciertas preposiciones en español: *jugar póquer, tocar guitarra* (anuncio en Costa Rica), *jugar tenis* (omisión); *estuvo hablando por dos horas* (*por* redundante). Además de las citadas, ciertas locuciones prepositivas tienen marcado sabor inglés: *de acuerdo a, en relación a* por *de acuerdo con, en relación con* (preferible y más conciso sería *según*), *en orden a* por *para*. El uso de *en* por *de* choca a menudo en frases como: *los camareros en smoking; mi primo en Nueva York; el hombre en el traje gris*, etc., donde esperaríamos *de*.

Caso aparte lo constituyen verbos que tienen distinto régimen prepositivo en inglés y en español. *Consistir de* traduce a veces el ingl. *consist of* en vez de *consistir en*, como hemos anotado (cf. págs. 58-59, s.v. *ser consistente con*). Recordemos el uso de *agradecer por*, mencionado más abajo, o el de *resultar en*. Hay que decir, en disculpa de estas «infracciones», que aunque el inglés contribuya a favorecerlas, pueden deberse a contaminación de fórmulas equivalentes dentro del sistema: así, *dar las gracias por algo* facilita el uso de *por* en *agradecer por* como *constar de* el de *consistir de*; no hay que extrañarse, pues, de que el verbo *resultar + en + sustantivo* pueda parecer un calco del ingl. *to result in*, como lo considera el *MEU*, que recomienda en su lugar *dar como resultado, tener como consecuencia*, soluciones que se me antojan sospechosamente anglicadas. (Yo preferiría *por resultado* y, acaso, *por consecuencia*. Cf. más abajo sobre el abuso de *como.*) Curioso resulta que el *Diccionario de uso del español*, de M.ª Moliner, en general muy atento a los anglicismos que circulan en España, registre *resultar en + sustantivo* con el valor de 'redundar' y nos ofrezca un ejemplo de este uso. A la misma causa obedece, a mi juicio, la cada vez más frecuente construcción del verbo *devenir*, siempre considerado galicismo, con la preposición *en*. Así, el escritor que busca un sinónimo de *convertirse en*, típico verbo de cambio, y acude a *devenir* aporta al nuevo uso la preposición del abandonado: «el ocio no deviene en cultura por sí mismo». Esta frase, y alguna más del mismo tipo, son de Cela, que no se librará de la condena, más o menos abierta, de los nuevos Clemencines. También registramos este uso en Neruda: «Muchos de mis recuerdos han devenido en polvo...» (*Confieso...*, pág. 7). Basta mencionar verbos como *acabar, terminar, desembocar*, que toleran la preposición *en*, para comprobar las posibilidades de contagio con el anglicismo condenado, en cuyo uso reconozco haber incurrido, como también algún colega poco inmune a las construcciones del inglés: «... se temía que la RFA resultase en una *Unregierbarkeit* [ingobernabilidad]...», M. B. Tobío, *ABC*, 26-1-87, pág. 3. «... la drogadicción es un problema... que en ciertos casos... resulta en enfermedad», S. Grisolía, *ABC*, 23-11-94, pág. 3.

Por otra parte, el adverbio *inmediatamente* se muestra alguna vez como nexo de carácter prepositivo/conjuntivo y parece reflejar el uso británico de *immediately* en frases como *immediately he arrived he sent a telegram*. Así se explican en español «inmediatamente de ocurrir el accidente...», *YA*, 19-12-65, pág. 2; «Se acordó que inmediatamente [tan pronto como] sea publicado el mencionado 'libro' [*Libro Blanco de Educac.*] se recabe informe de los sindicatos provinciales», *ABC*, 31-1-69, pág. 27; «XX me libró del compromiso. No de la comezón que, *inmediatamente de ver* [después de ver, en cuanto vi]... puso en carne viva las entretelas de mi entendimiento...», L. López Sancho, *ABC*, 2-9-90, pág. 103. Otras divergencias advertidas: *en otras palabras*, muy frecuente por *dicho de otro modo* o *con otras palabras*; *esperando por Antonio* en vez de *esperando a Antonio*, etc.

En una oración de gracias al Espíritu Santo difundida por casi toda la prensa hispánica, la persona que la inserta «quiere *agradecerte por* todo y confirmar que nunca más...» p. ej., en *ABC*, 10-2-95, pág. 117 (2 inserciones). No suele aparecer en la prensa anglosajona, pero un día recibí un *Times* de la India con la misma oración, donde se veía que la fórmula era aproximadamente en inglés *thanking for all favours*.

No estoy muy seguro de que la aparición de dos preposiciones rigiendo el mismo objeto sea debida a influjo del inglés: «Muchos turistas... no se acercan a Viena [por los rusos], otros vienen precisamente por y para ello», C. Sentís, *ABC*, 29-5-55. Sí es anglicismo el uso, ya denunciado por Bello (*Gramática*, § 1196) en Jovellanos y Blanco-White, ambos conocedores del inglés, que consiste en callar el término, cuando hay dos preposiciones distintas y términos idénticos, con la primera preposición y expresarlo en la segunda: «Todo lo cual fue *consultado a* y obtuvo la *aprobación de* la junta» (Jovellanos). A los que oímos la secuencia «antes del parto, en el parto y después del parto» todavía no nos resultan extrañas frases como «La controversia desatada antes, en y después del premio», *ABC Liter.*, 15-4-89, pág. 11; «un solo canal de y para Valencia», *ABC*, 15-4-89, pág. 82; «los filmes de y sobre la desilusión en el cine francés más típico...», F. Nieva, *ABC*, 12-3-95, pág. 3.

De distinta índole es el uso predicativo de las preposiciones/adverbios *in* y *out* que tenemos anotado desde hace 25 años —«Columna IN», *Diario SP*, 20-2-69—. Con *in* se indica lo que está de moda o es aceptable (incluidas personas) en el grupo social que usa el término, con *out* lo pasado de moda o rechazable. Rosenblat (IV, 1969, pág. 145) comenta: «hay quienes *están in* (al tanto de las cosas, en la moda, en el buen gusto social) y los que *están out*: 'eso es muy in' (muy chic);... 'Eso de las mujeres primero, ya está aut'». El diario *ABC* publicó durante cierto tiempo dos columnas semanales en las que se reflejaban los vaivenes y veleidades del gusto o la opinión colectivos. Parece que esta moda está hoy en situación de *out*. Igual que el español, han recibido también esta influencia el francés

(*Robert Angl.*), alemán (*Duden*), italiano (Zingarelli) y portugués (J. P. Machado); no descartamos otros idiomas.

La voz pasiva con *ser*

Desde nuestra primera aproximación al problema de los anglicismos (1955) no ha dejado de preocuparnos la propagación de lo que llamábamos entonces anglicismos solapados, pues bajo una vestimenta acorde con los usos exteriores del español se ocultaban significados (calcos semánticos) y construcciones (calcos sintácticos) posibles, pero inusitados en nuestra lengua. Ya hemos tratado o mencionado de pasada algunos ejemplos como los de las noticias de prensa que, por la urgencia de la publicación, invadieron los periódicos españoles cuando el asesinato del presidente Kennedy. Tal profusión está bien explicada en el estudio estadístico, resumen de su tesis doctoral, publicado por el profesor John N. Green en 1975 («On the frequency of passive constructions in modern Spanish», *Bulletin of Spanish Studies*, LII, págs. 345-362). Ya hemos comentado en otro lugar («Sobre el talante y el semblante de la lengua española», *El español y otras lenguas*, págs. 9-26), la resistencia de nuestro idioma a usar construcciones pasivas con *ser*, en parte porque suscitan ambigüedad: cf. *estos niños son descuidados* (por sus padres, por naturaleza), en parte, sobre todo, porque se dispone de una eficaz serie de opciones para matizar, en conmutación, la «pasividad» del sujeto, y en parte también, porque la flexibilidad sintáctica permite, si hace falta, destacar o dar relieve al objeto u otro complemento de la oración activa sin acudir al recurso, de que tanto abusa el inglés, de convertirlo en sujeto de la pasiva. No se ha llegado, ni como calco, a un «*la cama había sido dormida en», ni tampoco a un «*Juan fue dado un libro», pero aunque el fenómeno de la pasiva española con *ser* se hace cada vez más habitual y se justifica alegando ejemplos clásicos e incluso tomados de las gramáticas —*Pedro escribió la carta > la* *carta fue escrita por Pedro*—, el hecho es que, para muchos hispanohablantes, ciertas construcciones del tipo de *estar siendo* + participio, pese a la autoridad de algunos que las utilizan, resultan a veces chirriantes e inaceptables. Ya recordamos más arriba (INTRODUCCIÓN, n. 8) la carta del prof. Ramos, de N. York, lamentando este uso en autores de la talla de Borges, Lapesa y Marías; nuestra reacción dejaba abierta la posibilidad de que entre *están siendo revelados* [*algunos secretos*] y *los están revelando* no hubiera diferencia en cuanto a su aceptabilidad, pero habría que probarlo. Alfaro dedica más de dos columnas a la cuestión y ofrece soluciones muy sensatas para evitar la mencionada construcción. El *MEU*, hasta su 9.ª edición (1992), todavía la condenaba por anglicismo: «La propuesta *está siendo estudiada* por los Sindicatos». Preferible: «Los Sindicatos *están estudiando* la propuesta». Esta misma condena la encontramos en el *LEABC* (1993) y en el *LRVang.* (1986), con ejemplos distintos. Pero en el *MEU*, entre 1992 y 1994 alguien ha descubierto que «No hay tal anglicismo. El ejemplo citado es la transformación pasiva de *Los Sindicatos están estudiando la propuesta*». Y en 1994 el *MEU* ya no lo condena. Dicho queda que el español puede usar la pasiva con *ser* cuando libremente lo prefiera, pero está claro que *libremente no lo hace*, a menos de estar influido, en mayor o menor grado, por la prosa inglesa. Los enunciados que reproducimos, en la pluma de los autores citados, enriquecen el español, siempre demasiado reacio a la pasiva con *ser*. Merece la pena que mencionemos aquí un ejemplo citado por Fernando Lázaro (*EIEAP*, pág, 32): «Un alto el fuego dentro de veinticuatro horas, un intercambio de prisioneros, y el comienzo de conversaciones bilaterales que conduzcan a un tratado de paz es lo acordado ayer en la conferencia de Ginebra». Cabe imaginar sin esfuerzo que el quiebro «es lo acordado» representa un rechazo del posible «fue acordado» del original. Los ejemplos de pasiva con *ser* que ofrecemos más abajo parecen confirmar nuestra hipótesis. No es éste el lugar para explicar esa predilección del inglés por la fórmula *ser* + participio, que algunos no quieren llamar «pasiva», pero sí merece la pena recordar lo que en publicación no venal, agotada (*Problemas de la traducción*, Fundación Alfonso X el Sabio), decíamos en 1987:

«...la formulación de un contenido lingüístico mediante el recurso gramatical conocido como «voz pasiva», obedece, a nuestro juicio, a dos motivos principales: a) por un lado, al deseo de destacar, en posición de relieve —el primer lugar lo es en muchas lenguas— dentro de la cadena hablada, algún componente no activo de la oración, siendo potestativa la mención del sujeto agente, aunque se conozca; b) el desconocimiento u omisión voluntaria del agente de una oración transitiva. En el primer caso, por exigencias de la norma sintáctica, que favorece en inglés actual el orden Sujeto-Verbo, resulta evidente que la construcción pasiva sería la solución; sin embargo la pasiva de la tradición románica no tolera, por lo regular, otra conversión que la del complemento directo de una transitiva en sujeto gramatical de una pasiva...

...Pero las cosas se complican cuando aparece en inglés como «sujeto» de la pasiva un complemento indirecto de la activa (*Somebody gave me a book— > I was given a book* = Alguien me dio un libro — > *yo fui dado un libro). Esta «transformación» resulta un tanto incomprensible, pero casi aceptable para el hablante español, ya avezado a construcciones como *él fue dado de alta* o *David fue robado en un hotel de Harlem...* (*ABC*, 28-4-84, pág. 96). [...]. El caso extremo, opuesto a toda la tradición gramatical fundada en el latín, es el del complemento «circunstancial», representado normalmente en latín por el ablativo, el cual, al convertirse en inglés en el sujeto de la pasiva, da lugar a construcciones «aberrantes» como *the bed had not been slept in, she was being made fun of, she will be taken good care of, this must be got rid of* (los dos últimos ejemplos, tomados de Jespersen, O., *A Modern English Grammar*, III, págs. 316-7) [...] también es posible en inglés convertir en sujeto de la activa, mediante catáfora, a toda una oración subordinada, sobre todo con *verba dicendi*. El sujeto activo de ésta, a su vez, se convierte en sujeto pasivo: *It is reported that he is dead—> he is reported (to be) dead; it is supposed that he is sick—> he is supposed to be sick*», *op. cit.*, págs.

108-9. [Esta última construcción, muy frecuente en inglés, ha dado lugar a extraños calcos en español como *estaban supuestos de morir* (< *they were supposed to die*), *el departamento de servicio hace lo que está supuesto a hacer* (venta de automóviles), a veces con las fórmulas no muy afortunadas de *se suponía que morirían, hace lo que se supone que debe hacer* (en estos ejemplos = *se contaba con que murieran, hace lo que debe hacer*).] A veces se echa mano de un adverbio: «Supuestamente (al parecer) XX se encontraba constantemente vigilada» (< XX was supposed to be constantly watched).

Volviendo a la construcción *estar siendo* + participio, y sin entrar en el problema de si es anglicismo o no, mientras no se documenten los antecedentes de su uso en español[1], cabe mencionar aquí que el desarrollo de esta tendencia en inglés venía forzado desde antiguo, ya que al extinguirse el uso del ant. ingl. *weorðan* (= al. *werden*) desaparecía también la oposición entre la pasiva *in fieri* y la pasiva perfectiva o resultativa, es decir, la oposición que en español se manifiesta entre *la casa es construida* y *la casa está construida* (al. *Das Haus wird gebaut // Das Haus ist gebaut*). En inglés, *the house is built* significa *es construida* y *está construida*; ello favoreció la perífrasis *the house is being built* 'la casa está siendo construida' que el español no necesita, pero parece tolerar, pues tiene defensores.

Sin embargo, con el argumento de la «transformación pasiva» se están filtrando en la prosa española actual otras construcciones gramaticalmente correctas, aunque —recordando a Chomsky— absolutamente inaceptables por el oído normal. Ya en 1955 citábamos algunas (cf. aquí, pág. 102). Pero hoy la cosecha puede parecer pavorosa. Véanse algunos ejemplos (la cursiva es nuestra):

[1] Acaso el antecedente más antiguo, en una traducción del inglés, sea el de la *Gramática* de Connelly, como ejemplo de construcción pasiva: *I have been thunderstruck* at his assurance and undertaking, *being* afterwards *apprized* of what had befallen him = *He sido asombrado* de su atrevida empresa, *siendo* después *informado* de lo que había acontecido (*Gram.*, pág. 420). Pero este ejemplo, donde falta el verbo *estar*, no basta.

1. (Pie de ilustración) «el cuerpo sin vida en el momento de *ser sacado*» (*ABC*, 26-4-84).

2. (Pie de ilustración) «Los creyentes *son descendidos* hasta el estanque para purificarse», *El País semanal*, 2-4-84, pág. 25.

3. «...doce mil millones de pesetas *fueron evadidos* de España el pasado año», *YA* (portada), 23-7-85.

4. «...la posibilidad de que el avión *fue hecho (sic) estallar*» [Una llamada a la compañía aérea JAL avisaba: «*Hemos hecho estallar* el avión»; ésta es la activa de la noticia], *ABC*, 14-8-85, pág. 36.

5. «...la aparición de... casos de este mal [desarrollo sexual precoz en P. Rico] *fue informada* [¿*reported*?] por los dos endocrinólogos», *ABC*, 21-8-85, pág. 26.

6. «...cuando *son escritas* estas líneas», Gilera, *ABC*, 21-8-85, pág. 47.

7. «...un menor disfrazado de momia [causó] gran alarma entre los vecinos y la policía de Ibi, al *ser visto andando* por el cementerio...», *ABC*, 14-10-85, pág. 69.

8. «...esta decisión *fue respondida* ayer con una nota... del Ministerio de Exteriores de Cuba...», *ABC*, 15-12-85, pág. 17.

9. «...el automóvil cargado de explosivos, cuando éste *se encontrara siendo desactivado*...», *El País*, 16-3-86, pág. 15.

10. «...una flecha que se clavó en un brazo de la víctima [que] pudo arrancársela y huir. [...pero] finalmente *sería alcanzado y dado muerte*», *ABC*, 5-4-86, pág. 67.

11. «...El Boeing 727 *fue visto* por numerosos testigos *estallar* en el aire...», *ABC*, 8-4-86, pág. 31 (cf. núm. 4).

12. «La Policía busca a un hombre... que *fue visto manipulando* el coche...» (titular); en el sumario: «un joven que *fue visto manipular* la baca del coche...», *ABC*, 22-7-86, pág. 15.

13. «Preste atención a... aleros y tuberías que pueden *ser* fácilmente *trepados* por los delincuentes» [Consejos de la Policía], *ABC*, 3-8-86, págs. 48-9.

14. «...Vargas Llosa *fue visto cenando* pescadito frito y marisco... [en Marbella]», *La Vanguardia*, 9-8-86, pág. 17.

15. «...Esta posibilidad es una de las que *está (sic) siendo contemplada (sic)*...», *ABC*, 28-8-86, pág. 15.

16. «...La víctima *fue forzada* sexualmente y *prendida fuego...*», *ABC*, 8-10-86.

17. «La *niña transplantada* de pulmones y corazón cumple mañana catorce años», *ABC*, 5-12-86, pág 45. [Días después, el 7-12-86, RTVE da cuenta de la 'Fiesta de los *niños transplantados*'.]

18. «...Ciudades, campos,... hombres *son hechos emerger* casi desde la nada por el narrador...», M. G. Posada, *ABC literario*, 6-l2-86, pág. 111.

19. «...A. *estaba siendo investigado* por la Policía», *El País*, 6-3-87, pág. 16. También «la Policía ha investigado... algunos de los pisos y zonas... en los que se trafica con droga...» (*ibíd.*, pág. 23).

20. «...El conde de Stauffenberg... no parece que *esté siendo muy escuchado...*», Tamarón, *ABC literario,* 9-5-87, pág. 1 4.

21. [Cae un helicóptero y mueren un comandante y once soldados] «...otros nueve, que viajaban en el mismo aparato, *fueron heridos...*», *ABC*, 30-8-87, pág. 15. En cambio, en noticia del mismo diario, parece compensarse el trueque de auxiliares, usando el verbo *resultar* donde esperaríamos *ser*: «Cinco petroleros *resultaron atacados* por lanchas iraníes», 3-9-87, pág. 23.

22. «...El propio Jackson *está siendo vuelto* como un calcetín...», B. Tobío, *ABC*, 13-10-87, pág. 40.

23. «...Un rincón de la casa *ha sido vuelto* habitable...», J. Rof Carballo, *ABC*, 15-10-82, pág. 3.

24. «[*la pequeña D.*] *fue sonreída* por la soprano...», García Hortelano, *Gram. Parda*, pág. 132.

25. «...sus temores de que [I.D.] *estuviese* a aquellas horas *siendo torturada...*», *ibíd.*, pág. 182.

26. «...les rogaba que *fuese siendo preparado* su novio en tanto terminaba ella...», *ibíd.*, pág. 150.

27. «...Elías resucita al muchacho después de *haber sido rogado* por su madre [...] y después de verse obligado el profeta...», R. Herrero, *ABC*, 6-6-83, pág. 37.

28. «...los escalones de la decadencia *son descendidos* con pasos almohadillados...», J. M. Alfaro, *ABC*, 17-6-83, pág. 3.

29. «...Tras un breve responso, el féretro *fue descendido...*», *ABC*, 23-11-93, pág. 43.

30. «Si Atila *hubiese sido cambiado* de sexo...», P. Crespo, *Hucha de oro*, 1972, pág. 76.

31. «...evocando [el curso del tiempo] con sólo bailes y canciones que *han ido siendo* populares [...], *ByN*, 5-8-90, pág. 10.

32. «Las acciones de Cementos A. *fueron suspendidas* ayer de la contratación pública y cotización oficial en la Bolsa...», *ABC*, 15-9-82.

33. [Apoteosis de la pasiva con *ser*]: «...los niños *fueron sacados y llevados* a la orilla, pero poco después *fueron vistos flotando* los cuerpos de los dos militares, que *fueron recuperados* del mar y *trasladados* al depósito [...] , donde les *será realizada* la autopsia». Es noticia de Roma + AP + EFE, 17-7-88 [?] .

34. «En el hospital las enfermeras *eran gritadas* por los pacientes», *El País*, 16-4-89, pág. 8.

35. «Aprovechando la confusión, el hombre que *había sido visto empujar* a la víctima trató de escapar», *ABC*, 6-6-89, pág. 100.

36. «Corazón Aquino [presidenta de Filipinas]: 'Estrictas sanciones *deberán ser impuestas* a los culpables'» (= Hay que castigar severamente a los culpables).

37. «[I. Montanelli]... conoció a Hitler y a García Lorca y *fue disparado* en las piernas por las Brigadas Rojas», J. Arias, *El País semanal*, 8-1-89, pág. 31. Vide infra.

38. «Un nuevo llamamiento a la paz en Vietnam *ha sido lanzado* por el Presidente Johnson...», *YA*, 2-3-66, pág. 10.

39. «El azarzuelamiento del texto, a nadie sino a él cabe *serle imputado*», *ByN*, 26-6-88, pág. 14.

Está claro que algunos de estos ejemplos son rechazables en buena doctrina gramatical por suponer transformaciones de oraciones activas con verbo intransitivo (cf. *el féretro fue descendido* o el uso ya general de *el ministro fue cesado)*, o por confusión mental del redactor de la noticia que atribuye (ejem. 32) la suspensión de contratación y cotización de unas acciones a las propias acciones; tampoco es admisible la desaparición de verbos pronominales convertidos en intransitivos (*el Atlético entrenó ayer y anteayer)*. En otros la «transformación» es más cuestionable. En los transplantes de órganos, son éstos los transplantados, no las personas beneficiadas por el transplante. Por tanto, no se ve por qué *a la niña le transplantaron los pulmones y el corazón* o *la niña recibió pulmones y corazón transplantados* se convierten en *la niña fue transplantada de pulmones y corazón*, ni por qué *los delincuentes trepan por las paredes* se convierte *en las paredes y las tuberías son trepadas*... De aquí a *el avión fue visto estallar* o *Vargas Llosa fue visto cenando... en Marbella* o *el hombre que había sido visto empujar a la víctima* sólo hay un paso. Es posible que no esté lejano el día en que topemos con un *la cama no había sido dormida en* (< *the bed had not been slept in*). Si *trepar por las paredes y tuberías* puede transformarse en *las paredes y las tuberías son trepadas,* sólo falta que la preposición, como en inglés, vaya pospuesta y se diga *son trepadas por*. Algunos de los ejemplos citados apuntan en esa dirección. Aunque tenemos anotadas varias frases del tipo *los criminales fueron disparados por la policía,* el ejemplo 37 podría ser calco del italiano, pues en el mismo texto, el entrevistador le recuerda «Usted... fue *gambizato* (disparado en las piernas) por las Brigadas Rojas».

Refuerza esta tendencia el uso de pasivas sin el auxiliar *ser*, ni ningún otro, en titulares periodísticos, donde se quiere dar relieve unas veces al sujeto pasivo, otras al verbo, sin que se pueda afirmar que el verbo omitido sea siempre *ser* o alguno de sus sustitutos, p. ej.: «Sesenta y seis pescadores, desaparecidos por una galerna», *YA*, 18-12-65, pág. 9; «Preso, un hombre que robó leche; tenía hambre», *Excelsior* (Méx.), 24-8-69; «Cerrado, el Lope de Vega», *Pueblo*, 18-2-66; «Operado el alcalde de Zaragoza; Vendidos 127.000 kilos de anchoa», *ABC,* 19-4-70; «el capitán P., suspendido en el curso, impugnada la adjudicación...»; «Presentado el libro...»; «Hallado muerto... un militar retirado...»; «El paro en Standard, ampliamente secundado», todos en *ABC*, 14-3-82; «Destruida por el fuego, una capilla... Liberada una niña alemana»; «Paquirri, orejeado en Jerez», *ABC*, 17-5-82. En el ejemplo número 36 se han combinado ignorancia de vocabulario y de sintaxis para producir un titular poco acertado. A veces los duendes de la imprenta bailan las comas y entran en lo macabro: «Niño muerto, arrollado por un coche», *Gaceta del Norte*, 15-6- 68.

Si bien se pueden esgrimir estos titulares para argumentar, pese a la ausencia del verbo *ser* o equivalentes, a favor de la existencia de una construcción pasiva española ajena al influjo del inglés, también cabe explicarlos a partir de la ya señalada renuencia del español al uso de la pasiva con *ser*.

Otras anomalías sintácticas: giros, modismos, nexos, frases...

Ya explicamos en págs. 81-2 cómo el comentario debido en su momento a la aparición del *Diccionario de anglicismos* de Alfaro cedió el paso a un estudio, que se alargó durante meses, sobre la presunta influencia inglesa en el desgajamiento de las formas compuestas de la conjugación, es decir, las de *haber* + participio. Mi opinión actual, reforzada por hechos gramaticales aquí comentados, es que este fenómeno, censurable por su violencia en algunos casos, tiene precedentes clásicos en español, pero entra hoy día en el capítulo de los anglicismos de frecuencia, que tantas veces caracterizan ciertas tendencias léxicas y sintácticas, como el uso excesivo de los pronombres personales cuando el verbo los marca inequívocamente, la predilección por ciertos giros y modismos (*como esto* 'así'), el abuso de la voz pasiva con *ser,* ya comentado, etc. Estos usos frecuentes, que son, por lo regular, opciones legítimas de la lengua, cabe considerarlos huellas del inglés, si comparamos textos escritos espontáneamente en español con otros traducidos. Ya señalábamos en 1955 que la fórmula de cortesía *por favor* era desconocida en comedias de Benavente, mientras que en traducciones del inglés de ambiente social comparable se repetían y aceptaban como normales y nadie cuestionaba su propiedad. Sin temor a equivocarnos —y en esto le damos la razón a Alfaro— podemos asegurar que la dislocación del auxiliar con respecto al participio, todavía condenada por algunos puristas, es más frecuente en obras traducidas o en la pluma de gentes influidas por el inglés que en páginas de creación individual de autores que desconocen esa lengua.

Aunque la definición de giro en el diccionario académico no satisfaga a algunos, creemos que es útil como término general para entendernos. Dice el *DRAE* (en la acepción 5.ª) «estructura especial de la frase, o manera de estar ordenadas las palabras para expresar un concepto». Cuando un culto ex ministro con buen conocimiento del inglés dice o escribe «tan simple como eso» (calcado del inglés *as simple as that*) en vez de utilizar nuestro «así de sencillo» no sólo se ha limitado a calcar el giro inglés, sino que ha dislocado la oración, prescindiendo del cuantificador/cualificador **así**, voz de funciones múltiples y eficaces, que se desperdicia también cuando se traduce *such a man, such words,* por *tal hombre, tales palabras,* en vez de *un hombre así, palabras así.* Son frecuentes los casos en que el uso de los artículos —determinado e indeterminado— contrastan en ambas lenguas: *King Philip the Second* = el rey Felipe Segundo; *for the first time* = por vez primera; *Seville, the fifth of may* = Sevilla, cinco de mayo, etc. son ejemplos de manual. Ya en 1784 Thomas Connelly advertía a los estudiantes de su *Gramática* contra los peligros del artículo *a(n)* intercalado entre sustantivo y adjetivo y otras peculiaridades de dicha partícula: *So wise a saying* = un dicho tan sabio; *so rebellious a people* = un pueblo tan rebelde; *such a man* = un hombre como él; *many a time* = muchas veces; *a few* = unos pocos. Lo que no podía sospechar es el abrumador empleo de *a(n)* en frases en aposición, denunciado ya hace medio siglo por Samuel Gili Gaya y convertido hoy en práctica general: *Fulanito de Tal, una biografía; El*

Ulises de Joyce, una interpretación. Hoy pocos se atreverían a condenarlo. Incluso los germanistas atentos a la posmodernidad anuncian: «La literatura alemana oriental...: un balance»[2]. Pero todavía se cierne otro peligro: igual que en inglés se escribió *A History of English* (*Una historia del Inglés) cabe esperar *Una historia de España*, como título. Esperemos que no ocurra.

El ejemplo de *tan simple como eso* nos invita a señalar varios usos espurios de *como* que denotan la existencia de un modelo inglés. Ya se ha comentado la propagación, al parecer imparable, de la fórmula *como* = 'en el papel de', por ejemplo: XX *como* El Cid, XX *como* Cristóbal Colón, XX *como* Cleopatra, también denunciada en italiano. Ciertos verbos con predicado nominal como *trabajar*, *calificar*, que en español rigen la preposición *de*, aparecen, por influjo del inglés, con el adverbio *como:* «El PP califica *como* una mentira... [titular]», pero en el texto «calificó ayer de mentira...» (en ingl. 'to describe something or somebody *as* something') (la cursiva es nuestra); «ella trabaja allí *como* secretaria» ('she works there *as* a secretary'); otros verbos que rigen directamente el nombre o adjetivo predicativo tienden a usarse con el citado adverbio: «he designated him as his spokesman» se convierte en 'lo designó como su portavoz', cuando 'lo designó portavoz' hubiera bastado. «XX, apodado como *la perla negra*» (*ABC*, 17-9-92, pie de foto) parece calco literal de la fórmula inglesa *also known as* (= también conocido como, apodado), reducido a *a.k.a.* = '*alias*'. En más de un caso, la equivalencia inglesa de la frase no utiliza *as* como nexo entre verbo y predicado: *He was appointed President; she was elected Mayor* ('le nombraron presidente', 'la eligieron alcaldesa'), pero el hecho es que *como* aparece como nexo en una serie de verbos donde resulta superfluo y no tiene correspondencia en inglés: «Aznar... proclamado como candidato...», *ABC*, 17-2-93; «[los consellers], a los que se denomina como ministros», *El Mundo*, 4-12-92, pág. 10; «XX se había declarado como

[2] Lo tomo del programa de la «VIII Semana de Estudios Germánicos», Madrid, 4-6 abril, 1995.

objetor», *ABC*, 17-9-92; «C. de Mello [Brasil] nombrará a una mujer como ministra de Economía...», *ABC*, 6-3-90, pág. 32; «[piquetes que] se denominan a sí mismos como informativos, pero en realidad...», *ABC*, 12-1-90, pág. 16.

Una de las muletillas más frecuentes hoy es la frase adverbial **en profundidad** (ingl. *in depth)*, usada en la prensa, en el mundo científico y seudocientífico con profusión semejante a otra frase de relleno, por no llamarla vacía, *de algún modo* (< ingl. *somehow*), que ya hemos comentado. Las frases inglesas en que interviene el adjetivo **wrong**, cuando se busca la cómoda traducción literal, originan en español construcciones violentas como: «llamó a la puerta equivocada *(the wrong door)»*, «marcó el número equivocado *(the wrong number)»*, en vez de «se equivocó de puerta (o de número)». En la versión subtitulada en español de la cadena ABCNews (14-4-94) leemos: «ha tomado la decisión equivocada» (= has taken the wrong decision?) en vez de 'se ha equivocado al decidir'. Otros ejemplos de la misma cadena: «En Florida los médicos amputaron el pie equivocado a...», rectificado en «el pie que no era», que resulta mejor, 14-3-95; «EEUU da armas a las personas equivocadas» [= *the wrong persons*], *El País*, 23-9-95, pág. 29. La frase inglesa *to be in the same boat,* para indicar que se comparte el mismo riesgo, la misma situación, se ha traducido al pie de la letra en «como estamos *todos en el mismo barco*», F. J. Losantos, *ABC*, 14-11-87, pág. 16.

Un grito de aplauso iniciado en español con *viva(n) —¡viva fulano!, ¡vivan los novios!—* correspondiente en inglés a la locución *long live the King!* '¡viva el rey!', donde *live* hay que entenderlo como el subjuntivo español y no como los calcos: «*Larga vida al Barón Rojo* [un grupo musical]», *Domingos ABC*, 28-4-84, pág. 44; «*¡Larga vida* a los gandules!», *ABC*, 11-12-93.

También son expresiones de felicitación y aplauso las frases inglesas *Happy birthday to you!* y *For he is a jolly good fellow,* traducidas (y cantadas) respectivamente por «*¡Cumpleaños feliz!*» y «*es un muchacho excelente*», ecos de películas inglesas o americanas. Así, en el *ABC* del 1-6-87 se nos cuenta que don Alfonso Guerra, en su cumpleaños «fue recibido en la plaza de la Candelaria... con los sones de 'cumpleaños feliz' y 'es un muchacho excelente'»; también refleja Delibes este uso: «A mediodía, las señoritas me recibieron con el 'cumpleaños feliz'...» (*Diario Jubil.*, pág. 111). En el Ecuador (C. J. Córdova, *UMA*, s.v.), *Japiverdi tuyú.*

Al mundo de la metáfora periodística se debe la expansión de las antinomias **palomas/halcones** (< ingl. *doves and hawks),* es decir, pacifistas y belicistas; **el palo y la zanahoria** (< ingl. *stick and carrot*); **cuello blanco y azul** (*white and blue collar*), para empleado de oficina y trabajador manual; **burros y elefantes** (< *donkeys and elephants*), para los dos grandes partidos —demócratas y republicanos— de los EEUU. Hablando de elefantes cabe mencionar otra metáfora más antigua, *elefante blanco* (ya en el *DRAE*'47; en inglés, desde mediados del XIX), término registrado primero como de uso sudamericano, hoy generalizado. La frase deportiva, tomada del boxeo, **tirar o arrojar la toalla** (*DRAE*'92) es, sin duda, calco de *to throw in the towel*. Un político descuidado dijo: «*Tirar la toalla* es una palabra que no entra en mi diccionario», *ABC*, 17-2-88, matizando luego «estas palabras», pero algún crítico inclemente no lo dejó pasar. En nuestro capítulo de calcos estos modismos acaso tuvieran mejor acomodo.

Queda por mencionar un uso enfático y superfluo del adverbio **nunca**, centrado en breves periodos de tiempo o con formas perfectivas que reclaman expresión imperfectiva. Tenemos anotados varios en Bryce Echenique, cuyo apellido apunta a influencia anglosajona, pero también aparece en el periodismo de traducción literal: «Pero Lagrimón no arrancó nunca aquella tarde» (Bryce, *M. Romaña*, pág. 297); «él nunca se dio cuenta» (= 'nunca se daba cuenta' *ibid.*, pág. 284). En estos casos el modelo enfático inglés sería *never,* pero en el siguiente ejemplo hay que suponer *ever,* también enfático: «es el primer presidente taiwanés que ha venido nunca [a EEUU]» (= who has *ever* come), ABCNews, 8-6-95.

El verbo **poder**. Privado el inglés de un modo subjuntivo u optativo eficiente, como lo tuvo en tiempos, echa mano de otros recursos para presentar la acción como posible, contingente, hipotética o meramente deseada. Cuando no acude a ciertos adverbios —*perhaps, maybe, eventually,* etc.—, se vale de perífrasis verbales de carácter modal con verbos de posibilidad o voluntad —*could, may, might, would, wish,* etc.—. Todavía en la primera mitad de este siglo circulaban gramáticas de inglés, ecos de la de Connelly —acaso queda alguna—, en que buscando el autor correspondencia con el español, presentaba paradigmas de subjuntivo con ayuda del modal *may/might*[3]; así, *quiero que venga él* se convertía en *I wish that he may come*, y *espero que ella escriba* en *I hope that she may write.* Atado el traductor por las fórmulas inglesas, a veces en coincidencia exacta con las españolas, prescinde de las variantes expresivas que nuestro subjuntivo, todavía pujante, le ofrece y desemboca en soluciones imprecisas que se prestan a la ambigüedad, aparte de favorecer el estilo espeso y recargado resultante del uso reiterado del verbo *poder* en que convergen, por comodidad o prisas, los traductores. Damos a continuación unos cuantos ejemplos de estas desviaciones sintácticas, no siempre imputables a traducción descuidada, sino consecuencia de la generalización de una práctica atribuible a la sintaxis inglesa:

«Francia podría haber ayudado a Argentina en las Malvinas» [titular, = 1. y no lo hizo; 2. es posible que ayudara], *ABC*, 27-7-82, pág. 15.

«Chicago podría renunciar a ser sede de [la Expo.'92 a causa del] fracaso económico de la recién celebrada Feria de Chicago» [debe de ser Nueva Orleans], pie de foto de *ABC*, 18-11-84, huecogr. pág. 5.

---

[3] En Connelly (pág. 220, por ej.), se conjuga el verbo *to be* en subjuntivo así: Presente: *(That) I may be = (Que) yo sea o esté;* Imperfecto: *(Though) I might be = (Aunque) yo pudiera ser o estar;* Perfecto: *(When) I should have been = (Quando) yo haya sido;* Plusquam perfecto: *(If) I had been = (Si) yo hubiera o hubiese sido;* Futuro de subjuntivo: *I may or will be = yo fuere o hubiere sido;* en plural: *We may or shall be = Nosotros fuéremos o hubiéremos sido.* Disculpando el paradigma inglés, que se presta a crítica, y su problemática correspondencia con el español del futuro «perfecto», creemos que ilustra bien los esfuerzos del angloparlante al «reducir» a sus esquemas verbales la riqueza más o menos viva del subjuntivo español.

«[Se investiga en Alemania el espionaje soviético] Moscú podría conocer la alta tecnología militar alemana...» [= es posible que conozca ya...], *ABC*, 28-9-84, pág. 31.

«Breznev pudo ser 'resucitado' durante seis años por su camarilla corrupta» [en titular, = es posible que fuese resucitado(?)]. En el texto se dice que 6 años antes de la muerte real, en 1976, le sobrevino a Breznev la muerte clínica, pero los médicos lograron recuperarle, *ABC*, 8-11-88, pág. 25.

«Papandreu podría sufrir una enfermedad cardiaca incurable» [= es posible que sufra una enfermedad...], titular *ABC*, 23-9-88, pág. 40.

«El presidente de Guinea puede venir a España antes de enero» [¿tiene permiso?, ¿acaso venga?, ¿le deja el médico?, ¿le dejan sus obligaciones?], titular *ABC*, 6-12-88, pág. 21.

«Gullit dice ahora que podría jugar en Italia» [tras la 3.ª operación de rodilla]» [= 'puede que juegue'], *ABC*, 28-12-89, pág. 68.

«El Real Madrid podría pagar once millones de dólares por Sosa» [XX dijo ayer que el R. M. estaba dispuesto a pagarlos], *ABC*, *ibid.*

«Gil y Gil podría perder el juicio», *ABC*, pie de fotografía, 8-2-89, pág. 6 [aquí la ambigüedad procede del verbo —se puede permitir el lujo de perderlo, es posible que lo pierda— y del sustantivo —el pleito, la razón—].

«Tres guipuzcoanos pudieron ser testigos de los sucesos...», titular de *ABC*, 21-6-90, pág. 20 [en el texto: «Tres... podrían haberse encontrado a unos... 30 metros de donde cayó muerto el sargento»].

Claramente inglés es este calco sintáctico de la alocución de la reina a las tropas británicas en vísperas de la ofensiva terrestre en Kuwait-Iraq: «Espero que podamos unirnos en la plegaria para que su éxito [el de las tropas] sea rápido. *Pueda* la auténtica recompensa... *ser asegurada:* una paz justa y duradera...». No resulta nada difícil imaginar el texto original inglés: *May the real reward to their effort be assured...* [?].

Déjeme decirle. Ciertas expresiones de ruego y mandato enfáticas inglesas que incluyen al hablante, apoyadas en el verbo *to let,* que es, en acertado comentario de Julio Cerón, «la ortopedia que se gasta el inglés con el imperativo», se están extendiendo hoy en español, como hace ya medio siglo invadió *por favor* (< ingl. *please*) el terreno bien cultivado y atendido de la petición cortés. Hace unos meses, cuando el ex presidente Reagan anunciaba que padecía el mal de Alzheimer, la noticia en la prensa española rezaba así: «Déjenme que les dé las gracias, americanos, por haberme concedido el gran honor...», *ABC*, 7-11-94, pág. 29. Hay precedentes de esta fórmula, por supuesto, en español cuando *dejar* tiene su sentido recto: «déjame leer esa carta», «no me interrumpan, déjenme que les cuente el final». Pero cuando *let* en inglés es mero refuerzo del imperativo «let me know if you need anything else» (dime si necesitas algo más), la traducción literal (déjame saber si necesitas...) resulta sumamente perturbadora. Es como si la fórmula de seudoimperativo que incluye a la 1.ª persona (*vámonos*, *empecemos*) se convirtiera en traducción literal del inglés en *déjenos ir, déjenos empezar* (< *let us go, let us begin*). Fue precisamente Cerón quien llamó la atención sobre la frase: «Déjame que te diga una cosa» por «te voy a decir una cosa» o, todavía más breve y eficaz, «quiero que sepas»... Ejemplos de mis notas: [anuncio de Mercedes Benz] «Acérquese a su concesionario... Déjenos hablar de números» (= hablemos de números), *El Mundo*, 17-9-93, pág. 11; «Dejemos que reine la libertad», *El País*, 11-5-94 [la misma frase, comentada por A. Garrigues, que fue embajador en Washington, se convierte en «Que reine la libertad», *ABC*, 13-5-94]. Garrido (1994) cita una frase de doblaje televisivo: «¡Dejad que os diga algo, estúpidos!», que interpreta acertadamente como mala traducción de «Let me tell you something!» en vez de «Os voy a decir una cosa».

Cualquiera. Ya hemos comentado —cf. *El español de hoy,* 4.ª ed., pág. 202— la posible deuda al inglés de ciertas construcciones españolas, algunas debidas a escritores de prestigio, en que este adjetivo indefinido o alguna de sus variantes —*cualquier, cualesquiera*— aparece cuando esperaríamos en el español tradicional una frase de subjuntivo, pero también reforzando a ésta: «Esto es voluntario...

cualquiera que sea el juicio que merezca...» [= sea cual sea (fuere) el juicio... = whatever the judgment it deserves(?)], *ABC Sáb. Cult.*, 17-4-82, pág. 4 ; «el palo que... van a dar a la oposición, cualesquiera sean las razones esgrimidas por ésta...» [= sean cuales sean... = whatever may be the reasons...], *ABC*, 4-4-83, pág. 69; «lo esencial, sea cualquiera el resultado de las elecciones» [= sea cual sea, sea cual fuere = whatever the result of the election(?)]; «según la encuesta del CIS, cualquier cosa que esto pueda ser»; «la CIS (sic), cualquier cosa que esto sea» [whatever this means (?)], A. Assía, *YA*, 17-4-83, pág. 8; «...cualesquiera sean sus otras notas más solemnes, la filosofía es... algo que el hombre hace...». Esta última frase es de Ortega y acaso represente el portillo de entrada o la zona de contagio por donde penetraron las anteriores. El uso normal hubiera preferido «cualesquiera que sean», pero la elegante prosa orteguiana acaso no hubiera aceptado la triple aliteración.

A causa diferente obedece el uso especial de *cualquier(a)* en frases negativas, también comentado en *EEH*, pág. 202: «[El incremento]... en absoluto puede ser admitido ni por un Gobierno socialista ni por cualquier otro Gobierno», matiza Almunia, *ABC*, 24-6-82 [= ni por ningún otro...; en inglés se diría 'nor any other Government']; «[el embajador] ...desmintió que hubiese entregado a XX cualquier mensaje del vicepresidente o del ministro...», *ABC*, 15-1-85, pág. 58.

El uso vacilante que se hace de este indefinido —pronombre o adjetivo—, como ya advierte el *Esbozo* de la Academia, da lugar a tipos de construcción como el siguiente, tomado de un texto traducido del inglés, donde *cualquiera* puede significar 'nadie, ninguno', aunque no estoy seguro de ello: «quería obligar a sus dedos a hacer movimientos que cualesquiera hubiese antes intentado», traducción de *2001*, de A. Clarke (Ed. Orbis, 1985, pág. 17). Otras veces parece corresponder a un *any* inglés en frases negativas: «La secta V. Suprema ha negado cualquier [toda] implicación en el incidente de hoy» [< denied any implication in today's incident(?)], *Teletexto* TVE, 19-4-95, 11 noche. Pero también podría ser, lo que no es frecuente, un caso de influjo portugués: «sabendo que não teve qualquer intençâo no incidente...» [= sabiendo que no tuvo ninguna intención en el incidente...].

De este uso vacilante de *cualquiera* y sus variantes son testimonio los siguientes ejemplos, que poco o nada deben al inglés: «Eso lo sabemos cualesquiera, pero se olvida fácil», *ABC*, 26-10-83, pág. 18; «utilizando cualquiera otros medios» (sic), *ABC*, 10-1-84, pág. 16; «Habrásele ocurrido... a ningún 'tirano banderas' o a cualesquiera otro...», A. Assía, *YA*, 25-9-83, pág. 22.

Sujeto en oración subordinada. Como puede verse en el artículo «El anglicismo en 1955», Cap. I, págs. 83-107, ya en 1955 señalábamos la tendencia, menos perceptible que el uso de préstamos crudos, a adoptar construcciones típicas del inglés en nuestra sintaxis. Una de las más llamativas es la de colocar en las oraciones principales, y en menor grado en las subordinadas, el sujeto delante del verbo, porque ésta, desde hace siglos, es casi norma de observancia general. El español no rechaza explícitamente estas construcciones ni encuentra razones para rechazarlas y tal vez por ello se están haciendo habituales y nadie se percata de ellas ni se esfuerza por evitarlas. He aquí, aparte de los ejemplos que se citan en pág. 102, algunos más: «La estación de policía [= comisaría] comunica que más de doscientas llamadas han sido recibidas sobre el secuestro» [anotado de un periódico centroamericano]; «Según ciertos informes, varias reclamaciones de este tipo han sido recibidas en el departamento...», *ABC*, 12-12-65, pág. 72; «Un portavoz oficial survietnamita dice que por lo menos cinco batallones del Gobierno y norteamericanos se hallan comprometidos ahora en los combates», *ibíd*. pág. 69. Nótese el sujeto recargado de complementos, incluida una oración de relativo, de la frase siguiente: «Las deserciones en gran escala de los soldados provinciales que se han entregado a los rebeldes con sus armas y equipos, han debilitado grandemente las defensas», diario *Madrid*, 16-4-55. No es extraño, pues, que S. de Madariaga, tan impregnado de los usos ingleses, escribiera: «Cuanto más los cultos interpretaban sin creer, más los ignorantes creían sin interpretar», *Novelas*..., Espasa, 1980, pág. 226. El siguiente es un ejemplo tomado de una revista femenina cubana (*Mujeres*, nov. 1983, pág. 55): «El hambre es tal [en Brasil] que miles de personas son vistas a diario...». Por último, otro de traducción apresurada para la televisión: «Dicen que muestras de tierra *han sido enviadas* a un laboratorio para *ser analizadas*», ABCNews, *Canal* +, 2-5-95 (nótese la doble pasiva con *ser*).

Esta particularidad, que, como queda dicho, señalábamos hace cuarenta años y que hemos comentado a menudo en clase, la he visto confirmada, desde la vertiente inglesa, en una nota de Gordon Brotherston a su traducción del cuento de Camilo J. Cela *La Romería*, publicada en el volumen *Cuentos hispánicos* (ed. Penguin Parallel Texts). La nota dice así: «Spanish inversion, common and sometimes obligatory in relative and dependent clauses, is not often easy to reproduce in English». La inversión objeto del comentario es: «la romería, adonde *llegaban* todos los años *visitantes* de muchas leguas a la redonda...», que se convierte en inglés en «the *romeria,* which *visitors* from many leagues around *came to* every year...» (la cursiva es nuestra).

Puede ocurrir, sin embargo, que ciertos escritores sometidos más o menos a la influencia del inglés, revelen ésta no sólo al construir frases totalmente insólitas que saltan a la vista, sino al abusar de otras teóricamente admisibles pero sólo usadas en la prosa normal con cautela y moderación. De un novelista de la nueva narrativa (J. M. Guelbenzu, *El esperado*), galardonado y aplaudido por la crítica, hemos anotado estas frases, reveladoras de dicha influencia: *más y más* (pág. 24) (< more and more) 'cada vez más'; *inhabitual* (pág. 27) (< unusual) 'inusitado, raro'; *muy mucho* (pág. 27) (< very much); *XX no obtuvo ni un rasguño* (pág. 76) (< didn't get...) 'no sufrió...'; *punto de no retorno* (pág. 164) (< point of no return); «ventana al porche, *y opuesta a ella,* una puerta» (pág. 198) (< opposite to it) 'en frente de ella'; «ensoñaciones que se me venían *a la mente* (pág. 199) (< that came to my mind) 'que se me venían a las mientes'. Lo curioso —no se puede llamar censurable— es que algunas de estas frases no se pueden condenar por diversas razones: *muy mucho* aparece en el *Quijote* y se usa enfáticamente hoy (no lo parece en el texto); *más y más* es la fórmula preferida por el traductor apresurado y por ministros frecuentadores del inglés, y *obtener* puede aparecer en español, con preferencia a otros verbos (*conseguir, recibir, alcanzar, sufrir*, etc.), para traducir *to obtain* o *to get*: *I could obtain (get) the tickets for you* [= *Pude* (o *podría)* conseguirte las entradas].

Esto es sólo una muestra de un autor consciente de su estilo que no trata de evitar posibles interferencias del inglés porque muy probablemente, sin hacer alardes de purismo, le traen sin cuidado. Otra cosa sería si eligiéramos una traducción descuidada del inglés. En ella las «infracciones» de una sintaxis mal codificada serían abundantes, pero difíciles de condenar. Aun así, al creador admirado por su estilo y originalidad se le perdona casi todo. ¿Quién descalifica hoy las oraciones de relativo iniciadas por un «lo cual que» ni los párrafos finales de un artículo rematado con un «O sea»?

BIBLIOGRAFÍA CONSULTADA

Figuran aquí aquellas obras, citadas más de una vez, o en forma abreviada, que por razones de espacio, o por muy mencionadas, se juzgó oportuno inventariar aparte.

A. Cruz, véase Fuentes, Carlos, 1962.

Acuña Navarro, Francisco, *Inglaterra y los ingleses,* Madrid, 1869 (antes publicado en *El Boletín diplomático).*

A. E., A. F., véase Fernández García, Antonio.

Aguado de Cea, Guadalupe, *Diccionario comentado de terminología informática,* Paraninfo, Madrid, 1994 (2.ª edic. 1996).

A. H, véase Hoyo, Arturo del.

Alcaraz, E.-Hughes, B., *Diccionario de términos jurídicos,* Ariel, Barcelona, 1993 [=*DTJ*].

Alcoba Rueda, S., «El Español, provincia del inglés», *Las nuevas letras. Revista de arte y pensamiento,* núm. 3-4 (invierno 1985). Diputación provincial de Almería, págs. 17-25. (Lleva como antetítulo «La lengua española: entre la provincia y la aldea global».)

Alfaro, Ricardo J., *Diccionario de anglicismos,* Gredos, Madrid, 1964 [= Alfaro o *DA*].

Álvarez de Miranda, Pedro, *Palabras e ideas. El léxico de la Ilustración temprana en España,* anejo LI del *BRAE (Boletín de la Real Academia Española),* Madrid, 1992.

Álvarez Nazario, M., *Historia de la lengua española en Puerto Rico,* Academia Puertorriqueña de la Lengua Española, 1991.

Arniches, Carlos, *El amigo Melquiades, La señorita de Trevélez,* edición de Manuel Seco, Col. Austral, Madrid, 1993.

Ayala, Francisco, *El fondo del vaso,* Cátedra, Madrid, 1995.
Azuela, Arturo, *El tamaño del infierno,* Libertarias / Prodhufi, Madrid, 1994.
Battaner Arias, M.ª Paz, *Vocabulario político-social en España 1868-73,* anejo XXXVII del *BRAE,* Madrid, 1977.
Benavente, J., *Obras Completas,* Aguilar, Madrid, 1945 y sigs.
Bloch, Oscar y von Warburg, W., *Dictionnaire Étymologique de la langue française,* 10.ª edición reelaborada por W. von Wartburg, Presses Universitaires de France, París, 1950.
Bryce Echenique, Alfredo, *La vida exagerada de Martín Romaña,* Argos-Vergara, Barcelona, 1981.
ByN = *Blanco y Negro* (semanario), Madrid.
Carver, Craig, *A History of English in its own words,* Harper-Collins, Nueva York, 1991.
Cavilla, M., véase *DY.*
Chuchuy, Cl., y Hlavacka de Bouzo, Laura, *Diccionario de Argentinismos,* Instituto Caro y Cuervo, Santafé de Bogotá, 1993.
Clavería, Carlos, *Estudios sobre los gitanismos del español,* anejo LIII de la *RFE* (= *Revista de filología española),* Madrid, 1951.
Clough, S. B., y Rapp, R. T., *Historia económica de Europa,* 3.ª edic., Omega, Barcelona, 1984.
COD = *Concise Oxford Dictionary,* 5.ª edic., 1964.
Colón, Germán, *El español y el catalán, juntos y en contraste,* Ariel, Barcelona, 1989.
Collins Spanish Dictionary, The: Spanish-English / English-Spanish, por Colin Smith, 3.ª edición, Grijalbo, Barcelona. Harper Collins, Glasgow-Nueva York, 1992 [= *Collins Bil.*].
Connelly, Thomás, *Gramática que contiene reglas fáciles para pronunciar, y aprender metódicamente la lengua inglesa* [...] compuesta por el P. Fr. – – Religioso Dominico y Confesor de S. M. C. De orden superior. Madrid. En la Imprenta Real. M. DCC. LXXXIV.
Córdova, Carlos Joaquín, *Un millar de anglicismos,* Universidad de Azuay (Ecuador), 1991 [= *UMA*].
Corominas, J., *Diccionario crítico etimológico de la lengua castellana,* Gredos, Madrid, 1954-57 [= *DCELC*].
DA, véase Alfaro, Ricardo J.
DCELC, véase Corominas, J.
Delibes, Miguel, *USA y yo,* Destino, Barcelona, 1966.

—, *Diario de un jubilado,* Destino, Barcelona, 1995.

DHLE = Diccionario histórico de la lengua española, Real Academia Española, Madrid, 1960 y sigs. (último fascículo consultado: 21.º, fines de 1993).

Diccionario Glosario de opciones y futuros: Inglés-Español/ Español-Inglés, por Alicia de Vicente, M.ª Teresa Polo, Carlos Estévez y Luis Lázaro, Palas Atenea, Madrid, 1994.

Diccionario moderno Español-Inglés / English-Spanish Larousse, dirigido y realizado por Ramón García-Pelayo y Gross y Micheline Durand, Ediciones Larousse, París, Buenos Aires, México, Nueva York, 1976 [= *Larousse Bil.*].

Diccionario Oxford Español-Inglés, Inglés-Español, dirección editorial: B. Galimberti Jarman y Roy Russell, Oxford-NuevaYork-Madrid, Oxford University Press, 1994 [= *Oxford Bil.*].

Diccionario de Voces de uso actual, bajo la dirección de Manuel Alvar Ezquerra, Arco/libros, 1994 [= *DVUA*].

DMILE, véase Real Academia Española.

Domínguez, Ramón Joaquín, *Diccionario Nacional,* 1846-7 [= *DN*].

DPFE, véase Hoyo, Arturo del.

DRAE, véase Real Academia Española.

DTJ, véase Alcaraz, E. -Hughes, B.

DUDEN. Deutsches Universal Wörterbuch, Duden Verlag, Mannheim, 1989.

DUE, véase Moliner, María.

DVUA, véase *Diccionario de voces de uso actual.*

DW, véase Paul, Hermann.

DY = Diccionario yanito, 2.ª edic., compilado por Manuel Cavilla, *OBE*, Gibraltar, 1990, 28 págs.

EBNY, véase Gutiérrez González, H. J.

EEH, véase Lorenzo, Emilio, 1994.

EFE, Agencia, *Manual del español urgente,* 10 ediciones [*MEU*].

EIEAP = El idioma español en las agencias de prensa, Agencia EFE, Fundación Sánchez Ruipérez, Madrid, 1990.

EOL, véase Lorenzo, Emilio, 1980.

EUE, véase Marías, Julián.

Fernández García, Antonio [= A. F.], *Anglicismos en español (l891- 1936),* Oviedo, 1972 [= *A. E.*].

FEW, véase Von Wartburg, W.

Figueiredo, Cándido de, *Pequeno Dicionário da Língua Portuguesa,* 4.ª edic., Lisboa, 1940.

FM = *Filología Moderna,* Facultad de Filosofía y Letras. Universidad de Madrid (Complutense), 1960-85.

Fuentes, Carlos, *La muerte de Artemio Cruz,* Fondo de Cultura Económica, México, 1962 [= *A. Cruz*].

—, *La cabeza de la hidra,* Argos-Vergara, Barcelona, 1979 [= C. H.].

García Hortelano, J., *Gramática parda,* Argos-Vergara, Barcelona, 1982.

Garrido Medina, Joaquín, *Idioma e información. La lengua española de la comunicación,* Editorial Síntesis, 1994.

GFM, véase Vargas Llosa, M.

Gil, Luis, *Correspondencia diplomática de García de Silva y Figueroa,* edición y estudios preliminares de – – , Inst. El Brocense, Cáceres, 1989.

Gómez de Enterría, Josefa, «Notas sobre neologismos del léxico de la economía», *Lingüística española actual,* XIV (1992), págs. 207-224.

—, «El vocabulario de la economía española en el siglo xviii», *Annali di ca'Foscari.* XXXI, 1-2 (1992), págs. 61-77.

Gondomar, conde de – – , «Correspondencia oficial de don Diego Sarmiento de Acuña – –», en *Documentos inéditos para la Historia de España* publicados por [...] Duque de Alba, etc., Madrid, I, 1936; II, 1943.

Gooch, A., «Spanish and the Onslaught of the Anglicism», separata de *Vida Hispánica* (¿1970?), págs. 17-21.

Goytisolo, Luis, *Antagonía,* 2 vols, Plaza y Janés, Barcelona, 1993.

GP-IED = *Guía Práctica de El Idioma español en el deporte,* Gobierno de La Rioja-Agencia EFE, Logroño, 1992.

Guelbenzu, J. M., *El esperado,* Alianza Tres, Madrid, 1984.

Gutiérrez González, Heliodoro Javier, *El Español en El Barrio de Nueva York.* Estudio léxico por – – , Academia Norteamericana de la lengua española, Nueva York, 1993 [= *EBNY*].

Haensch, Günther, «Anglicismos y galicismos en el español de Colombia», separata de las Actas del *Deutscher Hispanistentag* (marzo 1993), págs. 1-38.

—, «Español de América / Español de Europa», documento de la publicación *Terminologie et Traduction,* págs. 149-198, Commission européenne, Luxemburgo, 1994.

(El prof. Haensch dirige, con Reinhold Werner, el proyecto de investigación «*Nuevo Diccionario de Americanismos*», serie de la que ya se han publicado los tomos

Nuevo Diccionario de Colombianismos, Bogotá, 1993.

Nuevo Diccionario de Argentinismos, Bogotá, 1993.

Nuevo Diccionario de Uruguayismos, Bogotá, 1993.

Otras contribuciones de la copiosa bibliografía del profesor de Augsburgo se citan en los lugares correspondientes).

HLM, véase López Morales, H.

Höfler, Manfred (Université de Düsseldorf), *Dictionnaire des anglicismes*, Librairie Larousse, París, 1982 [= *Larousse Angl.*].

Hoyo, Arturo del, *Diccionario de palabras y frases extranjeras en el español moderno*, Aguilar, Madrid, 1988, 2.ª edición, 1995 [= *DPFE* o A. H.]

HPEA = *Historia y presente del español de América*, Junta de Castilla y León, Pabecal, Valladolid, 1992.

IEAP, véase Lorenzo, E., «Anglicismos en el español de América», *El idioma español en las agencias de prensa*.

IEDep. = *El idioma español en el deporte*, Gobierno de La Rioja, Agencia EFE, Madrid, 1994.

Jones-Gimson, *Everyman's English Pronouncing Dictionary*, compilado originariamente por Daniel Jones [...] revisado extensamente y *editado* por A. C. Gimson, 14.ª edición, 1977, reimpresión 1980.

Kenyon, J. S.-Knott, Th. A., *A Pronouncing Dictionary of American English*, G & C Merriam Co, Springfield, Mass., 1953.

Kluge, F., *Etymologisches Wörterbuch der deutschen Sprache*, 20.ª edición de W. de Gruyter, Berlín, 1967.

Kühl de Mones, Ursula, *Nuevo diccionario de Uruguayismos*, Montevideo-Augsburgo, 1993 [consultando en pruebas]. Según Haensch, *vide supra*, publicado en Bogotá [= Kühl].

Laín Entralgo, P., *El cuerpo humano, teoría actual*, Espasa-Calpe, Madrid, 1989.

—, *Cuerpo y alma*, Espasa-Calpe, Madrid, 1991.

LAROUSSE. *Gran diccionario Español- Francés / Francés- Español*, París, 1992.

Larousse Angl., véase Höfler.

Larousse Bil., véase *Diccionario moderno Español-Inglés / English-Spanish Larousse.*

Larra, M. J. de, *El pobrecito hablador* [1832-33], edic. facsímil, Espasa-Calpe, Madrid, 1979.

LEABC = Prensa Española, *Libro de estilo de ABC,* Editorial Ariel S. A., Barcelona, mayo 1993.

León, Víctor, *Diccionario de argot español y lenguaje popular,* 2.ª edición (ampliada), El libro de bolsillo, Alianza Editorial, Madrid, 1992.

LEPaís = *Libro de estilo El País,* 2.ª edición (marzo 1980). De la cuarta edición nos ocupamos en un largo comentario en *Saber/Leer,* diciembre 1990, págs. 4-5.

LETM = *Libro de estilo de Telemadrid,* 2 vols, Ediciones Tele-Madrid, Madrid, 1993.

Lexis. Larousse de la langue française, Librairie Larousse, París, 1979.

LGNW = *Longman-Guardian New Words,* editado por Simon Mort. Longman House, Harlow, Essex, s. a. (¿1986?).

LHCMad. = J. C. de Torres Martínez, *Encuestas léxicas del habla culta de Madrid,* C. S. I. C., Madrid, 1981.

LHCMéx. = *Léxico del habla culta de México,* dirigido por J. M. Lope-Blanch, Universidad Nacional Autónoma de México D. F., 1978.

LHCSCh. = Ambrosio Rabanales-Lidia Contreras, *Léxico del habla culta de Santiago de Chile,* Universidad Nacional Autónoma de México, México D. F., 1987.

Loma-Osorio, Marciana, «Los anglicismos en el campo de Gibraltar», trabajo de curso de doctorado, inédito, 17 págs., 1993.

Lope Blanch, Juan M., «Anglicismos en la norma lingüística culta de México», en *Investigaciones sobre dialectología mexicana,* México, 1979, págs. 183-192.

López Morales, H., «Anglicismos léxicos en el habla culta de San Juan de Puerto Rico», en *Investigaciones sobre el español antillano,* Santiago (República Dominicana), 1991 [=HLM].

Lorenzo, Emilio, *El español y otras lenguas,* SGEL, Madrid, 1980 [= *EOL*].

—, *El español de hoy, lengua en ebullición,* 4.ª edición, Gredos, Madrid, 1994 [= EEH].

—, «Anglicismos», *Enciclopedia GER* s.v., 1971.

—, «Anglicismos en la prensa», *Primera reunión de Academias de la Lengua Española sobre el lenguaje y los medios de comunicación (1985),* Comisión Permanente de Academias, Madrid, 1987, págs. 71-79.

—, «Anglicismos en el español de América», *El idioma español en las agencias de prensa*, Fundación Sánchez Ruipérez-Agencia EFE, Madrid, 1990, págs. 66-82 [= *IEAP*].

—, «Anglicismos y traducciones», *Studia Patriciae Shaw Oblata II*, Oviedo, 1991.

—, «Anglicismos», *Boletín informativo de la Fundación Juan March*, noviembre-1992, Madrid, págs. 3-14. Incluido después en el vol. *La lengua española hoy*, Fundación Juan March, 1995, págs. 165-174.

—, «Anglicismos en la Academia», conferencia pronunciada en Londres (inauguración del Instituto Cervantes) y publicada en *Ideas/Imágenes*, suplemento cultural de *La Nueva Provincia*, Bahía Blanca (Argentina), 21-10-93.

—, «Tratamiento del vocalismo inglés en español. Los diptongos», conferencia-homenaje a Henry Sweet, Córdoba, octubre de 1992. Publicada en el vol. *Sin Fronteras. Homenaje a M.ª Josefa* Canellada, Universidad Complutense de Madrid, 1994, págs. 359-71 [= *SF*].

—, «El español escrito en los Estados Unidos», *Actas del Congreso de Academias de la lengua española*, Madrid, abril de 1994. En prensa.

Lozano Irueste, J. M., *Nuevo Diccionario Bilingüe de Economía y Empresa*, 3.ª edición, Pirámide, Madrid, 1993 [= *NDBEE*].

LRVang. = *Libro de Redacción de La Vanguardia,* edición experimental, Barcelona, Septiembre 1986.

Machado, José Pedro, *Estrangeirismos na Língua Portuguesa,* Editorial Noticias, Lisboa, s. a. [1994].

Mackenzie, Fraser, *Les Relations de L'Angleterre et de la France d'après le vocabulaire,* París, Droz, 1939.

Madariaga, S. de, *Novelas de nuestro tiempo,* Espasa-Calpe, Madrid, 1980.

Marías, Javier, *Mañana en la batalla piensa en mí,* Anagrama, Barcelona, 1994.

Marías, Julián, *Los Estados Unidos en escorzo,* «Revista de Occidente», Madrid, 1972 (1.ª edic. 1956) [= *EUE*].

Marina, José Antonio, *Teoría de la inteligencia creadora,* Anagrama, Barcelona, 1993.

Márquez, Fernando, «el Zurdo», *Música Moderna.* Las Ediciones Nuevo Sendero y las Ediciones de la Banda de Moebius, Madrid, 1981 [= *MM*].

Martinez Almoyna, Julio, *Dicionário de português-espanhol,* Porto Editora, Oporto, 1990.

Martínez Amador, E. M., *Span.-Engl./Engl.-Span. Dictionary*, Barcelona, 1953.

Martínez de Sousa, J., *Diccionario de redacción y estilo,* Pirámide, Madrid, 1993.

Mencken, H. L., *The American Language,* 4.ª ed. 1936, reimpr. 1947; *Suplement One,* 1945, 4.ª impr. 1948; *Suplement Two,* 1.ª ed. 1948.

Méndez Silva, R., *Parangón de los dos Cromueles de Inglaterra, observado por* – – Coronista general... 1657.

Mendieta, S., *Manual de estilo de* TVE, Madrid, 1994.

Menéndez Pelayo, M., *Epistolario,* vol. XVII, Fundación Universitaria Española, Madrid, 1982.

Merle, Pierre, *Dictionnaire du français branché, suivi du guide du français tic et tac,* Editions du Seuil, 1989.

ME-TVE, véase Mendieta, S.

MEU, véase EFE, Agencia.

Meyer-Lübke, W., *Romanisches Etymologisches Wörterbuch,* 3.ª edición, edit. Carl Winter, Heidelberg, 1935.

Migliorini, Bruno, *Vocabolario della lingua italiana,* 2.ª ed., Paravia, Turín, 1965.

MM, véase Márquez, Fernando.

Moliner, María, *Diccionario de uso del español,* 2 vols., Gredos, Madrid; 1966 (I); 1967 (II) [= *DUE*].

Náñez, Emilio, *La lengua que hablamos,* Santander, 1973.

Navarro, Ana, «La correspondencia diplomática de Valera [...]», *Cuadernos de Investigación de la literatura hispánica,* núm. 17, Fundación Universitaria Española, Madrid, 1993, págs. 155 y ss.

NDBEE, véase Lozano Irueste, J. M.

Neruda, P., *Confieso que he vivido,* Argos Vergara, Barcelona, 1979.

NN = *El neologismo necesario,* Fundación EFE, 1992.

NShOED = *The New Shorter Oxford English Dictionary on historical principles,* Clarendon Press, Oxford, 1993.

OED = *The Oxford English Dictionary*, 20 vols., 2.ª edic., Oxford, 1989.

Oliver, Juan Manuel, *Diccionario de Argot,* 2.ª edición, S. E. N. A. E., Madrid, 1991.

Orr, John, «Les Anglicismes du vocabulaire sportif», *Le Français Moderne,* III (Oct. 1935), apud *Robert Angl.*

Oxford Bil., véase *Diccionario Oxford Español-Inglés, Inglés-Español.*

Paso, Fernando del, *Palinuro en México,* Alfaguara, Madrid, 1982.

Paul, Hermann, *Deutsches Wörterbuch,* reelaborado por Werner Betz, 7.ª ed., edit. Max Niemeyer, Tubinga, 1976 [= *DW*].

Peq. Espasa = *El Pequeño Espasa,* Diccionario Enciclopédico, 2.ª edición, Espasa-Calpe, Madrid, 1994.

Peq. Larousse = *Pequeño Larousse Ilustrado,* por Ramón García-Pelayo y Gross, Larousse-Planeta S. A., Barcelona, 1994, impreso en México D. F.

Pérez de Ayala, Ramón, *50 años de cartas inéditas,* edic. de Andrés Amorós, Castalia, Madrid, 1980.

Pfändler, Otto, *Wortschatz der Sportsprache Spaniens,* A. Francke, Berna, 1954 [= *WSS*].

Pratt, Chris, *El anglicismo en el español peninsular contemporáneo,* Gredos, Madrid, 1981 [= Pratt].

PV, véase Vargas Llosa, M.

Quilis, Antonio, «Léxico relacionado con el automóvil en Hispanoamérica y en España», *Anuario de Letras* (México), XX (1982), págs. 115- 144.

RHD, The Random House Dictionary of the English Language, 2.ª ed., Random House, Nueva York, 1987.

Real Academia Española, *Diccionario manual ilustrado de la lengua española,* Espasa-Calpe, Madrid, 1989 [= *DMILE*].

Real Academia Española, *Diccionario de la lengua española,* XXI.ª edición, Madrid, 1992. Se hace constar, en cada caso, la fecha de otras ediciones consultadas, excepto el *Diccionario de Autoridades* [= *DRAE*].

Revista *Ragazza,* mensual (3 números), Hachette Publicaciones: abril 1992, febrero 1993, junio 1993.

Rey-Debove, Josette y Gagnon, Gilberte, *Dictionnaire des Anglicismes.* Les mots anglais et américaines en français, Dictionnaires Le Robert, París, 1990 [= *Robert Angl.*].

Robert Angl., véase Rey-Debove...

Rodríguez González, Félix, *Prensa y lenguaje político,* Editorial Fundamentos, Madrid, 1991.

Rosenblat, Ángel, *Nuestra lengua de ambos mundos,* Salvat-Alianza Editorial, 1971.

—, *Buenas y malas palabras en el castellano de Venezuela,* 4 vols., Editorial Mediterráneo, Caracas-Madrid, 1969.

RTVE- RNE, *Manual de estilo para informadores de radio,* Madrid, 1980.

Sábato, Ernesto, *El túnel,* Cátedra, Madrid, 1972 (1.ª ed. 1948).
—, *Abaddón el Exterminador,* Seix Barral, Barcelona, 1984 (1.ª ed. 1974).
Salvador, Gregorio, *Casualidades,* Espasa-Calpe, Madrid, 1994.
Savater, F., *Sin contemplaciones,* Ediciones Libertarias, Madrid, 1993.
Seco, Manuel, *Arniches y el habla de Madrid,* Alfaguara, Madrid, 1970.
—, *Diccionario de dudas de la lengua española,* 9.ª edición, Espasa-Calpe, Madrid, 1986.
SF, véase Lorenzo, E., «Tratamiento del vocalismo inglés en español. Los diptongos», *Sin Fronteras. Homenaje a M.ª Josefa Canellada.*
ShOED = Shorter Oxford English Dictionary, 2 vols., 3.ª ed., Oxford, 1950.
Smith, Colin, «The anglicism: No longer a problem for Spanish?», *Actas del XIII Congreso de AEDEAN,* Tarragona, 1989, págs. 119-136.
Terreros, Esteban de, *Diccionario castellano* (escrito entre 1750 y 1765), 4 vols., Madrid, 1786-93.
Tió, Salvador, *Lengua Mayor, Ensayos sobre el español de aquí y de allá,* Edit. Plana Mayor, Río Piedras (P. Rico), 1991. [Impreso en España.]
TLEC = Tesoro léxico del español de Canarias, Real Academia Española-Gobierno de Canarias, Madrid, 1992 [como autores figuran: Cristóbal Corrales, Dolores Corbella y M.ª Ángeles Álvarez].
UMA, véase Córdova, Carlos Joaquín.
Vademécum de español urgente, Fundación EFE, Madrid, 1992.
Valera, Juan, *Obras Completas,* 2 vols., Aguilar, Madrid, 1942.
Vargas Llosa, Mario, *La guerra del fin del mundo,* Barcelona, Plaza y Janés, 1981 [= *GFM*].
Viereck, W., *English in Contact with other Languages,* Budapest, 1987.
Von Wartburg, W., *Französisches Etymologisches Wörterbuch,* 20 vols., 1922-1968, J. C. B. Mohr, Tubinga, desde 1948 [= *FEW*]. Véase también Bloch.
Wandruszka, Mario, *Sprachen, vergleichbar und unvergleichlich,* R. Piper, Múnich, 1969 [versión española, *Nuestros idiomas: comparables e incomparables,* trad. de Elena Bombín, Gredos, Madrid, 1976].
Webster's Third = Webster's International Dictionary, 3.ª ed, Merriam Webster, Springfield, Mass, 1961, reimpr. 1986.
WSS, véase Pfändler, Otto.
Ycaza Tigerino, Julio (Academia Nicaragüense), *Los anglicismos de uso corriente en Nicaragua y la hispanización del lenguaje deportivo,* texto inédito de la comunicación leída en Salamanca en octubre durante los actos del Congreso Nebrija, 1992.

Zamora Vicente, Alonso, *Hablan de la feria...*, Círculo de lectores, Barcelona, 1994 [= *Hablan...*].
—, «Mitin, dar el mitin», *Filología* (Buenos Aires) XXI, 2 (1986), págs. 117-123.
—, *Historias de viva voz*, Alianza Editorial, Madrid, 1955 [= *Historias...*].
Zarco, Mariano de, C. M. F., *Dialecto Inglés-Africano o Broken-English de la Colonia Española del Golfo de Guinea,* 2.ª ed., H. Poost y Cía, Turnhout-Bélgica, 1938.
Zingarelli 1995, Lo. Vocabolario della lingua italiana, 12.ª ed., Zanichelli, Bolonia, 1994.
Zolli, Paolo, *Le parole straniere,* 2.ª ed. a cargo de Flavia Ursini, Zanichelli, Bolonia, 1991.

PRENSA PERIÓDICA AMERICANA

ESTADOS UNIDOS

Glosas. Academia Norteamericana de la lengua española, Nueva York. Desde junio 1994-diciembre 1995, 7 números.

California

San Francisco Latino (Alameda, San Mateo, San Francisco).
San Francisco Independent, Mission Life (bilingüe; «125 mil lectores»).
El Mensajero (semanal), San Francisco.
Cambio, Oakland.
La Opinión, Los Ángeles.
La Voz Libre (semanario), Los Ángeles.

Georgia

Mundo Hispánico (mensual, bilingüe), Atlanta.

Nueva York

El Diario / La Prensa, Nueva York.
Noticias del mundo, Nueva York, Nueva Jersey.

Florida

Diario las Américas, Miami.
El nuevo Herald, Miami.

P. Rico

El nuevo día, San Juan.

NOTA. La cadena de televisión ABCNews emite diariamente, a través de la española Canal +, noticias traducidas, no primorosas (por apremios de tiempo), en texto español, que comentamos a lo largo del libro.

MÉXICO

Excelsior, México D. F.

Baja California, Tijuana (frontera con EEUU).

Novedades, México D. F.

El Heraldo de México, México D. F.

La Jornada, México D. F.

El Universal, México D. F.

SUR. El periódico de Veracruz, Veracruz.

El Sol de Puebla, Puebla.

Diario de Yucatán, Mérida, Yucatán.

GUATEMALA

Prensa Libre, Guatemala.

El Gráfico, Guatemala.

COSTA RICA

La Nación, San José.

PANAMÁ

El Panamá América, Panamá.

La Estrella de Panamá, Panamá.

CUBA

Juventud Rebelde, La Habana.

Granma, La Habana.

Mujeres, La Habana.

REPÚBLICA DOMINICANA

Última Hora, Santo Domingo.

COLOMBIA

El tiempo, Santafé de Bogotá.

El espectador, Santafé de Bogotá.

VENEZUELA

El Nacional, Caracas.
El Universal, Caracas.
El Diario de Caracas, Caracas.

PERÚ

La Prensa, Lima.
El Comercio, Lima.

PARAGUAY

La Nación, Asunción.
ABC, Asunción.
Hoy, Asunción.

URUGUAY

La República, Montevideo.
La mañana, Montevideo.
El día, Montevideo.
El País, Montevideo.
Brecha, Montevideo.
Búsqueda (rev. semanal), Montevideo.

REPÚBLICA ARGENTINA

La Nación, Buenos Aires.
Clarín, Buenos Aires.
La Razón, Buenos Aires.
El Tribuno, Salta.
Diario de Cuyo, San Juan.
La Nueva Provincia, Bahía Blanca.

CHILE

El Mercurio, Santiago.
La Tercera, Santiago.
La Cuarta, Santiago.
Estrategia, el diario de los negocios de Chile, Santiago.
Las Últimas Noticias, Santiago.
La Época, Santiago.

PRENSA ESPAÑOLA

Pese a las diferencias regionales, la prensa periódica española en castellano, abastecida por las mismas agencias, españolas o extranjeras, y frecuentada por colaboradores de la misma o distinta orientación política, pero de muy semejantes predilecciones literarias y, sobre todo, salvo contadas excepciones, de una uniforme base lingüística, no ofrece diferencias, en lo tocante al anglicismo —préstamos o calcos—, dignas de tratamiento especial; y su actitud ante el fenómeno, como demostramos en más de un caso, es de complacencia y sometimiento al uso general, aunque en libros de estilo o editoriales se condenen, se toleren o se acepten sin más los usos aquí documentados. Huelga proclamar aquí, porque lo proclaman las citas, que los diarios mejor expurgados, por antigüedad y expansión, son los tres de mayor circulación de nuestro país, a saber, *ABC, El País* y *El Mundo* (no entramos en cifras de circulación; insistimos en los dos criterios: antigüedad, en nuestras notas, y número de lectores); en épocas de mayor difusión, o antes de desaparecer, tomamos también muchas notas de *YA, Pueblo, Informaciones,* etc., no siempre proporcionalmente reflejadas, pero sí tenidas en cuenta.

ÍNDICE ONOMÁSTICO

ÍNDICE DE PALABRAS Y MATERIAS

ÍNDICE GENERAL

Págs.